Roland Berger-Reihe:
Strategisches Management für Konsumgüterindustrie und -handel
Reihen-Herausgeber: A. W. Bauer · G. Hausruckinger · R. Schütte

Roland Berger & Partner
International Management Consultants
www.rolandberger.com

Springer

Berlin
Heidelberg
New York
Barcelona
Hongkong
London
Mailand
Paris
Singapur
Tokio

R. Schütte · T. Rotthowe · R. Holten (Hrsg.)

Data Warehouse Managementhandbuch

Konzepte, Software, Erfahrungen

Mit 110 Abbildungen

Springer

Herausgeber:

Dr. Reinhard Schütte
Institut für Produktion und Industrielles
Informationsmanagement
Universität Essen
Universitätsstraße 9
45141 Essen

Dr. Thomas Rotthowe
Roland Berger & Partner GmbH
International Management Consultants
Arabellastr. 33
81925 München

Dr. Roland Holten
Universität Münster
Institut für Wirtschaftsinformatik
Steinfurter Str. 109
48149 Münster

Die Informationen in diesem Buch werden ohne Rücksicht auf einen eventuellen Patentschutz veröffentlicht. Warennamen werden ohne Gewährleistung der freien Verwendbarkeit benutzt. Fast alle Hard- und Softwarebezeichnungen, die in diesem Buch verwendet werden, sind gleichzeitig eingetragene Warenzeichen oder sollten als solche betrachtet werden. Bei der Zusammenstellung von Texten und Abbildungen wurde mit größter Sorgfalt vorgegangen. Trotzdem können Fehler nicht ausgeschlossen werden. Verlag, Herausgeber und Autoren können für fehlerhafte Angaben und deren Folgen weder eine juristische Verantwortung noch irgendeine Haftung übernehmen. Für Verbesserungsvorschläge und Hinweise auf Fehler sind Verlag, Herausgeber und Autoren dankbar.

ISBN 3-540-67561-2 Springer-Verlag Berlin Heidelberg New York

Die Deutsche Bibliothek – CIP-Einheitsaufnahme
Data Warehouse Managementhandbuch: Konzepte, Software, Erfahrungen / Hrsg.: Reinhard Schütte ... – Berlin; Heidelberg; New York; Barcelona; Hongkong; London; Mailand; Paris; Singapur; Tokio: Springer, 2001
  (Roland Berger-Reihe: Strategisches Management für Konsumgüterindustrie und -handel)
  ISBN 3-540-67561-2

Geleitwort: Anwendungen vor Technologien

Eines unter den vielen aktuellen Schlagworten der „Management-Szene" ist Data Warehousing. Dabei wird mit den Begriffen Data Warehouse, Data Warehousing usw. zumeist auf technische Aspekte fokussiert, die den mit der Technologie verbundenen betriebswirtschaftlichen Herausforderungen nicht gerecht werden. Es gilt, die Potenziale von Informationstechnologien als Enabler neuer Lösungen für das Management zu nutzen. Damit stehen die erst durch neue Technologien realisierbaren betriebswirtschaftlichen Strategien und Konzepte im Fokus des Managements. Das vorliegende Buch unterscheidet sich mit dieser management-orientierten Sichtweise von vielen anderen aktuellen Büchern. Es bietet einen einfachen Überblick über die Technik und aktuelle Data-Warehouse-Anbieter sowie über Einsatzerfahrungen und Wirtschaftlichkeitsaspekte konkreter Projekte.

Es freut die Herausgeber der Roland Berger-Reihe „Strategisches Management für Konsumgüterindustrie und -handel", dass sie ein Buch mit der konsequenten Ausrichtung für Entscheidungsträger in Industrie und Handel in die Reihe aufnehmen konnten. Das Management wird sich, obwohl es mit Informationstechnologien wenig konfrontiert wurde, zukünftig immer mehr mit informationstechnischen Fragestellungen auseinander setzen müssen. Dabei ist für die Führung von Unternehmen und Konzernen weniger die Kenntnis technischer Details erforderlich als das Management der Symbiose von Strategie, Umsetzungskonzepten und Technik. Potenziale bestehen für Unternehmen nur dann, wenn in die Unternehmensstrategie eingebettete betriebswirtschaftliche Konzepte aufgrund neuer Technologien umgesetzt werden können, die ohne diese Technologien nicht realisierbar wären. Das Erkennen von betriebswirtschaftlichen Potenzialen durch neue Technologien ist eine mit einem hohen Innovationspotenzial versehene Aufgabe, die das Management nicht delegieren kann. Es muss den Aufgaben vielmehr selbst große Aufmerksamkeit schenken, um die wichtigen Entscheidungen (auch während der Einführung neuer Technologien) nicht gänzlich den Technikexperten zu überlassen. Die Entscheidungsträger, die die Technik in das „Reich der Experten" weisen, werden zukünftig nicht in der Lage sein, Innovationen in ihren Unternehmen voranzutreiben. Wie die Erfahrungen beim Einsatz von Internettechnologien in Unternehmen zeigen, verhindern mitunter die verkrusteten Strukturen und Kulturen den Einsatz neuer Technologien. Dabei dürften zukünftig nur die Unternehmen Erfolg haben, die das Potenzial von Inventionen erkennen und sie zu erfolgreichen Innovationen machen. Die Überwindung der Lücke zwischen Idee und Umsetzung ist dabei eine originäre Aufgabe des Managements. Das vorliegende Buch skizziert daher für einen spezifischen Anwendungsfall, das Data Warehousing, welche Themenfelder das Management beschäftigen sollten.

Mit dem Buch wird einer technologiebezogenen Aufgabe des Managements Rechnung getragen, indem anhand des Beispiels Data Warehousing aufgezeigt wird, wie sich das Management mit technologieorientierten Fragen auseinandersetzen kann. Es werden zu diesem Zweck die wichtigsten Informationen über technologische Zusammenhänge, Anbieter, Wirtschaftlichkeitseffekte und Einsatzerfahrungen von Data Warehouses von Experten aus Theorie und Praxis in einer allgemein verständlichen Sprache aufbereitet.

Die Herausgeber der Reihe danken allen Autoren, die zu dem Gelingen des Buches beigetragen haben. Mit dem mittlerweile dritten Band der Roland Berger-Reihe „Strategisches Management in Konsumgüterindustrie und -handel" wird zugleich das breite Themenspektrum der Reihe dokumentiert.

Essen, München, im Herbst 2000   Andreas Bauer
                                                        Gerhard Hausruckinger
                                                              Reinhard Schütte

Vorwort

„Management Handbuch Data Warehousing – Konzepte, Software, Erfahrungen" – eine Symbiose technischer und betriebswirtschaftlicher Aspekte im Titel des Buches, das den Themenfokus und die Zielgruppe des Buches gleichermaßen dokumentiert: Managementorientierte Betrachtung des zumeist technologiezentriert behandelten Themas Data Warehousing. Angesichts der mittlerweile verfügbaren Anzahl an Buchtiteln zu Data-Warehouse-Themen stellt sich die Frage, ob ein weiteres Buch zum Themenkomplex erforderlich ist. Die Herausgeber haben eine konsequente Ausrichtung des Themas Data Warehousing an den Bedürfnissen von Managern vorgenommen. Das Buch soll einen Überblick über die wichtigsten Fragenkomplexe geben, die für einen Entscheidungsträger insbesondere auch in der Konsumgüterindustrie und im Handel bedeutend sind. Was ist ein Data Warehouse und welche Wirtschaftlichkeitseffekte können erzielt werden? Welche betriebswirtschaftlichen und technologischen Herausforderungen sind zu beachten? Welche Lösungsanbieter gibt es? Welche Erfahrungen wurden bei Data-Warehouse-Projekten gemacht?

Durch diese Spezialisierung auf die Zielgruppe Management sowie Konsumgüterindustrie und -handel wird die Differenzierung von anderen Büchern zum Thema erreicht.

Der *erste Teil* des Buches ist den Grundlagen des Data Warehousing gewidmet. Im Beitrag von HOLTEN, ROTTHOWE und SCHÜTTE wird zunächst eine historische Einordnung der mit Data Warehouse verbundenen betriebswirtschaftlichen Konzepte vorgenommen, bevor eine Darstellung der betriebswirtschaftlichen und technologischen Grundlagen erfolgt. JUNG und WINTER setzen sich mit der Frage auseinander, welche Wirtschaftlichkeitseffekte durch den Einsatz von Data Warehouses zu erwarten sind. Sie skizzieren, welche Probleme aus Sicht der Praxis mit dem Einsatz von Data Warehouses behoben werden sollen. Darauf aufbauend untersuchen sie Möglichkeiten, den Einsatz wirtschaftlich zu bewerten.

Im *zweiten Teil*, der sich mit den betriebswirtschaftlichen und technologischen Grundlagen des Data Warehousing auseinandersetzt, skizzieren zunächst HOLTEN, KNACKSTEDT und BECKER die betriebswirtschaftlichen Probleme, die mit Hilfe von Data Warehouses einer erstmaligen oder verbesserten Lösung zugeführt werden sollen. EICKER skizziert die technologischen Realisierungsalternativen, die beim Einsatz von Data Warehouses zur Verfügung stehen. Es ist in der Praxis keinesfalls immer nur ein „Königsweg" möglich, vielmehr ist nur situativ zu entscheiden, ob ein Data Warehouse eines reinen Data-Warehouse-Herstellers oder eines ERP-Systemherstellers oder eine andere Lösung zu präferieren ist. Möglichkeiten zur Ausgestaltung des Prozesses von der Konzepterstellung bis hin zur Einführung des Warehouses skizzieren KEPPEL, MÜLLENBACH und WÖLKHAMMER.

Sie untersuchen alternative Vorgehensmodelle und stellen mit dem Evolutionary Data Warehouse Engineering ein Vorgehensmodell detaillierter vor. Eine herausragende Stellung bei der Nutzung von Data Warehouses nehmen externe Daten ein, da zumeist Auswertungsinteressen befriedigt werden müssen, bei denen erst die Berücksichtigung von internen und externen Daten den erhofften Nutzen bringt. FISCHER thematisiert die Probleme, die sich beim Einsatz von Data Warehouses unter Berücksichtung externer Daten ergeben.

Der *dritte Teil* des Buches ist den Anbietern von Lösungskonzepten vorbehalten. Zunächst skizziert SCHINZER die aktuelle Bandbreite von Lösungsanbietern, so dass ein Marktüberblick über vorhandene Lösungen im Data-Warehouse-Umfeld gegeben wird. Die erste detaillierte Schilderung von KOTHEN, SPANNAGEL und STRUZEK setzt sich mit dem Business Information Warehouse der SAP AG auseinander. Damit wird die Warehouse-Lösung des ERP-Systems R/3 vorgestellt, die konzeptionell vor allem hinsichtlich der realisierten Integration zu den operativen Systemen interessant ist. WITTENBORG und ROTHER skizzieren die aus der Entwicklung eines Datenbankherstellers hervorgegangene Lösung von Oracle. Die Lösung von NCR wird von BERTRAM beschrieben. Er skizziert die Bandbreite der NCR-Lösungen und ihre technische Realisierung. Die breite Lösungspalette der IBM wird von PIRK und WOLF geschildert, die neben dem Data Warehouse auch Data-Mining-Aspekte und weitere Ansätze thematisieren.

Im *vierten Teil* wird über Erfahrungen bei der Konzeptionierung und Realisierung von Data-Warehouse-Projekten in Konsumgüterindustrie und -handel berichtet. Zunächst schildert BERTRAM-KRETZBERG die Data-Warehouse-Lösung bei einem mehrstufigen Handelsunternehmen, der Douglas AG. Erfahrungen aus einer mit dem SAP Data Warehouses realisierten Balanced Scorecard werden von KLEIN geschildert. Die bei einem Logistik-Dienstleister, der Deutschen Post AG, realisierte Lösung wird von PARTEINA und CHAKROVERTTY vorgestellt. Welche Bedeutung den Integrationskomponenten beikommt, wird am Beispiel von Sara Lee, einer Household and Body Care Company, von SCHMITTER skizziert. Abschließend wird für den Bereich einer Telekommunikationsfirma fallstudienartig von KURZ und NEUNDLINGER beschrieben, welche IT-Fragestellungen im Umfeld von Data Warehouse und Customer Relationship Management zu beantworten sind.

Die Idee zu dem vorliegenden Buch ist den Herausgebern in Diskussionen mit Entscheidungsträgern in Konsumgüterindustrie und -handel entstanden. Die einseitige Einschätzung, Data Warehousing sei ausschließlich ein Technikthema, hat uns dazu veranlasst ein Buch herauszugeben, in dem zwar die technischen Grundlagen beschrieben werden, im Vordergrund aber wissenswerte Sachverhalte für das Management stehen sollen.

Essen, München, Münster, im Herbst 2000

Reinhard Schütte
Thomas Rotthowe
Roland Holten

Inhaltsverzeichnis

Abbildungs- und Tabellenverzeichnis

Abkürzungsverzeichnis

ACM	Association of Computing Machinery, Inc.
ALE	Application Link Enabling
API	Application Programming Interface
APO	Advanced Planner and Optimizer
BI	Business Intelligence
BSC	Balanced Scorecard
BW	Business Information Warehouse
CGI	Common Gateway Interface
CISG	Übereinkommen der UN über Verträge bezüglich des nationalen Warenverkaufs
CM	Category Management
CO	Controlling
CO-PA	Controlling – Profitability Analysis
CRM	Customer Relationship Management
CWMI	Common Warehouse Metadata Interchange Specification
DB	Datenbank
DOB	Damenoberbekleidung
DSS	Decision Support System
DW(H)	Data Warehouse oder Data Warehousing
EAN	Europäische Artikelnummer
EDI	Electronic Data Interchange
EH	Einzelhandel
EIP	Enterprise Information Portal
ER	Efficient Replenishment
ERP	Enterprise Resource Planning
et al.	et alii
ESS	Expert Support System
ETL	Extraction, Transformation, Loading
EUS	Entscheidungsunterstützungssystem
FIS	Führungsinformationssystem
FOC	Factory Outlet Center
GDSS	Group Decision Support System
HBR	Harvard Business Review
HIS	Handelsinformationssysteme
HTML	Hypertext Markup Language
IEEE	Institute of Electrical and Electronical Engineers
IP	Internet Protocol
ISP	Internet Service Providing

JDBC	Java Database Connectivity
LAN	Local Area Network
MADAKOM	Marktdaten-Kommunikation
MIS	Management Information System
MISQ	MIS Quarterly
MOLAP	Multidmensional OLAP
MRS	Management Reporting Systems
MS	Management Science oder Microsoft
OAS	Office Application Systems
ODBC	Open Database Connectivity
OLAP	Online Analytical Processing
OLRT	Online Real-Time
OLTP	Online Transaction Processing
ODS	Operational Data Store
PC	Personal Computer
PDF	Portable Document Format
POS	Point of Sale
PSA	Persistent Staging Area
RAD	Rapid Application Development
RDBMS	Relationales Datenbankmanagementsystem
ROI	Return-of-Investment
ROLAP	Relational OLAP
SCM	Supply Chain Management
SEM	Strategic Enterprise Management
SET	Secure Electronic Transfer
SQL	Structured Query Language
TCP	Transmission Control Protocol
TPS	Transaction Processing System
URL	Uniform Resource Locator
VBA	Visual Basic for Application
WAN	Wide Area Network
WAP	Wireless Application Protocol
WiSt	Wirtschaftsstudium
WWW	World Wide Web
WYSIWYG	What you see is what you get
XML	Extensible Markup Language
XSS	Expert Support Systems
ZfbF	Zeitschrift für betriebswirtschaftliche Forschung
ZfB	Zeitschrift für Betriebswirtschaft

Teil 1: Grundlagen und Beitrag zur Lösung betriebswirtschaftlicher Probleme

1 Grundlagen, Einsatzbereiche, Modelle

Roland Holten, Thomas Rotthowe, Reinhard Schütte

1.1 Geschäftsprozesse und Managementsichten

Ein Data Warehouse[1] kann gleichermaßen als Konzept und als Technologie verstanden werden. Ein Data Warehouse ist ein Konzept, nach dem die operativen und die verdichteten Daten getrennt voneinander gespeichert werden. Zum anderen wird technologisch i.d.R. eine zusätzliche Datenbank aufgebaut, in der die Speicherung verdichteter Daten erfolgt. Dieses Redundanzpostulat des Data Warehouses widerspricht der ursprünglichen Forderung nach einem Unternehmensdatenmodells und seiner Realisierung in einem relationalen oder objektorientierten Datenbankmanagementsystem. Aufgrund der technologischen Restriktionen existiert bis heute keine Alternative zu einer redundanten Speicherung, sofern die umfangreichen Auswertungsinteressen der Anwender mit akzeptablen Antwortzeiten realisiert werden sollen. Dieses gilt insbesondere in den Branchen, die sich durch ein hohes Datenvolumen auszeichnen.

Die betriebswirtschaftlichen Konzepte, die mit einem Data Warehouse realisiert werden sollen, sind verhältnismäßig alt. Seit den 40er Jahren des zwanzigsten Jahrhunderts haben beispielsweise Schmalenbach und Riebel in der deutschen Betriebswirtschaftslehre bis heute gültige Rechnungswesenmodelle formuliert. Gegenstand der Arbeiten Schmalenbachs und Riebels war insbesondere die Konzeption zweckneutraler Grundrechnungen und zweckspezifischer Sonderrechnungen. Sie hatten das Ziel, Entscheidungsträger im Unternehmen mit relevanten und richtigen Informationen zu versorgen.[2]

Aus informationstechnischer Sicht liegt heute mit dem Data Warehouse und einer auf diesem aufbauenden Schichtenarchitektur von Informationssystemen für das Management (siehe dazu Abschnitt 1.2) ein Konzept vor, das die leistungsfähige, technische Umsetzung wesentlicher Ideen der Grund- und Sonderrechnungen erlaubt. Aber auch die Entwicklung der technischen Konzepte von Anwendungssystemen für das Management hat eine lange Geschichte.[3] Ihr Ausgangspunkt ist wohl der 1958 von Leavitt und Whisler veröffentlichte Beitrag zum Einfluss der damals neuen Informationstechnologie auf die Arbeit des Managements.[4] Die Entwicklung informationstechnischer Konzepte, die immer mit dem Entwicklungsstand und der technischen Leistungsfähigkeit von Computer- und Netzwerktechniken verbunden war, förderte Konzepte wie „Management Information Systems", „Decision Support Systems" und schließlich in den 80er Jahren des zwanzigsten Jahrhunderts „Executive Information Systems" zu Tage. Abb. 1 gibt einen Überblick über diese Entwicklung und zeigt den Zusammenhang zwischen

---

[1] Zur Definition eines Data Warehouses vgl. Abschnitt 1.2.1.
[2] Vgl. zu einem Überblick Holten (1999), S. 1 ff.; Riebel (1994); Riebel (Konzept) (1979); Riebel (Gestaltungsprobleme) (1979); Schmalenbach (Geltungszahl) (1948); Schmalenbach (Lenkung) (1948).
[3] Vgl. zu einem Überblick Holten (1999), S. 29-59.
[4] Vgl. Leavitt, Whisler (1958).

dem zeitlichem Auftreten der Konzepte und dem Stand der Entwicklung der Computer- und Netzwerktechnik.

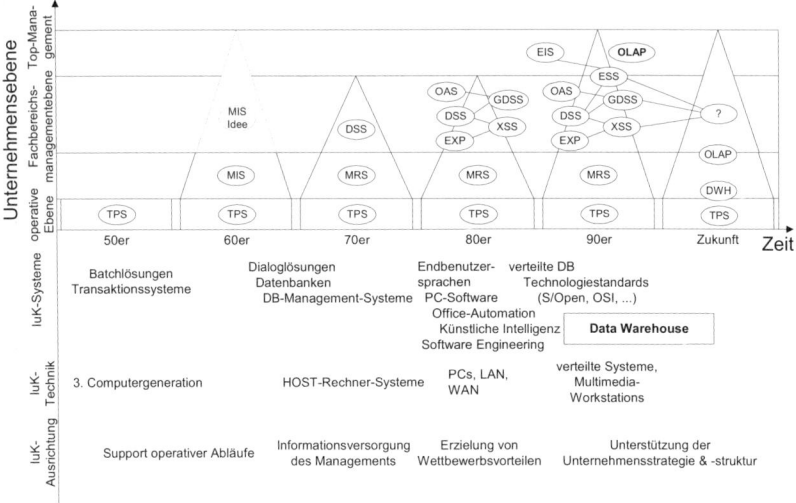

Abb. 1: Historische Entwicklung von IT-Konzepten für das Management[5]

Die Entwicklung der Informationssysteme für das Management macht sowohl aus betriebswirtschaftlicher als auch aus informationssystemtechnischer Sicht einen Zusammenhang besonders deutlich: Gemäß seiner Aufgabenstellung benötigt das Management stets eigene Sichten auf das Unternehmensgeschehen. Während die operative Durchführung der Geschäftsprozesse stets die Betrachtung einzelner Geschäftsvorfälle erfordert, benötigt das Management zur Gestaltung von Strategie und Struktur verdichtete Informationen. Beispielsweise müssen Geschäftsvorfälle, Geschäftsprozesse und die zeitliche Entwicklung aus Sicht des Managements immer nach zu bestimmenden Kriterien zusammengefasst und verdichtet werden.

Das Data Warehouse stellt heute eine Technologie zur Verfügung, die eine flexible Informationsverdichtung für unterschiedliche Managementsichten unterstützt. Die folgenden Ausführungen erklären zunächst das Data Warehouse als informationstechnisches Konzept mit seiner Einordnung in eine Schichtenarchitektur und fokussieren dann auf die methodische und zweckorientierte Einführung des Data Warehouse im Unternehmen ein.

1.2 Data Warehouse als zentrale Architekturkomponente von Informationssystemen

1.2.1 Data Warehouse: Datenbank für Managementinformationen

Der Begriff des Data Warehouse wurde von INMON geprägt und wie folgt definiert: „A data warehouse is a *subject oriented, integrated, non-volatile, and time variant* collection of data in support of management's decisions."[6] Das Data Warehouse stellt somit zunächst eine besondere Datenbank dar. INMON will das Data Warehouse als zentrales Konzept einer Informationssystemarchitektur verstanden wissen.[7] Diese Auffassung hat sich bezogen auf die Eigenschaften des Data Warehouse als technische Komponente von Informationssystemen weitgehend durchgesetzt. Das Data Warehouse ist *die* zentrale Quelle von Managementinformationen und kann als Datenspeicher anhand INMONS Definition wie folgt charakterisiert werden:

Die Strukturierung der Daten in einem Data Warehouse zeichnet sich durch eine *Themenorientierung* (subject orientation) aus. Relevante Themenbereiche ergeben sich aus den Sichten der Führungskräfte auf Geschäftsprozesse und die Unternehmensstruktur, die diese im Rahmen ihrer Planungs-, Entscheidungs- und Steuerungsaufgaben benötigen, wobei der Zeit eine besondere Bedeutung zukommt.[8] Managementsichten orientieren sich beispielsweise an der Aufbauorganisation mit der Berücksichtigung von Profit Centern und Divisionen, der Struktur der Absatzgebiete nach Städten und Regionen, der Kundenstruktur und der Produkt- oder Warenstruktur. Die Daten im Data Warehouse haben immer einen Zeitraumbezug, wobei die Zeit selbst eine hierarchische Struktur darstellt.[9] Die relevanten Datenstrukturen ergeben sich direkt aus den Informationsbedürfnissen der Entscheidungsträger, für die das Data Warehouse Daten bereitstellen soll.

Die Daten im Data Warehouse sind *integriert*. Die Integration kommt u. a. durch konsistente Namenskonventionen, konsistente Kodierung von Attributen und konsistente Maßeinheiten von Variablen zum Ausdruck.[10] Diese Integrationsleistung des Data Warehouse ist eine besondere Charakteristik, da sie die unterschiedlichen Repräsentationen von Daten in den heterogenen Anwendungssystemen, die die Informationssystemlandschaften der Unternehmen auch in Zukunft prägen werden, überwindet. Beispielsweise kann das Merkmal Geschlecht in verschiedenen Programmen unterschiedlich codiert sein. Genauso gebräuchlich wie die Kennzeichnung von Ausprägungen als m oder w sind die Kennzeichnungen 0 und 1 oder x und y. Außerdem können in unterschiedlichen Anwendungsprogrammen verschiedene Maßeinheiten, wie z. B. Meter oder Zentimeter für die Länge, verwendet werden. Synonyme wie unterschiedliche Bezeichnungen für identische Unternehmensbereiche (z. B. Regionsbezeichnungen A und B als

---

[6] Inmon (1996), S. 33.
[7] Vgl. Inmon et al. (1998), S. 51; Inmon et al. (Framework) (1997), S. 30-39.
[8] Inmon, Hackathorn bezeichnen diese Sichten als „high-level entities of the enterprise", vgl. Inmon, Hackathorn (1994), S. 3.
[9] Vgl. Inmon, Hackathorn (1994), S. 5.
[10] Vgl. Inmon, Hackathorn (1994), S. 5 ff.

Synonyme für Nord, Süd) oder unterschiedliche Bezeichnungen für identische Aggregationsstufen in einer an der Warengruppenhierarchie orientierten Unternehmensstruktur im Handel in verschiedenen Anwendungsprogrammen werden durch die Integration ebenfalls überwunden. Die Daten müssen im Data Warehouse immer in einer einheitlichen Weise gespeichert sein, damit sie für Entscheidungsträger in einheitlicher und klarer Form zur Verfügung stehen, auch wenn sie aus den Datenquellen (den Anwendungsprogrammen) unterschiedlich geliefert werden.[11]

Die *zeitliche Varianz* der Daten im Data Warehouse (time variant) bezieht sich auf die Zeitreihe(n), die eine wesentliche Ordnungsdimension der Daten im Data Warehouse ausmacht. Daten im Data Warehouse spiegeln die Ausprägungen der interessierenden Unternehmensdaten jeweils zu einem festen Zeitpunkt wider (snapshot data). Der Zeitraumbezug der Daten (Tag, Woche, Monat) ist immer impliziter oder expliziter Bestandteil des Elementschlüssels der Daten im Data Warehouse.[12] In operativen Anwendungssystemen spiegeln die Datensätze hingegen zu jedem Zeitpunkt den dann aktuellen Zustand des Geschäftes wider. Beispielsweise sind in einem Lagerverwaltungssystem oder in der Materialwirtschaft die zu einem Zeitpunkt aktuellen Bestände eines bestimmten Produktes auf bestimmten Lagerplätzen ersichtlich. Werden Zu- und Abgänge des Produktes gebucht, sind die entsprechend geänderten Bestände in den operativen Systemen abrufbar. Die historischen Produktbestände zu früheren Zeitpunkten können in der Regel nicht mehr abgefragt werden, weil diese Daten einen flüchtigen Charakter haben und durch Transaktionen im Rahmen der normalen Geschäftsprozesse überschrieben werden.

Im Gegensatz dazu bleiben die Datensätze in einem Data Warehouse langfristig erhalten, sie sind also nicht „flüchtig". Daten im Data Warehouse werden in der Regel nicht überschrieben. Dies ist für Managementanfragen besonders wichtig, da das Management üblicherweise größere Zeiträume, etwa Monate, Quartale oder sogar mehrere Jahre, bei seinen Datenanfragen im Visier hat und somit ein erheblicher Bedarf an historischen Daten besteht. Das Data Warehouse ist das Medium, in dem historische Daten langfristig bereitgehalten werden. Der gesamte Datenbestand des Data Warehouse stellt eine lange Serie von Schnappschüssen dar. Jeder Datensatz im Data Warehouse wird mit einem Zeitstempel versehen. Der explizite Zeitbezug jedes Datensatzes ermöglicht die Betrachtung beliebiger Aggregationen über Zeiträume. Relevante Fragen sind beispielsweise: „Wie war der Umsatz von Produktgruppe X im ersten Quartal 2000 in den einzelnen Regionen unseres Absatzgebietes?" oder „Wie hat sich der Umsatz der Produktgruppe X in den letzten sechs Quartalen in den Regionen unseres Absatzgebietes entwickelt?" Im Data Warehouse können diese Informationen aufgrund des Zeitbezugs aller Datensätze flexibel bereitgestellt werden. Wichtig ist, dass die kürzesten Zeitintervalle, die vom Management benötigt werden, als niedrigste Aggregationsstufe der Dimension Zeit im Data Warehouse enthalten sind. Die benötigten höheren Verdichtungen dieser Daten werden aus Performancegründen gegebenenfalls im

---

[11]   Vgl. Inmon, Hackathorn (1994), S. 8.
[12]   Vgl. zum Begriff des Schlüssels von Datensätzen die Ausführungen in Abschnitt 1.3.3. Die Schlüssel der Fakttabellen im DW sind stets aus mehreren Elementen zusammengesetzt (vgl. Inmon (1996), S. 66; Kimball (1996), S. 25-30).

Data Warehouse entsprechend als redundante Daten bereitgehalten, sofern ein Bedarf nach diesen Informationen im voraus bekannt ist.

Die einzelnen Datensätze als Schnappschüsse werden im Data Warehouse beständig mit einem Zeithorizont von 5-10 Jahren gespeichert und i.d.R. nicht aktualisiert. Im Gegensatz zu dieser Vorgehensweise werden in operativen Anwendungssystemen Daten haben hingegen einen wesentlich kürzeren Zeithorizont (60-90 Tage), werden im Rahmen des üblichen Geschäftsablaufes aktualisiert (z. B. Verwaltung offener Posten in der Faktura) und müssen nicht unbedingt ein Zeitkennzeichen im Datenschlüssel führen.[13]

Die *Beständigkeit* der Daten im Data Warehouse ist schließlich das letzte definitorische Merkmal gemäß Inmons Definition. Daten werden üblicherweise einmalig in das Data Warehouse eingelesen und später nicht aktualisiert. Leseoperationen stellen die wesentlichen und wichtigen Operationen auf den Daten des Data Warehouse dar.[14] Daher kann das Data Warehouse auf Leseoperationen hin optimiert werden. Dies hat insbesondere für den Datenbankentwurf Konsequenzen.[15]

1.2.2 Data Warehouse als Architekturkomponente

Damit ein Data Warehouse seinen Nutzen aus betriebswirtschaftlicher Sicht entfalten kann, ist es als technische Basiskomponente in die betriebliche Informationssystemlandschaft einzubetten. Diese Einbettung hat im wesentlichen zwei Kernaufgaben zu lösen. Erstens müssen die Daten in das Data Warehouse hineingelangen, was an sich eine technisch anspruchsvolle Aufgabe ist. Die Kosten für die technische Umsetzung und den laufenden Betrieb dieser „Inputschnittstellen" des Data Warehouses können sich auf bis zu 80 % der gesamten Kosten des Data Warehouses belaufen, lassen sich aber durch gezielten Einsatz leistungsfähiger Werkzeuge auf ca. 50 % der Gesamtkosten des Data Warehouse-Projektes reduzieren.[16] Besondere Bedeutung kommt entsprechenden Werkzeugen zur Durchführung dieser sogenannten Extraction-, Transformation- und Loading-Prozesse (ETL) zu. Zweitens müssen dem Management geeignete Werkzeuge zur Navigation im Datenbestand und zur Präsentation der benötigten Daten an die Hand gegeben werden. Folglich ist das Data Warehouse als Kern einer Schichtenarchitektur zu verstehen, die im Folgenden skizziert wird (vgl. Abb. 2).[17]

Online-Transaction-Processing-Schicht

Die unterste Schicht einer Architektur für Management-Informationssysteme wird durch die sogenannten Online-Transaction-Processing(OLTP)-Systeme gebildet. Diese Systeme stellen die Informationssysteme zur Unterstützung der eigentlichen Geschäftsprozesse dar. In ihnen werden die grundlegenden Buchungen der einzelnen Geschäftsvorfälle vorgenommen. Beispiele sind Systeme der Finanzbuchhaltung, der Lagerverwaltung und Materialwirtschaft, Warenwirtschaftssysteme,

---

[13] Vgl. Inmon, Hackathorn (1994), S. 8 f.
[14] Vgl. Inmon, Hackathorn (1994), S. 10 ff.
[15] Vgl. Inmon, Hackathorn (1994), S. 10 f.; Inmon (1996), S. 92 ff.
[16] Vgl. Kurz (1999), S. 266 f.
[17] Vgl. Holten (1999), S. 56 ff.; Kurz (1999), S. 186 ff.

Systeme zur Produktionsplanung- und -steuerung und Vertriebssysteme, zu denen auch die Frontends von E-Commerce-Systemen im Internet zu zählen sind.

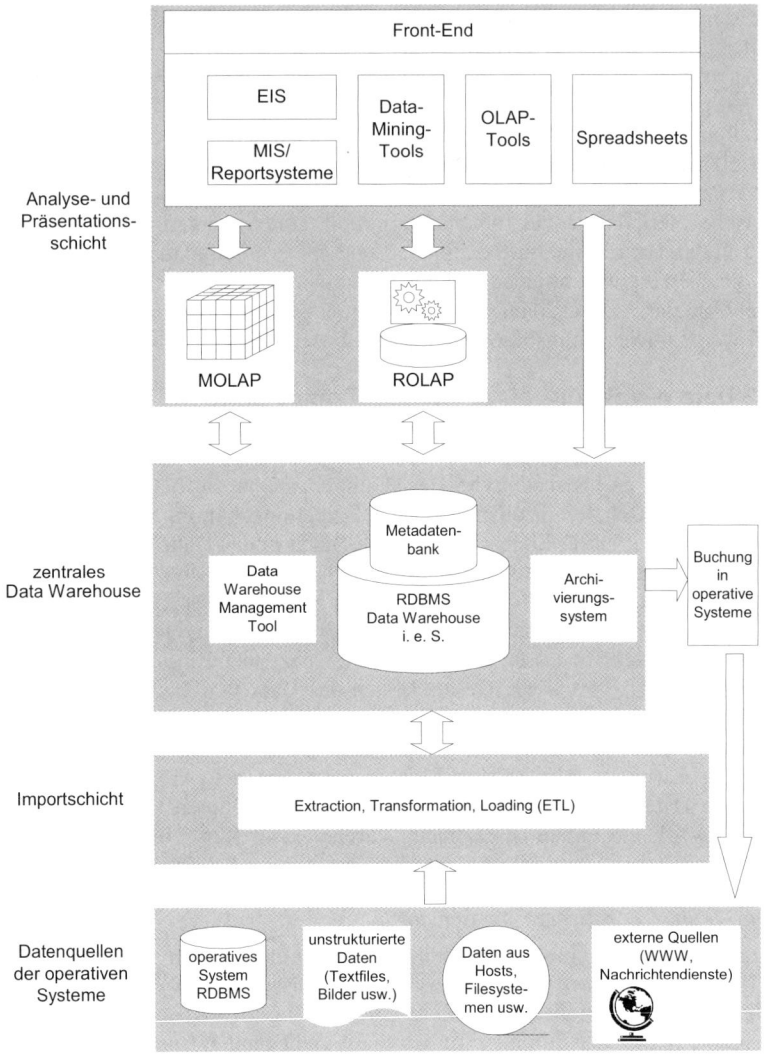

In Anlehnung an Bookjans (1997), S. 67.

Abb. 2: Architektur für Informationssysteme für das Management

Aufgrund der heterogenen, gewachsenen EDV-Struktur in vielen Unternehmen ist es nicht realistisch, die aus Managementsicht benötigte Integration von Daten mit direktem Zugriff auf die verschiedenen funktionsorientierten Anwendungssysteme umsetzen zu können. Diese auch als Legacy Systems bezeichneten Systeme, die häufig die Kernkompetenzen des Unternehmens DV-technisch unterstützen, können in der Regel nicht einfach ersetzt oder in komplett neu entwickelte Systeme integriert werden. Realistischer ist die Extraktion der benötigten Daten für das Management aus verschiedenen Legacy Systems und deren Integration in einem Data Warehouse. Das Management erhält mittels der kopierten Daten im Data Warehouse eine einheitliche Sicht auf den benötigten Unternehmensdatenbestand. Daten gelangen aus den operativen Systemen im Sinne einer Einbahnstraße in das Data Warehouse.[18] Mit Ausnahme dieser periodischen Updates erfolgen ausschließlich lesende Zugriffe auf die Daten im Data Warehouse. Zusätzlich kann auf externe Datenquellen, die von Marktforschungsinstituten wie A. C. Nielsen oder durch das Statistische Bundesamt verfügbar gemacht werden, zugegriffen werden.

Importschicht

Im Rahmen der Architektur kommt für die Informationsversorgung des Data Warehouses selbst, der Importschicht besondere Bedeutung zu. Die Daten aus den OLTP-Systemen müssen selektiert, transformiert, bereinigt und in das Data Warehouse als Datenbank hineingeladen werden. Diese Funktionen werden unter dem Label ETL für Extraction, Transformation und Loading zusammengefasst. ETL-Tools nehmen die Extraktion der Daten aus den operativen Systemen und deren syntaktische Vereinheitlichung vor. So müssen die Transformationswerkzeuge beispielsweise in der Lage sein, unterschiedliche Schreibweisen verwendeter Maßeinheiten (etwa „m" und „Meter" für dasselbe Längenmaß) zu erkennen und die Daten im Data Warehouse einem einheitlichen Format zuzuordnen. Dasselbe gilt für die Schreibweisen von Kundennamen, die durchaus für ein und denselben Kunden in verschiedenen operativen Systemen unterschiedlich sein können. Ein weiteres Beispiel für Transformationen von Daten ist das Bereitstellen von Aggregationen als Basisdaten des Data Warehouses (etwa die Verdichtung von Monatsumsätzen zu Quartalsumsätzen).

Die Versorgung des Data Warehouses mit Daten, das eigentliche Loading, erfolgt in der Regel periodisch, was bedeutet, dass ETL-Tools vordefinierte Aufgaben der Extraktion, der Transformation und des Ladens zu vorgegebenen Zeiträumen regelmäßig ausführen. Der ETL-Prozess läuft demnach in zwei Phasen, nämlich Definition und Ausführung, ab. Ladeperioden können täglich oder etwa wöchentlich aufeinander folgen und leiten sich direkt aus dem vom Management benötigten Aggregationsniveau der Daten sowie den verfügbaren Zeitfenstern für den gesamten ETL-Prozess ab. Dabei ist zu beachten, dass ein einzelner Ladevorgang durchaus erhebliche Zeitbedarfe aufweisen kann, so dass hier tatsächlich für den Betrieb des gesamten Data Warehouses relevante Engpässe vorliegen können.

---

[18] Es ist auch möglich, dass Daten aus dem Data Warehouse für die Durchführung der Geschäftsprozesse erforderlich sind. In diesen Fällen sind Informationen aus dem Data Warehouse den operativen Systemen bekannt zu machen. In Abb. 2 wird dieser Sachverhalt durch die Verbindungen vom Data Warehouse zu den operativen Datenquellen verdeutlicht. Als Beispiel für eine derartige Integration kann die Nutzung der Waren- und Sortimentsplanung mit dem sogenannten Ope-to-Buy-Konstrukt im SAP R/3-System dienen. Die verdichteten Daten aus der Vergangenheit dienen als Planungsdaten für die Zukunft, das Einkaufsbudget wird aber sukzessive in den operativen Systemen fortgeschrieben. Bei Überschreiten des Budgets ist dann die Bestellung zu „verhindern".

Data-Warehouse-Schicht

Die zentrale Datenhaltungskomponente der Architektur von Informationssystemen für das Management bildet das Data Warehouse selbst. Diese zentrale Datenbank kann eine Größe von mehreren Terabyte erreichen. Beispielsweise hat das unternehmensweite Data Warehouse von Wal*Mart eine Bestandsdatengröße von etwa 25 Terabyte.[19] Die zentrale Datenhaltungskomponente wird häufig aufgrund der Größe und der daraus resultierenden Anfragezeiten um kleinere, adressatenspezifische Datenbestände ergänzt, welche letztlich nur Kopien im Sinne von Extrakten der benötigten Auszüge des umfassenden Datenbestandes des Data Warehouses selbst darstellen. Vereinzelt werden zusätzliche Aggregationen von Daten in diesen sogenannten Data Marts vorgenommen.[20]

In der Praxis werden heute wohl am häufigsten leistungsfähige Relationale Datenbankmanagementsysteme (RDBMS) zur Implementierung des zentralen Data Warehouse eingesetzt.[21] Relationale Datenbanken haben sich im betrieblichen Einsatz bewährt und entsprechendes Know-how ist in den Unternehmen vorhanden. Dies bezieht sich insbesondere auf den programmtechnischen Umgang mit den Datenbanken, vor allem auf die Anwendung der Datenbanksprache SQL. Da allerdings bezogen auf die Zugriffe und Navigationsmöglichkeiten im Datenbestand gewisse Einschränkungen zu beachten sind, werden insbesondere zu Implementierung von OLAP-Systemen auf Basis von Data Marts auch andere, proprietäre Datenbanksysteme eingesetzt. Zur Ebene des zentralen Data Warehouses sind weiterhin sogenannte Metadaten zu zählen.[22] Diese enthalten betriebswirtschaftliche und DV-technische Informationen über den Datenbestand des Data Warehouses. Metadaten werden zur Bearbeitung von Anfragen und zur Navigation im Datenbestand benötigt und sind vornehmlich für Entwickler des Data Warehouses von Bedeutung.

Analyse- und Präsentationsschicht

Die obere Schicht der Architektur wird schließlich von Komponenten zur Erzeugung und Präsentation von beliebigen, für das Management geeigneten Sichten auf die Daten gebildet. Neben ansprechenden Präsentationsmöglichkeiten – Standard sind heute beliebige grafische Animationen neben der Darstellung als Tabellen - werden flexible Möglichkeiten der Navigation durch den Datenbestand geboten. Führungskräfte benötigen zunächst Möglichkeiten, verdichtete Daten für genauere Analysen zu disaggregieren (Drill-Down) sowie mehrdimensionale Daten aus verschiedenen Blickwinkeln betrachten zu können. Ein Beispiel für mehrdimensionale Daten ist etwa der Umsatz einer Produktgruppe in einer Region in einer Periode. Dieser Umsatz kann für eine Periode (etwa den Monat Mai) als Tabelle geordnet nach Regionen für die Produktgruppe angezeigt werden. Eine weitere Tabelle kann die entsprechenden Daten für den Monat Juni anzeigen. Schließlich wird es noch eine Tabelle für den Monat April geben. Dieselben Daten können aber auch von einer anderen Führungskraft (oder derselben Führungskraft

---

[19] Vgl. Kurz (1999), S. 57.
[20] Vgl. Mucksch, Behme (1998), S. 44 f.; Gabriel et al. (2000), S. 83; Chamoni, Gluchowski (1999), S. 12.
[21] Vgl. Kurz (1999), S. 327.
[22] Vgl. Holten (1999), S. 46.

bei einer anderen Fragestellung) für die Region Nord nach Monaten geordnet in einer Tabelle angezeigt werden. Entsprechend wird es Tabellen für die Regionen Süd, Ost und West geben, die jeweils die Umsätze dieser Regionen nach Monaten geordnet anzeigen.

Derartige Sichten auf die Daten werden für Analysen im Management häufig benötigt. Sie werden von speziellen Systemen, sogenannten Online Analytical Processing (OLAP)-Systemen, unterstützt.[23] OLAP-Systeme erlauben es, die benötigten Sichten auf dieselben Daten schnell und flexibel (online) bereitzustellen. Sie organisieren die Daten logisch in vieldimensionalen Würfeln, die als Hyperwürfel bezeichnet werden. Im obigen Beispiel sind drei Dimensionen (Produkt, Region, Zeit) relevant (vgl. Abb. 3).

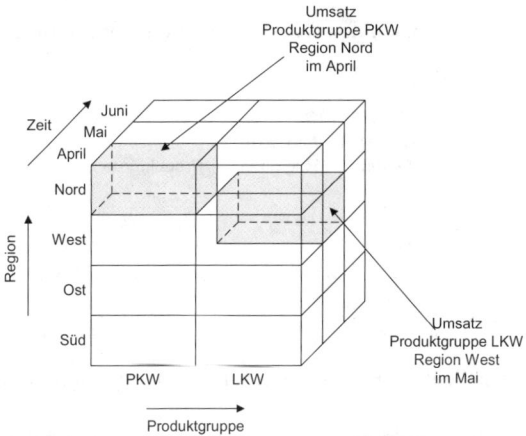

Abb. 3: Beispiel eines dreidimensionalen OLAP-Würfels

Die verschiedenen Sichten auf die Daten werden durch Drehen des dreidimensionalen Würfels erzeugt. Je nach benötigter Sicht wird eine Tabelle als zweidimensionale Darstellung der Daten erzeugt. Die dritte Dimension führt zu den verschiedenen, gleichartig aufgebauten Tabellen. Das Drehen des Würfels, um jeweils die gewünschte Sicht zu erzeugen (bzw. die gewünschte Tabellenform anzusehen), wird als „Rotation" bezeichnet. Das Auswählen einer bestimmten Scheibe der unterdrückten (dritten) Dimension, das in dem obigen Beispiel jeweils einer anderen Tabelle entspricht, wird als „Slicing" bezeichnet. Mit Rotation und Slicing kann ein Anwender also beliebige Ansichten der mehrdimensionalen Struktur erzeugen (vgl. Abb. 4).

Falls nicht alle Einträge einer Dimension relevant sind, kann die betreffende Dimension auch eingeschränkt werden. Beispielsweise können für eine Führungskraft aufgrund ihres Aufgabenbereiches die Umsätze in den Regionen Nord und West interessant, die Umsätze der beiden anderen Regionen aber belanglos sein (vgl. Abb. 5). Das Einschränken einer Dimension wird als „Ranging" bezeichnet. Ranging führt immer zur Definition von Teilwürfeln, daher findet sich auch die Bezeichnung „Dicing" für diese Operation. Die Operation ist wichtig, um Infor-

---

[23]   Vgl. Holten (1999), S. 49 ff.

mationen bedarfsgerecht auswählen zu können und eine Informationsüberflutung der Führungskräfte zu verhindern.

Monat: Mai
Umsatz in Mio. EURO
Ansicht: Regionen Produktgruppe

	PKW	LKW
Nord		
West		
Ost		
Süd		

Abb. 4: Tabellenansicht nach den OLAP-Operationen Rotation und Slicing

Monat: Mai
Umsatz in Mio. EURO
Ansicht: Regionen Produktgruppe

	PKW	LKW
Nord		
West		

Abb. 5: Tabellenansicht als Ergebnis der OLAP-Operation Ranging

Eine weitere wichtige Funktion zur Unterbindung der Informationsüberflutung ist das „Drill-Down". Daten werden auf einem bestimmten Aggregationsniveau bereitgestellt und können beliebig detailliert oder weiter verdichtet werden. Beispielsweise werden im Rahmen des Drill-Down Quartalsumsätze in Monatsumsätze aufgesplittet, wenn dies im Rahmen einer Analyse notwendig ist.

Bezogen auf die Implementierung der beschriebenen OLAP-Funktionalität ist die oben geführte Diskussion der Verwendung von Relationalen Datenbanksystemen wieder aufzugreifen. Wird die OLAP-Funktionalität auf der Grundlage von RDBMS umgesetzt, spricht man von Relationalem OLAP bzw. ROLAP. Werden hingegen sogenannte multidimensionale Systeme, denen häufig keine standardisierten Datenbanksysteme zugrunde liegen, verwendet, spricht man von Multidimensionalem OLAP (MOLAP). Entscheidungen über die geeignete Umsetzungsalternative können ausschließlich im Einzelfall getroffen werden. Pauschale Argumentationen für die eine oder andere Variante, die häufig in anbieternahen Publikationen zu finden sind, können besten Falls als Anregungen für Entscheidungen betrachtet werden.

Die eigentliche Präsentation der Daten erfolgt heute standardmäßig mit grafischen Oberflächen, häufig unter Nutzung von Internet-Browsern. Die Funktionalität lehnt sich dabei in der Regel an Tabellenkalkulationssysteme an und es werden Exportfunktionen zu Tabellenkalkulationssystemen angeboten, die als Standardtools in weitverbreiteten Office-Paketen vorhanden sind.

1.3 Data Warehouse als Managementinformationsquelle

1.3.1 Informationsüberflutung vermeiden

Mit dem Data Warehouse liegt eine speziell auf den Bedarf des Managements ausgerichtete Datenhaltungskomponente vor, welche konzeptionell in eine Schichtenarchitektur für Informationssysteme für das Management eingebunden ist. Es ist also ein Potenzial geschaffen, welches für die Belange des Managements gezielt einzusetzen ist. Das Vorliegen von technisch geprägten Konzepten alleine führt jedoch noch keineswegs zu einem Nutzen, der die immensen Investitionen rechtfertigen würde. Das Potenzial der gezeigten Informationssystemarchitektur liegt in der Möglichkeit, dem Management für die Meinungsbildung im Rahmen von Entscheidungsprozessen „geeignete" und „benötigte" Informationen an die Hand geben zu können.

Diese Idee ist keinesfalls neu oder originell und schon gar nicht mit dem Aufkommen der Begriffe Data Warehouse und OLAP verbunden. Aus betriebswirtschaftlicher Sicht wurden die Ideen einer zweckneutralen Grundrechnung schon in den 40er Jahren des zwanzigsten Jahrhunderts ausführlich diskutiert. Diese Ideen sind mit den Namen Schmalenbach, Riebel und Goetz untrennbar verbunden.[24] Die Auswertung der Grundrechnung für zweckspezifische Sonderrechnungen wurde insbesondere von Riebel im Rahmen der Relativen Einzelkosten- und Deckungsbeitragsrechnung ausführlich diskutiert.[25] Aus Sicht der betriebswirtschaftlichen Konzeption ist nun leicht zu erkennen, dass ein Data Warehouse die technische Infrastruktur liefert, um die Ideen der Grundrechnung effizient umzusetzen. Entsprechend kann gezeigt werden, dass OLAP-Systeme die technische Infrastruktur liefern, um die Ideen der Sonderrechnung umzusetzen.[26] Der Einsatz der heute standardmäßig verfügbaren Technik (Data Warehouse und OLAP) kann also vor dem Hintergrund bekannter und anerkannter betriebswirtschaftlicher Konzepte erfolgen.

Dennoch treten Probleme auf, die ebenfalls weder neu noch überraschend, sondern vielmehr seit den Anfängen des Einsatzes von Informationssystemen im Management bekannt sind. Schon 1958 beschäftigten sich Leavitt und Whisler mit dem Einfluss der damals neuen Technologie auf das Management.[27] Sie kamen zu dem Schluss, dass Managementaufgaben sich hin zu mehr abstrakten und strategischen Aufgaben und weg von Aufgaben der Routineentscheidungen entwickeln würden. Die damals verfügbaren Standardreports führten jedoch eher zu einer Informationsüberflutung des Managements mit Detailinformationen, die zwar verfügbar aber eben nicht nützlich waren. Ackoff sprach entsprechend schon 1967 von „Management Misinformation Systems"[28] und schilderte eine typische Situation wie folgt: „I have seen a daily stock status report that consists of

---

[24] Vgl. Schmalenbach (Geltungszahl) (1948); Schmalenbach (Lenkung) (1948); Goetz (1949). Eine Diskussion der historischen Entwicklung dieser Ideen findet sich bei Holten (1999).

[25] Vgl. Riebel (1994); Riebel (Gestaltungsprobleme) (1979); Riebel (Konzept) (1979).

[26] Vgl. Holten (1999), S. 108 f.

[27] Vgl. Leavitt, Whisler (1958).

[28] Vgl. Ackoff (1967).

approximately six hundred pages of computer print-out. The report is circulated daily across managers' desks. I've also seen requests for major capital expenditures that come in book size, several of which are distributed to managers each week. It is not uncommon for many managers to receive an average of one journal a day or more."[29] Allein die Verfügbarkeit der technischen Infrastruktur, wie sie mit dem Data Warehouse und den OLAP-Systemen vorliegt, ändert an dieser Situation nichts. Vielmehr muss zu den betriebswirtschaftlichen Grundfragen, wie die Grundrechnung und die Sonderrechnungen im Sinne Riebels aufzubauen sind, zurückgekehrt werden.

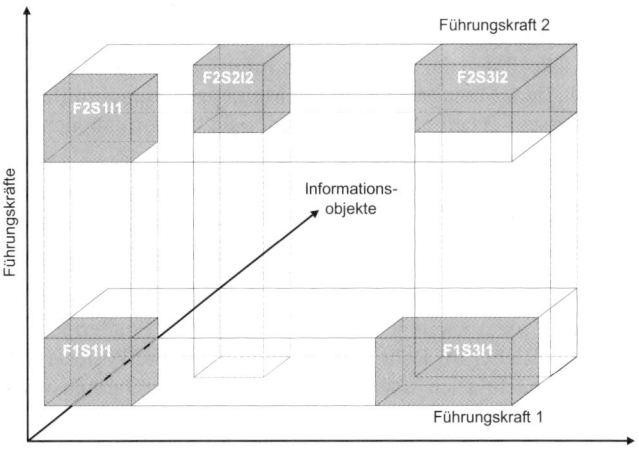

Abb. 6: Eingrenzung relevanter Informationen[30]

Ziel des Einsatzes von Data Warehouses muss es folglich sein, den Informationsbedarf, der sich aus den aufgabenspezifischen Sichten des Managements ergibt, gezielt aus dem nahezu unerschöpflichen Datenpool zu befriedigen. Es müssen demnach die passenden und benötigten Informationsmengen nach dem vorliegenden Bedarf zusammengestellt und adressatenspezifisch ausgeliefert werden. Vermeidung von Informationsüberflutung bedeutet in diesem Sinne auch, Führungskräften technisch verfügbare aber inhaltlich nicht sinnvolle Information bewusst vorzuenthalten. Abb. 6 zeigt, dass sich die Auswahl der für eine Führungskraft relevanten Informationsmenge an der Analyse der zu bearbeitenden Steuerungs- und Regelungsaufgaben und deren Zuordnung zu Personen orientieren muss. Die Ableitung der konkreten Informationsobjekte, die dann in Form geeigneter Berichte durch das Data Warehouse zur Verfügung zu stellen sind, kann erst nach der Analyse dieser Aufgabenzuordnung durchgeführt werden.[31] Die grau hinterlegten Teilwürfel symbolisieren Teilmengen der Gesamtinformation, die einer Führungskraft gezielt zur Verfügung zu stellen sind.

---

[29] Ackoff (1967), S. B-148.
[30] Vgl. Holten (1999), S. 68.
[31] Vgl. Holten (1999), S. 66 ff.

1.3.2 Dimensionale Struktur der Managementsichten

Die Bestimmung der benötigten Informationsobjekte, die mittels der Berichte auf Basis eines Data Warehouses umgesetzt werden sollen, orientiert sich an betriebswirtschaftlichen Grundtatbeständen.[32] Wesentlich ist, dass die Sichten des Managements konkret definiert werden. Alle Aspekte, die für das Management bei der Betrachtung des Geschäfts zur Bewältigung der Managementaufgaben relevant sind, müssen bei der Definition der Managementsichten berücksichtigt werden. Es ist zu beachten, dass Managementsichten in diesem Sinne zweckorientiert zu definieren sind. Demnach werden benötigte Sachverhalte aufgenommen und nicht benötigte unterschlagen. Bei jedem Aspekt, der in die Beschreibung der Managementsichten aufgenommen werden soll, ist vor dem Hintergrund der Vermeidung von Informationsüberflutung zu fragen, ob seine Aufnahme in die Beschreibung zweckdienlich ist.

Die Sichten des Managements auf die Geschäftsprozesse lassen sich durch Dimensionen definieren. Dimensionen sind geeignet, Managementsichten in einem ersten Schritt zu strukturieren. Beispiele für Dimensionen von Managementsichten sind „Kunden", „Produkte", „Absatzregionen", „Zeit nach Monaten". In einer Dimension werden demnach Objekte, sogenannte Bezugsobjekte, zusammengefasst, die inhaltlich untereinander eine stärkere Bindung aufweisen als zu Objekten anderer Dimensionen. Die Bezugsobjekte der einzelnen Dimensionen sind hierarchisch angeordnet. Die Hierarchien ergeben sich aus dem natürlichen Bedürfnis, detaillierte Ausprägungen bestimmter Parameter zu größeren Gruppen zusammenzufassen, um aggregierte Aussagen über diese Gruppen erhalten zu können. Beispielhaft sind in Abb. 7 Auszüge der Dimensionen „Produkte" und „Welt" dargestellt, die die hierarchische Anordnung der benötigten regionalen Gliederung der Absatzgebiete und die Produkthierarchie zeigen. Jeder Knoten der beiden Hierarchien stellt mögliche Aggregationsebenen für Analysen aus Managementsicht dar. Die Hierarchien selbst werden stets unter Zweckmäßigkeitsgesichtspunkten aufgebaut. Das bedeutet, dass sie ähnlich wie die Dimensionen selbst nicht als gegeben im betrachteten Problembereich vorhanden sind, sondern gemäß dem Zweck ihrer Verwendung, nämlich Navigationshilfen durch Managementsichten bereitzustellen um Informationsüberflutung zu vermeiden, definiert werden müssen.

Aus der Abb. 7 ist weiterhin ersichtlich, dass es für bestimmte Managementaufgaben definierte Ausschnitte aus den Hierarchien gibt. Die Hierarchien einzelner Dimensionen müssen den Informationsbedürfnissen des gesamten Managements gerecht werden können. Sie bilden somit einen unternehmensweiten Standard, an dem sich das Berichtswesen im Management generell orientieren muss. Ein solcher Standard ist erforderlich, um in Arbeitsgruppen eine einheitliche Informationsbasis und eine einheitliche Sicht auf den Problembereich, das Unternehmensgeschehen, definieren zu können. Adernfalls besteht die Gefahr, mit gleichen Begriffen unterschiedliche Dinge zu bezeichnen und sich so von der Lösung der Aufgabe zu entfernen anstatt ihr näher zu kommen. Da jedoch jeder Person oder Arbeitsgruppe nur Ausschnitte aus dem betrieblichen Umfeld zugeordnet sind, werden auch nur ausschnittsweise Informationen benötigt.

---

[32]   Vgl. zum folgenden Holten (1999), S. 78 ff.

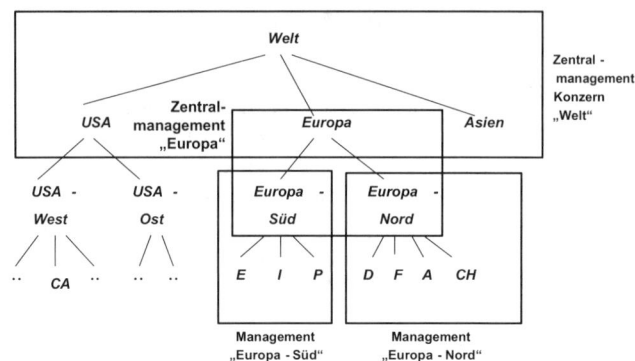

Abb. 7: „Produkte" und „Welt" zur Definition von Managementsichten

Es ist eine Gestaltungsaufgabe bei der Definition des Berichtswesens, die benötigten Hierarchieausschnitte der einzelnen Dimensionen zweckspezifisch zur Definition der Managementsichten festzulegen. So mögen im betrachteten Beispiel der Abb. 7 ein Ausschnitt aus der Hierarchie „Welt" für das zentrale Konzernmanagement, der ausgehend vom obersten Hierarchieknoten (Welt) die Regionen bis auf die Ebene der vom Konzern bearbeiteten Kontinente (USA, Europa, Asien) umfasst, existieren. Aus Sicht der zentralen Konzernsteuerung ist die niedrigste Aggregationsstufe somit durch die Knoten USA, Europa, Asien gegeben. Detailliertere Angaben sollen den Personen im Berichtswesen zunächst nicht zur Verfügung gestellt werden, um Informationsüberflutung von vornherein zu unterbinden.

Ein weiterer Ausschnitt wird für die Personen definiert, deren Aufgabenfeld das Management bestimmter Produktbereiche in Europa umfasst. Der Ausschnitt besteht folglich aus den Konten Europa, Europa-Süd und Europa-Nord. Aus Sicht des Gesamtkonzerns sind die zu betreuenden Aufgaben bei regionaler Betrachtungsweise enger gefasst, weshalb auch detailliertere Informationen (bzgl. der Absatzgebiete Europa-Süd und Europa-Nord) verfügbar gemacht werden sollen. Andererseits soll sich die Personengruppe eben auf den Absatz in Europa konzentrieren und muss daher die Absatzentwicklungen in Asien und den USA nicht unbedingt verfolgen, weshalb diese Knoten in dem entsprechenden Ausschnitt auch nicht aufgeführt sind.

Weitere Ausschnitte werden in der Hierarchie der Produktdimension analog gebildet. Für den Zentralvorstand, der mit Absatz und Vertriebsaufgaben betraut ist, mag zunächst eine Unterteilung des Produktprogramms in die groben Bereiche „Fahrzeuge" und „Elektronik" ausreichen (Ausschnitt Zentralvorstand „Absatz und Vertrieb"). Für das Management auf Regionaler Ebene sind jedoch zur operativen Bearbeitung der Märkte detailliertere Informationen gefordert. Entsprechend wird ein Auszug, der die Sparte „Heimelektronik" mit den beiden Untergruppen „TV/Video/Audio" und „Haushaltselektronik" umfasst, definiert. Die Beispiele machen deutlich, dass der Festlegung der benötigten Dimensionsausschnitte vorrangige Bedeutung zukommt, da sie einerseits dazu dienen, verfügbare Information zu beschränken, um Informationsüberflutung zu vermeiden, andererseits natürlich eine aufgabenspezifische Informationsversorgung gewährleistet werden muss.

Die aufgabenspezifische Kombination von Ausschnitten der Dimensionshierarchien erlaubt die Identifikation der für eine Managementaufgabe benötigten Informationsobjekte im Gesamtdatenbestand des Data Warehouses. Anhand dieser Kombinationen der Dimensionsausschnitte lassen sich unter Anwendung kombinatorischer Überlegungen die benötigten Teilmengen der Gesamtinformation ableiten. Exakt diese Logik liegt den dargestellten Systemen zur Navigation im Datenbestand, insbesondere den OLAP-Systemen, zugrunde. Abb. 8 zeigt Beispiele der Eingrenzung des Raumes verfügbarer Information unter Anwendung von kombinierten Dimensionsausschnitten.

Beispielsweise wird für das Konzernmanagement der Ausschnitt, der die obersten Knoten der Hierarchie der Regionen („Welt" mit den Unterknoten „USA", „Europa" und „Asien") umfasst, mit dem Ausschnitt, der sich an Aufgabenträger im Bereich Absatz und Vertrieb des Zentralvorstandes wendet (oberster Knoten der Produkthierarchie mit den Unterknoten „Fahrzeuge" und „Elektronik"), kombiniert. Kombinatorisch werden die beiden Teilmengen aus dem Gesamtdatenbestand nun durch eine logische UND-Verknüpfung verbunden. Das bedeutet, dass nur diejenigen Daten aus dem Gesamtdatenbestand abzuleiten sind, die sowohl den Bedingungen des ersten Hierarchieausschnittes (der Abstraktionen auf den Hierarchieebenen „USA", „Europa", „Asien" und „Welt" bereitstellt) als auch denen des zweiten (der die Produkte auf der Hierarchieebene der Bereiche „Fahrzeuge" und „Elektronik" bzw. den obersten Knoten „Produkte" betrachtet) genügen. In diesem abgeleiteten Datenbestand kann nun mit den erläuterten OLAP-Operationen beliebig navigiert werden. Es kann demnach ein Drill-Down aus der Menge aller weltweit abgesetzten Produkte in die Bereiche Fahrzeuge und Elektronik erfolgen, um die weltweite Entwicklung detaillierter betrachten zu können. Außerdem kann von der Betrachtung des Fahrzeugabsatzes in den USA ausgehend durch die Operation „Slicing" in die Betrachtung des Fahrzeugabsatzes in Europa gewechselt werden.

Abb. 8 zeigt weitere Beispiele der Kombination von Dimensionsausschnitten. So wird dem Produktmanagement für Heimelektronik in Europa ein Ausschnitt aus dem möglichen Gesamtdatenbestand bereitgestellt, der die Daten, die Europa betreffen, auch auf der nächsten Detaillierungsstufe enthält (Knoten Europa-Süd und Europa-Nord), den Datenbestand durch den zweiten Dimensionsausschnitt aber stets auf den Bereich Heimelektronik (mit seinen beiden direkten Unterknoten TV/Video/Audio und Haushaltselektronik) einschränkt. Für die entsprechenden Produktmanager lassen sich alle benötigten Analysen aus diesem Teildatenbestand generieren.

Die letzen beiden Beispiele betreffen den Fahrzeugmarkt in Europa. Aufgrund der Absatzstruktur hat der Konzern getrennte Geschäftsführer für Nord- bzw. Südeuropa eingesetzt. Beide erhalten Daten, die den Fahrzeugmarkt betreffen. Der entsprechende Dimensionsausschnitt lässt eine Betrachtung der Daten bis auf die Ebene LKW bzw. PKW als direkte Unterknoten des Knotens Fahrzeuge zu. Regional betrachtet findet jedoch eine Einschränkung der relevanten Datenmenge auf die zu betreuende Absatzregion (Europa-Nord bzw. Europa-Süd) statt.

Abb. 8: Aufgabenspezifische Kombination von Dimensionsausschnitten

1.3.3 Kennzahlenorientierung der Managementsichten

Nachdem die relevanten Objekte zur Definition der Managementsichten mittels der Kombination von Dimensionsausschnitten spezifiziert worden sind, müssen die Aspekte, die für Managementaufgaben heranzuziehen sind, bestimmt werden.[33] Die Bedeutung von Kennzahlen zur Spezifikation von Führungsinformationen ist sowohl aus theoretischer wie auch aus praktischer Sicht unbestritten. Kennzahlen definieren aus betriebswirtschaftlicher Sicht, welche Information in quantifizierter Form über die ausgewählten Bezugsobjekte bereitzustellen ist. Bei Kennzahlen kann es sich dabei um absolute Größen wie beispielsweise den Umsatz, bestimmte Mengen- oder Kostengrößen sowie Deckungsbeiträge handeln, oder es werden die zahlreichen berechneten Größen, wie z. B. der Return on Investment oder bestimmte Umschlagshäufigkeiten herangezogen. Jede beliebige Kennzahl kann zur Vervollständigung der Definition der Managementsichten herangezogen werden, sofern sie betriebswirtschaftlich in der gegebenen Situation sinnvoll ist und die entsprechenden Basisbuchungen in den Informationssystemen des Unternehmens vorhanden sind.

Damit die Berichte, die aus dem Data Warehouse gewonnen werden, zweckorientiert zur Entscheidungsvorbereitung auch von Teams eingesetzt werden können, muss ein einheitliches Verständnis der verwendeten Kennzahlen vorliegen. Jede Kennzahl ist eindeutig anhand der Berechnungsformel und der berücksichtigten Basisgrößen aus den Buchungssystemen zu definieren. Insbesondere ist zu klären, welche Kostenarten oder Konten in die Berechnung eingehen und welche nicht. Außerdem ist ein einheitliches Verständnis der betriebswirtschaftlichen Bedeutung der verwendeten Kennzahl, also die einheitliche Interpretation der abstrakten Zahlengröße, zu gewährleisten. Nur wenn sich ständig wiederholende Diskussionen über die Bedeutung einzelner Zahlengrößen von vornherein unterbunden werden können, kann das Data Warehouse nutzbringend eingesetzt wer-

---

[33] Vgl. zum folgenden Holten (1999), S. 93 ff.

den. Kennzahlen werden zu Kennzahlensystemen gruppiert, die sich in Form der einzeln zu erstellenden Berichte oder im Berichtsaufbau wiederfinden.

Mit der Definition der zu verwendenden Kennzahlen und Kennzahlensysteme und den Kombinationen der Dimensionsausschnitte lassen sich im nächsten Schritt die benötigten Berichte spezifizieren. Erst durch das Zusammenfügen von Kennzahlensystemen und ausgewählten Bezugsobjekten ist eine Berichtsdefinition vollständig. Es macht keinen Sinn, Kennzahlen ohne Bezugsobjekte zu betrachten. Die Kennzahl Umsatz sagt beispielsweise solange nichts aus, bis nicht klar ist, von welcher Unternehmenseinheit oder von welchem Produktbereich der Umsatz zu betrachten ist.

Die Verbindung von Kennzahl und Bezugsobjekt wird als Faktum bezeichnet.[34] Fakten definieren einen Informationstyp. Berichte bestehen letztlich aus einer Menge solcher Fakten (also Verbindungen von Kennzahlen und Bezugsobjekten). Damit wird auch klar, dass Navigationen im Datenbestand, wie sie oben in Form der OLAP-Operationen beschrieben wurden, immer mit der Auswahl einer neuen Menge von Fakten (die dann einen neuen Bericht erzeugen) ausgehend von einer gegebenen Menge von Fakten (dem aktuellen Bericht) zusammenhängen. Die Dimensionshierarchien definieren die Logik dieser Navigationen bezogen auf die Auswahl von Bezugsobjekten und die Kombination von Dimensionen. Kennzahlen legen die Aspekte fest, die durch die Navigationen im Datenbestand zu beleuchten sind.

1.4 Vom Fachkonzept zur Implementierung – Modelle des Data Warehouses

Die Einführung eines Data Warehouse im Unternehmen verlangt ein phasenorientiertes, ingenieurmäßiges Vorgehen. Vereinfacht kann ein Schema von drei logisch aufeinanderfolgenden Phasen angenommen werden. Differenziertere Betrachtungen zum Thema Vorgehensmodelle finden sich im Beitrag von Keppel, Müllenbach und Wölkhammer in diesem Band (vgl. Kapitel 5, S. 81). In jeder Phase sind bestimmte Entscheidungen bezüglich der Ausgestaltung des Data Warehouses zu treffen und mittels geeigneter Modelle zu dokumentieren. Die drei hier zu betrachtenden Phasen werden als *Fachkonzeption*, *DV-Konzeption* und *Implementierung* bezeichnet.

Aufgabe der *Fachkonzeption* als Phase ist es, die in den Beispielen des Unterkapitels 1.3 diskutierten betriebswirtschaftlichen Zusammenhänge in strukturierte Modelle zu überführen, die aus Sicht des Anwenders festlegen, was das Data Warehouse in dem angestrebten Einsatzgebiet leisten soll. Im Vordergrund stehen somit Entscheidungen über den fachlichen Einsatz des Data Warehouses durch den Anwender. Es sind die Berichte zu definieren, die das System in den gegebenen Situationen liefern soll und es muss festgelegt werden, welche Navigationsmöglichkeiten einem Nutzer vor dem Hintergrund seiner gegebenen Aufgabenstellung zu bieten sind. Anhand der Beispiele im obigen Abschnitt wurden diese Fragestellungen ausführlich diskutiert.

---

[34] Vgl. Holten (1999), S. 94.

Die getroffenen Entscheidungen über die fachliche Ausgestaltung des Systems sind in Modellen zu dokumentieren. Aus fachkonzeptueller Sicht ist, ausgehend von den obigen Ausführungen, somit festzulegen, aus welchen Dimensionen die Managementsichten bestehen sollen und wie die einzelnen Dimensionshierarchien ausgeprägt sein sollen. Außerdem müssen die von den durch das Data Warehouse zu unterstützenden Entscheidungsträgern benötigten Kombinationen der Dimensionsausschnitte definiert werden. Schließlich ist festzulegen, welche Kennzahlen und Kennzahlensysteme erforderlich sind, um die relevanten Aspekte der Menge der Bezugsobjekte zu beleuchten. Kennzahlen und Kombinationen von Dimensionsausschnitten sind schließlich zu zweckspezifischen Berichtsdefinitionen zusammenzuführen. Eine entsprechende werkzeugunterstützte Modellierungsmethode zur Erstellung der benötigten fachkonzeptuellen Modelle bei der Data Warehouse-Entwicklung wird im Beitrag von Holten, Knackstedt, Becker in diesem Band skizziert (Kapitel 3, S. 41).

Entscheidungen im Rahmen der *DV-Konzeption* betreffen die Komponenten, die in ihrem Zusammenspiel den vorher im Rahmen der Fachkonzeption definierten Nutzen aus Anwendersicht erzielen sollen. Es muss im Sinne der in Unterkapitel 1.2.2 vorgestellten Architektur festgelegt werden, welche Komponenten im konkreten Unternehmenskontext die beschriebene Funktionalität übernehmen sollen. Die Ausführungen hier sollen sich auf die Umsetzung mit Relationalen Datenbanksystemen beschränken. Technische Alternativen werden in dem Beitrag von EICKER in diesem Band diskutiert (Kapitel 4, S. 65). Beim Einsatz Relationaler Datenbanksysteme kommt der Festlegung des Datenbankschemas zentrale Bedeutung zu. Das Datenbankschema legt fest, in welcher Strukturierung die Daten in der zentralen Datenhaltungskomponente des Data Warehouse abgelegt werden. Diese Strukturentscheidung ist sowohl für die ETL-Tools, die bei Füllen des Data Warehouses wissen müssen, wie das Zielsystem (das Data Warehouse) aufgebaut ist, und für die OLAP-Systeme, die zur Bearbeitung der Anfragen bei der Generierung der benötigten Berichte wissen müssen, wo sich die Daten befinden, damit die richtigen Verknüpfungen generiert werden können, von Bedeutung.

Exemplarisch soll hier kurz auf das Star-Schema und seine Erweiterungen eingegangen werden.[35] Das Star-Schema entsteht durch die Klassifikation der Daten in zwei Gruppen, nämlich Faktdaten und Dimensionsdaten. Jede Dimension führt zu einer Dimensionstabelle. Abb. 9 zeigt die drei Dimensionstabellen (Zeit, Region, Produkt) und die zentrale Fakttabelle (Verkauf). Faktdaten stellen die numerischen Werte dar, die im Mittelpunkt der inhaltlichen Analyse des Unternehmensgeschehens stehen. Dimensionsdaten beschreiben die bei der multidimensionalen Analyse relevanten Dimensionen und Sichten auf die Faktdaten. Sie stellen Attribute zu den Faktdaten dar und beinhalten die einzelnen Ausprägungen der Dimensionen.

Abb. 9 orientiert sich an den Beispielen aus Kapitel 1.3 und überführt diese in eine Schema-Darstellung gemäß dem Star-Schema. Beide Datengruppen werden in entsprechenden Tabellen abgelegt, wobei die Darstellung des Schemas lediglich die Bezeichnungen der einzelnen Tabellenspalten umfasst. Im Beispiel ist erkennbar, dass die Fakttabelle mit dem Namen „Verkauf" aus fünf Spalten besteht, von denen die ersten drei sogenannte Identifyer („ID") und die beiden restlichen die

---

[35] Vgl. Holten (1999), S. 53 ff.; Kurz (1999), S. 157 ff., 164 ff.

mittels dieser Spalten identifizierte Information über den Umsatz oder die abgesetzte Stückzahl enthalten.

Die logische Verbindung zwischen den Einträgen der Fakttabelle und den Einträgen der Dimensionstabellen erfolgt über die identischen Ausprägungen der einzelnen Spalteneinträge. So findet sich die Bezeichnung des Produktes mit der Nummer 4711 (4711 ist eine Ausprägung in der Spalte Produkt ID), welches in der Fakttabelle nur anhand der Nummer identifiziert wird, in der Dimensionstabelle mit dem Namen „Produkt" und zwar genau in der Zeile, die ebenfalls die Produktnummer 4711 enthält. Da verlangt wird, dass die Produktnummer ein Identifyer ist, muss die Nummer immer eindeutig sein (sie darf in der Menge der Produkte nur einmal vergeben werden) und wird daher auch als „Schlüssel" bezeichnet.

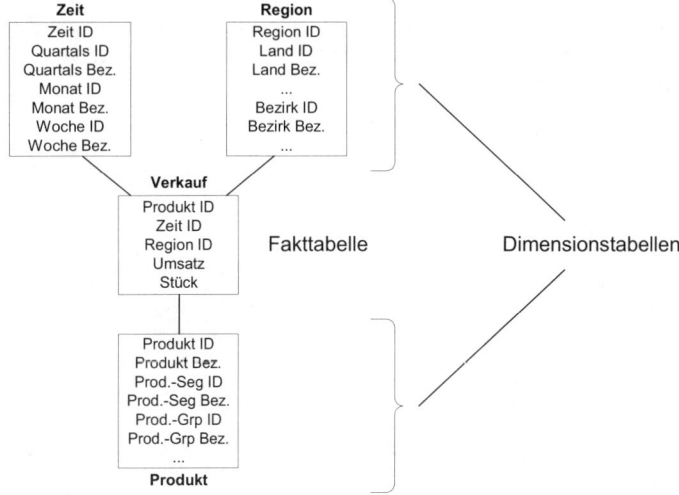

Abb. 9: Star-Schema[36]

Jede Zeile der Fakttabelle enthält einen Umsatzwert und einen Stückwert der genau einer Kombination von Einträgen der anderen drei Spalten zugeordnet wird. Eine solche Kombination identifiziert eine Zeile eindeutig, da für ein bestimmtes Produkt (eindeutige ID in Form der Produktnummer) in einer bestimmten Region (eindeutige ID in Form der Regionenbezeichnung oder der Regionennummer) zu einem gegebenen Zeitpunkt (eindeutige ID in Form des Datums) nur genau ein Tagesumsatz existieren kann, der mit genau einer Stückzahl in Zusammenhang steht. Jede Zeile wird als Tupel bezeichnet und durch einen Schlüssel identifiziert, der die Kombination der entsprechenden Ausprägungen der einzelnen Dimensionen darstellt (vgl. Abb. 10).

---

36   Vgl. Holten (1999), S. 54; Schinzer (1996), S. 471.

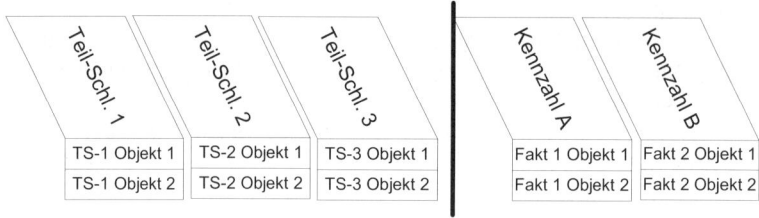

Abb. 10: Schlüssel der Fakttabelle[37]

Das Snowflake-Schema als Erweiterung des Star-Schemas unterstützt die Abbildung von Strukturbeziehungen innerhalb der Dimensionen, beispielsweise von Dimensionshierarchien (vgl. Abb. 11).

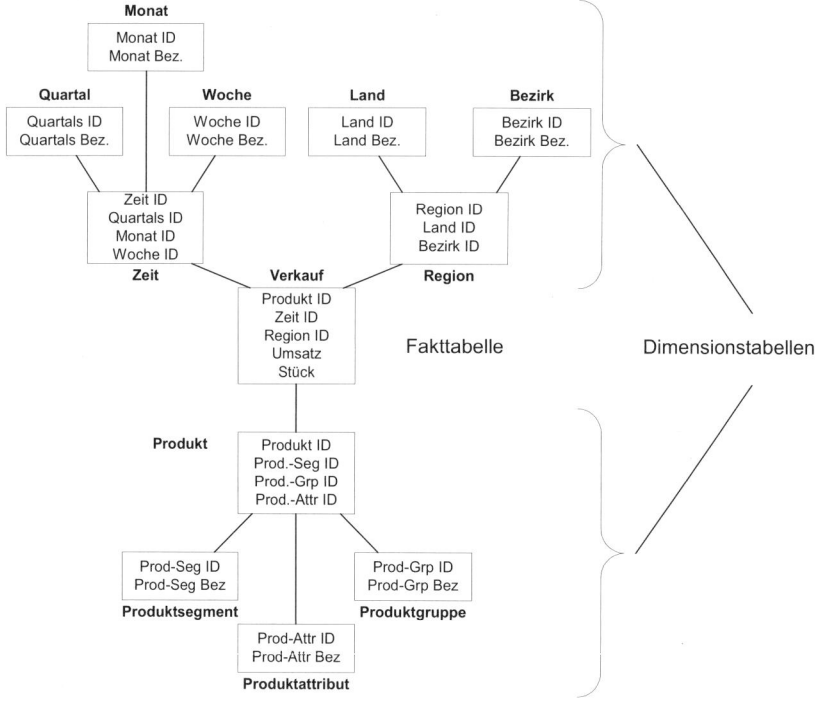

Abb. 11: Snowflake-Schema[38]

---

37 Vgl. Holten (1999), S. 54.
38 Vgl. Holten (1999), S. 55; Schinzer (1996), S. 471.

Zu jeder Aggregationsstufe einer Dimensionshierarchie wird eine eigene Dimensionstabelle angelegt. Diese Tabellen sind jeweils mit der die Dimension definierenden Dimensionstabelle über Schlüssel verbunden. Lediglich eine die Dimension definierende Tabelle ist mit der Fakttabelle verknüpft. Am Beispiel der Dimensionstabellen „Produkt" und „Produktgruppe" kann diese Beziehung verdeutlicht werden. Ein Produkt in der Tabelle „Produkt" ist eindeutig durch seine Produktnummer (Produkt ID) identifiziert. Diese Produktnummern stellen die Verbindung zur Fakttabelle her. Jeder Produkt ID ist außerdem eindeutig eine Produktgruppe anhand der entsprechenden Nummer der Produktgruppe (Prd-Grp ID) zugeordnet. Es handelt sich bei der Tabelle „Produktgruppe" um eine höhere Aggregationsstufe als bei der Tabelle „Produkt", da einer Produktgruppe mehrere Produkte zugeordnet sind. Das bedeutet, dass eine eindeutige Nummer einer Produktgruppe (Prod-Grp ID) in der Tabelle „Produkt" mehreren, verschiedenen Produkten zugeordnet wird. Die Nummer der Produktgruppe (Prod-Grp ID) kommt in der Tabelle „Produkt" demnach in mehreren Zeilen vor.

Entscheidungen in der Phase *Implementierung* schließlich betreffen die konkreten Einstellungen technischer Parameter. Hierzu zählt insbesondere die Erstellung von Programmcode zur physischen Erzeugung der vorher definierten Datenbankschemata beispielsweise in der Programmiersprache SQL. Aber auch der Einsatz leistungsfähiger Komponenten zur Umsetzung der in Abschnitt 1.2.2 eingeführten Schichtenarchitektur erfordert technische Detaileinstellungen, um die gewählten Komponenten in der konkreten technischen Umgebung lauffähig zu machen. Hinweise zu konkreten Softwarelösungen zur Implementierung der Schichtenarchitektur finden sich im Teil 3 dieses Bandes.

Literaturverzeichnis

Ackoff, R. L.: Management Misinformation Systems. MS 14 (1967), S. B-147 - B-156.

Bookjans, H.: Erläuterung und Einordnung moderner, technischer Konzepte zur Entwicklung von Führungsinformationssystemen. Diplomarbeit, Universität Münster. Münster 1997.

Chamoni, P.; Gluchowski, P.: Analytische Informationssysteme. Einordnung und Überblick. In P. Chamoni, P. Gluchowski (Hrsg.), Analytische Informationssysteme, Berlin u. a. 1999, S. 12-25.

Gabriel, R.; Chamoni, P.; Gluchowski, P.: Data Warehouse und OLAP. Analytische Informationssysteme für das Management. ZfbF, 52 (2000) 2, S. 74-93.

Goetz, B. E.: Management Planning and Control. A managerial approach to industrial accounting. 5. Aufl. New York et al. 1949.

Holten, R.: Entwicklung von Führungsinformationssystemen. Ein methodenorientierter Ansatz. Wiesbaden 1999.

Inmon, W. H.: Building the Data Warehouse. 2. Aufl., New York et al. 1996.

Inmon, W. H.; Hackathorn, R. D.: Using the Data Warehouse. New York et al. 1994.

Inmon, W. H.; Imhoff, C.; Sousa, R.: Corporate Information Factory. New York et al. 1998.

Inmon, W. H.; Welch, J. D.; Glassey, K. L.(Managing): Managing the Data Warehouse. New York et al. 1997.

Inmon, W. H.; Zachman, J. A.; Geiger, J. G. (Framework): Data Stores, Data Warehousing and the Zachman Framework. Managing Enterprise Knowledge. New York et al. 1997.

Kimball, R.: The Data Warehouse Toolkit. New York et al. 1996.

Kurz, A.: Data Warehousing. Enabling Technology. Bonn 1999.

Leavitt, H. J.; Whisler, T. L.: Management in the 1980's: New Information Flows Cut New Organization Channels. HBR, 36 (1958), 6, S. 41-48.

Riebel, P. (Konzept): Zum Konzept einer zweckneutralen Grundrechnung. ZfbF, 31 (1979), S. 785-798. Nachdruck in: Riebel, P.: Einzelkosten- und Deckungsbeitragsrechnung. Grundlagen einer markt- und entscheidungsorientierten Unternehmensrechnung, 7. Aufl., Wiesbaden 1994, S. 430-443.

Riebel, P. (Gestaltungsprobleme): Gestaltungsprobleme einer zweckneutralen Grundrechnung. ZfbF 31 (1979), S. 863-893. Nachdruck in: P. Riebel: Einzelkosten- und Deckungsbeitragsrechnung. Grundlagen einer markt- und entscheidungsorientierten Unternehmensrechnung, 7. Auf., Wiesbaden 1994, S. 444-474.

Riebel, P.: Einzelkosten- und Deckungsbeitragsrechnung. Grundlagen einer markt- und entscheidungsorientierten Unternehmensrechnung, 7. Aufl., Wiesbaden 1994.

Schinzer, H. D.: Data Warehouse. Informationsbasis für die Computerunterstützung des Managements. WiSt, 25 (1996) 9, S. 468-472.

Schmalenbach, E. (Geltungszahl): Pretiale Wirtschaftslenkung. Band 1. Die optimale Geltungszahl. Bremen-Horn 1948.

Schmalenbach, E. (Lenkung): Pretiale Wirtschaftslenkung. Band 2. Pretiale Lenkung des Betriebes. Bremen-Horn 1948.

2 Ökonomische Beurteilung von Entwicklungsvorhaben im Umfeld des Data Warehousing

Reinhard Jung, Robert Winter

2.1 Einleitung

Eine empirische Untersuchung, die vom Kompetenzzentrum Data-Warehousing-Strategie (CC DWS)[1] 1999 in Form einer Expertenbefragung bei großen Unternehmen im deutschsprachigen Raum durchgeführt wurde, hat ergeben, dass die Analyse der Wirtschaftlichkeit von Data-Warehouse-Projekten als eine wesentliche Aufgabe der Forschung in diesem Bereich angesehen wird.[2] Die Bedeutung weiterer Themen im Umfeld des Data Warehousing, die in der Untersuchung betrachtet wurden, kann Abb. 12 entnommen werden.

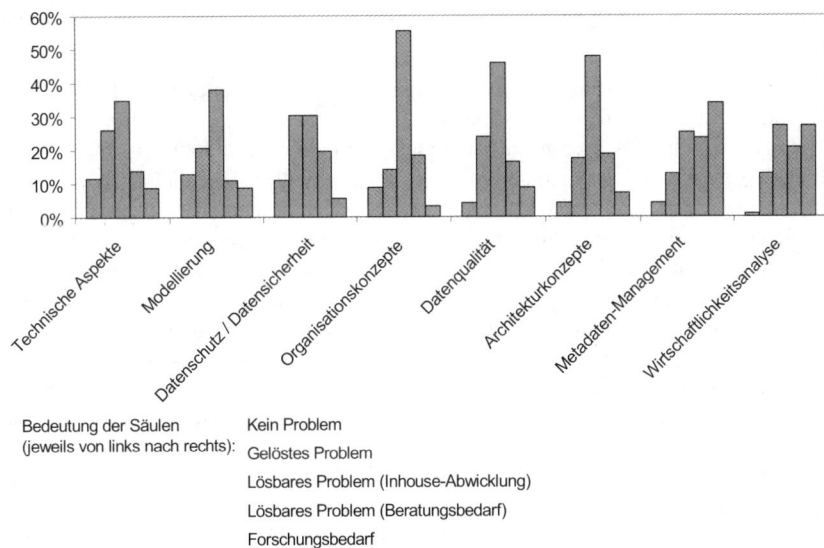

Bedeutung der Säulen (jeweils von links nach rechts):
Kein Problem
Gelöstes Problem
Lösbares Problem (Inhouse-Abwicklung)
Lösbares Problem (Beratungsbedarf)
Forschungsbedarf

Abb. 12: Problemeinschätzung in der Praxis

In derselben Untersuchung wurde festgestellt, dass lediglich 53 % der befragten Unternehmen eine Kosten-Nutzen-Bewertung bzw. eine Wirtschaftlichkeitsanalyse ihrer Data-Warehouse-Projekte durchführen. Vermutlich ist die offenbar schlecht fundierte Entscheidung über große Investitionen in diesem Bereich auf

---

[1] Die im vorliegenden Beitrag dargestellten Ergebnisse entstanden im Kompetenzzentrum Data-Warehousing-Strategie (CC DWS) des Instituts für Wirtschaftsinformatik an der Universität St. Gallen (IWI-HSG, http://datawarehouse.iwi.unisg.ch).

[2] Vgl. Helfert (2000), S. 15.

die besonderen Eigenschaften von Entwicklungsvorhaben im Umfeld des Data Warehousing zurückzuführen.

Bevor die Eigenschaften von Investitionen in Data-Warehouse-Technologien näher untersucht werden können, sind einige Begriffe einzuführen bzw. zu definieren:

- In Analogie zum Begriffspaar „Datenbank" – „Datenbanksystem" wird im Folgenden als Data-Warehouse-System die Gesamtheit der Applikationen und Datenbanken bezeichnet, die das Data Warehouse i. e. S. (d. h. die Datenbank, die entscheidungsrelevante, integrierte, historisierte, u. U. verdichtete Daten enthält) nutzbar macht.[3]

- Data Warehousing bezeichnet die Gesamtheit aller Aktivitäten, die mit der Entwicklung und dem Betrieb des Data-Warehouse-Systems verbunden sind.

Wie andere Informationssysteme auch, wird ein Data-Warehouse-System für einen relativ langen Einsatzzeitraum konzipiert und realisiert, so dass bereits die Länge des Betrachtungszeitraums eine Wirtschaftlichkeitsbetrachtung erschwert.[4] Verschiedene weitere Merkmale von Entwicklungsvorhaben im Umfeld des Data Warehousing bzw. von Data-Warehouse-Systemen verstärken aber die Bedeutung und auch die Schwierigkeiten bei der Durchführung einer Wirtschaftlichkeitsanalyse zusätzlich:

- Ein Data-Warehouse-System ist prinzipiell eine komplexe Architektur aus Hardware- und Softwarekomponenten, die inkrementell, d. h. über einen längeren Zeitraum in mehreren Entwicklungsschritten aufgebaut wird.

- Es muss davon ausgegangen werden, dass ein Data-Warehouse-System, das einerseits alle wichtigen Datenquellen eines Unternehmens integriert und andererseits alle horizontalen, operativen sowie entscheidungsunterstützenden Applikationen beinhaltet, ein sehr großes Investitionsvolumen erfordert.

- Ein Data-Warehouse-System besteht aus verschiedenen Arten von Komponenten, die von unterschiedlichen betrieblichen Bereichen genutzt werden bzw. z. T. gemeinsam finanziert werden müssen. Während die Daten beziehenden Komponenten (entscheidungsunterstützende sowie horizontale, operative Applikationen) relativ eindeutig und kostenverursachungsgerecht einzelnen Bereichen zugeordnet werden können, ist die kostentechnische Zuordnung von Komponenten der Infrastruktur (insbes. das Data Warehouse sowie die Schnittstellen zu den operativen, vertikalen Applikationen) sowohl in sachlicher wie auch in zeitlicher Hinsicht (inkrementelle Entwicklung mit zunächst wenigen Anwendern) problematisch.

- Ein Data-Warehouse-System ist auf Grund der dynamischen Entwicklung im dispositiven Bereich vieler Unternehmen häufig zu modifizieren. Aus investitionstheoretischer Sicht betrachtet treten damit neben der Errichtungsinvestition sehr häufig sog. Diversifizierungsinvestitionen auf, die eine Veränderung der Funktionalität bewirken sollen.[5]

---

[3] Vgl. Böhnlein, Ulbrich vom Ende (2000), S. 17.
[4] Vgl. dazu auch Jung (1998), S. 34 ff.
[5] Vgl. Jung (1998), S. 38.

▪ Ein Data-Warehouse-System basiert auf operativen Applikationen, die häufig modifiziert bzw. in einigen Fällen auch durch Neuentwicklungen oder Standardsoftware ersetzt werden. Die dadurch erforderlich werdenden Investitionen für Anpassungen des Data-Warehouse-Systems sind vorab kaum planbar.

2.1.1 Modell der Applikationslandschaft

Data-Warehouse-Systeme haben sich als neue Schicht betrieblicher Applikationen etabliert. Der Grund liegt darin, dass sich die direkte Basierung entscheidungsunterstützender („dispositiver") Applikationen auf geschäftsvorfallabwickelnden („operativen") Applikationen als technisch oder wirtschaftlich nicht machbar erwiesen hat: Häufig ist es auf Grund der Schnittstellenkomplexität und der mangelnden Datenqualität technisch nicht möglich, dispositive Applikationen zeitnah mit konsistenten, integrierten Daten aus operativen Applikationen zu versorgen. Selbst technisch mögliche „Direktanschlüsse" von dispositiven an operative Applikationen scheitern in komplexen Applikationslandschaften fast immer an einer Wirtschaftlichkeitsanalyse, weil die Zahl der zu wartenden Schnittstellen sehr schnell zu hoch wird. Das Data-Warehouse-System entkoppelt als Zwischenschicht dispositive und operative Applikationen und ist damit in der Lage, Integrationsmechanismen sowie die daraus gewonnenen Daten für dispositive Applikationen wieder verwendbar zu realisieren und die Anpassung an Änderungen von Applikationen auf jeweils eine einzige Schnittstelle zu begrenzen.

In Winter (2000) wird ein Modell der betrieblichen Applikationslandschaft vorgeschlagen, das Applikationen in einem Raum darstellt, der durch die drei Dimensionen „Funktion", „Produkt(gruppe)" und „Prozess" aufgespannt wird. In der Dimension „Funktion" werden die verschiedenen Funktionalbereiche (z. B. Antragsbearbeitung, Schadenbearbeitung einer Versicherung) abgetragen. In der Dimension „Produkt(gruppe)" werden die verschiedenen Produkte bzw. Produktgruppen abgetragen. In der Dimension „Prozess" wird der Ablauf der operativen Geschäftsprozesse abgetragen. Traditionelle Applikationen umfassen verschiedene Komponenten, die in ihrer Gesamtheit alle funktionalen Aspekte und die vollständigen Geschäftsprozesse für eine bestimmte Produktgruppe abdecken. Die Applikationslandschaft setzt sich aus einer relativ kleinen Zahl solcher Applikationen bzw. Applikationsaggregate zusammen, die auf Grund ihres optischen Erscheinungsbilds auch in diesem Modell als „vertikale" Applikationen bezeichnet werden können.

In einer durch Querschnitt-Applikationen (z. B. Verwaltung von Kunden- oder Produkt-Stammdaten) erweiterten, vertikal geprägten Applikationslandschaft stellt das Data-Warehouse-System eine Zwischenschicht dar, durch die geschäftsfallorientierte Daten aus operativen Applikationen und Daten aus Querschnitt-Applikationen zu entscheidungsorientierten Informationen aufbereitet werden. Die sich ergebende Applikationslandschaft wird durch Abb. 13 illustriert.

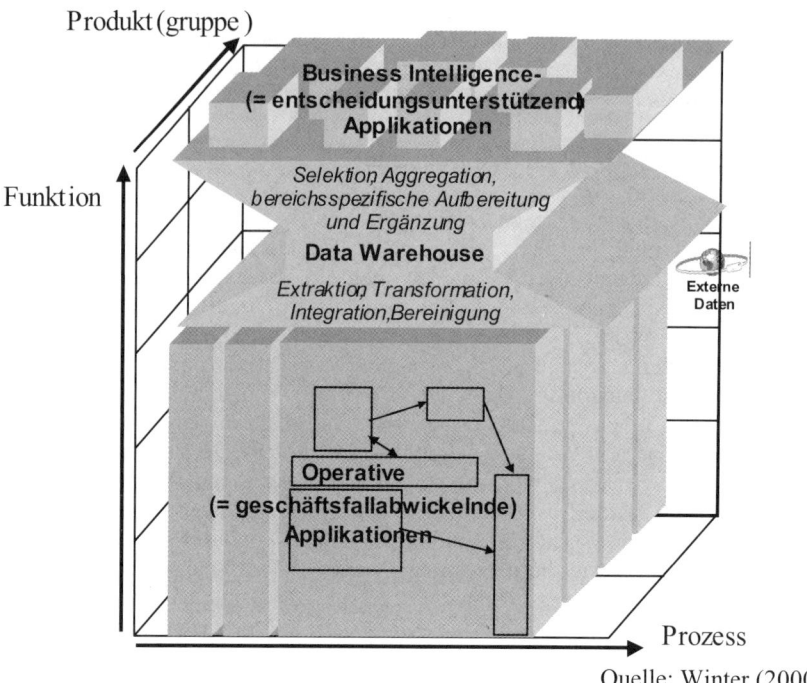

Quelle: Winter (2000)

Abb. 13: Applikationslandschaft auf Grundlage vertikaler Applikationen

Zur Vereinfachung wird das Data-Warehouse-System in Abb. 13 als kompakte Architekturschicht dargestellt. In der Realität werden für die Extraktion, Transformation, Integration/Bereinigung/Qualitätssicherung, Übernahme in das Data Warehouse, Freigabe, Sicherung, Selektion, Aggregation und Aufbereitung/Ergänzung von Daten unterschiedliche Systemschichten gebildet. Das Data-Warehouse-System kann außerdem nicht nur als zentrales System, sondern auch dezentral oder gar virtuell realisiert werden.[6]

Während die Auslagerung z. B. der Kunden- oder Produkt-Stammdatenverwaltung in Querschnittapplikationen bereits Anfang der 90er Jahre einsetzte, wurden auf Grund der stark zunehmenden Bedeutung elektronischer und telefoniebasierter Zugangskanäle erst in letzter Zeit auch zugangskanalspezifische Funktionalitäten in dedizierte Applikationen ausgelagert. Grundlage ist auch in diesem Fall die Erkenntnis, dass bestimmte Zugangsfunktionen nicht für jedes Produkt bzw. jede Produktgruppe in den jeweiligen Abwicklungsapplikationen repliziert werden sollten. Die Abgrenzung zugangskanalspezifischer Applikationen wird im Wesentlichen durch das jeweils im Vordergrund stehende Zugangsmedium impliziert: Kunden fordern immer nachdrücklicher den Zugang zu Produkten bzw. Dienstleistungen nach ihrer Wahl sprachgesteuert über das Telefonnetz, PC-basiert über das Internet, Handy/WAP-basiert über das Mobiltelefonnetz, schrift-

---

[6]   Siehe z. B. Böhnlein, Ulbrich vom Ende, S. 24 f.

stückbasiert über den Briefverkehr, über SB-Terminals oder über Außendienst-bzw. Innendienstmitarbeiter. Zugangsfunktionen sollten deshalb produkt(gruppen)übergreifend in speziell auf einen bestimmten Zugangskanal zugeschnittenen Applikationen erfolgen, z. B. Call-Center-Applikation, WWW-Portal, WAP-Portal, Letter-Center-/Document-Management-Applikation, SB-Terminal-Applikation oder Innendienst-Applikation. Neben der Unterstützung eines jeweils anderen Zugangskanals können sich diese Applikationen auch durch unterschiedlich ausgelegte Sicherheitsprüfungen und abweichende Funktionsumfänge (z. B. Innendienst-Applikation vs. WWW-Portal) unterscheiden. Im weiter oben eingeführten Modell der Applikationslandschaft stellen sich zugangskanalspezifische Applikationen als „horizontale" Applikationen dar: Bestimmte Funktionalitäten werden über alle Produkte bzw. Produktgruppen hinweg für einen bestimmten Abschnitt des Prozesses in dedizierten Applikationen zusammengefasst.

Die Transformation operativer Daten in entscheidungsunterstützende Informationen durch ein Data-Warehouse-System nimmt einen gewissen Zeitraum in Anspruch und erzeugt Informationen, die im Normalfall nicht verändert werden dürfen und die im Normalfall aggregiert sind. Oft besteht jedoch ein dringender Bedarf, sehr schnell auf integrierte, detaillierte Daten aus verschiedenen operativen Applikationen zuzugreifen und diese ggf. sogar zu modifizieren. Da auf Grund der zeitaufwendigen Extraktions-, Lade- und Integrationsprozesse kein Echtzeit-Zugriff auf das Data-Warehouse-System möglich ist und Data-Warehouse-Daten auch nicht verändert werden dürfen, wurde das Konzept des Operational Data Store eingeführt.[7] In einem Operational Data Store werden operative Daten sehr zeitnah zusammengeführt, so dass eine neue Architekturschicht entsteht, deren Daten an Informationsobjekten orientiert, aktuell, änderbar, detailliert, integriert und vor allem in Echtzeit zugänglich sind.

Eine ähnliche Rolle, wie sie das Data-Warehouse-System für die Entkopplung von operativen Applikationen und entscheidungsunterstützenden Applikationen spielt, kommt Operational Data Stores für die Entkopplung „vertikaler" und „horizontaler" operativer Applikationen zu.[8] Auch für Operational Data Stores ist es im Normalfall sinnvoller, wenige Data Stores zur Integration der verschiedenen vertikalen und horizontalen operativen Applikationen zu benutzen als zwischen Applikationen, die Daten austauschen, jeweils paarweise individuelle Schnittstellen zu implementieren. Die Positionierung horizontaler Applikationen und Operational Data Stores in der betrieblichen Applikationslandschaft wird in Abb. 14 illustriert.

Die Ausführungen zur Applikationsarchitektur machen deutlich, dass sowohl das Data-Warehouse-System wie auch Operational Data Stores als Integrations-Infrastruktur betrachtet werden müssen. Unabhängig von einzelnen vertikalen operativen Applikationen, einzelnen horizontalen operativen Applikationen und einzelnen entscheidungsunterstützenden Applikationen werden durch das Data-Warehouse-System bzw. durch Operational-Data-Stores-Netzeffekte, d. h. mit zunehmender Zahl „angeschlossener" Applikationen zunehmende Nutzeneffekte der Integration realisiert.

---

[7]   Vgl. Devlin (1997), S. 143 f.; Kimball et al. (1998), S. 20
[8]   Vgl. Imhoff (1999), S. 5.

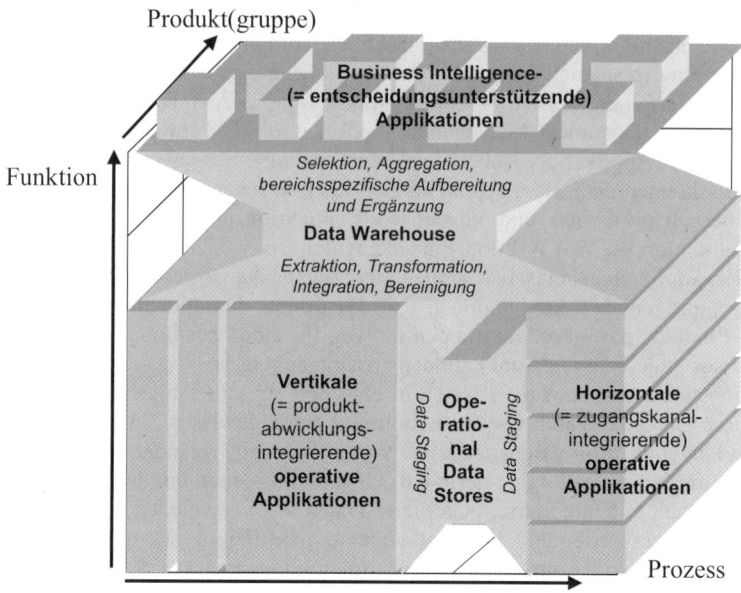

Quelle: Winter (2000).

Abb. 14: Applikationslandschaft vertikaler und horizontaler Applikationen

2.1.2 Entwicklungsvorhaben im Umfeld des Data Warehousing

Im Gegensatz zu Entwicklungsvorhaben auf Grundlage etablierter, teilweise bereits 20 bis 30 Jahre alter Informatik-Plattformen in Großunternehmen zeichnen sich Entwicklungsvorhaben im Umfeld des Data Warehousing dadurch aus, dass die jeweilige Plattform meist noch im Aufbau ist. Einerseits bestehen dadurch noch Gestaltungsmöglichkeiten, wie sie für etablierte Plattformen nicht mehr existieren und die sich z. B. beim Data Warehousing durch die erst in letzter Zeit propagierte Einbeziehung von Operational Data Stores und horizontalen operativen Applikationen in Richtung einer ganzheitlichen Infrastruktur der Informationslogistik konkretisieren können. Andererseits hat ein „frühes" Entwicklungsvorhaben einen vergleichsweise höheren Anteil an der Weiterentwicklung der Plattform selbst zu tragen. Dieses Phänomen tritt bei jeder neuen Plattform der betrieblichen Informationsverarbeitung auf (z. B. auch bei der Einführung von Echtzeit-Transaktionssystemen oder von Intranets). Abb. 15 illustriert dieses Phänomen am Beispiel eines idealisierten Infrastruktur-Aufbauverlaufs: Grundsätzlich muss mit jedem zusätzlichen Projekt weniger in die Weiterentwicklung der Plattform investiert werden (hellgraue Kostenkurve), da Synergien insbesondere in Form von Netzwerkeffekten genutzt werden können und die wesentlichen Aufbauarbeiten ja bereits in früheren Applikations- oder Infrastrukturprojekten angefallen sind. Während bei einer etablierten Plattform (d. h. Entwicklungsprojekt zum Zeitpunkt t_1) der Aufwand für die Plattform-Weiterentwicklung I_1 im

Verhältnis zum Aufwand für die nicht-plattformbezogene Applikationsentwicklung A_1 sehr gering ist (linke Grafik), fällt bei einer neuen Plattform (d. h. Entwicklungsprojekt zum Zeitpunkt t_2) das Verhältnis zwischen I_2 und A_2 wesentlich ungünstiger aus.

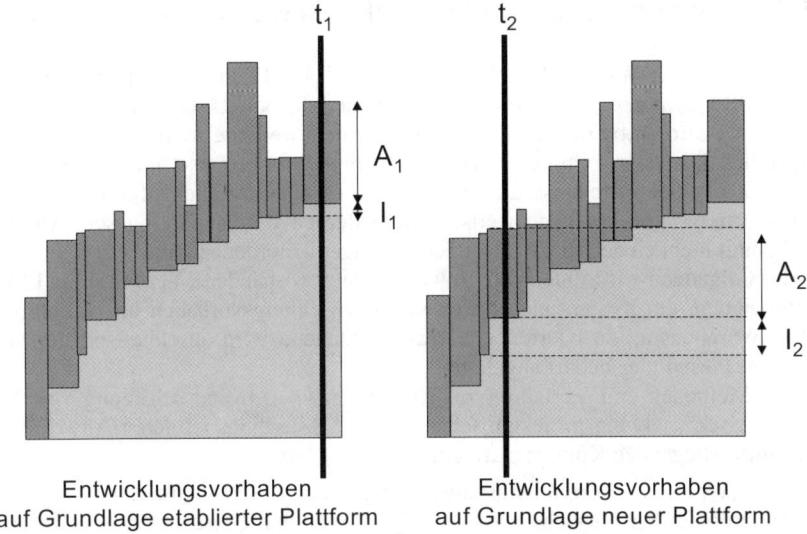

Abb. 15: Zusammenhang Plattformreife – Dauer der Entwicklungsprojekte

Für die ökonomische Beurteilung von Entwicklungsvorhaben im Umfeld des Data Warehousing folgt aus den vorgenannten Überlegungen, dass sehr genau zwischen dem aus der „Unreife" der Plattform resultierenden, vergleichsweise hohen Kosten für die Weiterentwicklung der Plattform und den eigentlichen Kosten für die Entwicklung der jeweiligen Applikation unterschieden werden muss. Es ist anzustreben, dass die einzelnen Entwicklungsprojekte nur mit applikationsbezogenen Kosten belastet werden und dass plattformbezogene Kosten, soweit eindeutig isolierbar, einem separaten Infrastrukturprojekt belastet werden. Ist eine solche Vorgehensweise nicht durchsetzbar, sollte die Vergabe von Plattform-„Subventionen" geprüft werden, um die Verzerrung des Wettbewerbs zwischen Data-Warehouse-Entwicklungsprojekten und konventionellen Entwicklungsprojekten zu verringern.

2.1.3 Inhaltsüberblick

Die Wirtschaftlichkeitsanalyse ist ein wichtiges, häufig aber vernachlässigtes Thema; das zeigen auch die eingangs dargestellten Ergebnisse der vom CC DWS durchgeführten empirischen Untersuchung. Verschiedene Verfahren zur Kosten- und zur Nutzenschätzung sind zwar verfügbar, müssen aber bezüglich ihrer Einsetzbarkeit im Kontext des Data Warehousing überprüft werden.

In Kapitel 2.2 wird zunächst eine Bestandsaufnahme im Bereich Kosten- und Nutzenschätzung vorgenommen und jeweils die Einsetzbarkeit für Entwicklungsvorhaben im Umfeld des Data Warehousing beurteilt. Der aus dieser Analyse ableitbare Gestaltungsbedarf wird in Kapitel 2.3, z. T. differenziert nach dem zu Grunde liegenden Applikationstyp (vertikale vs. horizontale operative Applikation), in Vorschläge für einen ökonomische Bewertungsrahmen umgesetzt.

2.2 Anwendbarkeit traditioneller Bewertungsverfahren

Die Analyse der Wirtschaftlichkeit gliedert sich bei IT-Projekten typischerweise in zwei Betrachtungsebenen: die Kostenseite und die Nutzenseite. Die Ersatzgröße „Nutzen" wird insbesondere deshalb verwendet, weil die betriebswirtschaftlich eigentlich korrektere Größe „Leistungen" in diesem Kontext nicht operationalisierbar bzw. bewertbar ist. Dieser Umstand ist darauf zurückzuführen, dass Informationssysteme häufig in wertschöpfungsfernen Bereichen eingesetzt werden und damit nicht eindeutig einzelnen Kostenträgern zuordenbar sind.

Im Folgenden wird untersucht, inwieweit sich vorhandene Verfahren und Modelle eignen, um Kosten und Nutzen von Entwicklungsvorhaben im Umfeld des Data Warehousing zu beurteilen. Darauf aufbauend wird anschließend der vorhandene Gestaltungsbedarf abgeleitet.

An Methoden und Verfahren zur Kosten- bzw. Aufwandsschätzung von Anwendungsentwicklungsprojekten fehlt es nicht.[9] Allerdings ist deren Anwendbarkeit im vorliegenden Kontext stark eingeschränkt, weil

- eine „typische" Anwendungsentwicklung vorausgesetzt wird. Die Verfahren basieren auf der Tatsache, dass typische Phasen und Phasenergebnisse der Anwendungsentwicklung vorliegen. Diese Prämisse gilt für das Data Warehousing jedoch nur sehr beschränkt. Ein Data-Warehouse-System ist eher als datenzentrierte Architekturentwicklung einzustufen; funktionale Aspekte sind hier weitaus weniger relevant. Der für ein Data-Warehouse-System besonders wichtige Aufbau eines zentralen Metadatenmanagementsystems[10] lässt sich beispielsweise mit Hilfe der verfügbaren Verfahren nicht abdecken.

- zu Beginn eines Data-Warehouse-Projektes auf Grund der eher evolutionären Entwicklungsphilosophie keine genaue Aussage über die Anforderungen möglich sind.

Eine Systematisierung verschiedener Verfahren zur Nutzenschätzung findet sich bei Nagel (1990). Differenziert wird dort nach den folgenden Kriterien:

- Ein- und zweidimensionale Verfahren berücksichtigen ein bzw. zwei Typen von Eingangsparametern (z. B. Erlöse und Kosten), um eine Zielgröße (z. B. den Gewinn) zu prognostizieren, die dann einer Entscheidung zu Grunde gelegt werden kann; im gewählten Beispiel spricht man von der Gewinnvergleichsrechnung. Verfahren, die die Zeit als Parameter berücksichtigen, werden als dynamische Verfahren bezeichnet, die anderen als statische Verfahren. Die Kapitalwertmethode, bei der die jeweils in den verschiedenen Zeitpunkten anfallenden Einzahlungsüberschüsse (Einzahlungen abzgl. Auszahlungen) mit einem Kalkulationszinssatz auf den Beginn der Zahlungsreihe diskontiert werden, ist entsprechend ein dreidimensionales, dynamisches Verfahren.

---

[9] Ein Überblick findet sich z. B. bei Baumöl (1999), S. 167 ff., und Jung (1998), S. 61 ff.
[10] Vl. z. B. Jung, Winter (2000), S. 11 ff.; Schwarz (2000).

▪ Mehrdimensionale Verfahren können eingesetzt werden, um Alternativen bezüglich mehrerer, insbesondere auch nicht-monetärer Zielsetzungen evaluieren zu können. Ein Beispiel für die Klasse dieser Verfahren ist die Nutzwertanalyse.

Während auf Seite der Kostenschätzung auf Grund der Ausrichtung keines der klassischen Verfahren für das Data Warehousing unmittelbar geeignet erscheint, bieten die Verfahren zur Nutzenschätzung einige Optionen. Da sie nicht auf spezielle Anwendungsgebiete beschränkt sind, ist ihre Einsetzbarkeit im vorliegenden Kontext grundsätzlich gegeben. Im folgenden Kapitel soll untersucht werden, welche Lösungsansätze der Wirtschaftlichkeitsanalyse einerseits für dispositive Applikationen und andererseits für horizontale operative Applikationen einsetzbar sind bzw. welche Erweiterungen ggf. erforderlich sind.

2.3 Methodische und organisatorische Gestaltungsoptionen für eine ökonomische Bewertung

Unabhängig von der methodischen Ausgestaltung der Kostenschätzung einerseits und der Nutzenschätzung andererseits halten die Autoren es für einen kritischen Erfolgsfaktor der Wirtschaftlichkeitsanalyse bzw. -prognose, dass die jeweils für das Resultat verantwortlichen Personen und Organisationseinheiten die Prognose selbst durchführen oder zumindest weitgehend involviert werden. Ein solches Vorgehen hat zwei wesentliche Vorteile:

▪ Die Schätzung wird von den Experten vorgenommen, die die Einflussfaktoren der Resultatgröße am besten einschätzen können.

▪ Auf Grund der „Beweislast" kann davon ausgegangen werden, dass die an der Prognose Beteiligten in der späteren Umsetzungsphase eine wesentlich höhere Motivation („commitment") zeigen werden.

Des Weiteren ist es sinnvoll, die Ergebnisse einer groben Anforderungsanalyse (grobes Fachkonzept) zusammen mit den Schätzwerten in einem sog. Business Case[11] schriftlich festzuhalten. Der Business Case kann einerseits als Entscheidungsgrundlage dienen, andererseits aber auch eine wichtige Grundlage der Projektkontrolle bilden.

2.3.1 Kostenschätzung

Die Kostenschätzung für ein Entwicklungsvorhaben im Umfeld des Data Warehousing ist aus Sicht des Vorgehens prinzipiell unabhängig davon, um welchen Applikationstyp es sich handelt. Ein geeignetes Verfahren wird sowohl für dispositive als auch für horizontale operative Applikationen anwendbar sein. Die wesentlichen Grundvoraussetzungen für eine realistische Kostenschätzung sind:

▪ Die Entwicklung (und damit die Schätzung) sollte in überschaubare Schritte, sog. Inkremente bzw. Komponenten, unterteilt werden.[12]

---

[11] Vgl. dazu Frie, Wellmann (2000).
[12] Vgl. Jung, Winter (2000), S. 15 ff.

- Die Schätzung sollte auf Erfahrungswerten aus ähnlichen Projekten basieren, damit ein Analogieschluss möglich ist; sofern diese Werte nicht verfügbar sind, ist die Beziehung externer Unterstützung empfehlenswert.

Grundsätzlich können folgende Komponententypen eines Entwicklungsvorhabens unterschieden werden:

1. Dispositive Applikationen (Data Marts mit zugehörigen Business-Intelligence-Anwendungen) und horizontale operative Applikationen (z. B. eine CRM-Lösung)
2. Kern-Data-Warehouse einschließlich der Schnittstellen zu den (operativen) vertikalen Applikationen
3. Metadatenmanagementsystem

Während die unter 1. genannten Komponenten einen direkten Anwendungsbezug aufweisen (und deshalb einen direkten Nutzen erzeugen), handelt es sich bei 2. und 3. um reine Infrastrukturkomponenten. Neben der Frage, wie hoch die entstehenden Kosten für einzelne Komponenten sein werden, muss deshalb auch ein Verrechnungssystem für die Kosten der Infrastrukturkomponenten definiert werden. Dabei stehen grundsätzlich mehrere denkbare Varianten zur Verfügung:

- Verrechnung als (IT-)Gemeinkosten
- Verrechnung nach dem Verursachungsprinzip mit dem oben bereits angedeuteten Nachteil, das „frühe" Projekte in unverhältnismäßiger Weise durch Kosten für Infrastrukturkomponenten belastet werden.
- Verrechnung/Umlage der Kosten auf die Komponenten unter 1. gemäß ihrer Inanspruchnahme der Infrastrukturkomponenten, die im Fall eines Data-Warehouse-Systems zweckmäßigerweise anhand des Bezugs von Daten gemessen wird.

2.3.2 Nutzenschätzung

Nagel unterscheidet die Nutzenkategorien „Kostenersparnis", „Produktivitätsverbesserung" sowie „Strategische Wettbewerbsvorteile" und ordnet ihnen die Bewertbarkeit „rechenbar", „kalkulierbar" und „entscheidbar" zu.[13] Während sich die Nutzenkategorien nicht direkt auf das Data Warehousing anwenden lassen, ist die Klassifikation der Bewertbarkeit auch hier gültig. In Abb. 16 ist für beide Applikationstypen dargestellt, inwieweit eine Bewertung des Nutzens vorab grundsätzlich möglich ist.

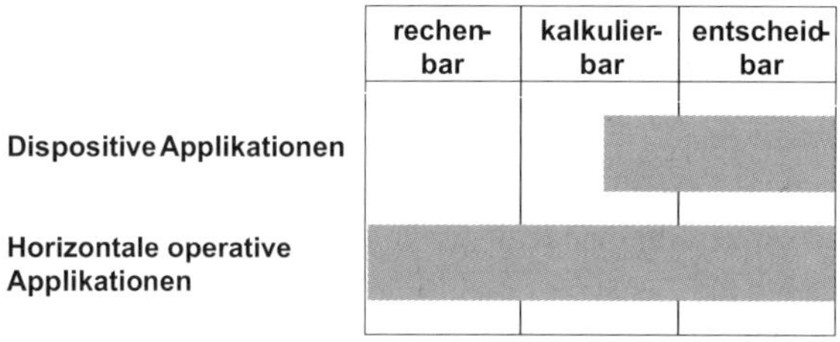

Abb. 16: Bewertbarkeit der beiden Applikationstypen

---

[13] Vgl. Nagel (1990), S. 29.

2.3.2.1 Dispositive Applikationen

Dispositive Applikationen, d. h. Führungsinformationssysteme, Entscheidungsunterstützungssysteme usw., werden typischerweise im administrativen Bereich eines Unternehmens eingesetzt. Sie dienen der Generierung von Führungsinformationen, dem Reporting und weiteren vergleichbaren Zwecken. Folglich ist es äußerst schwierig, ihren Nutzen zu quantifizieren. Die Auswirkung einer besseren analytischen Datenbasis auf den Unternehmenserfolg lässt sich beispielsweise nur qualitativ beschreiben.

In der Regel wird die Entscheidung für ein dispositives System ohnehin nicht auf Grund einer objektivierten Nutzenabwägung getroffen, sondern prinzipiell durch Notwendigkeit begründet. Da Entscheidungen für dispositive Applikationen in der Regel auf Ebene der Geschäftsleitung fallen, sind derart „verkürzte" Bewertungsprozesse grundsätzlich möglich.

Das Spektrum reich aber im Extremfall bis hin zum rechenbaren Nutzen, wenn nämlich ein manuelles Reporting durch Data-Warehouse-Technologie abgelöst werden kann. Denn in diesem Fall kann der Nutzen u. U. in Form von Kosteneinsparungen beziffert werden.

Prinzipiell scheinen für dispositive Applikationen die mehrdimensionalen, nicht-monetären Verfahren der Nutzenschätzung am besten geeignet zu sein.

2.3.2.2 Horizontale operative Applikationen

Bei horizontalen operativen Applikationen stellt sich die Nutzenschätzung einfacher dar als bei dispositiven Applikationen, weil mehr Nähe zur Wertschöpfung besteht und damit ein offensichtlicherer und insbesondere einfacher nachweisbarer Zusammenhang zu einem monetären Nutzen.

Es ist auf Grund der Vielzahl möglicher Arten von Applikationen nicht möglich, ein allgemein gültiges Verfahren anzugeben. Allerdings zeigt sich in der Praxis, dass die Verantwortlichen in der Regel zu einer sehr genauen Prognose in der Lage sind. In der Versicherungsbranche ist es Marketing und Vertrieb auf Grund umfangreicher statistischer Erfahrungswerte beispielsweise möglich, den Nutzen einer Kampagne (und damit indirekt eines Kampagnenmanagementsystems), die auf Cross- und/oder Up-Selling abzielt, bezüglich der Erfolgschancen sehr genau einzuschätzen. Eine wesentliche Voraussetzung dafür ist natürlich die möglichst genaue Kenntnis der von den Kunden bereits bezogenen Versicherungsprodukte.

2.4 Zusammenfassung und Ausblick

Prinzipiell alle Ansätze im Bereich der Nutzenschätzung sind für Entwicklungsvorhaben im Umfeld des Data Warehousing geeignet. Auf der Kostenseite stehen hingegen kaum verwendbare Verfahren zur Verfügung; hier liegt eine mögliche Lösung darin, kleinere Entwicklungsschritte zu definieren, die dann einfacher einzuschätzen sind.

Ein mindestens ebenso wichtiger Aspekt wie der methodische Ansatz ist aus Sicht der Autoren die Organisation der Planungs- und Entscheidungsphase. In Tabelle 1 ist dargestellt, wie die Rollenverteilung prinzipiell gestaltet werden kann. Neben einer präziseren Schätzung kann durch eine – gegenüber der häufig gängigen Praxis – Verlagerung der Verantwortung für einzelne Schritte voraussichtlich auch mehr „Entschlossenheit" in der Umsetzungsphase bewirkt werden.

Tabelle 1: Organisation der Planungs- und Entscheidungsphase

Schritt	Verantwortlich	
	IT/Entwicklung	Auftraggeber/ Nutzer
1. Identifizierung/Einbindung eines Auftraggebers/Sponsors	✓	
2. Analyse der Informationsprozesse, Demonstration der Nutzungspotenziale	✓	
3. Definition von Art/Umfang der Applikation		✓
4. Nutzenschätzung		✓
5. Kostenschätzung	✓	
6. Formulierung des Business Case inkl. der Ergebnisse der Schritte 3 bis 5	✓	✓
7. Abwägung von Nutzen und Kosten, Entscheidung		✓

Literaturverzeichnis

Baumöl, U.: Target Costing bei der Softwareentwicklung. München 1999.

Böhnlein, M.; Ulbrich vom Ende, A.: Grundlagen des Data Warehousing – Modellierung und Architektur. Bamberger Beiträge zur Wirtschaftsinformatik Nr. 55. Bamberg, Februar 2000.

Devlin, B.: Data Warehouse: from architecture to implementation. Reading 1997.

Frie, T.; Wellmann, R.: Der Business Case im Kontext des Data Warehousing. In: Jung, R., Winter, R. (Hrsg.): Data Warehousing Strategie. Berlin et al. 2000, S. 21-41.

Helfert, M.: Eine empirische Untersuchung von Forschungsfragen beim Data Warehousing aus Sicht der Unternehmenspraxis; Arbeitsbericht BE HSG/CC DWS/05 des Instituts für Wirtschaftsinformatik der Universität St. Gallen, St. Gallen 2000. (http://datawarehouse.iwi.unisg.ch/arbeitsberichte.htm, 29-03-2000).

Imhoff, C.: The Corporate Information Factory, DM Review, December 1999. (http://www.dmreview.com/editorial/dmreview, 29-03-2000).

Jung, R.: Reverse Engineering konzeptioneller Datenschemata: Vorgehensweise und Rekonstruierbarkeit für Cobol-Programme. Wiesbaden 1998.

Jung, R.; Winter, R.: Data Warehousing – Nutzungsaspekte, Referenzarchitektur und Vorgehensmodell. In: Jung, R., Winter, R. (Hrsg.): Data Warehousing Strategie. Berlin et al. 2000, S. 3-21.

Kimball, R.; Reeves, L.; Ross, M., Thornthwaite, W.: The Data Warehouse Lifecycle Toolkit - Expert Methods for Designing, Developing and Deploying Data Warehouses. New York 1998.

Nagel, K.: Nutzen der Informationsverarbeitung, 2. Aufl., München 1990.

Schwarz, S.: Integriertes Metadatenmanagement – Ein Überblick. In: Jung, R., Winter, R. (Hrsg.): Data Warehousing Strategie. Berlin et al. 2000, S. 107-122.

Winter, R.: Zur Positionierung und Weiterentwicklung des Data Warehousing in der betrieblichen Applikationsarchitektur. In: Jung, R., Winter, R. (Hrsg.): Data Warehousing Strategie. Berlin et al. 2000, S. 133-147.

Teil 2: Betriebswirtschaftliche Konzepte und technische Realisierung

3 Betriebswirtschaftliche Herausforderungen durch Data-Warehouse-Technologien

Roland Holten, Ralf Knackstedt, Jörg Becker

3.1 Erfolgsfaktoren des Data-Warehouse-Managements

Ein Data-Warehouse-Projekt bewegt sich im *Spannungsfeld* zwischen Betriebswirtschaft und Informationstechnik. Diskussionen über Data Warehousing erwecken häufig den Eindruck, die technischen Aspekte würden dominieren. Im Fokus stehen Fragen zur Gestaltung der technischen System-Architektur, Informationen zur Auswahl der Softwarewerkzeuge oder Hinweise zur Performanceoptimierung. Die Relevanz dieser Probleme ergibt sich daraus, dass Fehler in diesen Bereichen die Akzeptanz der realisierten Lösung gefährden. Als zu lang empfundene Antwortzeiten und mangelnde Flexibilität der Auswertungsmöglichkeiten können sich als schwerwiegende Hindernisse bei der Nutzung erweisen. Andererseits werden die technischen Bemühungen erfolglos sein, wenn das Data Warehouse nicht die für die Managementaufgaben zweckmäßigen Daten enthält. Bei der Festlegung des Ziels des Data-Warehouse-Einsatzes ist aber hauptsächlich betriebswirtschaftlicher Sachverstand gefragt. Die technischen Möglichkeiten fließen als Restriktionen in die Zielformulierung ein.

In den Phasen Zielsetzung und Zielrealisierung lassen sich jeweils zwei wesentliche Aspekte identifizieren, bei denen betriebswirtschaftliche Kompetenz dominiert und die den Erfolg eines Data-Warehouse-Projekts wesentlich beeinflussen.

Strategie: Data-Warehouse-Projekte sind teuer. Ein finanzieller Aufwand von einer Million EURO ist schnell erreicht. Diesem Aufwand muss ein entsprechender Nutzen entgegengestellt werden. In aller Regel reicht es nicht aus, durch das Data Warehouse lediglich ein bestehendes Berichtswesen zu ersetzen. Eine Potenzierung des Nutzens wird erreicht, indem zugleich eine Veränderung von Kommunikationsstrukturen, Geschäftsprozessen oder gar Geschäftsmodellen vorgenommen wird. Kapitel 3.2 gibt einen Überblick über mögliche Strategien.

Recht: Der Nutzung von Daten werden rechtliche Grenzen gesetzt. Kapitel 3.3 nennt wesentliche in der Bundesrepublik Deutschland zu beachtende Bestimmungen. Von zentraler Bedeutung ist dabei das Datenschutzrecht, das die legale Verarbeitung und Nutzung von Daten natürlicher Personen in erheblichem Maße einschränkt. Diese Vorschriften nehmen Einfluss auf die betriebswirtschaftliche Strategie des Data Warehousings, indem z. B. die Erstellung von Kunden- und Mitarbeiterprofilen nicht im gewünschten Umfang legitimiert wird.

Organisation: Für die Zielumsetzung ist unter Rückgriff auf betriebswirtschaftliche Organisations- und Führungskonzepte ein geeigneter Rahmen zu schaffen. Einerseits muss die Bereitschaft der Menschen in der Organisation für den mit der Data-Warehouse-Einführung verbundenen Wandel gewonnen werden. Andererseits ist das Data-Warehouse-Projektteam organisatorisch in das Unternehmen zu integrieren und zu führen. Kapitel 3.4 widmet sich dieser Herausforderung.

Inhalt: Eine Informationssystemrealisierung vollzieht sich in mehreren Verfeinerungsschritten, die bei der Definition der betriebswirtschaftlich-inhaltlichen Anforderungen ihren Ausgang nehmen. Die inhaltlichen Entscheidungen konkretisieren die verfolgte Data-Warehouse-Strategie in Form einer fachkonzeptuellen Spezifikation, die trotz des Umfangs der Problemstellung in sich konsistent und möglichst vollständig sein muss. Kapitel 3.5 stellt einen methodischen Rahmen vor, der zur Bewältigung der Komplexität dieser Aufgabe beiträgt.

3.2   Data Warehousing und Unternehmensstrategien

3.2.1 Ein Rahmenkonzept

Die Einsatzmöglichkeiten des Data Warehousings sind ausgesprochen zahlreich. Beim Entwurf des Einsatzszenarios bieten die folgenden Dimensionen eine Orientierung.

Die erste Dimension beschreibt die *horizontale Nutzungsreichweite*. Die Einsatzmöglichkeiten spannen ein Kontinuum auf: Das Data-Warehouse-System kann einzelne Funktionen im Unternehmen, wie z. B. die Instandhaltung, unterstützen. Die Adressaten können zudem Unternehmensexterne sein. Absatzdaten können z. B. im Rahmen der Produktionsplanung des Zulieferers berücksichtigt werden. Für Kunden kann die Information einen Mehrwert darstellen, welche Artikel von anderen Kunden mit ähnlichen Interessen am häufigsten gekauft wurden.

Darüber hinaus sollte die *hierarchische Nutzungstiefe* betrachtet werden. Data-Warehouse-Technologie kann Tätigkeiten unterstützen, die gewöhnlich als überwiegend operativ ausgerichtet einzustufen sind. Als Beispiel dient die Materialprüfung. Die operativen Verrichtungen werden von Steuerungs- und Regelungsprozessen begleitet, die ihrerseits hierarchisch miteinander verknüpft sind. Nicht zuletzt das strategische Management kann von den Daten des Data Warehouses profitieren.

Abb. 17 verknüpft die beiden Dimensionen und positioniert die im Folgenden detailliert erläuterten Einsatzstrategien in dem resultierenden Raum. Die Ziffern geben die zugehörigen Abschnitte dieses Kapitels wieder. Der potenzielle Nutzen eines Data-Warehouse-Projektes wird in der Regel mit Ausweitung der horizontalen Nutzungsreichweite und der hierarchischen Nutzungstiefe erhöht. Allerdings nimmt die Notwendigkeit zur Änderung der Informationskultur und zum Reengineering von Geschäftsprozessen ebenfalls zu, was üblicherweise zum gleichzeitigen Anstieg des Projektrisikos führt.

Die Betrachtung zweier weiterer Dimensionen ergänzt die Überlegungen. In vielen Anwendungsfällen ist die Wahl der *Kommunikationskanäle* für den Zugriff auf die Data-Warehouse-Daten relevant. State of the art sind heute noch PC-Werkzeuge, die eine komfortable, mehrdimensionale Analyse des Datenbestandes ermöglichen. Diese Werkzeuge werden immer mehr durch Web-basierte Systeme abgelöst, womit eine Integration des Data Warehouses in E-Business-Lösungen möglich wird. Einige Hersteller erweitern das Spektrum der Zugriffsmöglichkeiten zudem um Offline-Medien, die eine Zweiwegekommunikation ermöglichen

(Mobiltelefon, Pager, etc.), wovon man sich eine zusätzliche Ausweitung der Zielgruppen für den Data-Warehouse-Zugriff verspricht.

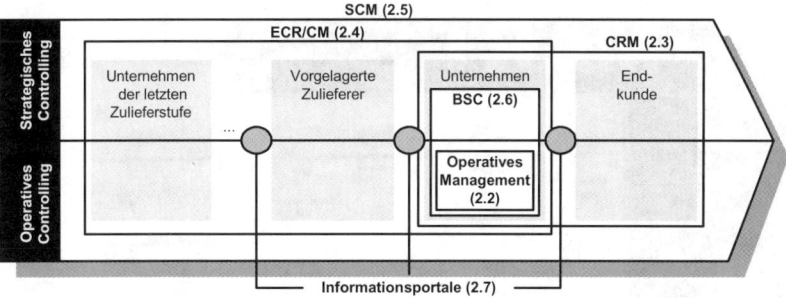

Abb. 17: Data-Warehouse-relevante Strategien

Die Data-Warehouse-Technologie ermöglicht die Verwaltung gut strukturierter quantitativer Informationen. Bei der Formulierung der Data-Warehouse-Strategie sollte die Notwendigkeit zur Integration *schlecht strukturierter quantitativer Informationen* erörtert werden. Führungsaufgaben wie Wissensmanagement oder Frühaufklärung erfordern System-Architekturen, die eine Navigation durch heterogene Informationsbestände ermöglichen.

3.2.2 Operatives Management

In vielen Unternehmen leidet die abteilungsübergreifende Kommunikation unter der Verwendung widersprüchlicher Berichte. Dieser Mangel ist darauf zurückzuführen, dass die Abteilungen Daten auf unterschiedliche Art und Weise aus den operativen Systemen extrahieren, transformieren und laden.[1] Zudem fehlt häufig eine unternehmensweit einheitliche Definition von Kennzahlen. Symptomatisch sind hierfür regelmäßige Diskussionen über die Richtigkeit des vorliegenden Zahlenmaterials, die zu Lasten der Entscheidungsfindung gehen. Mit Einführung der Data-Warehouse-Architektur wird diese Mehrfacharbeit beseitigt und eine Vereinheitlichung des *Berichtswesens* herbeigeführt, welche die Effektivität der Kommunikation im Unternehmen erhöhen kann.

Data-Warehouse-Projekte können zur Entlastung der IT-Abteilung beitragen, indem durch Einführung von OLAP-Software die auf der Frontend-Ebene verwendete Software vereinheitlicht wird. OLAP-Systeme erlauben eine flexible Navigation durch den Datenraum, wodurch die Notwendigkeit der Programmierung von Berichten mittels Programmiersprachen wie COBOL oder ABAP/4 reduziert wird. Die Administration der Arbeitsplatzumgebungen wird zudem erleichtert, wenn der OLAP-Server den Abruf der Daten über Internet-Browser ermöglicht. Die Unterstützung der *Web*-Technologie ist Voraussetzung für die Einführung von Thin-Client-Architekturen (Einsatz von NetPCs) und dient der Realisierung von Mobile-Access-Konzepten.[2]

---

[1]   Vgl. Inmon (1996), S. 8-11.
[2]   Vgl. Kurz (1999), S. 115-116, S. 518.

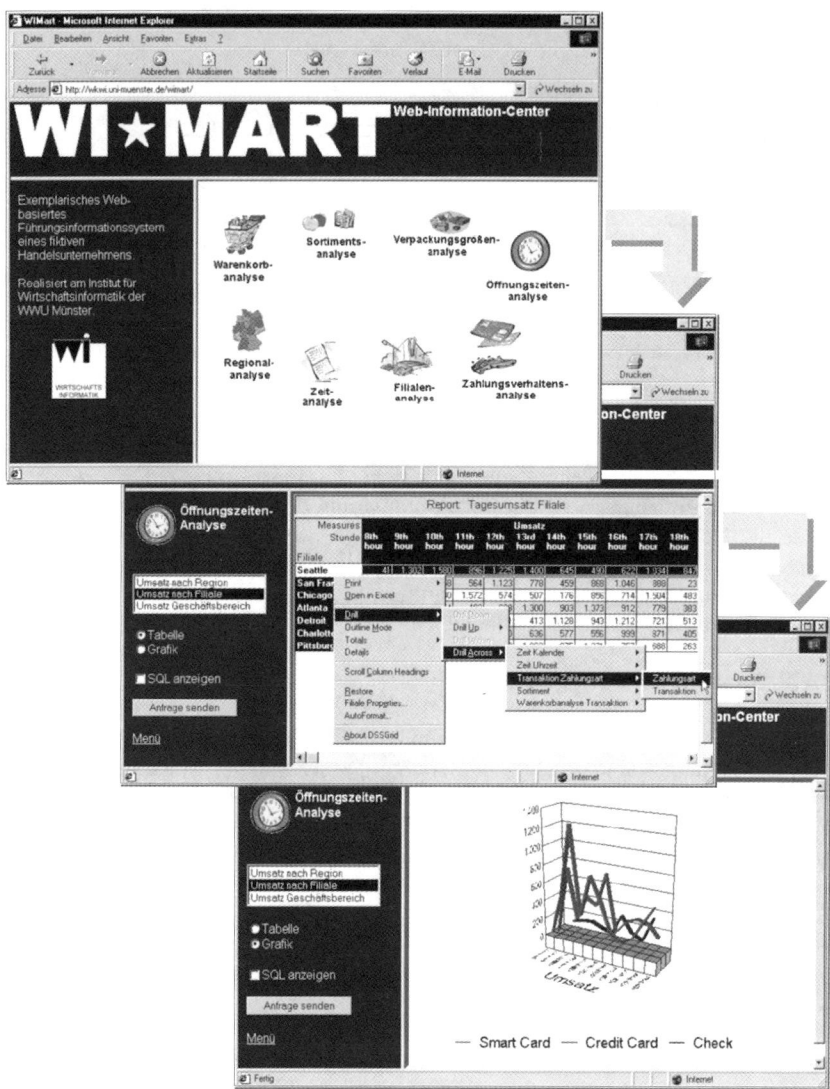

Abb. 18: Web-basiertes FIS für operative Entscheidungsaufgaben

Abb. 18 stellt ein Web-basiertes Berichtswesen am Beispiel eines virtuellen Handelsunternehmens dar. Auf der Einstiegsseite werden Berichtsthemen aufgeführt, die unterschiedliche Aufgabenbereiche unterstützen. Zur Anpassung der Sortimente können Umsätze der Artikel abgerufen werden. Die Erträge der Filialen liefern Ansatzpunkte für die Standortpolitik. Die Warenkorbanalyse ermittelt Kaufverbünde zwischen Artikeln. Für die Personaleinsatzplanung ist die Umsatzstärke der Geschäftsstunden relevant. Nach Anklicken des Bildelements für die Öffnungszeitenanalyse erhält der Anwender in einer Liste verschiedene Berichte des

Themenbereichs zur Auswahl. Mit der Berichtsanforderung erscheint eine tabellarische Aufstellung, der die Entwicklung der Umsatzhöhen verschiedener Filialen über die Öffnungszeit zu entnehmen ist. Drill-Funktionen ermöglichen, die Daten weiter aufzuspalten. Beispielsweise kann untersucht werden, mit welchen Zahlungsarten die Umsätze der Filiale Seattle realisiert wurden. Zur Standardfunktionalität der OLAP-Werkzeuge gehört die Darstellung des Zahlenmaterials als Geschäftsgrafik. Im Beispiel wird dargestellt, dass die Verwendung der unterschiedlichen Zahlungsmittel über die Öffnungszeit deutlich variiert, was auf differierende Einkaufszeiten von Kundengruppen zurückzuführen sein dürfte, die sich in der Präferenz ihrer Zahlungsmittel unterscheiden.

Neben seiner Funktionalität als Fundament für Berichtswerkzeuge bildet das Data Warehouse auch eine hervorragende Basis zur Bildung von Extrakten, die mittels statistischer Methoden oder Data-Mining-Werkzeugen ausgewertet werden. *Statistische Prognosemodelle* (z. B. exponentielle Glättung, lineare Regression) unterstützen den Anwender bei der Festlegung von Planwerten. Bei der Speicherung von Planwerten im Data Warehouse werden diese durch einen entsprechenden Wertansatz gekennzeichnet. Neben dem Wertansatz für Ist-Daten können für Plan-Daten mehrere Wertansätze verwendet werden, um z. B. optimistische, wahrscheinliche und pessimistische Szenarien voneinander zu trennen. Die Ermittlung von Plan-Ist-Abweichungen soll die Aufmerksamkeit des Entscheiders auf Entwicklungen lenken, die seinen Erwartungen widersprechen. Im Rahmen des Exception-Reporting werden Regeln festgelegt, wie das Berichtssystem bei der Überschreitung selbstdefinierbarer Schwellwerte reagieren soll.

Data Mining umfasst einige mathematische Techniken, die ihren Ursprung in der Statistik oder in der Künstlichen Intelligenz-Forschung haben. Die Techniken unterstützen unterschiedliche Fragestellungen:[3] Bei der Segmentierung sollen Datensätze in Gruppen eingeteilt werden, die in gewisser Weise ähnlich sind. Die Klassifizierung und Regression zielt auf die Zuordnung zuvor unbekannter diskreter oder numerischer Eigenschaftsausprägungen zu Elementen ab. Im Rahmen der Problemklasse Assoziierung werden Muster zwischen Elementen gesucht, wobei sich die korrelierten Elemente innerhalb eines Datensatzes befinden (Assoziationsregel) oder auf mehrere Datensätze verteilen können (Sequenzmuster). Einige Beispiele belegen die vielfältige Anwendbarkeit der Techniken im betriebswirtschaftlichen Kontext:[4]

▪ *Produktionssteuerung:* Prüfmessungen liefern visuelle oder akustische Daten. Aus diesen zu ermitteln, ob ein Produktionsfehler vorliegt, stellt ein Klassifizierungsproblem dar.

▪ *Instandhaltung:* Klassifizierungstechniken unterstützen die Prognose von Maschinenausfällen. Als Ausgangsdaten können z. B. Temperaturen und Einsatzzeiten dienen.

▪ *Beschaffung:* Mittels Regressionstechniken von Einflussfaktoren des Absatzes kann auf das Kaufverhalten von Kunden geschlossen und somit die Vorhersagegenauigkeit der stochastischen Bedarfsermittlung verbessert werden.

---

3   Vgl. Schinzer, Bange, Mertens (1999), S. 104-106.
4   Vgl. Schinzer, Bange, Mertens (1999), S. 123-130.

- *Werbung:* Im Rahmen der Segmentierung werden Kundenmengen mit möglichst homogenem Verhalten identifiziert. Diese können mit besonderen Kommunikationsmaßnahmen (z. B. einem Spezialkatalog) angesprochen werden.
- *Marketing:* Bei der Warenkorbanalyse werden aus Kaufbelegen Assoziationsregeln ermittelt, die Aussagen über den gemeinsamen Einkauf von Artikeln treffen. Die Ergebnisse können im Rahmen der Platzierung von Waren in Filialen oder Katalogen verwendet werden.
- *Revision:* Bei der Auswertung des Stornoverhaltens von Kassierern an Supermarktkassen sowie des Zahlungsverhaltens von Kunden handelt es sich um ein Klassifizierungsproblem, dessen Lösung auf Betrugs- bzw. Zahlungsausfallrisiken hinweisen kann.

3.2.3 Customer Relationship Management

Customer Relationship Management (CRM) widmet sich der Konzeption, Anbahnung, kontinuierlichen Pflege und Kontrolle einer effizienten Kundenorientierung bzw. Kundenbindung.[5] Nachdem die Integrationsbemühungen unter den Schlagworten Computer Integrated Manufacturing und Business Process Reengineering sich insbesondere auf die unternehmensinternen Logistikprozesse fokussierten, wird mit CRM die Kundenintegration in den Vordergrund gestellt. Motiviert wird CRM insbesondere durch Integrationsbarrieren, die in vielen Unternehmen zwischen den Informationssystemen des Marketings, Vertriebs und Services bestehen (vgl. Abb. 19). Zudem stehen mit zunehmender Verbreitung neuer Kommunikationsmedien zahlreiche unterschiedliche Kommunikationskanäle für die zu integrierenden Kundenkontaktpunkte zur Verfügung (Point of Sales, Schriftverkehr, Telefon, Internet). Durch die Integrationsbemühungen soll insbesondere vermieden werden, dass ein Vertriebsmitarbeiter einen Kunden besucht, ohne über dessen Reklamationen informiert zu sein.

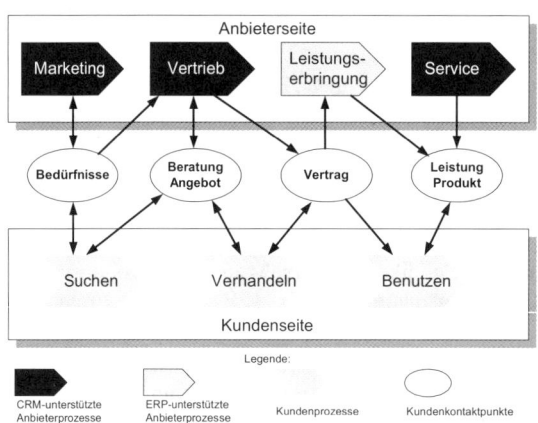

Quelle: Probst, Wenger (1998), S. 30.

Abb. 19: Integrationsbedarf im Customer Relationship Management

---

[5] Vgl. Behnck, Rochefort, Rosemann (1999), S. 105.

Im Rahmen der Zielsetzung von CRM ist sowohl die Prozess- als auch die Datenintegration relevant: Bei der *Prozessintegration* werden entweder zuvor sequenziell verlaufende Prozesse ineinander verschachtelt oder ein Prozess stößt einen anderen über Trigger an. Ein Beispiel für den ersten Fall stellt die Co-Creation dar, unter der eine Teambildung mit dem Kunden zur gemeinsamen Wertschöpfung verstanden wird. Trigger finden sich beispielsweise in Call Centern, in denen mit dem Anruf des Kunden über Computer-Telephony-Techniken der Anbieterprozess ausgelöst wird.

Mittels *Datenintegration* werden die Datenbestände unterschiedlicher Informationssysteme zu einer konsistenten Gesamtheit miteinander verbunden. Im Rahmen von CRM handelt es sich häufig um ein ERP-System, spezielle Marketing, Vertriebs- und Serviceapplikationen und Systeme, die verschiedene Kommunikationskanäle unterstützen. Einen geeigneten Lösungsansatz für die Datenintegration im Rahmen von CRM stellt die Data-Warehouse-Architektur dar.

Prinzipielles Ziel der Data-Warehouse-Gestaltung ist es, mit den gespeicherten Daten den *Kunden-Feedback-Kreislauf* abzubilden.[6] Die Grunddaten liefern den Namen, die Anschrift und weitere geografische, psychografische, kaufverhaltens- und kaufkriterienorientierte Merkmale. Diese bilden die Basis für erste Kundenbindungsmaßnahmen. Die Aktionsdaten beschreiben diese Maßnahmen und halten die beteiligten Kunden fest. Die Wirkung der Aktionen dokumentieren die Reaktionsdaten. Sie halten auch Anfragen, Beschwerden und Reklamationen des Kunden fest. Die Reaktionen haben Einfluss auf die Potenzialdaten, die Vermutungen über den Gesamtbedarf und Bedarfszeitpunkte enthalten. Bei hinreichender statistischer Signifikanz der Potenzialdaten werden diese in die Maßnahmenplanung mit einbezogen. Mit der Zeit erhält man Idealerweise ein immer genaueres Profil des Kunden. Allerdings sind dem strenge rechtliche Grenzen gesetzt.[7]

Bezüglich der Maßnahmen lassen sich Neukunden-, Ausschöpfungs- und Reaktivierungsprogramme unterscheiden, die jeweils eine andere Phase des *Kunden-Life-Cycles* fokussieren. Um dem Anspruch zu entsprechen, die Kundenbeziehungen wirtschaftlich effizient zu pflegen, wird vorgeschlagen, sich bei der Ausgestaltung der Aktionen insbesondere am Kundenwert zu orientieren. Die Kalkulation des *Kundenwertes* wird neben den weit reichenden Datenintegrationserfordernissen zusätzlich durch bedeutsame Prognose- und Bewertungsprobleme erschwert. In den Kundenwert müssten in geeigneter Diskontierung wertmäßig einfließen:

- Potentielle Deckungsbeitragssumme der gekauften Produkte,
- Kundenakquisitionskosten,
- Kundenbindungskosten,
- Wert von Empfehlungen durch den Kunden,
- Cross- und Up-Selling-Potenzial,
- Wert übermittelter Informationen.[8]

---

[6] Vgl. Link, Hildebrand (1993), S. 34.
[7] Vgl. Abschnitt 3.3.
[8] Vgl. Herrmann, Fürderer (1997), S. 351-365.

CRM-Programme können in vielen Fällen ihre Wirksamkeit erst mit weitreichender Anpassung der Unternehmung entfalten. Bei der Analyse der Konsequenzen ist insbesondere an eine Veränderung des Leistungsspektrums (Sortimentsbreite und -tiefe, Einführung von Servicepaketen) zu denken, die u. U. durch Allianzen mit Waren- und Dienstleistungsanbietern (Finanzen, Touristik, andere Einzelhändler) flankiert wird.[9] Darüber hinaus ist zu entscheiden, ob das Potenzial der CRM-Lösung durch zusätzliche Kundenkontaktpunkte (Call-Center, Electronic bzw. Mobil Business) besser ausgeschöpft werden soll. Insbesondere über Zweiwegekommunikationsmedien können Mehrwerte oder neuartige Dienste für Kunden realisiert werden. Beispielsweise stellt der Videoverleiher Blockbuster seinen 60 Mio. Kunden via Web, Telefon und Pager personalisierte Services zur Verfügung. In Abhängigkeit ihrer cineastischen Interessen werden die Kunden über Neuerscheinungen und mögliche Reservierungen informiert. Die Kommunikationsmedien erlauben eine einfache Bestätigung bzw. Ablehnung der Angebote. Dem Prinzip des Permission Based Marketing folgend pflegen die Kunden ihre Interessenprofile selbst.

3.2.4 Efficient Consumer Response und Category Management

Efficient Consumer Response (ECR) bezeichnet das unternehmensübergreifende, gemeinsame Management von Logistikketten, welche die beteiligten Unternehmen verbinden. Das Ziel des ECR ist die Maximierung der beeinflussbaren Differenz aus Leistung und Kosten. Zur Unterstützung von Efficient Consumer Response wurde ein Strategie-Mix entwickelt, der einen Logistik-orientierten mit weiteren Marketing-orientierten Bausteinen verknüpft.[10] Im Rahmen dieser Basisstrategien kann Data Warehousing eine entscheidende unterstützende Rolle einnehmen.

Efficient Replenishment stellt die Logistik-orientierte Komponente dar und zielt auf die Verbesserung der Effizienz der Logistikprozesse. Neben modernen physischen Logistikkonzepten wie die Einrichtung von Zentral- bzw. Transferlagern[11] lässt sich dies insbesondere durch eine Intensivierung des Datenaustauschs entlang der Logistikkette erreichen. Durch Sicherheitsbevorratung, Auftragsbündelung, Sonderangebots- und Engpasspoker geben die Bestelldaten der vorgelagerten Logistikstufe die tatsächliche Absatzsituation jeweils nur verfälscht wieder. Um eine Aufschaukelung dieser Verzerrung entlang der Logistikkette zu vermeiden (Peitscheneffekt), sollten Verkaufs- bzw. Verbrauchsdaten möglichst zeitnah und unverfälscht an Zulieferer weitergeleitet werden.[12] Bei der Zusammenführung der Daten aus den unterschiedlichen Quellsystemen eines Unternehmens und der Daten der einzelnen Unternehmen einer Handelsstufe kann die Data-Warehouse-Technologie eingesetzt werden.

Efficient Assortment will die Nutzung von Regal- und Ladenflächen optimieren. Hierfür werden historisierte Daten über realisierte Verkäufe benötigt. Aus diesen lassen sich mittels Data-Mining-Techniken Verbundbeziehungen zwischen

---

[9] Vgl. Meyer-Schönherr (2000), S. 14.5.
[10] Vgl. Becker, Uhr, Vering (2000), S. 189-190.
[11] Vgl. Schulte (1999), S. 374-375, S. 405-409.
[12] Vgl. Lee, Padmanabhan, Whang (1997).

Artikeln ermitteln, die in die Entscheidung über die Platzierung der Artikel in Regalen und über die Layoutgestaltung des Ladenlokals einfließen.

Efficient Promotion zielt auf Verbesserung der Koordination der Verkaufsförderungsaktivitäten zwischen den Handelsstufen und reagiert damit auf einen klassischen Konflikt zwischen Handel und Hersteller, der darin besteht, dass der Handel Sortimente und die Einkaufsstätte bewirbt, während Hersteller eher für die Profilierung einzelner Produkte sorgen. Die frühzeitige Abstimmung der Werbemaßnahmen soll insbesondere die Kapazitätsplanung der Partner verbessern. Zur Prognose der Absatzwirkung der Verkaufsförderungsmaßnahmen und für die Kontrolle des Werbeerfolges müssen Abverkaufsmengen gemeinsam mit den entsprechenden Parametern der Umfeldbedingungen und der werbetechnischen Maßnahmen im Data Warehouse gesammelt werden.

Efficient Product Introduction reagiert auf hohe Flop-Raten, die bei der Neueinführung von Produkten zu verzeichnen sind. Den Händlern kommt insofern ein hoher Machtfaktor zu, als sie über den Engpass Regalfläche verfügen. Mit der Einbeziehung von Händlern in die Neuproduktentwicklung kann vermieden werden, dass eigentlich unerwünschte Artikel mittels Rabatten in den Markt gedrückt werden müssen. Entscheidungen über die Neugestaltung von Produkten können insbesondere im Rahmen des Vergleichs von externen Marktforschungsdaten mit den internen Verkaufsdaten durch die Aufdeckung ertrags- oder umsatzschwacher Warengruppen initiiert werden. Externe Marktforschungsdaten bilden auch die Grundlage zur Einschätzung der Größe und Art der Zielgruppe von Neuprodukten. Die Integration der externen und internen quantitativen Daten stellt eine Kernaufgabe von Data-Warehouse-Systemen dar.

Category Management (CM) kann als eine organisatorische Voraussetzung des ECR verstanden werden. Im Rahmen des Category Managements werden Warengruppen (Categories) als strategische Geschäftseinheiten aufgefasst. Mitarbeiter des Händlers und des Herstellers bilden Teams, die in Anlehnung an das Profit Center Management jeweils für den Erfolg einzelner Categories verantwortlich sind. Sie nehmen insbesondere die marketingorientierten Aufgaben des ECR-Konzepts partnerschaftlich wahr. Das Team benötigt eine gemeinsame unternehmensübergreifende Datenbasis, in die händlerseitig schwerpunktmäßig Abverkaufsdaten, Daten über Läden und Logistikdaten eingespielt werden, während herstellerseitig vor allem Daten aus der Markt- und Produktforschung, der Produktion und Produktentwicklung zur Verfügung gestellt werden. Die Notwendigkeit der offenen Kommunikation stellt eine wesentliche Barriere bei der Realisierung des Category-Management-Konzepts dar, die über vertrauensbildende Maßnahmen zu überwinden ist.

3.2.5 Supply Chain Management

Supply Chain Management (SCM) „ist die Koordination einer strategischen und langfristigen Zusammenarbeit von Ko-Herstellern im gesamten Logistiknetzwerk zur Entwicklung und Herstellung von Produkten – sowohl in Produktion und Beschaffung als auch in Produkt- und Prozessinnovation. Jeder Ko-Hersteller ist dabei auf seinen Kernkompetenzen tätig."[13] Um dem Koordinationsanspruch des

---

[13] Schönleben (2000), S. 53.

Konzepts zu entsprechen, muss die Supply Chain von einer Information Supply Chain begleitet werden, die mittels Steuerung- und Regelungsinformationen die Abstimmung der logistischen Teilprozesse unterstützt.

Das vom Supply Chain Council (SCC) entwickelte *SCOR-Modell* dient als Referenzmodell für die gesamte Wertschöpfungskette und sieht vor, dass sich eine Supply Chain aus vier Prozesstypen zusammensetzt:[14]

- *Beschaffung* umfasst die Aufgaben Lieferanten- und Materialauswahl sowie die Planung und den Betrieb der Beschaffungsinfrastruktur.
- *Produktion* beinhaltet die Produktionsdurchführung und -planung sowie den Betrieb der Produktionsinfrastruktur.
- *Vertrieb* setzt sich zusammen aus den Aufgaben Auftrags-, Lager- und Transportmanagement sowie die Planung und den Betrieb der Vertriebsinfrastruktur.
- Der Prozesstyp *Planung* beinhaltet die mittelfristige Kapazitätsplanung, die strategische Planung (Make-or-Buy-Entscheidungen, Supply-Chain-Konfiguration, langfristige Kapazitätsplanung, Produktplanung) sowie die Planung und den Betrieb der Planungssysteme.

Das Referenzmodell liefert zu den Prozessbausteintypen weitere Verfeinerungen. Bei der Konfiguration einer konkreten Supply Chain werden diese Typen einzelnen Unternehmen zugeordnet (vgl. Abb. 20).

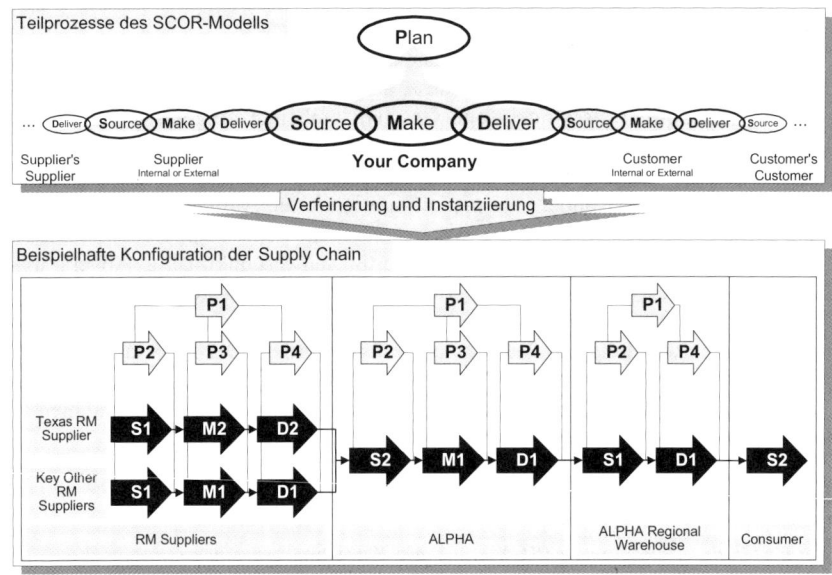

In Anlehnung an: Stephens (2000).

Abb. 20: Konfiguration der Supply Chain auf der Basis des SCOR-Modells

---

[14]   Vgl. Stephens (2000).

Bei der Gestaltung der Information Supply Chain trifft man regelmäßig auf das Problem, dass die involvierten logistischen Teilprozesse von bestehenden Logistik-Informationssystemen unterstützt werden, bei deren Gestaltung funktionale und organisatorische Gegebenheiten dominieren. Die Bedürfnisse des Controllings der Gesamtprozesse finden dabei oftmals keine Berücksichtigung. Deshalb müssen die Daten der operativen Systeme erst mittels Data-Warehouse-Technologie bearbeitet werden, bevor sie sich als Inhalt für die koordinativen Informationsflüsse entlang der Supply Chain eignen.

3.2.6 Balanced Scorecard

Die Umsetzung von Strategien wie CRM, ECR oder SCM sind kritische Managementprozesse, deren Bewältigung häufig an den folgenden Punkten scheitern:[15]

▓ Mangelnde Klärung und Operationalisierung der strategischen Ziele,

▓ ungenügende Kommunikation der Strategie innerhalb des gesamten Unternehmens,

▓ fehlende Verbindung der Strategie mit den persönlichen und abteilungsspezifischen Zielen,

▓ Vernachlässigung des strategischen Lernens im Sinne eines kontinuierlichen Rückkopplungsprozesses.

Die Management-Methode Balanced Scorecard (BSC) will diese Strategiebarrieren überwinden helfen. Sie enthält Empfehlungen bezüglich der Gestaltung des strategischen Planungs- und Steuerungsprozesses und der in dessen Rahmen einzusetzenden Berichte.[16]

1. Im ersten Schritt wird die *Vision* und Strategie formuliert, die beispielsweise darin bestehen kann, CRM oder SCM einzuführen.

2. Aus dieser Vision werden spezifische strategische *Ziele* abgeleitet, beispielsweise die Verbesserung der Kundenbindung. Eine Ausgeglichenheit der Ziele soll dadurch erreicht werden, dass die Zielformulierung jeweils aus verschiedenen Perspektiven vorgenommen wird. Die meist zitierte Form der Balanced Scorecard sieht die Sichten Finanzen, Kunden, Prozesse sowie Lernen und Wachstum vor (vgl. Abb. 21). Bei der Implementierung sind allerdings unternehmensspezifische Anpassungen vorzunehmen. So empfiehlt sich in vielen Fällen die Betrachtung einer Sicht Lieferanten. Die Perspektiven sollen möglichst alle betroffenen Stakeholder der Unternehmung abdecken. Über die Sichten soll zudem erreicht werden, dass sowohl vergangenheits- als auch zukunftsorientierte Kennzahlen berücksichtigt werden. In der Finanzsicht werden i. d. R. überwiegend vergangenheitsorientierte Ziele formuliert, während die Perspektive Lernen und Wachstum zukunftsorientierte Potenziale aufzeigen soll. Darüber hinaus soll der Zielbereich nicht auf quantitative Sachverhalte beschränkt bleiben, sondern auch qualitative umfassen.

3. Die Ausgewogenheit des Steuerungssystems wird unterstützt, indem die strategischen Ziele über *Ursache-Wirkungs-Netze* miteinander verbunden werden.

---

[15] Vgl. Kaplan, Norton (1996), S. 75ff. und Kaplan, Norton (1997), S. 12-13.
[16] Vgl. Kaplan, Norton (1997).

Dies soll insbesondere die Analyse von Zielerreichungsabweichungen unterstützen. Beispiele für diese Zusammenhänge sind die Unterstellung eines positiven Effekts der Mitarbeitermotivation auf die Qualität der Prozessdurchführung, die wiederum zu einer Verbesserung der Kundenzufriedenheit beiträgt, die Umsatzsteigerungen bewirkt.

4. Mit Hilfe *kaskadierender Scorecards* werden die Strategien für tiefer angesiedelte Organisationseinheiten heruntergebrochen.[17] Die Ziele werden für die einzelne Organisationseinheit so formuliert, dass sie innerhalb deren Zuständigkeitsbereich realisiert werden können.

5. Den Zielen werden *Maßnahmen* zugeordnet, deren Wirksamkeit über entsprechende *Kennzahlen* gemessen. Das Unternehmen erhält auf diese Weise ein Kennzahlensystem mit dem es die Umsetzung der Vision steuern kann.

6. Der Wirkungsgrad der Methode wird erhöht, indem die Zielerreichungsgrade der Scorecard zudem in den Anreizsystemen des Unternehmens Verwendung finden. Die strategische Ausrichtung und damit die Gestaltung der Balanced Scorecard wird regelmäßig in Frage gestellt. Die Balanced Scorecard soll als Kommunikationsmedium für die Diskussion der Unternehmensvision dienen, die mit deren Hilfe intensiviert und weiter verbreitet wird.

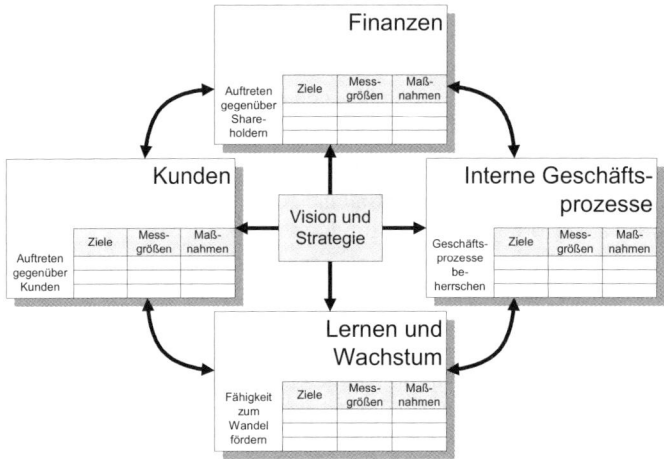

In enger Anlehnung an Kaplan, Norton (1997), S. 9.

Abb. 21: Sichten der Balanced Scorecard

Eine Balanced Scorecard muss auf den ersten Blick nicht zwangsläufig mit einem Data Warehouse realisiert werden. Da jede Scorecard lediglich rund zwanzig Kennzahlen ausweisen soll, ist der Datenbedarf volumenmäßig relativ gering. Da das Kennzahlensystem Daten verschiedener Perspektiven zusammenführt, sprechen die hieraus erwachsenen Integrationsbedürfnisse allerdings für die Notwendigkeit der Anwendung von Data-Warehouse-Technologie.

---

[17]   Vgl. Wiese (2000), S. 98-99.

Die Integrationserfordernisse werden dadurch verschärft, dass im Bereich der strategischen Planung neben der Innensicht des Unternehmens besonders das permanente Monitoring der Umwelt relevant ist. Die hierfür notwendigen quantitativen Daten erhält man z. B. von Marktforschungsinstituten oder vom Statistischen Bundesamt. Insbesondere über das Internet wird der Zugriff auf viele Datenbanken ermöglicht. Für die Verwaltung der externen Daten im Data Warehouse sprechen die gleichen Argumente, die auch seine Verwendung im Rahmen des operativen Berichtswesens motivieren (vgl. Abschnitt 3.2.2). Es entfallen Mehrfacharbeiten, die zu Inkonsistenzen führen können. Außerdem ist der Bezug der externen Daten in der Regel nicht kostenfrei. Werkzeuge unterstützen die regelmäßige Extraktion der strukturierten quantitativen Daten aus Internetquellen. Problematisch bei der Integration ist, dass die Strukturierung der Untersuchungsgegenstände durch die externen Institutionen regelmäßig von den intern verwendeten abweicht. Beispielsweise verwenden viele Unternehmen andere Warengruppenstrukturen als die führenden Marktforschungsinstitute. Lösungsansätze liefern hier Standardisierungen (z. B. die CCG Warengruppenhierarchie) und die parallele Verwaltung alternativer Strukturen im Data Warehouse.

3.2.7 Informationsportale

Data Warehousing legt den Fokus auf die Verwaltung quantitativer Daten. Für viele Managementaufgaben ist zudem die Kenntnis von Sachverhalten relevant, über die lediglich relativ unstrukturierte qualitative Aussagen z. B. in Form von Textdokumenten vorliegen. Beispielsweise stellt die Frühaufklärung eine unternehmensbezogene Führungsaufgabe dar, die alle systematisch erfolgenden Handlungen der Wahrnehmung, Sammlung, Auswertung und Weiterleitung von Informationen aus dem Unternehmensumfeld zur Vorbereitung von Entscheidungen mit strategischer Reichweite umfasst.[18] Aus Sicht der Zielsetzung ist es bedeutungslos, in welcher Form die Informationen anfallen. Als geeignete Metapher für die Gestaltung der Benutzeroberfläche von Management-Informationssystemen hat sich die des *Management-Cockpits* etabliert. Einer Instrumententafel gleich sollen dem Management sämtliche für seine Aufgaben relevanten Informationsobjekte zur Verfügung gestellt werden. Ihre Realisierung wurde seit Anfang der 80er Jahre mit Hilfe von EIS-Generatoren verfolgt. Unter Verwendung von Internet-Technologie wird diese Zielsetzung heute unter dem Begriff *Business Information Portal* wieder aufgegriffen.[19] Für die technische Umsetzung ist ein Informationssystem notwendig, dass die Funktionalität von Web-basierten Data-Warehouse- und Content-Management-Systemen vereint.

Im Rahmen der technischen Architektur eines Enterprise Information Portals ermöglichen die Data-Warehouse-Funktionen den Aufruf von OLAP-Berichten bzw. sorgen für die Zustellung von Exception Reports. Im Rahmen des *Content Managements* wird die komfortable Verwaltung und Hinzufügung von Multi-Media-Objekten unterstützt, wobei das Einfügen der Informationsträger durch einen systemseitig koordinierten Prozess der Qualitätskontrolle begleitet werden kann. Informationen können dezentral von Mitarbeitern direkt in das System eingestellt

---

[18] Vgl. Zurlino (1995), S. 28.
[19] Vgl. Kurz (1999), S. 576-580.

werden oder werden zentral von spezialisierten Funktionsbereichen aus umfangreichen Informationsquellen wie dem Internet gewonnen. Web-Farming-Systeme unterstützen das systematische und kontinuierliche Extrahieren von Informationsquellen im Web mit anschließendem Destillieren von verwertbarer Information für analytische oder strategische Informationssysteme. Damit das Portal eine komfortable und schnelle Navigation durch den Daten- und Dokumentenbestand ermöglichen kann, ist eine übergreifende Strukturierung der Informationsobjekte notwendig. Deshalb wird in der Zukunft das Zusammenwachsen von Data-Warehouse- und Content-Management-Systemen zu beobachten sein.

Der Trend zur Integration der Verwaltung schlecht strukturierter Information in die Data-Warehouse-Architektur wird durch die starke Bedeutung forciert, die dem Thema *Wissensmanagement* zur Zeit beigemessen wird. Unter Wissensmanagement wird das Leitungshandeln in Bezug auf alle Aspekte des Wissens im Unternehmen verstanden. Wissen wird in der Informationsgesellschaft als dominierender Produktionsfaktor angesehen. Die Informationssysteme der Enterprise-Information-Portal-Lösung stellen eine geeignete technische Basis dar, um die Aufgaben der Wissensspeicherung und -verteilung im Rahmen des Wissensmanagements zu unterstützen. Durch die Integration kollaborativer Dienste wie Mail, Fax, Videokonferenz und Diskussionsforen kann der Informationsaustausch zusätzlich befördert werden. Beim weiteren Ausbau ist zudem der direkte Zugriff auf die operativen Transaktionssysteme aus dem Portal heraus anzustreben.

Neben der internen Verwendung können Teile des Funktions- und Informationsspektrums des Portals Kunden bzw. Partnern zur Verfügung gestellt werden. Informationsportale ermöglichen als *E-Business-Plattformen* neue Dienste und Geschäftsmodelle, die die Qualität der CRM- bzw. ECR-Lösungen weiter vorantreiben.

3.3 Rechtliche Grenzen des strategischen Spielraums

Rechtliche Bestimmungen schränken die Speicherung, Übermittlung und Nutzung von Daten mittels Data-Warehouse-Technologien ein. Im Volkszählungsurteil von 1983 leitete das Bundesverfassungsgericht aus Artikel 2 Abs. 1 (Recht auf freie Persönlichkeitsentfaltung) in Verbindung mit Artikel 1 Abs. 1 des Grundgesetzes für die Bundesrepublik Deutschland das grundsätzliche Recht eines jeden Bürgers auf *informationelle Selbstbestimmung* ab, welche die Entscheidungsfreiheit über die Preisgabe persönlicher Daten umfasst. Das Urteil machte eine Novellierung des Bundesdatenschutzgesetzes (BDSG) notwendig, die am 1. Juni 1991 in Kraft trat. Die Regelungen betreffen die mittels Data-Warehouse-Technologie realisierbare Innen- und Außensicht eines Unternehmens, da die Verarbeitung und Nutzung von personenbezogenen Daten, insbesondere von Mitarbeitern und Kunden, einem Verbot mit Erlaubnisvorbehalt unterstellt wird (§ 4 Abs. 1 BDSG).

Als *personenbezogene Daten* gelten Einzelangaben über persönliche oder sachliche Verhältnisse einer bestimmten oder bestimmbaren natürlichen Person (§ 3 Abs. 1 BDSG). Der Verarbeitung anonymer Daten im Data Warehouse steht somit datenschutzrechtlich nichts entgegen. „Allerdings wird der Personenbezug hergestellt, wenn eine Einzelperson als Mitglied einer Personengruppe gekennzeichnet wird, über die bestimmte Angaben gemacht werden, wenn die Daten auf die Einzelperson durchschlagen."[20] Streitig ist, ob Werturteile, Prognose- und Planungsdaten als personenbezogene Einzelangaben verstanden werden können.[21]

Die *Verarbeitung und Nutzung* personenbezogener Daten kann durch gesetzliche Erlaubnis oder durch Einwilligung des Betroffenen legitimiert werden. Das BDSG erlaubt sie für die Erfüllung eigener Geschäftszwecke, falls sie für die Durchführung bzw. Abwicklung eines Vertrages erforderlich ist (§ 28 Abs. 1 Nr. 1). Zu beachten ist hierbei die strenge Zweckbindung. Eine Datensammlung auf Vorrat kann hieraus ebenso wenig legitimiert werden, wie die Verwendung von Bestelldaten für Maßnahmen des Data Base Marketing.[22] Die Verwendung von Daten zu ausschließlich eigenen Zwecken ist dann zulässig, wenn dem kein überwiegendes Schutzinteresse des Betroffenen entgegensteht (§ 28 Abs. 1 Nr. 2 BDSG). Hier ist somit eine Interessenabwägung vorzunehmen. Bei der Erstellung von Kundenprofilen, die über Vorlieben und Zahlungsverhalten Auskunft geben, ist regelmäßig ein überwiegendes schutzwürdiges Interesse des Betroffenen zu unterstellen.[23] Eine Einwilligung des Betroffenen (§ 4 Abs. 2 BDSG) ist ausschließlich wirksam, wenn die Daten und deren Verwendungszweck ausreichend spezifiziert sind. Bei vorgesehener Datenübermittlung ist der Adressatenkreis zu nennen. Auf Verlangen ist der Betroffene über die Folgen der Verweigerung einer Einwilligung zu unterrichten. Grundsätzlich bedarf die Einwilligung der Schriftform. „§ 89 Abs. 10 TKG und § 3 Abs. 7 TDDSG sehen unter bestimmten Voraussetzungen eine elektronische Einwilligung vor."[24]

Data-Warehouse-Projekte zielen regelmäßig darauf ab, eine integrierte Unternehmens- oder gar Konzernsicht zu realisieren. Hierzu ist es notwendig, dass die speichernde Stelle Dritten Daten weitergibt bzw. zur Einsicht oder zum Abruf bereitstellt. Diese *Übermittlung* wird unter dem Verarbeitungsbegriff subsummiert (§ 3 Abs. 5 Nr. 3 BDSG), so dass auch hierfür die genannten Einschränkungen gültig sind. Bei der Bestimmung des Dritten wird ein funktionaler Stellenbegriff unterstellt (§ 3 Abs. 8). Organisationseinheiten, die nicht direkt mit dem originären Zweck der Verarbeitung der jeweiligen personenbezogenen Daten betraut sind, gelten demnach als Dritte.[25] Zudem gilt kein Konzernprivileg. Juristisch selbständige Tochterunternehmen sind gegenüber der speichernden Stelle als Dritte anzusehen.[26]

Das BDSG ist *subsidiär* zu anderen Rechtsvorschriften (§ 1 Abs. 4 BDSG). Spezialgesetzliche Regelungen wie das Arztgeheimnis § 203 Abs. 1 Nr. 1 StGB und das Steuergeheimnis § 30 AO sowie bereichsspezifische Datenschutzvorschriften gehen dem Gesetz vor. Für den Bereich der Online-Dienste sind insbesondere das Telekommunikationsgesetz (TKG) in Verbindung mit der Telekommunikationsdiensteunternehmen-Datenschutzverordnung (TDSV), das Teledienstedatenschutzgesetz (TDDSG) und der Mediendienstestaatsvertrag (MDStV) zu nennen.[27]

---

20 Hoeren (2000), S. 173 ohne Hervorhebungen des Originals.
21 Vgl. Hoeren (2000), S. 172.
22 Vgl. Büllesbach (2000), S. 13.
23 Vgl. Bizer (1998), S. 107.
24 Büllesbach (2000), S. 15.
25 Vgl. Hoeren (2000), S. 179-180.
26 Vgl. Büllesbach (2000), S. 14.
27 Vgl. Büllesbach (2000), S. 15.

Die Bundesrepublik Deutschland hat mit dem Erlass des weltweit ersten Datenschutzgesetzes für das Land Hessen 1970 und der Verabschiedung der ersten Fassung des BDSG 1978 eine Vorreiterrolle im Schutz der Privatsphäre übernommen. Bis heute haben fast alle EU-Mitgliedstaaten Rechtsvorschriften für diesen Bereich erlassen, die sich allerdings im Inhalt und in der praktischen Durchsetzung signifikant unterscheiden. Unternehmen könnten Rechtsoasen nutzen, indem sie die Verarbeitung personenbezogener Daten in ausländische Länder verlegen. Die 1995 verabschiedete *EU-Datenschutzrichtlinie* will dieser Gefahr begegnen.

Die Richtlinie wurde vom deutschen Datenschutzrecht stark beeinflusst. Während das BDSG allerdings in Reaktion auf das Volkszählungsurteil des Bundesverfassungsgerichts keine Unterscheidung personenbezogener Daten vorsieht, folgt die Richtlinie der Sphärentheorie des französischen Datenschutzgesetzes, indem es eine Klasse sensibler Daten (z. B. Religionszugehörigkeit, rassische Herkunft, Gesundheitszustand) unter besonderen Schutz stellt.[28] Personenbezogene Daten dürfen ins EU-Ausland nur bei Vorliegen eines angemessenen Schutzniveaus übermittelt werden oder wenn als Ausnahmetatbestand ausreichende Garantien vereinbart sind.[29] Die Richtlinie nimmt zudem Einfluss auf die Anwendbarkeit des deutschen Rechts. Die bisherige Regelung stellt auf den Sitz der verarbeitenden Stelle ab. Die Richtlinie folgt dem Territorialitätsgrundsatz, wonach der Ort der Niederlassung des für die Datenverarbeitung Verantwortlichen über die Anwendung der jeweiligen nationalen Datenschutzbestimmungen entscheidet. Der Verantwortliche führt die Verarbeitung der personenbezogenen Daten entweder selbst aus oder gibt sie in Auftrag und entscheidet über deren Zweck und Ziel.[30] Die Europäische Datenschutzrichtlinie macht eine Anpassung des deutschen Datenschutzrechts erforderlich. Einen entsprechenden *Regierungsentwurf* hat das Bundeskabinett am 14. Juni 2000 gebilligt. Es wird erwartet, dass die Novelle noch bis Ende 2000 den Bundestag und Bundesrat passiert.

Sowohl das BDSG als auch die EU-Datenschutz-Richtlinie haben ausschließlich den Schutz personenbezogener Daten natürlicher Personen zum Gegenstand. Im Gegensatz zum Datenschutzrecht Luxemburgs oder Österreichs bezieht es sich nicht auf *juristische Personen*. Bei der Beurteilung der Rechtmäßigkeit der Verwendung von Daten über Unternehmen oder Vereinen ist das Datenschutzrecht nicht relevant, solange diese Daten nicht in Zusammenhang mit Einzelpersonen gebracht werden. Statt dessen sind andere Gesetze zu prüfen. Von Bedeutung können sein § 17 UWG (Betriebsgeheimnis), § 823 Abs. 1 BGB (Recht am eingerichteten und ausgeübten Gewerbebetrieb) und § 35 Abs. 4 SGB (Betriebs- und Geschäftsgeheimnisse als Gegenstände des Sozialgeheimnisses).[31]

Im Ergebnis ist die Verwendung von Daten im Data Warehouse rechtlich kaum bedenklich, wenn die Daten im eigenen Unternehmen anfallen und diese keinen Bezug zu Personen aufweisen. Hierzu zählen beispielsweise Absatz- und Umsatzzahlen von Produkten, Durchlaufzeiten von Prozessen und Verbindlichkeiten gegenüber Lieferanten. Dieser Datenbestand kann um externe Daten ergänzt werden, die Informationen über andere Unternehmen beinhalten, sofern sie keine Be-

---

[28]   Vgl. Hoeren (2000), S. 167.
[29]   Vgl. Hoeren (2000), S. 168.
[30]   Vgl. Hoeren (2000), S. 169.
[31]   Vgl. Hoeren (2000), S. 170-171.

triebsgeheimnisse darstellen. Von Letzterem ist insbesondere dann auszugehen, wenn diese Daten vom Unternehmen selbst veröffentlicht wurden. Auf dieser Basis lassen sich prinzipiell Benchmarking-Analysen durchführen, wobei allerdings zu beachten ist, dass das veröffentlichte Material den Erfordernissen des Relationship Marketing angepasst sein wird. Rechtlich erheblich eingeschränkt wird die Nutzung von personenbezogenen Daten im Data Warehouse, sofern diese nicht anonymisiert sind. Die Verwendung von Kundendaten muss i. d. R. entweder Teil einer Vertragsleistung oder Gegenstand einer Einwilligung des Betroffenen sein. Beides lässt sich nur erreichen, wenn im Rahmen des Anwendungsszenarios der Kunde für sich einen entsprechenden Nutzen identifizieren kann. Aber auch dann ist die Verarbeitung der Daten durch den strengen Grundsatz der *Zweckbindung* beschränkt.

3.4 Change- und Projektmanagement

Change Management ist in zwei unterschiedlichen Begriffsauffassungen für Data Warehousing relevant. Aus unternehmensübergreifender Sicht bezeichnet es „die systematische Veränderung zentraler Organisationsparameter, durch die die Unternehmensleitung die Organisation in Übereinstimmung mit den kontextualen Anforderungen des Wettbewerbs, der internen und externen Stakeholder sowie der allgemeinen Umwelt zu halten versucht."[32] Die Veränderungen unterscheiden sich insbesondere nach den in 3.2.1 identifizierten Kriterien Reichweite und Tiefe.[33] Die Ausrichtung des Change Management bewegt sich zwischen den Polen Evolution und Revolution. Die *Evolutionsstrategie* bevorzugt eine kontinuierliche Veränderung in kleinen Schritten (z. B. als kontinuierlicher Verbesserungsprozess (KVP)), während die *Revolutionsstrategie* diskontinuierliche tief greifende Veränderungen anstrebt (z. B. im Rahmen von Business Process Reengineering (BPR)). Die Wahl der Grundrichtung beeinflusst die Formulierung der Data-Warehouse-Strategie.

Das Change Management will mit einer Reihe von Maßnahmen die Unternehmensentwicklung befördern. Die eingesetzten *Werkzeuge* lassen sich grob danach einteilen, ob ihre Intervention eher über weiche Faktoren (Wissen und Können, Einstellungen und Verhalten) oder eher über harte Faktoren (Strukturen und Abläufe, Systeme und Regelungen) auf einzelne, eine Gruppe, das gesamte Unternehmen oder wesentliche Teile oder die relevanten Umwelten des Unternehmens wirken.[34] Ihr erfolgreicher Einsatz verbessert die Rahmenbedingungen eines Data-Warehouse-Projektes. Verständnis bei den Mitarbeitern für die Notwendigkeit und Dringlichkeit der Veränderungen ist ein entscheidender Erfolgsfaktor, der über die kommunikative Verbreitung, Unterstützung und Begleitung der Veränderungsprozesse realisiert werden kann.

Die Veränderungen selbst können im Rahmen von *Projekten* realisiert werden, die allgemein zeitlich befristete komplexe und i. d. R. interdisziplinäre Aufgaben

---

[32] Oelsnitz, von der (1999), S. 44.
[33] Vgl. Bullinger, Friedrich (1995), S. 21.
[34] Vgl. Doppler, Lautenburg (1997), S. 173.

darstellen.[35] Das *Projektmanagement* organisiert, plant, steuert und kontrolliert deren einzelne Teilaufgaben und ihren Personen- bzw. Ressourceneinsatz.[36]

Voraussetzung der Steuerung und Kontrolle ist die Formulierung von *Zielen*. Das Leistungsziel des Data-Warehouse-Projektes ist aus der verfolgten Strategie abzuleiten. Es ist durch Formalziele zu ergänzen, welche die Kosten und Zeiten festlegen, innerhalb derer das Leistungsziel zu verwirklichen ist.

In einem *Projektplan* werden den auszuführenden Aufgaben Durchlaufzeiten, Fertigstellungstermine und beanspruchbare Ressourcen zugeordnet. Um ihre Komplexität bewältigen zu können, muss die Gesamtaufgabe der Data-Warehouse-Einführung in Teilaufgaben zerlegen werden. Ansatzpunkte bieten hierbei die Projektphasen, die Einführungsstrategie und das Prototyping.

Die Data-Warehouse-Einführung kann wie jede Informationssystementwicklung idealtypisch in die Ebenen Fachkonzeption, DV-Konzeption und Implementierung eingeteilt werden.[37] Die Ebenen ordnen die Aufgaben nach der Nähe ihrer Entscheidungsgegenstände zur technischen Realisierung.

- Die *Fachkonzeption* sieht die Definition der betriebswirtschaftlich-inhaltlichen Anforderungen an das Data Warehouse vor. Sie stellt eine erste Verfeinerung und Formalisierung des Leistungsziels dar. Da die Fachkonzeption aus betriebswirtschaftlicher Sicht im Vordergrund steht, wird sie in Abschnitt 3.5 ausführlich erläutert.

- Die *DV-Konzeption* bricht die Anforderungen auf die technischen Notwendigkeiten herunter. Hierzu gehören die Toolauswahl und die Entscheidung über Datenbankschemata. Aspekte der Performanceoptimierung kommen hier zum Tragen.

- Im Rahmen der *Implementierung* werden die technischen Entwürfe umgesetzt, indem insbesondere die gewählten Softwarewerkzeuge konfiguriert und die Programme für den Dataload codiert werden. Entwicklungsumgebungen ermöglichen die (teil)automatisierte Transformation der fachlichen bzw. DV-konzeptuellen Anforderungen in die notwendigen Einstellungen der Implementierung.[38]

Data-Warehouse-Vorgehensmodelle weichen von dieser Dreiteilung regelmäßig ab, indem sie eine feinere Untergliederung vornehmen und eine Wartungs- bzw. Validierungsphase ergänzen. Das Prinzip bleibt allerdings erhalten.

Sind viele Unternehmensbereiche als Nutzer des Data Warehouses vorgesehen, müssen im Rahmen der Fachkonzeption eine Vielzahl an Themenbereichen gleichzeitig berücksichtigt werden, wobei die beherrschbare Komplexität regelmäßig überschritten wird. *Data Marts* stellen abteilungs- bzw. themenspezifisch zusammengestellte Datensammlungen dar. Sie scheinen ein paralleles, nach Abteilungen bzw. Themen segmentiertes Vorgehen zu ermöglichen. Um die Schaffung von Insellösungen zu vermeiden, ist hiervon allerdings im Allgemeinen abzuraten. Die für einzelne Aufgabenbereiche notwendigen Datenbestände weisen regelmäßig große Überschneidungen auf. Data Marts sollten daher in Kombination mit

---

einem unternehmensweiten Data Warehouse eingesetzt werden. Das zentrale Data Warehouse stellt die unternehmensübergreifende Konsistenz der Daten sicher und füllt die Data Marts mit abteilungsbezogenen Extrakten. Die Data Marts tragen insbesondere zu einer Performanceverbesserung bei. Enthalten sie die notwendigen Daten nicht, erfolgt ein Durchgriff auf das unternehmensweite Data Warehouse. Mit der Notwendigkeit der Konzeption des unternehmensweiten Data Warehouses bleibt das Komplexitätsproblem bestehen. Die herrschende Meinung sieht daher vor, ein Data-Warehouse-Projekt nach dem Motto „Think big, start small" für einen abgegrenzten Bereich zu beginnen und dabei zugleich die Integration weiterer Themenbereiche vorzusehen. Die *Einführungsstrategie* sollte dabei zunächst diejenigen Bereiche präferieren, die ein großes betriebswirtschaftliches Nutzenpotenzial und ein geringes Realisierungsrisiko aufweisen. Ein erfolgreiches Teilprojekt trägt frühzeitig zur Amortisation bei und dient der Überzeugungsarbeit bei der weiteren Diffusion der Technologie.

Bei der Erhebung der betriebswirtschaftlichen Anforderungen ist regelmäßig festzustellen, dass die Vertreter der Fachabteilungen sich ihres Informationsbedarfs und der Möglichkeiten der neuen Technik nur unzureichend bewusst sind. Es ist daher vorteilhaft, Elemente des evolutionären Software Engineerings im Vorgehensmodell zu verankern. Explorative *Prototypen* dienen der gemeinsamen Erhebung der Anforderungen mit den Anwendern. Zur Verdeutlichung von Alternativen können Wegwerfprototypen erstellt werden. Evolutionäre Prototypen werden dagegen kontinuierlich zum Zielsystem weiterentwickelt.

Bei der Zuordnung von Personen zum Data-Warehouse-Projekt ist zu beachten, dass die folgenden *Rollen* abgedeckt werden: Projektleitung, Vertretung der Benutzer, Training und Support, Anforderungsanalyse, Datenmodellierung, Berichtsentwicklung, Qualitätssicherung, Data-Warehouse-Administration, ETL, Sicherheit und Benutzerschnittstellen-Gestaltung.[39] Zur Überwindung von Willens- und Fähigkeitsbarrieren[40] eignet sich zudem die Bildung externer und interner *Koalitionen*.[41] Externe Koalitionen werden mit innovativen Gruppen eingegangen (z. B. Forschungsinstitute und Pilotanwender). Die Bildung interner Koalitionen orientiert sich üblicherweise am Promotorenmodell. Der Innovationsprozess wird durch einen Machtpromotor über dessen hierarchisches Potenzial und durch einen Fachpromotor über dessen objektspezifisches Fachwissen aktiv und intensiv gefördert.[42] Für die Projektbeteiligten ist eine temporär existierende *Organisationsform* einzurichten. Ihre Ausgestaltung und Größe ist vom Projektumfang abhängig.

Die Projektdurchführung ist von einem ständigen *Controlling* zu begleiten. Es überprüft, dass die angestrebten Leistungs- und Formalziele erreicht werden. Bei signifikanten Abweichungen sind Gegenmaßnahmen einzuleiten. Diese können auch in einer Revision der Zielvereinbarung bestehen. Diese Aufgabe sollte durch Projektmanagementsoftware unterstützt werden.

Da sich das Data Warehouse nach der Unternehmensstrategie ausrichten sollte, die von Umweltbedingungen abhängig zu machen ist, die i. d. R. selbst einem

---

[39] Vgl. Kurz (1999), S. 304-306.
[40] Vgl. Witte (1973), S. 15.
[41] Vgl. Großmann (1995), S. 20-21.
[42] Vgl. Witte (1973), S. 17-18.

ständigen Wandel unterliegen, ist verständlich, dass einem Data-Warehouse-Projekt weitere folgen müssen, die den Ausbau und die Anpassung des Informationssystems zum Gegenstand haben. Auswirkungen von Änderungen am implementierten Data Warehouse oder an seiner Spezifikation können auf Grund der wechselseitigen Abhängigkeiten der Systemteile nur schwer isoliert werden, was eine systematische Planung, Kontrolle und Steuerung der Änderungen notwendig macht. Für diese funktionsbereichsspezifische Aufgabe wird ebenfalls der Begriff Change Management verwendet. Eine typische Ausprägungsform für die IT-Systementwicklung stellt das *Change-Request-Verfahren* dar. Änderungswünsche werden hierbei dokumentiert und zusammengefasst turnusmäßig einem Änderungsgremium (Change Control Board) vorgelegt. Ihm obliegt die Überwachung und Koordination aller Änderungen am Informationssystem. Es bewertet den Antrag und entscheidet über dessen Annahme. Soll die Änderung durchgeführt werden, legt das Gremium das weitere Vorgehen fest und stößt die Realisierung der Änderungen an.[43]

3.5   Fachkonzept - Notation und Werkzeug

„Die fachkonzeptuelle Spezifikation ist deshalb so bedeutsam, weil mangelnde Ausrichtung an den betriebswirtschaftlich-inhaltlichen Anforderungen nicht durch eine technische Realisierung, die dem aktuellen Entwicklungsstand entspricht, beseitigt werden kann."[44] Zur Bewältigung ihrer Komplexität ist die Einteilung des Beschreibungsgegenstandes in die *Sichten* Führungskräfte, Informationsobjekte sowie Steuerungs- und Regelungsaufgaben geeignet.[45] Mit Zusammenführung der drei Sichten erhält man ein Raster zur Spezifikation *adressatenspezifischer Informationen.*

Die Darstellung der Anwendungsszenarien hat die Rolle des Data Warehousings als Enabling-Technologie verdeutlicht. Auf Grund ihres Einflusses auf die Geschäftsprozessgestaltung ist zu beachten, dass mit der Data-Warehouse-Einführung i. d. R. auch die Entstehung neue *Steuerungs- und Regelungsaufgaben* einhergeht. Ferner kann im Rahmen einer Data-Warehouse-Strategie die organisatorische Strukturierung der *Führungskräfte* einer Veränderung unterworfen sein. Mit der Einführung von Category-Management wird in vielen Unternehmen z. B. ein Wechsel von einer funktions- zu einer objektorientierten Organisation vorgenommen. Als Quelle der *Informationsobjekte* dienen Informationssysteme, aus denen die Ausgangsdaten extrahiert und nach einer Transformation in das Data Warehouse geladen werden. Die in der Sicht Informationsobjekte spezifizierten Anforderungen können die Anpassung der Informationssysteme notwendig machen. Beispielsweise kann die Einführung eines Prozesscontrollings die Einführung von zusätzlichen Meldepunkten zur Feststellung der Durchlaufzeiten erfordern, die von den bisherigen Systemen nicht unterstützt wurden.

---

[43]   Vgl. Grundey, Strahringer (1998), S. 49-52.
[44]   Holten (1999), S. 66.
[45]   Vgl. die Darstellung des FIS-Ordnungsrahmens im Beitrag von Holten, Rotthowe, Schütte in Kapitel 1.

Zur *Formalisierung* der Spezifikation sind für die jeweiligen Sichten Modellierungsmethoden zu wählen, die gemäß dem Ordnungsrahmen in geeigneter Weise miteinander kombinierbar sein müssen. Die ermittelten Steuerungs- und Regelungsaufgaben können als Funktionsdekompositionsdiagramme dargestellt werden. Die Diagramme bringen die Aufgaben in eine hierarchische Ordnung. Untergeordnete Aufgaben sind jeweils Teil der übergeordneten Aufgabe bzw. die übergeordneten Aufgaben setzen sich aus den untergeordneten Aufgaben zusammen. Für die Sicht der Führungskräfte kann auf Organigramme zurückgegriffen werden. Zur Darstellung der Informationsobjekte hat sich bisher keine Methode in vergleichbarem Ausmaß durchgesetzt. Abb. 22 zeigt einen Notationsvorschlag[46] umgesetzt in einem grafischen Editor. Im rechten Bildschirmbereich werden die Informationsobjekte definiert, indem Bezugsobjekte ausgewählt werden. Es wird deutlich, aus welchen Dimensionen diese Bezugsobjekte stammen. Durch Kombination der Bezugsobjekte erhält man eine sachliche und zeitliche Eingrenzung des Untersuchungsgegenstandes, dem im unteren Teil des Modells eine Menge von Kennzahlen zugeordnet wird. Auf diese Weise wird ein Datenraum spezifiziert, den eine Führungskraft im Rahmen ihrer Steuerungs- und Regelungsaufgabe mit Hilfe von OLAP-Operationen analysieren können soll. Dimensionen und Kennzahlensysteme werden in einer Bibliothek verwaltet, aus der die jeweiligen Modellelemente, dem Baukastenprinzip folgend, entnommen werden. Auf diese Weise wird die modellübergreifende Konsistenz gewahrt. Der linke Bildschirmbereich dient der Darstellung der Inhalte dieser Bibliothek. In der Abbildung wird beispielhaft ein Kennzahlensystem gezeigt.

Eine verlässliche Spezifikation stellt eine elementare Voraussetzung für die Wartbarkeit und Änderbarkeit des Data Warehouses dar. Sie dient als Diskussionsgrundlage für Führungskräfte, Controller und Entwickler und kann als Hilfe zur Navigation durch den Datenbestand des Data Warehouses fungieren. Da es sich bei der Informationsbedarfsanalyse allerdings um einen permanenten Entwicklungs- und Gestaltungsprozess handelt, werden *Werkzeuge* benötigt, die eine Verwaltung und Pflege der Spezifikation im Rahmen des Change Managements unterstützen. Neben der aktuellen Verwaltung der Spezifikation selbst, muss die Konsistenz mit den implementierungsnäheren Data-Warehouse-Schichten sichergestellt werden. Deshalb ist es vorteilhaft, wenn in entsprechenden Werkzeugen die (teil-)automatisierte Transformation der Spezifikation in Implementierungseinstellungen integriert ist.

Am Institut für Wirtschaftsinformatik der Westfälischen Wilhelms-Universität Münster wird prototypisch die Data-Warehouse-Entwicklungsumgebung Meta-MIS-Toolset entwickelt, die die folgenden Funktionen aufweist:

- Spezifikation des Informationsbedarfs unterstützt durch grafische Editoren und Bausteinbibliotheken (Designer),
- konsistente Verwaltung der einzelnen Modelle (Repository),
- Übernahme von Bezugsobjekt- und Kennzahlendefinitionen aus bestehenden operativen Systemen unter Rückgriff auf ETL-Werkzeuge (OLTP Transporter),
- Generierung des Datenbankschemas des Data Warehouses (Data-Warehouse-Generator),

---

[46] Vgl. Holten, Knackstedt (1999), S. 54-63.

▪ Befüllung des Data Warehouses mit den Dimensionsbeschreibungen der Spezifikation (Lookup Populator),

▪ Konfiguration von Data-Warehouse-Analysewerkzeugen (z. B. Anlegen von Berichten in MicroStrategy) (OLAP Configurator).

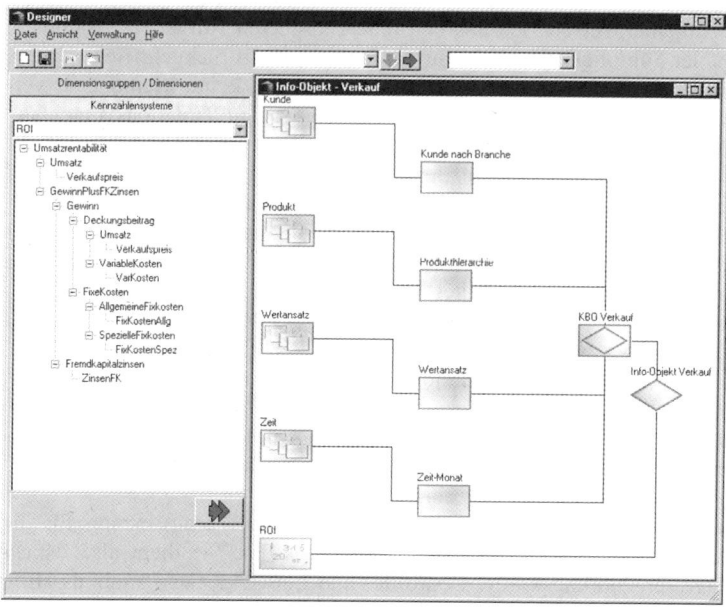

Abb. 22: Informationsobjektmodelldefinition im MetaMIS-Toolsets

Literaturverzeichnis

Becker, J.; Uhr, W.; Vering, O.: Integrierte Informationssysteme in Handelsunternehmen auf der Basis von SAP-Systemen. Berlin u. a. 2000.

Behnck, W.; Rochefort, M.; Rosemann, M.: Customer Relationship Management. In: HMD, 36 (1999) 208, S. 105-116.

Bizer, J.: Datenschutz im Data Warehouse. In: Mucksch, H.; Behme, W. (Hrsg.): Das Data-Warehouse-Konzept: Architektur - Datenmodelle - Anwendungen. 3. Aufl., Wiesbaden 1998.

Büllesbach, A.: Datenschutz bei Data Warehouses und Data Mining. In: Computer und Recht, 16 (2000) 1, S. 11-17.

Bullinger, H.-J.; Friedrich, R.: Management of Change: Zur Ausrichtung des Reengineering. In: Office Management, 43 (1995) 11, S. 20-26.

Doppler, K.; Lauterburg, Ch.: Change Management: Den Unternehmenswandel gestalten. 6. Aufl., Frankfurt am Main, New York 1997.

Großmann, F.: Management-Informationssysteme als Bestandteil ganzheitlicher Managementkompetenz. In: Hichert, R.; Moritz, M. (Hrsg.): 2. Aufl., Berlin u. a. 1995, S. 13-23.

Grundey, Ch.; Strahringer, S.: Komponentenbasierte Anwendungsentwicklung und Configuration-Change-Management. In: HMD, 35 (1998) 202, S. 42-56.

Herrmann, A.; Fürderer, R.: The Value of Passenger Car Customers. In: Johnson, M. D.; Herrmann, A.; Huber, F.; Gustafsson, A. (Hrsg.): Customer Retention in the Automotive Industry: Quality, Satisfaction and Loyalty. Wiesbaden 1997.

Hoeren, T.: Rechtsfragen im Internet - Arbeitsunterlagen. (http://www.uni-muenster.de/Jura.itm/hoeren/materialien/skriptir.pdf 2000, Abruf 2000-07-14).

Holten, R., Knackstedt, R.: Fachkonzeptuelle Modellierung von Führungsinformationssystemen am Beispiel eines filialisierenden Einzelhandelsunternehmens. In: Sinz, E. J. (Hrsg.): Modellierung betrieblicher Informationssysteme. Proceedings der MobIS-Fachtagung 1999. In: Rundbrief der GI-Fachgruppe 5.10, 6 (1999) 1, S. 48-64.

Holten, R.: Entwicklung von Führungsinformationssystemen. Ein methodenorientierter Ansatz. Wiesbaden 1999.

Inmon, W.H.: Building the Data Warehouse. 2. Aufl., New York u. a. 1996.

Kaplan, R. S.; Norton, D. P.: Balanced Scorecard: Strategien erfolgreich umsetzen, Stuttgart 1997.

Kaplan, R. S.; Norton, D. P.: Using the Balanced Scorecard as a Strategic Management System. In: Harvard Business Review, 74 (1996) January-February, S. 75-85.

Krüger, W.: Organisation der Unternehmung. 3. Aufl., Stuttgart u. a. 1994.

Kurz, A.: Data Warehousing: Enabling Technology. Bonn 1999.

Lee, H. L.; Padmanabhan, V.; Whang, S.: Der Peitscheneffekt in der Absatzkette: Wenn Nachfrageinformationen entlang der logistischen Kette verzerrt weitergegeben werden, schadet das der Wirtschaftlichkeit der Güterflüsse. In: Harvard Business Manager, (1997) 4, S. 78-87.

Link, J.; Hildebrand, V.: Database-Marketing und Computer Aided Selling: Strategische Wettbewerbsvorteile durch neue informationstechnologische Systemkonzeptionen. München 1993.

Meyer-Schönherr, M.: Customer Relationship Management. In: Ahlert, D.; Becker, J.; Kenning, P.; Knackstedt, R. (Hrsg.): E-Commerce: Eine neue Flanke im Wettbewerb. Unterlagen zur Tagung Handelsinformationssysteme 2000. S. 14.1-14.18.

von der Oelsnitz, D.: Marktorientierter Unternehmenswandel. Managementtheoretische Perspektiven der Marketingimplementierung. Wiesbaden 1999.

Probst, A. R.; Wenger, D.: Elektronische Kundenintegration: Marketing, Beratung & Verkauf, Support und Kommunikation. Braunschweig, Wiesbaden 1998.

Scheer, A.-W.: ARIS - Vom Geschäftsprozeß zum Anwendungssystem. Berlin u. a. 1998.

Schinzer, H.; Bange, C.; Mertens, H.: Data Warehouse und Data Mining: Marktführende Produkte im Vergleich. 2. Aufl., München 1999.

Schönleben, P.: Integrales Logistikmanagement: Planung und Steuerung von umfassenden Geschäftsprozessen. 2. Aufl., Berlin u. a. 2000.

Schulte, Ch.: Logistik: Wege zur Optimierung des Material- und Informationsflusses. 3. Aufl., München 1999.

Schulte-Zurhausen, M.: Organisation. 2. Aufl., München 1999.

Stephens, S.: Supply Chain Council & Supply Chain Operations Reference (SCOR) Model Overview. (http://www.supply-chain.org/downloads/overview.pdf, Abruf 2000-07-18).

Wiese, J.: Implementierung der Balanced Scorecard. Grundlagen und IT-Fachkonzept. Wiesbaden 2000.

Witte, E. (1973): Organisation für Innovationsentscheidungen: Das Promotoren-Modell. Göttingen 1973.

Zurlino, F.: Zukunftsorientierung von Industrieunternehmen durch strategische Früherkennung. München u.a. 1995.

4 Ein Überblick über die Umsetzung des Data-Warehouse-Konzepts aus technischer Sicht

Stefan Eicker

4.1 Die Entwicklung des technischen Sollkonzepts als Phase der MIS-Entwicklung

Die Realisierung eines Management-Informationssystems durch ein Data Warehouse erfordert grundsätzlich – wie auch bei anderen computergestützten betrieblichen Informationssystemen – einen Systemplanungs- und -entwicklungsprozess. Im Rahmen des Prozesses sind die Komponenten für die verschiedenen Ebenen der Architektur für Management-Informationssysteme (vgl. Abb. 23) zu planen, zu realisieren, zu testen und schließlich einzuführen.[1]

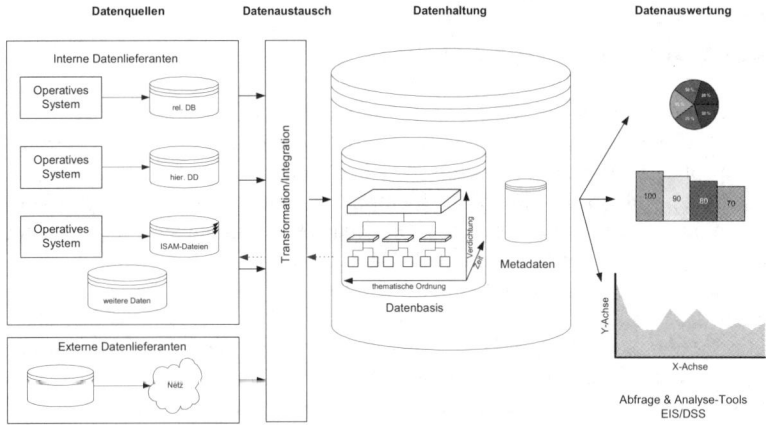

Abb. 23: Architektur von Management-Informationssystemen[2]

Im vorliegenden Beitrag sollen die wichtigsten Aufgaben und Lösungsalternativen der technischen Realisierung eines Data Warehouses anhand ausgewählter Entscheidungskriterien analysiert werden. In Bezug auf das Vorgehensmodell ist die Betrachtung dieser Aspekte insbesondere der Phase der *Sollkonzeption*, genauer der Phase *Entwicklung des technischen Sollkonzepts* zuzuordnen[3]. Im Rahmen dieser Phase sind die technischen Lösungen

- für die Datenaustauschschicht,
- für die Datenhaltungsschicht und
- für die Datenauswertungsschicht

---

[1] Der Beitrag von Keppel, Müllenbach und Wölkhammer (vgl. Kapitel 5 in diesem Band) beschäftigt sich im Detail mit entsprechenden Vorgehensmodellen.

[2] Nach Eicker et al. (1997), S. 451.

[3] Vgl. Eicker et al. (1997), S. 461.

auszuwählen/zu spezifizieren. Werden neben einer zentralen Data Warehouse-Datenbasis zusätzlich entscheidungsrelevante Daten dezentral in Data Marts organisiert, zerfällt die Datenhaltungsschicht noch einmal in verschiedene Teilschichten.

Die Auswahl der Lösungen für die verschiedenen Ebenen kann nicht unabhängig voneinander erfolgen; sie muss vielmehr aufeinander abgestimmt werden, um ein problemadäquates und performantes Gesamtsystem realisieren zu können. Darüber hinaus erfolgt die Entwicklung des technischen Sollkonzepts natürlich nicht im „luftleeren Raum", sondern es müssen die Vorgaben des betriebswirtschaftlichen Sollkonzepts sowie die Ergebnisse der Istanalyse berücksichtigt werden.

Umgesetzt wird das technische Sollkonzept in der Phase *Realisierung*. Dort sind weitere Entscheidungen für die Details der verschiedenen Schichten zu treffen. Unter Umständen müssen Spezifikationen des technischen Sollkonzepts vor dem Hintergrund solcher Detailentscheidungen noch einmal kritisch hinterfragt und eventuell auch modifiziert werden.

4.2 Zentrale, verteilte, virtuelle Haltung der Data-Warehouse-Daten

Die zentrale Entscheidung im Rahmen der Entwicklung des technischen Sollkonzepts betrifft die Data-Warehouse-Datenbasis. Die erste zu beantwortende Frage ist zunächst, ob die Datenbasis zentral oder dezentral oder zentral *und* dezentral realisiert werden soll (vgl. Abb. 24). „Zentral" bedeutet, dass alle Data-Warehouse-Daten unter der Kontrolle eines Datenbankmanagementsystems in einer Datenbank gespeichert werden; wenn das Datenbankmanagementsystem dies erlaubt, können die Daten physisch durchaus verteilt gespeichert werden.

Bei einer dezentralen Lösung werden die Data-Warehouse-Daten themen- oder organisationseinheitspezifisch in Data Marts gespeichert. Themen- bzw. organisationseinheitsübergreifende Analysen müssen in diesem Fall Daten aus den entsprechenden Marts abrufen und zum Analyseergebnis zusammenführen.

Als dritte Lösung können der zentrale und der dezentrale Ansatz auch simultan eingesetzt werden. D. h., dass Data Marts einer zentralen Data-Warehouse-Datenbasis vor- oder nachgelagert werden. Im ersten Fall werden operative Daten zunächst jeweils in die entsprechenden Marts geladen und dort entsprechend den Informationsbedürfnissen zu den zugehörigen Themen bzw. Organisationseinheiten verdichtet. Die zentrale Data-Warehouse-Datenbank wird aus den Marts heraus gefüllt; nur in den Marts nicht gespeicherte Daten werden direkt aus den operativen Datenbasen geladen. Nachgelagerte Data Marts erhalten umgekehrt ihre (Import-)Daten von der zentralen Data-Warehouse-Datenbank.

Die Entscheidung für eine verteilte, d. h. nicht-zentrale Lösung kann wie allgemein die Entscheidung für die Verteilung eines Anwendungssystems aus zwei Gründen erfolgen. Zum einen entstehen Data-Warehouse-Anwendungen insbesondere in großen Unternehmen häufig sukzessiv: Einzelne Abteilungen oder Bereiche starten als Pioniere mit einer Data-Warehouse-Realisierung für ihren Bereich; andere Abteilungen oder Bereiche folgen dann diesem Beispiel. „Irgendwann" fällt dann die Entscheidung, auch die Unternehmensführung mit besseren entscheidungsrelevanten Daten zu versorgen.

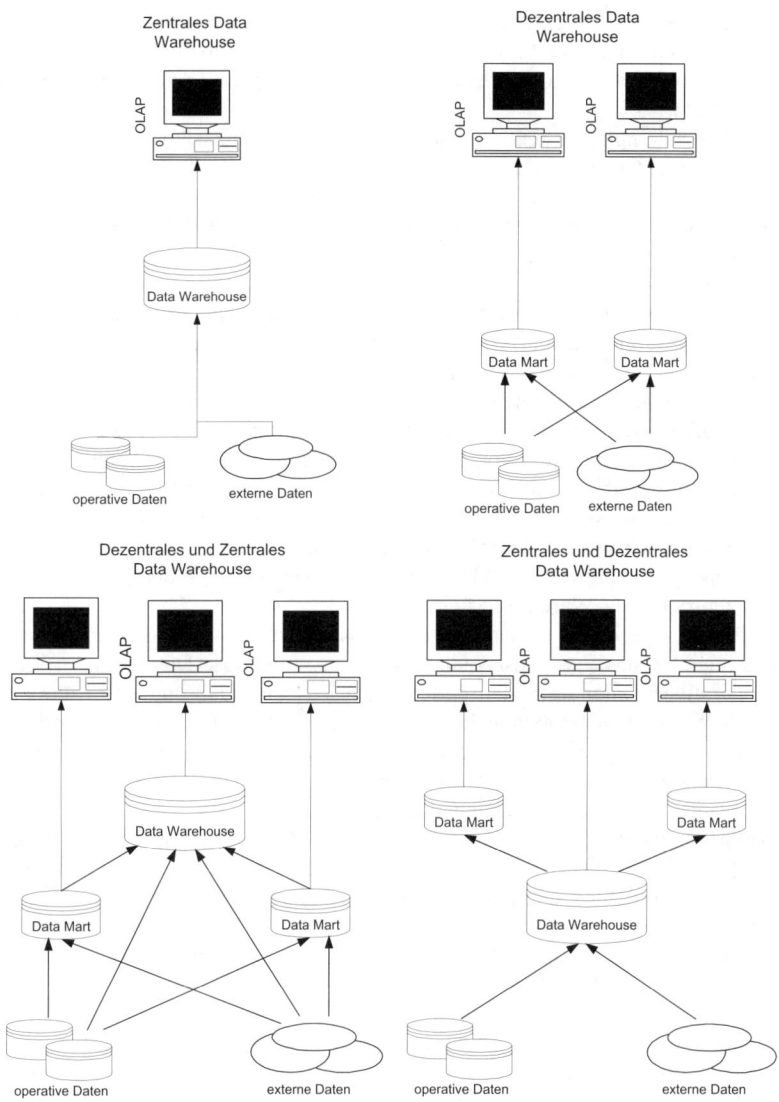

Abb. 24: Verteilungsaspekte und Architektur von MIS

Alternativ kann die Entscheidung für eine verteilte Lösung auch explizit wegen der Vorteile erfolgen, die mit der Verteilung verbunden sind. Insbesondere verringern Data Marts die Komplexität, mit der sich einerseits der Entwickler und andererseits der Nutzer konfrontiert sieht. Außerdem können Data Marts bessere Antwortzeiten bieten, da sie geringere Datenvolumen verwalten müssen und sich außerdem die zu einem Zeitpunkt auszuführenden Auswertungen im allgemeinen auf die verschiedenen Marts verteilen. Zur optimalen Lastverteilung können

Datenbestände gezielt repliziert, d. h. in mehreren Marts redundant gehalten werden. Diese Replizierung ist mit weit weniger Aufwand verbunden als die Replizierung operativer Daten, da auf Data-Warehouse-Daten vom Endbenutzer nur lesend zugegriffen wird.

Der Verzicht auf eine zentrale Data-Warehouse-Datenbasis ist langfristig in der Regel aus zwei Gründen nicht sinnvoll. Zum Einen ist die Performance unternehmensweiter Analysen zumeist inakzeptabel. Zum Anderen ist die Gestaltung der Datenverteilung bei unternehmensweiten Analysen sehr aufwendig. Ob die zentrale Data-Warehouse-Datenbank besser den Data Marts vor- oder nachgelagert oder auch z.T. vor- und z.T. nachgelagert eingerichtet werden soll, darüber können keine allgemeingültigen Aussagen getroffen werden. Nach Erfahrung des Autors hängt die gewählte Lösung stark von der Machtverteilung im Unternehmen ab. Denn in der Praxis führen nicht nur die beiden bisher genannten Gründe – Verteilung als Folge des historischen Wachstums der Data Warehouse-/MIS-Architektur und Verteilung zur Verringerung der Komplexität und zur Verbesserung der Performance – zur Einrichtung von Data Marts. Vielmehr drängen Abteilungen oder Bereiche häufig auf eine individuelle Lösung, weil sie verhindern wollen, dass auf Daten über die Abteilung/über den Bereich „unkontrolliert" zugegriffen werden kann (ohne Kontrolle der Abteilungs- oder Bereichsleitung)[4]. Entsprechend favorisieren sie vorgelagerte Data Marts und eine kontrollierte Weitergabe von Daten an die zentrale Data-Warehouse-Datenbank.

Bei allen Überlegungen wurde bisher davon ausgegangen, dass entsprechend der „reinen" Data-Warehouse-Lehre die Data-Warehouse-Datenbasis strikt von den operativen Datenbeständen getrennt wird. Nach Erfahrung des Autors wird diese Trennung in der Praxis nicht selten aufgehoben, da der Aufwand für die Entwicklung und den Betrieb eines getrennten Data Warehouse als zu hoch bewertet wird. Deshalb wird für die Auswertungswerkzeuge ein direkter, allerdings nur lesender Zugriff auf operative Datensysteme realisiert.[5]

Natürlich beeinträchtigt die doppelte Aufgabe der operativen Datensysteme deren Antwortzeiten. Theoretisch kann zwar die Berechnung entscheidungsrelevanter Daten auf Randzeiten verlegt werden; dadurch wird jedoch die Flexibilität der Analysten eingeschränkt, was der gewünschten Interaktivität der Datenanalyse als zentralem Grundgedanke des OLAP-Konzepts widerspricht. Darüber hinaus fehlt in virtuellen Data-Warehouse-Systemen zumeist die Möglichkeit, Daten in transformierter und aggregierter Form zu speichern. Dadurch erschwert sich wiederum die Aufgabe der Analysten und verschlechtert sich zudem die Performance ihrer Analysen.

Auf der anderen Seite erlaubt der virtuelle Data-Warehouse-Ansatz eine schnelle und kostengünstige Lösung, da im Prinzip nur die Analysewerkzeuge beschafft werden müssen. Angesichts der Tatsache, dass Unternehmen häufig erschreckend wenig entscheidungsrelevante Daten insbesondere für das untere und mittlere Management besitzen, darf das Potenzial dieses einfachen Ansatzes nicht unterschätzt werden.

---

[4]   Vgl. zu den Problemen des „politischen Widerstands" gegen Entscheidungsunterstützungssysteme auch Watson et al. (1997), S. 235 ff.

[5]   Schinzer und Bange sprechen in diesem Zusammenhang von einem *virtuellen* Data Warehouse, Vgl. Schinzer, Bange (1998), S. 43 f.

Der Autor war in zwei Data-Warehouse-Entwicklungen in Maschinenbauunternehmen im Bereich des Produktionscontrollings involviert, wobei in einem Fall ein virtuelles Data Warehouse realisiert wurde. Beide Unternehmen besaßen vor der Einführung des Data Warehouse kaum Informationen darüber, wie sich die Produkte verschiedener Produktionsstätten und die Teile unterschiedlicher Lieferanten im praktischen Einsatz verhielten; dieses Defizit konnten beide Data-Warehouse-Entwicklungen mit sehr unterschiedlichem Aufwand beseitigen. Im Fall des virtuellen Data Warehouses wurden Möglichkeiten geschaffen, die Berichte der Monteure hinsichtlich der Teilefehler zu analysieren, so dass Rückschlüsse auf die Qualität der Produkte, der Produktionsstätten sowie der Teile der verschiedenen Lieferanten möglich wurden. Es können heute einerseits den Produktionsstätten und andererseits den Teilen der verschiedenen Lieferanten die durch sie verursachten Garantie- und Kulanzfälle und damit die Kosten zugeordnet werden.

Tabelle 2: Ansätze für die Data-Warehouse-Datenhaltung im Vergleich

Kriterium / gewählter Ansatz für die Data-Warehouse-Basis	zentral	dezentral	zentral mit vorgelagerten Data Marts	zentral mit nachgelagerten Data Marts	virtuell
allgemeiner Realisierungsaufwand	hoch	hoch, aber verteilt auf mehrere Projekte	sehr hoch, aber verteilt auf mehrere Projekte	sehr hoch, aber verteilt auf mehrere Projekte	gering
Komplexität der Data-Warehouse-Entwicklung	hoch	mittel	mittel	mittel	gering
Unterstützung der sukzessiven Verbreitung des Data-Warehouse-Ansatzes im Unternehmen	gering	sehr gut	sehr gut	sehr gut	sehr gut
Komplexität des Warehouse-Schemas aus Endbenutzersicht	sehr hoch	Vergleichsweise gering	stets problemadäquat	stets problemadäquat	abhängig von der Komplexität der zugehörigen operativen Datensysteme
Aufwand für die Entwicklung unternehmensweiter Analysen	Vergleichsweise minimal	hoch	Vergleichsweise minimal	vergleichsweise minimal	in den meisten Fällen zu hoch
Aufwand für die Entwicklung themen-/organisationseinheitsspezifischer Analysen	mittel	gering	gering	gering	mittel
Performance unternehmensweiter Analysen	gut	relativ schlecht	gut	gut	sehr schlecht
Performance themen-/organisationseinheitsspezifischer Analysen	gut	sehr gut	sehr gut	sehr gut	i.a. schlecht
Kontrolle von Organisationseinheiten über die Weitergabe entscheidungsrelevanter Daten	gering	sehr hoch	hoch	gering	sehr hoch

Tabelle 2 fasst die Diskussion der verschiedenen Ansätze für die Data-Warehouse-Datenbasis mit ihren Eigenschaften noch einmal zusammen. Die Bewertungen sind dabei grundsätzlicher Natur; im konkreten Einzelfall können die Eigenschaften eines Ansatzes stets durch gezielte technische oder organisatorische Maßnahmen beeinflusst werden.

Die Wahl des Data-Warehouse-Ansatzes erübrigt sich grundsätzlich, wenn ein Unternehmen flächendeckend eine Standardsoftware einsetzt, für die ein entsprechendes Data Warehouse angeboten wird. Prominentes Beispiel hierfür ist sicherlich die SAP R/3-Software mit dem Business Information Warehouse (vgl. dazu auch den Beitrag von Kothen, Spannagel und Struzeck in diesem Band). Die Vorteile einer solchen Lösung liegen auf der Hand; insbesondere erübrigt sich die i.a.

aufwendige Planung und Realisierung der Datenaustauschschicht. Allenfalls von kleineren Randlösungen, wie sie in vielen Unternehmen neben der Kern-Standardsoftware noch existieren, müssen unter Umständen zusätzlich Daten in das Data Warehouse geladen werden.

4.3 Multidimensionale versus relationale Datenhaltung

Zwei Techniken der Datenhaltung werden für die Data-Warehouse-Datenbasis eingesetzt, einerseits die multidimensionale und andererseits die relationale Datenhaltung. Bei der multidimensionalen Datenhaltung – man spricht auch von multidimensionalem OLAP (MOLAP) – werden die Daten entsprechend der Hypercube-Struktur, wie sie vom OLAP-Modell gefordert wird und wie sie sich für die Sicht des Endbenutzers auf entscheidungsrelevante Daten vielfach bewährt hat, auch physikalisch in multidimensionalen Zellstrukturen gespeichert. Die Zellen können direkt adressiert und damit direkt angesprochen werden; dadurch kann die Performance mehrdimensionaler Kalkulationen optimal gestaltet werden. Den gravierenden Nachteil einer begrenzten Speicherkapazität haben verschiedene Anbieter multidimensionaler Datenbanksysteme wie beispielsweise Arbor Software mit ihrem System Essbase weitgehend überwunden; das verwaltbare Datenvolumen multidimensionaler Datenbanksysteme geht inzwischen bis in den 16-Terabyte-Bereich.

Die Alternative zur multidimensionalen Speicherung bildet die Nutzung relationaler Datenbanksysteme, die heute den Stand der Technik für die Speicherung operativen Daten darstellen, auch für die Speicherung der Data-Warehouse-Daten. Vorteile dieser Alternative sind darin zu sehen, dass *erstens* die Flexibilität einer relationalen Datenbasis in Bezug auf die Datendarstellung größer ist als die einer multidimensionalen Datenbasis. *Zweitens* fallen keine zusätzlichen Kosten für ein weiteres (multidimensionales) Datenbanksystem an und es muss kein Know-how für den Betrieb eines solchen Systems aufgebaut werden.

Den Nachteil, dass für die OLAP-Werkzeuge nicht die erforderliche multidimensionale Datenstruktur zur Verfügung steht, überwinden eine Reihe von Anbietern relationaler Datenbanksysteme wie beispielsweise Informix durch ein Modul, das die relational gespeicherten Daten für OLAP-Anwendungen in multidimensionale Strukturen umsetzt. Man spricht von „relationalem OLAP (ROLAP)" und bezeichnet das Modul als „ROLAP-Engine". Auch werden Produkte angeboten, die ROLAP und MOLAP miteinander verbinden, indem ein multidimensionales Datenbanksystem (z. B. Oracle Express) auch den mehrdimensionalen Zugriff auf relationale Datenbanken ermöglicht und umgekehrt ROLAP Engines (wie z. B. Vision) den Zugriff auch auf multidimensionale Datenbanken erlauben.

Als entscheidender Nachteil relationaler Datenbanksysteme bleibt, dass sie für die Berechnung entscheidungsrelevanter Daten deutlich schlechter geeignet sind als multidimensionale Datenbanksysteme; die Performance entsprechender Abfragen auf relational gespeicherten Daten ist um Größenordnungen schlechter als die Performance der Abfragen auf mehrdimensional gespeicherten Daten[6]. Durch Ent-

---

[6]   Vgl. zu einem konkreten Beispiel Colliat (1996).

wicklung und Einsatz innovativer Konzepte konnte der Performance-Unterschied zwar etwas verringert werden; insbesondere wird an der Lösung der Probleme einer denormalisierten und damit redundanten Speicherung gearbeitet, wie sie die Star- und die Snowflake-Struktur nach sich zieht. Eine entscheidende Annäherung an die Performance multidimensionaler Datenbanksysteme wird ein rein-relationales System allerdings nach heutigem Wissensstand nicht erreichen können. Vielmehr liegt die Lösung in der Adaption neuer Strukturen in relationale Datenbanksysteme, wie sie z.T. auch in Bezug auf das objektorientierte Paradigma erfolgt ist[7].

Bei der Entscheidung für das einzusetzende Datenbanksystem und die einzusetzende Engine wird nur bei extremen Anforderungen eine der beiden Datenhaltungsarten von vornherein ausgeschlossen werden können. Nach Kenntnis des Autors fällt es vielen Unternehmen schwer, das Know-how aufzubauen und aktuell zu halten, dass für den Betrieb ihrer Hard- und Softwaresysteme benötigt wird. Relationale Systeme sind in praktisch jedem mittelständischem und großen Unternehmen im Einsatz und das entsprechende Know-how ist vorhanden. Deshalb ist den Unternehmen tendenziell zu raten, sich nur dann für den Einsatz der multidimensionalen Datenhaltung zu entscheiden, wenn zum einen die schlechtere Performance der relationalen Systeme den Erfolg des Data-Warehouse-Ansatzes in Frage stellt und wenn zum anderen für die Administration der Systeme auch die notwendige personelle Kapazität bereitgestellt werden kann[8].

Zur Sicherstellung einer akzeptablen Performance bei Einsatz der relationalen Technik kann insbesondere auf die oben angesprochenen Möglichkeiten der dezentralen Data-Warehouse-Datenhaltung mit Data Marts zurückgegriffen werden. Außerdem besteht die Möglichkeit, Daten gezielt im Hinblick auf häufig durchgeführte oder performance-kritische Auswertungen hin zu verdichten und in der Data-Warehouse-Datenbasis zu speichern.

4.4 Entwurf des Data-Warehouse-Schemas

Um im Weiteren die Realisierung der Datenaustauschschicht diskutieren zu können, muss hier kurz auf den Entwurf des Schemas einer Data-Warehouse-Datenbasis eingegangen werden. Der Entwurf kann Top-down von den Informationsbedürfnissen oder Bottom-up von den verfügbaren Daten aus sowie auch in einer Mischform Top-down-Bottom-up erfolgen.

Bei einer Bottom-up-Vorgehensweise müssen die Schemata der Datenquellen zu einem Gesamtschema integriert werden. Hierzu kann man auf die Methoden zur Schemaintegration zurückgreifen[9]. Auch bei einer Top-down-Bottom-up-Vorgehensweise muss eine solche Schemaintegration erfolgen, wobei das Top-down entwickelte Grundschema der Data-Warehouse-Datenbasis einen weiteren Input für den Schemaintegrationsprozess darstellt.

Die Vorarbeiten für den Entwurf der Data-Warehouse-Datenbasis bei einer Bottom-up-Vorgehensweise und bei einer Top-down-Bottom-up-Vorgehensweise

---

[7] Vgl. auch Gärtner (1998), S. 203 ff.
[8] Vgl. auch Bauer, Winterkamp (1996), S. 52 f., und Gärtner (1998), S. 202.
[9] Vgl. z. B. Eicker (1997).

werden im Rahmen der Istanalyse durchgeführt. Dort gilt es, alle verfügbaren Datenquellen zu ermitteln; außerdem müssen häufig zusätzlich Datenstrukturen von Datenquellen redokumentiert werden, da in den wenigsten Fällen die Dokumentationen aller Datenquellen abrufbereit vorliegen. Die Methoden für die Redokumentation werden seit geraumer Zeit im Rahmen des Reengineering diskutiert[10]. Ergebnis der Istanalyse sind i.a. konzeptionelle Schemata der Datenquellen zumeist in Entity-Relationship-Notation, da diese Darstellung von der Art der Datenquelle – Datei, relationale Datenbank, hierarchische Datenbank etc. – abstrahiert.

Bei allen drei Vorgehensweisen ist insbesondere zu überlegen, inwieweit Daten im Data Warehouse verdichtet werden sollen. Als klassisches Beispiel wird in der Literatur zumeist der Umsatz verwendet: Danach wird man i.a. nicht die einzelnen Umsätze eines Kunden im Data Warehouse speichern, sondern die Umsätze eines Kunden pro Monat, Quartal oder Jahr. Die Zuordnung der Umsätze einerseits zu Produkten und andererseits zu Standorten kann wiederum genutzt werden, um die Umsätze bezogen auf Produkte und dann auf Produktgruppen zu verdichten sowie bezogen auf Standorte und dann auf Regionen. Wenn die erforderlichen Verdichtungen sich nicht mit Star- oder Snowflake-Strukturen geeignet darstellen lassen, entsteht im Data-Warehouse-Schema ein spezieller Auswertungsbereich mit vorverdichteten Daten/Kennzahlen[11].

4.5 Konzeption und Realisierung der Datenaustauschschicht

Wird das Schema der Data-Warehouse-Datenbasis Top-down entwickelt, müssen bei der Konzeption der Datenaustauschschicht die Datenquellen identifiziert werden, die die benötigten Daten liefern können. Diese Identifizierung ist nicht nur ein softwaretechnisches Problem, sondern es können zusätzlich Probleme aufgrund organisatorischer Kompetenzen entstehen. Bei einer Data-Warehouse-Entwicklung, an der der Autor beteiligt war, durfte beispielsweise für den Import von Daten in das Data Warehouse nicht direkt auf eine Datenbank eines Unternehmensbereichs zugegriffen werden. Durch entsprechende Recherchen konnten schließlich Dateien ermittelt werden, die nachts zur Datenaktualisierung von dem Bereich an eine andere operative Datenbasis geschickt wurden, und die als Datenquellen verwendet werden konnten.

Wenn die nutzbaren Datenquellen feststehen, müssen den Objekttypen, Beziehungstypen und Attributen des Data-Warehouse-Schemas die zugehörigen Komponenten der Datenquellen-Schemata zugeordnet werden. Hierzu kann methodisch wiederum auf die Schemaintegration zurückgegriffen werden; zuvor muss, wenn die konzeptionellen Schemata von Datenquellen nicht vorliegen, eine Redokumentation dieser Quellen erfolgen. Nach der Zuordnung liegen – wie beim Bottom-up- und beim Top-down-Bottom-up-Vorgehen als Ergebnis des Data Warehouse-Schemaentwurfs – auf konzeptioneller Ebene die Verbindungen zwischen der Data-Warehouse-Datenbasis und den Datenquellen fest.

---

[10] Vgl. z. B. Jung (1998).
[11] Vgl. Eicker et al. (1997), S. 452 ff.

Die Zuordnung auf konzeptioneller Ebene gilt es, in entsprechende Importschnittstellen umzusetzen. Existieren mehrerer Quellen für zu ladende Daten, muss zunächst analysiert werden, welche Quelle sich am besten für den Import eignet. In Praxi ergibt sich auch häufig der Fall, dass die Daten zu einem Data-Warehouse-Objekttyp aus mehreren Datenquellen geladen werden müssen.

Beim Import von Daten einer Datenquelle in das Data Warehouse besteht häufig das Problem, dass Datentypen/Datendarstellungen von Komponenten der Datenquelle nicht mit denen der zugehörigen Data-Warehouse-Komponenten übereinstimmen und eine entsprechende Darstellungstransformation durchzuführen ist[12]. Dieser Transformationsprozess ist bei praktisch allen Data-Warehouse-Entwicklungen insbesondere für Zeitbezüge erforderlich. Dies erklärt sich daraus, dass die meisten Objekttypen einen Zeitbezug besitzen, der mit in das Data Warehouse geladen werden muss bzw. beim Import zu berücksichtigen ist.

Bei dem Zeitbezug eines Informationsobjekts handelt es sich entweder um eine Zeitpunkt- oder um eine Zeitraumangabe. Beispielsweise bezieht sich eine Fertigmeldung aus der Betriebsdatenerfassung auf einen Zeitpunkt, eine gefertigte Produktionsmenge auf einen Zeitraum.

In der betrieblichen Praxis werden Zeitpunkte und Zeiträume häufig nicht sekunden- oder minutengenau spezifiziert, sondern beispielsweise durch Angaben wie „Kalendertag" oder „Kalenderwoche". Hier gilt es entsprechende Umsetzungsregeln zu definieren, beispielsweise die Umsetzung der Kalenderwoche in den Zeitraum von „der ersten Sekunde der ersten Stunde des ersten Tages der Kalenderwoche bis zur letzten Sekunde der letzten Stunde des letzten Tages der Woche".

Weiterhin ist bei der Realisierung der Importfunktionen jeweils zu berücksichtigen, um welche Art Daten es sich bei zu importierenden Daten handelt, und wie der Zeitbezug der zu importierenden Daten im Vergleich zu den im Data Warehouse gespeicherten Daten ist. Als „Arten" von Daten sind Änderungsdaten („net-change") und Vollumfänge („regenerative" Daten) zu unterscheiden. Zum Beispiel kann eine Datenquelle zum Lagerbestand einerseits nur die Lagerzu- und -abgänge und andererseits den aktuellen Bestand enthalten. Im ersten Fall muss der neue Bestand berechnet werden, im zweiten Fall stellen die Daten der Quelle den neuen Bestand bereits dar.

Der Zeitbezug der zu importierenden Daten und der Zeitbezug der zugehörigen im Data Warehouse bereits gespeicherten Daten bestimmen, ob Daten im Data Warehouse durch Importdaten ersetzt werden oder ob die Importdaten zu einer Aktualisierung der Data-Warehouse-Daten führen. Die Spezifika einer solchen Aktualisierung hängen sowohl von den zuvor im Data Warehouse gespeicherten Daten als auch von den Importdaten ab. Beispielsweise enthält eine Datenquelle, aus der wöchentlich importiert werden soll, jeweils die Umsätze des aktuellen Monats und damit bei allen Ladevorgängen eines Monats mit Ausnahme des ersten Ladevorgangs in dem betreffenden Monats Umsätze, die bereits in den im Data Warehouse gespeicherten, aggregierten Daten enthalten sind.

---

[12] Vgl. zu den entsprechenden Problemen und Lösungen auch Kemper, Finger (1998) und Kirchner (1998) und Müller (1998).

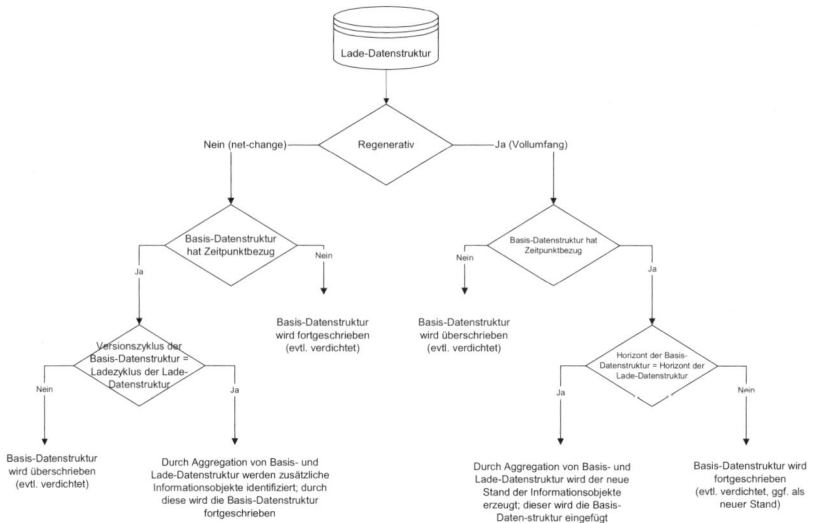

Abb. 25: Entscheidungsbaum für Ladevorgänge[13]

Abb. 25 zeigt als Resümee zur bisherigen Diskussion der Realisierung der Import-funktionen einen Entscheidungsbaum, der in einem Praxisprojekt für die Klassi-fizierung der Importvorgänge entwickelt wurde. Die Diskussion hat insbesondere gezeigt, dass der Import von Daten in das Data Warehouse nicht einfach nur das Einlesen von Daten in die Data-Warehouse-Datenbasis beinhaltet, sondern viel-mehr die Realisierung von z.T. überaus komplexen Transformations- und Berech-nungsfunktionen erfordert. Hinzu kommt noch die oben angesprochene weitere Verdichtung der Data-Warehouse-Daten.

Die Importfunktionen können entweder vollständig außerhalb des Data Ware-house oder auch teilweise innerhalb der Data-Warehouse-Datenbasis implemen-tiert werden. „Innerhalb der Data-Warehouse-Datenbasis" heißt, dass Daten aus einer Datenquelle nach eventuellen Transformationsprozessen in einen abgetrenn-ten Bereich der Data-Warehouse-Datenbasis – auch als „Ladebereich" bezeichnet – geladen werden[14]; diese Daten werden dann mit anderen Daten des Ladebereichs oder mit eigentlichen Data-Warehouse-Daten (aus dem sog. „Basisbereich") zu Daten kombiniert, die dann in diesen Basisbereich übernommen werden. Diese Lösung bietet sich vor allem an, wenn das verwendete Datenbankmanagement-system geeignete Möglichkeiten für die Ablage von Funktionen in der Datenbank anbietet.

Durchgeführt werden der Datenimport und die sich anschließende Vorverdich-tung vorzugsweise nachts, um die Performance der operativen Systeme nicht zu beeinträchtigen; außerdem ist auf diese Weise tagsüber stets der Zugriff auf ent-scheidungsrelevante Daten möglich.

---

[13]   Eicker et al. (1997), S. 463.
[14]   Vgl. Eicker et al. (1997), S. 454 ff.

Die bisherige Diskussion stellt auf den Import „neuer" Daten in das Data Warehouse zur kontinuierlichen Aktualisierung der Datenbasis ab. Neben den zugehörigen Ladevorgängen sind weitere Ladevorgänge für das initiale Befüllen des Data Warehouses erforderlich.

Eine initiale Importfunktion kann weitgehend mit einer kontinuierlich auszuführenden Importfunktion übereinstimmen. Dadurch, dass historische Daten teilweise in anderen Datenquellen und dabei häufig in anderen Strukturen gespeichert sind, ergibt sich aber häufig die Notwendigkeit, eine initiale Importfunktion völlig eigenständig zu konzipieren und zu realisieren.

Ein Aspekt, der in der Data-Warehouse-Diskussion bisher kaum angesprochen wird, ist die Weitergabe von Data-Warehouse-Daten an operative Datensysteme. Dieser rückwärts gerichtete Datenfluss bietet sich z. B. an, wenn Planungssysteme ihre Berechnung auf Basis von aggregierten Vergangenheitsdaten durchführen. Eine Data Warehouse-Lösung, die den Export von Data-Warehouse-Daten für operative Systeme explizit vorsieht und unterstützt, ist das Business Information Warehouse von SAP.

Zusammenfassend ist festzustellen, dass die Konzeption und Realisierung der Datenaustauschschicht eine aufwendige und im Detail komplizierte Aufgabe darstellt. In der Literatur wird allgemein davon ausgegangen, dass ihre Durchführung bis zu achtzig Prozent des Gesamtaufwands einer Data-Warehouse-Entwicklung erfordert. Hinzu kommt, dass nach Änderungen in den operativen Datensystemen stets die entsprechenden Importfunktionen wieder angepasst werden müssen.

Auf der anderen Seite hängt die Qualität der auf der Grundlage eines Data Warehouse berechenbaren entscheidungsrelevanten Daten unmittelbar vom Umfang und von der Qualität der Importdaten sowie von der Qualität der Importfunktionen ab. Wenn der übliche Druck auf Softwareentwicklungsprojekten dazu führt, dass im Bereich der Datenaustauschschicht nicht sorgfältig genug gearbeitet wird, droht nicht nur das Scheitern des Gesamtprojekts. Vielmehr besteht die Gefahr, dass ein mangelhaftes Data Warehouse in Betrieb geht; Auswertungen liefern dann z.T. falsche Daten und können damit zu falschen Entscheidungen führen.

Für die Konzeption und Realisierung der Importfunktionen werden verschiedene Werkzeuge – zumeist als Bestandteil einer Data-Warehouse-Komplettlösung – angeboten. Beispiele sind die ETI Extract Toolsuite, die Changed Data Capture Modules und Sourcepoint[15]. Leider können Werkzeuge die Realisierung der Datenaustauschschicht nur unterstützen; insbesondere das Erkennen der Detailprobleme, zu einem hohen Prozentsatz aber auch die Auswahl der jeweiligen Lösung ist kaum automatisierbar und bleibt letztlich Aufgabe des Data-Warehouse-Entwicklers.

Eine Ausnahme bilden Werkzeuge, die auf einer bestimmten, die unteren Ebenen der Informationssystempyramide abdeckende Standardsoftware aufsetzen und die deshalb die Struktur der zugehörigen Datenquelle(n) genau kennen. Sie ermöglichen – teilweise per Drag-and-Drop - die Übernahme von Datenstrukturen aus den operativen Datenquellen für das Data Warehouse sowie die Definition der Aggregierungsfunktionen. Anschließend generieren sie die zugehörigen Datenex-

---

15 Vgl. auch Kirchner (1998), S. 276 ff., Müller (1998), S. 96.

traktionsroutinen. Prominentes Beispiel für eine solche komfortable Funktionalität ist das bereits mehrfach angesprochene Business Information Warehouse der SAP.

4.6 Die Sicht des Data-Warehouse-Nutzers

Die Sicht des Endbenutzers auf das Data Warehouse wird zum einen von dem für ihn relevanten Schema der verfügbaren Daten und zum anderen von dem verwendeten Auswertungswerkzeug geprägt. Die verfügbaren Auswertungswerkzeuge[16] können in klassische Endbenutzerwerkzeuge, OLAP und Data- Mining-Werkzeuge eingeteilt werden. Unter „klassische Auswertungswerkzeuge" werden (Ad-hoc-)Query-Tools sowie Berichts- und Präsentationswerkzeuge, insbesondere Tabellenkalkulationsprogramme, mit integrierten Datenbankschnittstellen subsumiert. Sie werden allgemein als Endbenutzerwerkzeuge sowie als Frontends für relationale Datenbanksysteme seit geraumer Zeit und in großer Fülle angeboten. Der insgesamt gebotene Funktionsumfang, vor allem die grafischen Darstellungsmöglichkeiten, sind vielfältig, jedoch grundsätzlich nicht speziell für die Anwendung im Data-Warehouse-Bereich konzipiert.

Eine solche spezielle Ausrichtung besitzen OLAP-Werkzeuge; zu unterscheiden sind Desktop-OLAP-Systeme und OLAP-Komplettapplikationen. Bei letzteren steht dem Vorteil einer geringen Abstimmungs- und Schnittstellenproblematik zwischen den Data-Warehouse-Komponenten zumeist eine mangelnde Offenheit in Bezug auf die Integration weiterer Komponenten gegenüber. Außerdem können OLAP-Werkzeuge auch danach klassifiziert werden, ob sie mit Internet-Technik ausgestattet sind, d. h., ob die entscheidungsrelevanten Daten über einen Web-Browser abgerufen werden können oder nicht. Beim „Web Warehousing"[17] werden

1. Berichtsdaten in bestimmten zeitlichen Abständen ermittelt und als HTML-Seiten auf einem Web-Server abgelegt oder
2. Berichtsdaten auf eine Anfrage eines Benutzers hin ermittelt und die zugehörigen Antwort-HTML-Seiten dynamisch erzeugt oder
3. vom Web-Server eine HTML-Seite mit einem Java Applet bzw. einer ActiveX-Komponente abgerufen, das bzw. die die direkte Verbindung zu einem Abfragewerkzeug oder direkt zu der Data-Warehouse-Datenbank aufbaut.

Sowohl die klassischen Auswertungswerkzeuge als auch die OLAP-Werkzeuge verlangen vom Endbenutzer eine Top-down-Vorgehensweise. D. h., der Benutzer muss spezifizieren, welche Daten er abrufen möchte und wie diese präsentiert werden sollen. Das Werkzeug selbst macht keine Lösungsvorschläge. „Neue Hypothesen werden nicht entdeckt, unbekannte Strukturen bleiben unerkannt, neue Trends, die sich in Daten niederschlagen, bleiben unberücksichtigt."[18] Data-Mining-Werkzeuge versuchen dagegen, eine Bottom-up-Vorgehensweise zu unterstützen und selbständig Hypothesen zu entdecken.[19] Typisches Beispiel ist die

---

[16] Zu einem Überblick über verfügbare Produkte vgl. z. B. Martin (1996).
[17] Vgl. zu Details z. B. Behme, Kruppa (1998).
[18] Martin (1998), S. 133.
[19] Vgl. z. B. auch Bissantz et al. (1998), Chamoni (1998), Deventer, Van Hoof (1998) Düsing (1998), Klösgen (1996) und Schiemann, Woltering (1998).

Einteilung von Kunden aufgrund ihrer Eigenschaften und ihres Verhaltens in Gruppen, die gezielt vom Vertrieb und Marketing angesprochen werden können. U.a. berichtet American Express von einer erfolgreichen Nutzung dieser Fähigkeit, um Kunden zu ermitteln, die den Vorschlag zu einem „Goldcard-Upgrade" annehmen würden. Insgesamt ergänzen sich die angebotenen Auswertungswerkzeuge in ihrer Funktionalität. Entsprechend ist zu beobachten, dass Anbieter ein Toolset schnüren, indem Funktionen/Werkzeuge aus allen drei genannten Bereichen eingebunden sind. Beispielsweise haben IBM oder Oracle ihre OLAP-Umgebungen um Data-Mining-Funktionalität ergänzt.

Die Entscheidung für das oder die zu verwendenden Auswertungswerkzeuge ist unternehmensindividuell nach den jeweiligen Bedürfnissen zu treffen. Nach Erfahrung des Autors spielt bei der Werkzeugwahl des individuellen Endbenutzers sowie auch bei seiner Nutzungsintensität und dem Erfolg der Nutzung die Vertrautheit der Oberfläche eine große – wenn nicht die entscheidende – Rolle. Vielfach finden deshalb verbreitete Tabellenkalkulationssysteme wie insbesondere Microsoft Access, Microsoft Excel sowie in Excel integrierte OLAP-Werkzeuge Anwendung[20]. Dagegen gibt es aus Sicht des Autors grundsätzlich Nichts einzuwenden. Im Gegenteil, das Aufoktroyieren eines bestimmten, vermeintlich besseren Werkzeugs führt eher zu einer Verweigerungshaltung als zu einer besseren Nutzung der angebotenen Möglichkeiten.

Als Anforderung an die Toolhersteller ergibt sich, dass sie besonderes Augenmerk auf die Qualität ihrer GUI legen sollten. Dabei besitzen OLAP-Werkzeuge durch die vorgegebene Dimensionsstruktur sicherlich einen Vorteil. Wünschenswert ist zudem eine weitere Standardisierung der Oberflächen.

Eine besondere Anforderung ergibt sich für Data-Mining-Werkzeuge, da sie dem Benutzer den eruierten Trend verständlich machen müssen; dazu sowie allgemein zur Darstellung großer Datenmengen wurde bereits eine Reihe von Visualisierungstechniken entwickelt[21]. Schließlich zeichnet sich für die nahe Zukunft die Einbindung komfortabler Softwareagenten-Funktionalität in die Auswertungswerkzeuge analog zu den Entwicklungen im Internet und allgemein beim Wissensmanagement ab[22]. Erste Agenten, die zur Zeit in OLAP-Werkzeuge wie Comshare, Gentia oder Holos integriert sind, erlauben dem Benutzer die Definition eines Satzes von Regeln, über die die Agenten die Abweichung von dem vom Benutzer definierten Normalfall erkennen können und dann melden. Ziel der Forschungs- und Entwicklungsarbeiten zu Agenten ist es insbesondere, diese analog zu den Data-Mining-Verfahren in die Lage zu versetzen, eigenständig zu erkennen, was als „Normalfall" und was als zu meldende Abweichung zu klassifizieren ist.

---

[20] Vgl. auch Zeschau (1998), S. 281.
[21] Vgl. z. B. Degen (1998) und Kriegel, Keim (1996).
[22] Vgl. auch Gentsch (1999), S. 109 ff.

Literaturverzeichnis

Bauer, S.; Winterkamp, T.: Relationales OLAP versus Mehrdimensionale Datenbanken. In: Hannig, U. (Hrsg.): Data Warehouse und Management Information Systems. Stuttgart 1996, S. 45-53.

Behme, W.; Kruppa, S.: Web Warehousing: Nutzung von Synergieeffekten zweier bewährter Konzepte. In: Chamoni, P.; Gluchowski, P. (Hrsg.): Analytische Informationssysteme: Data Warehouse, On-Line Analytical Processing, Data Mining. Berlin u.a. 1998, S. 141-160.

Bissantz, N.; Hagedorn, J.; Mertens, P.: Data Mining. In : Mucksch, H.; Behme, W.(Hrsg.): Das Data Warehouse-Konzept. Wiesbaden 1998, S. 445-474.

Chamoni, P.: Ausgewählte Verfahren des Data Mining. In: Chamoni, P.; Gluchowski, P. (Hrsg.): Analytische Informationssysteme: Data Warehouse, On-Line Analytical Processing, Data Mining. Berlin u.a. 1998, S. 301-320.

Colliat, G.: OLAP, Relational, and Multidimensional Database Systems, SIGMOD Record, 25 (1996) 3, pp. 64-69.

Degen, H.: Statistische Methoden zur visuellen Exploration mehrdimensionaler Daten. In: Chamoni, P.; Gluchowski, P. (Hrsg.): Analytische Informationssysteme: Data Warehouse, On-Line Analytical Processing, Data Mining. Berlin u.a. 1998, S. 387-408.

Deventer, R.; Van Hoof, A.: Data Mining mit Genetischen Algorithmen. In: Chamoni, P.; Gluchowski, P. (Hrsg.): Analytische Informationssysteme: Data Warehouse, On-Line Analytical Processing, Data Mining. Berlin u.a. 1998, S. 339-354.

Düsing, R.: Knowledge Discovery in Databases and Data Mining. In: Chamoni, P.; Gluchowski, P. (Hrsg.): Analytische Informationssysteme: Data Warehouse, On-Line Analytical Processing, Data Mining. Berlin u.a. 1998, S. 291-299.

Eicker, S.: Management der Ressource Daten im Unternehmen. Habilitationsschrift an der Europa-Universität Viadrina, Frankfurt (Oder) 1997.

Eicker, S.; Jung, R.; Nietsch, M.; Winter, R.: Entwicklung eines Data Warehouse für das Produktionscontrolling: Konzepte und Erfahrungen. In: Krallmann, H. (Hrsg.): Wirtschaftsinformatik '97 – Internationale Geschäftstätigkeit auf der Basis flexibler Organisationsstrukturen und leistungsfähiger Informationssysteme. Heidelberg 1997, S. 449-468.

Gärtner, M.: Die Eignung relationaler und erweiterter relationaler Datenmodelle für das Data Warehouse. In: Mucksch, H.; Behme, W.(Hrsg.): Das Data Warehouse-Konzept. Wiesbaden 1998, S. 195-217.

Gentsch, P.: Wissen managen mit innovativer Informationstechnologie. Strategien – Werkzeuge – Praxisbeispiele. Wiesbaden 1999.

Gilmozzi, S.: Data Mining – Auf der Suche nach dem Verborgenen. In: Hannig, U. (Hrsg.): Data Warehouse und Management Information Systems. Stuttgart 1996, S. 159-171.

Jung, R.: Reverse Engineering konzeptioneller Datenschemata. Vorgehensweisen und Rekonstruierbarkeit für Cobol-Programme. Wiesbaden 1998.

Kemper, H.-G.; Finger, R.: Datentransformation im Data Warehouse. Konzeptionelle Überlegungen zur Filterung, Harmonisierung, Verdichtung und Anreicherung operativer Datenbestände. In: Chamoni, P.; Gluchowski, P. (Hrsg.): Analytische Informationssysteme: Data Warehouse, On-Line Analytical Processing, Data Mining. Berlin u.a. 1998, S. 61-77.

Kirchner, J.: Transformationsprogramme und Extraktionsprozesse entscheidungsrelevanter Basisdaten. In: Mucksch, H.; Behme, W. (Hrsg.): Das Data Warehouse-Konzept. Wiesbaden 1998, S. 245-273.

Klösgen, W.: Aufgaben, Methoden und Anwendungen des Data Mining. In: Hannig, U. (Hrsg.): Data Warehouse und Management Information Systems, Stuttgart 1996, S. 173-191.

Kriegel, H.P.; Keim, D.A.: Visualisierung großer Datenmengen. In: Hannig, U. (Hrsg.): Data Warehouse und Management Information Systems. Stuttgart 1996, S. 203-212.

Martin, W.: Data Warehousing und Data Mining – Marktübersicht und Trends. In: Mucksch, H.; Behme, W. (Hrsg.): Das Data Warehouse-Konzept. Wiesbaden 1998, S. 125-139.

Martin, W.: DSS-Werkzeuge – oder: Wie man aus Daten Informationen macht. Datenbank Fokus (1996) 2, S. 10-21.

Müller, J.: Datenbeschaffung für das Data Warehouse. In: Chamoni, P.; Gluchowski, P. (Hrsg.): Analytische Informationssysteme: Data Warehouse, On-Line Analytical Processing, Data Mining. Berlin u.a. 1998, S. 79-101.

Schiemann, I.; Woltering, A.: Fallbasierte Entscheidungsunterstützung und Data Mining. In: Chamoni, P.; Gluchowski, P. (Hrsg.): Analytische Informationssysteme: Data Warehouse, On-Line Analytical Processing, Data Mining. Berlin u.a. 1998, S. 355-386.

Schinzer, H.D.; Bange, C.: Werkzeuge zum Aufbau analytischer Informationssysteme – Marktübersicht. In: Chamoni, P.; Gluchowski, P. (Hrsg.): Analytische Informationssysteme: Data Warehouse, On-Line Analytical Processing, Data Mining. Berlin u.a. 1998, S. 41-58.

Watson, H.J.; Houdeshel, G.; Rainer, R.K. Jr.: Building Executive Information Systems and other Decision Support Applications. New York et al. 1997.

Zeschau, D.: Einsatz der OLAP-Technologien bei der Thyssen Haniel Logistic. In: Chamoni, P.; Gluchowski, P. (Hrsg.): Analytische Informationssysteme: Data Warehouse, On-Line Analytical Processing, Data Mining. Berlin u.a. 1998, S. 277-299.

5 Vorgehensmodelle im Bereich Data Warehouse: Das Evolutionary Data Warehouse Engineering (EDE)

Bernd Keppel, Stefan Müllenbach, Markus Wölkhammer

5.1 Einleitung

Studien zeigen, dass der Erfolg von Data-Warehouse-Projekten vom gewählten Projektvorgehen abhängig ist. Deshalb will der Beitrag einen Überblick über Vorgehensmodelle zur Umsetzung solcher Projekte geben. Aufbauend auf der Analyse klassischer Vorgehensmodelle wird ein neues, den speziellen Anforderungen eines Data-Warehouse-Systems Rechnung tragendes Vorgehensmodell entwickelt und detaillierter vorgestellt. Der Beitrag schließt mit der Untersuchung von kritischen Erfolgsfaktoren, die den Erfahrungen der Autoren zufolge bei Data-Warehouse-Projekten zu beachten sind.

5.2 Vorgehensmodelle für Data-Warehouse-Projekte

Ein technisches System durchläuft verschiedene Phasen eines Lebenszyklus. Dieser Lebenszyklus umfasst neben der Entwicklung, der Nutzung und Wartung auch die „Absetzung" eines Systems.

Je komplexer ein System ist, desto umfangreicher ist die Entwicklungsphase, die notwendig ist, um ein solches System zu erstellen. Ein Data Warehouse, bestehend aus technischen Komponenten, Anwendungsfunktionen und einem Datenmodell, stellt ein solch komplexes System dar, das einer längeren Entwicklungszeit bedarf, das aber auch eine Nutzungsdauer hat, die sich über Jahre erstreckt.

Die Integration vieler Beteiligter bei der Entwicklung sowie die Kontrolle der Kosten erfordern ein planmäßiges Vorgehen unter Beachtung ingenieurmäßiger Prinzipien. Die Entwicklung eines Data Warehouses kann wie jedes andere Projekt auch in verschiedene Phasen eingeteilt werden. Die Aufteilung der gesamten Entwicklungsaufgabe in zu erbringende Teilleistungen hilft dabei, Projektrisiken aufzudecken.

Die Aufgaben, die sich allgemein für das Management solcher Projekte ergeben, sind Planungs-, Steuerungs- und Kontrollaufgaben. Die Planungsaufgabe ist Bestandteil des nächsten Abschnitts, bevor dann in den darauf folgenden Abschnitten Modelle vorgestellt werden, die das Vorgehen und mögliche Kontrollmechanismen zur Überprüfung des Projektfortschritts und der Risikominimierung beschreiben.

5.2.1 Ziele und Aufgaben eines Data-Warehouse-Projektes

Die Entwicklung eines Data Warehouses verfolgt das Ziel, ein System zur Unterstützung von Managementaufgaben zu erstellen, einzuführen, zu betreiben und zu pflegen. Das Pflegen umfasst im Falle des Data Warehouses sowohl die Wartung als auch die Änderung bzw. Erweiterung des Systems.

Die Komplexität eines Data Warehouses, die damit verbundene lange Entwicklungsdauer, eine Nutzungsdauer, die sich über mehrere Jahre erstreckt, die Beteiligung einer größeren Gruppe von Menschen, die Forderung nach der Verwendung ingenieurmäßiger Prinzipien sowie die hohen Kosten, die geplant und kontrolliert werden müssen, erfordern eine Aufteilung der Entwicklungsaufgabe in Phasen, die nicht zwangsläufig sequentiell ablaufen müssen.

Projekte durchlaufen dabei mehrere Phasen, die weiter in Teilphasen untergliedert werden können.

Auf Grund der hohen Kosten, der strategischen Bedeutung und des immensen Aufwandes eines solchen Projektes ist es notwendig, ein Vorgehen zu wählen, das die Risiken eines solchen Projektes berücksichtigt und in das Vorgehen einbezieht.

Die Aufgaben eines Vorgehensmodells lassen sich anhand eines allgemeinen Phasenschemas gliedern. Es unterscheidet dabei die Phasen der Analyse, des Entwurfs, der Realisierung und der Einführung. Innerhalb jeder Phase gibt es Planungs-, Steuerungs- und Kontrollaufgaben, die für die Durchführung des Projektes erforderlich sind.[1]

5.2.1.1 Analyse

„Die Phase Analyse hat das Ziel, ein Soll-Konzept für das geplante Anwendungssystem zu entwickeln, in dem die Anforderungen an das System aus der Sicht der späteren Anwender und Benutzer festgelegt werden und die IV-technische Realisierung zunächst grob aufgezeigt wird."[2]

Die initiale Aufgabe dieser Phase ist es, ein Ziel für das Data Warehouse zu definieren. Dies kann durch die Anwender eines solchen Systems geschehen oder sich aus einer Zerlegung eines übergeordneten Ziels ableiten.[3]

Ist das Ziel eines solchen Systems geklärt, gilt es, die Anforderungen zu analysieren. Mehr noch als bei anderen Projekten ist es wichtig, die Anforderungen möglichst aller Beteiligten an ein Data Warehouse zu ermitteln und zu berücksichtigen. Dazu gehören die Eigentümer (Geldgeber), die Planer, die Entwickler und die Endbenutzer.[4]

Der zweite Schritt der Analysephase verwandelt die gesammelten Anforderungen in Gruppen von Spezifikationen, die dann den Input der Designphase bilden. Grundsätzlich unterscheidet man dabei drei Hauptgruppen von Spezifikationen:[5]

---

1. Spezifikationen der betriebswirtschaftlichen Begriffe, die von Bedeutung sind, bilden die Grenze für die Informationen, die im Data Warehouse enthalten sein sollen. Sie begrenzen damit auch den Anwenderkreis und deren Informationsanforderungen.
2. Spezifikationen für die Datenquellenanforderungen, die das Informationsspektrum in der Weise einengen, wie Daten aus Datenquellen verfügbar sind.
3. Spezifikation der Muss-Funktionen, die festlegen, in welcher Weise die Informationen genutzt werden sollen.

5.2.1.2 Entwurf (Design)

Anhand dieser Spezifikationen müssen dann die logischen Datenmodelle abgeleitet werden. Es müssen die Prozesse festgelegt werden, die die Datenquellen mit dem Data Warehouse und das Data Warehouse mit den Anwendungsfunktionen verbinden. „Die Phase Entwurf hat das Ziel, sämtliche Voraussetzungen für die nachfolgende Phase Realisierung, in der die eigentliche Programmierung erfolgt, zu schaffen."[6]

Im Rahmen der Data-Warehouse-Entwicklung kann man zwei primäre Aufgaben ausmachen:

- der Detailentwurf der Datenmodelle und
- der Detailentwurf des Anwendungssystemmodells.

Der Detailentwurf des Datenmodells beinhaltet

- die Entwicklung physischer Datenmodelle für die einzelnen Datenbanken,
- das Mapping der physischen Datenmodelle der Datenquellen in die physischen Datenmodelle des Data Warehouses. Dieses Mapping unterstützt dabei die Aufgaben des In-flow und des Up-flow innerhalb des Data Warehouses und
- die Entwicklung des Datenmodells der Metadatenbank.

Der Detailentwurf des Anwendungssystemmodells beschreibt die einzelnen Komponenten, die in diesem Projekt verwendet werden.[7] Das sind zum einen die benötigten Datenquellen und zum anderen das Data-Warehouse-System selbst.

5.2.1.3 Realisierung

„Unter Realisierung werden die Programmentwicklung, kurz Programmierung, und der Programm- und Systemtest verstanden."[8]

Die Realisierungsphase ist verantwortlich für die physische Umsetzung der Modelle, die in der Designphase erstellt wurden. Dabei kann man grundsätzlich zwei Arten für das Anwendungssystemmodell unterscheiden:

1. die eigenständige Programmierung von Komponenten und Schnittstellen und
2. die Integration fremder Komponenten. Dies beinhaltet dann das Customizing und die Schnittstellenprogrammierung.

---

[6] Stahlknecht (1995), S. 280.
[7] Vgl. Gill, Rao (1996), S. 105 f.
[8] Stahlknecht (1995), S. 302.

Allgemein betrachtet kann man die Realisierung eines Data Warehouses mit der Realisierung einer großen relationalen Datenbank vergleichen. Dabei müssen folgende Komponenten erstellt werden:[9]

- Programme, die die Datenbank erstellen und verändern
- Programme, die die Daten extrahieren
- Programme, die die Datenumwandlung vollziehen
- Programme, die Updates von relationalen Datenbanken erzeugen

5.2.1.4 Einführung

Die Einführungsphase beinhaltet die Übergabe des Systems an die auftraggebenden Mitarbeiter. Neben den typischen Anforderungen[10], die bei der Einführung eines betrieblichen Informationssystems zu berücksichtigen sind, gibt es noch spezielle Anforderungen, die das Data-Warehouse-System an diese Phase stellt. Die erste Anforderung betrifft den Status, den ein Data-Warehouse-System besitzt. Erst wenn die Endbenutzer die Informationen, die ihnen das Data Warehouse bietet, in ihre täglichen Arbeitsabläufe mit einbauen, wird das Data Warehouse ein „Mission Critical System", d. h. zu einem unentbehrlichen Bestandteil innerhalb der Unternehmensstruktur.

Eine weitere Anforderung an ein Vorgehensmodell für die Erstellung eines Data Warehouses besteht darin, dass das erstellte System im Sinne eines evolutionären Systems ständig erweiterbar und veränderbar ist. Das Datenmodell, das Anwendungsmodell und auch das technische Modell können sich ändern, die Anforderungen können sich ändern und sogar eine Änderung der Ziele ist denkbar. Aus diesem Grund ist es wichtig, ein Vorgehensmodell zu wählen, in dem ein Rückschritt auf vorherige Phasen möglich ist.[11]

5.2.2 Lösungsverfahren für Data-Warehouse-Projekte

Ein Lösungsverfahren für die Entwicklung eines Data Warehouses besteht aus vier Komponenten, die es beschreiben. Dies sind Prinzipien, Verfahren (Modelle), Methoden und Werkzeuge.[12]

Prinzipien

Prinzipien sind grundsätzliche Vorgehensweisen im Sinne von Handlungsgrundsätzen oder Strategien. Die beiden Grundprinzipien, die hierbei unterschieden werden, sind die Top-down- und die Bottom-up-Entwicklung.

Beide Prinzipien basieren auf einem dritten Prinzip, dem der Modularisierung. Modularisierung bedeutet, dass das Gesamtsystem entweder in Teilsysteme zerlegt wird (Top-down-Entwicklung) oder aus Teilsystemen zusammengesetzt wird (Bottom-up-Entwicklung).

---

[9]   Vgl. Gill, Rao (1996), S. 106 f.
[10]   Eine Liste möglicher Anforderungen findet man bei Gill, Rao (1996), S. 107.
[11]   Vgl. Gill, Rao (1996), S. 108 f.
[12]   Vgl. Stahlknecht (1995), S. 239.

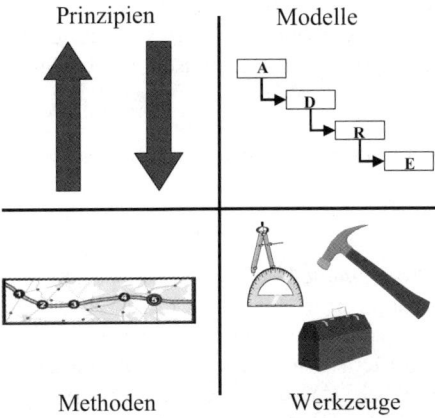

Prinzipien   Modelle

Methoden   Werkzeuge

Abb. 26: Prinzipien, Modelle, Methoden und Werkzeuge für DW-Projekte

Die Top-down-Entwicklung identifiziert zunächst die betriebswirtschaftlichen Anforderungen, die ein Data Warehouse erfüllen soll. Diese sind die Hauptanforderungen für die Implementierung. Da ein Data Warehouse aber ein Datenhaltungssystem mit Anwendungsfunktionen ist, ist es schwierig, Ziele für den Inhalt der Datenbasis zu formulieren. Eine Möglichkeit ist es, die Inhalte mit allgemeinen, unternehmensweit abgestimmten, betriebswirtschaftlichen Begriffen zu fassen. Eine Formulierung der Ziele durch betriebswirtschaftliche Begriffe stellt somit eine Abgrenzung der Daten nach ihrem Inhalt dar. Dies führt zu einer sehr zielgerichteten Implementierung der Datenbasis. Das bedeutet aber auch, dass Chancen, die außerhalb der betrachteten Grenzen liegen, unberücksichtigt bleiben. Eine Top-down-Entwicklung ist vor allem dann sinnvoll, wenn ein ausgereiftes und getestetes technisches System vorhanden ist und die betriebswirtschaftlichen Problemstellungen klar formuliert werden können. Auf Grund eines optimalen Zusammenspiels von technischen und betriebswirtschaftlichen Zielen können gut strukturierte, langfristige Architekturen entwickelt werden.

Die Bottom-up-Entwicklung startet in der Regel mit Experimenten oder Prototypen, bei denen die verwendeten technischen Systeme im Vordergrund stehen. Hierfür wird ein spezieller, gut strukturierter Teilbereich des betriebswirtschaftlichen Problems ausgewählt und eine Lösung dafür formuliert. Dies kann, bezogen auf ein Data Warehouse, ein kleinerer, nach Abteilungen oder geografischen Gegebenheiten gegliederter Teilbereich eines Data Warehouses sein, der dann im Laufe der Entwicklung um weitere Bereiche ergänzt wird. Eine solche Vorgehensweise hat den Vorteil eines geringeren Risikos, da das Projekt überschaubar bleibt, neue Technologien können getestet und verwendet werden und eine kleinere Gruppe von Entwicklern trifft Entscheidungen und gestaltet das Projekt.

Auf der anderen Seite stellt die Integration der einzelnen Teillösungen zu einer ganzheitlichen Betrachtung der betriebswirtschaftlichen Problemstellung des Data Warehouses ein Problem dar, das eben durch diesen Ansatz von vornherein behoben werden sollte.

Die Vor- und Nachteile der beiden Prinzipien zeigen aber auch, dass es keine optimale Lösung gibt. Sie ist immer abhängig von der jeweiligen Situation. Eine Kombination beider Prinzipien ist oft die bessere Entscheidung.

Vorgehensmodelle

Der zweite Teilbereich, der ein Vorgehensmodell beschreibt, ist das zu Grunde liegende Modell. Hier haben sich im Laufe der Jahre mehrere Modelle etabliert:

Das Wasserfallmodell

Als das „klassische Projektmodell" wird das Wasserfallmodell mit sequenzieller, kaskadischer Grundstruktur bezeichnet. Die Phasenübergänge sind durch die Erstellung und Abnahme von Dokumenten gekennzeichnet. Jede Phase ist dabei durch unterschiedliche Methoden, Werkzeuge und Vorgehensweisen unterstützbar. Im Laufe der Jahre habt sich eine Vielzahl von Modellen entwickelt, die alle unter dem Begriff des Wasserfallmodells subsumiert werden.

Die Untergliederung in Hauptphasen ist zu grob, um ein Projekt hinsichtlich Projektfortschritt, Kostenverbrauch und Zeitplan wirksam und zielgerichtet führen zu können. Aus diesem Grund wird jede Hauptphase in mehrere Teilphasen unterteilt. Jede Teilphase wird durch ein Dokument abgeschlossen, das die Ergebnisse der Teilphase und die Voraussetzungen für die Durchführung der nachfolgenden Teilphase enthält. Dieses Dokument wird als Meilenstein bezeichnet. Anhand der Meilensteine wird der Projektablauf nach dem Wasserfallmodell gesteuert. Neben der bereits genannten laufenden Überwachung von Projektfortschritt, Kostenverbrauch und Zeitplan werden die Entwicklungsergebnisse des Projektes anhand der Meilensteine laufend dokumentiert und die Qualitätsprüfung durchgeführt. Die Meilensteine werden gemäß einem vom Projektleiter genehmigten Abnahmeplan durch den Teilprojektleiter im Rahmen von speziellen Abnahmeentscheidungen abgenommen.

Das Spiralmodell

Das Spiralmodell ist ein Modell, das aus der Kritik am Wasserfallmodell und mit Bezugnahme auf das Prototyping-Modell entstanden ist (vgl. nachfolgenden Absatz). Im Gegensatz zum Wasserfallmodell, das dokumentengesteuert ist, ist das Spiralmodell risikogesteuert. Es kombiniert wesentliche Elemente des Wasserfallmodells und des Prototyping-Modells und entwickelt darauf aufbauend ein eigenständiges Projektmodell. Die anderen Modelle sind somit Spezialfälle des Spiralmodells. Es ist damit offen für den Einsatz unterschiedlicher Methoden in den einzelnen Teilphasen.

Im Gegensatz zum dokumentengesteuerten Wasserfallmodell, bei dem der Projektfortschritt durch die Erstellung und Abnahme von Meilensteinergebnissen markiert ist, zielt das Spiralmodell auf einen risikogesteuerten Projektablauf ab. Dabei wird versucht, existierende Projektrisiken zum frühestmöglichen Zeitpunkt zu eliminieren. Unter den zulässigen Entscheidungszeitpunkten ist dies derjenige mit dem niedrigsten Quotienten aus bereits gebundenen Kosten und geplanten Gesamtkosten des Projektes.

Der gesamte Projektablauf besteht aus mehreren Zyklen, die entlang der Spirale von innen nach außen durchlaufen werden. Die vier Quadranten des Spiralmodells enthalten für jeden Zyklus gleichartige Aktivitäten:

- Links oben: Identifikation von Sachzielen und Formalzielen, Lösungsalternativen und Restriktionen.
- Rechts oben: Evaluierung der Alternativen bezüglich der Sach- und Formalziele unter Betrachtung der Restriktionen. Diese Phase dient der Auflösung der aktuell sichtbaren Projektrisiken. Dies kann unter anderem durch die Entwicklung eines Prototyps erfolgen. Dabei entsteht von Runde zu Runde ein detaillierterer Prototyp. Weitere Möglichkeiten der Risikoauflösung sind Simulation oder Benchmarking.
- Rechts unten: Durchführung einer oder mehrerer Hauptphasen gemäß dem Wasserfallmodell.
- Links unten: Planung der nächsten Hauptphase gemäß Wasserfallmodell.

Es wird dabei eine vordefinierte Anzahl von Loops mit eigenen Sachzielen durchlaufen. Zur Auflösung der in einem Zyklus bestehenden Projektrisiken kann Prototyping eingesetzt werden. Das Spiralmodell geht dabei von einem evolutionären Prototyping aus, bei dem eine Folge von Prototypen im produktiven Programmsystem mündet.

In der ersten Runde wird eine Durchführbarkeitsstudie durchgeführt, in der zweiten Runde wird das operationale Konzept entwickelt, in der dritten Runde werden die Anforderungsspezifikationen erarbeitet, in den weiteren Runden dann der Entwurf erstellt und die Realisierung durchgeführt.

Das Prototyping-Modell

Vor allem die Minimierung des Projektrisikos und ein besserer Umgang mit der notwendigen Detaillierungstiefe der Anforderungsanalyse liefert der Prototyping-Ansatz.

„Als Prototyp bezeichnet man bei der Software-Entwicklung eine teilweise, gewollt unvollständige Implementierung eines Software-(Teil-)Systems zum Zwecke der frühzeitigen Bewertung."[13]

Ziel des Prototyping ist die Verbesserung der Anforderungsanalyse und -definition hinsichtlich ihrer Konsistenz, ihrer Detaillierungstiefe und ihrer Abstimmung mit dem Auftraggeber.

Dazu wird während der Anforderungsanalyse und -definition ein Vorläufer des eigentlichen Programmsystems entwickelt, der als Prototyp bezeichnet wird. Der Prototyp dient als Modell des Anwendungssystems. Er weist nach Möglichkeit alle aus der Sicht der fachlichen Anforderungen relevanten Eigenschaften des Anwendungssystems auf.

Ausgangspunkt ist eine erste (unvollständige) Sammlung fachlicher Anforderungen. Für diese Anforderungen wird ein Software-Entwurf durchgeführt und ein erster Prototyp realisiert. Dabei ist jederzeit ein Rückgriff auf vorausgehende Phasen möglich. Anhand dieses Prototyps werden, ggf. unter Beteiligung des Auftraggebers, die Anforderungen evaluiert und verfeinert. Durch eine Rückkopplung zur ersten Phase wird die bisherige Sammlung von Anforderungen modifiziert bzw.

---

[13] Hesse, Merbeth, Frölich (1992), S. 65.

erweitert und ein neuer Prototyp entwickelt. Die Iteration endet, wenn keine Soll-Ist-Abweichung zwischen dem Prototyp und den fachlichen Anforderungen mehr festzustellen ist. Anschließend ist das Produktivsystem zu erstellen. Hierzu können beispielsweise die Phasen Design, Realisierung und Einführung des Wasserfallmodells herangezogen werden. Es lassen sich dabei zwei Arten von Prototyping-Ansätzen unterscheiden:

- Beim „Wegwerf-Prototyping" dient der Prototyp ausschließlich der Evaluierung der Anforderungsdefinition und wird nicht in das produktive Programmsystem überführt. Er unterscheidet sich dabei hinsichtlich der verwendeten Data Warehouses, der Systemumgebung und der formalen Anforderungen an das Programmsystem vom produktiven Programmsystem.
- Das evolutionäre Prototyping bedeutet, dass die Entwicklung einer Folge von Prototypen in einem produktiven Programmsystem endet. Voraussetzung hierfür ist der Einsatz geeigneter Werkzeuge und Sprachen.
- Zukünftig werden aber auch objektorientierte und geschäftsprozessorientierte Modelle eine größer werdende Rolle spielen.

Der dritte Teil eines Vorgehensmodells sind die verwendeten Methoden, die dabei zum Einsatz kommen. Dabei kann man Methoden, die nur einen Teilbereich der Data-Warehouse-Entwicklung unterstützen, von denen unterscheiden, die sich als ganzheitliche Methode für die gesamte Entwicklung verstehen.

Zu Methoden der ersten Kategorie zählen ein Zachman-Framework[14] zur Ermittlung der Informationsbedürfnisse der Beteiligten, ein Entity-Relationship-Modell oder ein Star Schema zur Datenmodellierung.

Die zweite Kategorie von Methoden sind ganzheitliche Ansätze zur Modellierung von Data-Warehouse-Systemen. Vertreter dieses ganzheitlichen Ansatzes sind beispielsweise die ASAP BW Roadmap der SAP AG, die SAS Rapid Warehousing Methode, die Entwicklung eines Data Warehouses mit Hilfe des Spiralmodells nach Gill/Rao, der IDSE Approach oder die Lifecycle-Methode von Ralf Kimball.[15]

Die Werkzeuge, die im Rahmen eines Vorgehensmodells zum Einsatz kommen, sind dann immer sehr stark von den verwendeten Soft- und Hardware-Komponenten abhängig. Hier sind im Rahmen des Projektes die geeigneten Werkzeuge zu wählen.

5.3 Besonderheiten eines Data-Warehouse-Vorgehensmodells

Im Vergleich zu anderen Software-Projekten gibt es bei der Data-Warehouse-Entwicklung einige Besonderheiten, die Auswirkungen auf das Vorgehensmodell haben. Diese sind aber nur zum Teil in den klassischen Ansätzen berücksichtigt.

Data-Warehouse-Systeme werden, auch auf Grund der historischen Entwicklung solcher Systeme, häufig sehr stark aus einer eher technischen Perspektive

---

[14]   Vgl. Gill, Rao (1996), S. 16 ff.
[15]   Vgl. Kimball, Reeves, Ross, Thornthwaite (1998)

betrachtet. Dies wird vor allem bei Vorgehensmodellen von Systemanbietern deutlich. Sie legen ein größeres Gewicht auf technische Problemstellungen und messen betriebswirtschaftliche Anforderungen dann an der technischen Machbarkeit der jeweiligen Werkzeuge. Dabei sollte die Gewichtung im Sinne einer Dienstleistungsfunktion, die ein solches System für das Management zu leisten hat, auf der Lösung der betriebswirtschaftlichen Probleme liegen.

Eine weitere Besonderheit entsteht durch die zentrale Stellung innerhalb der Anwendungssystemarchitektur. Ein Data-Warehouse-System hat die grundlegende Zielsetzung, ein zentrales System aufzubauen, das die Daten aus allen operativen und externen Systemen sammelt, aufbereitet und für statistische Auswertungen und Managementfunktionen bereitstellt. Dies bedeutet aber eine Abstimmung der verwendeten Definitionen, Funktionen und Architekturen zum einen mit den aktuell betroffenen Systemen, aber auch mit zukünftig zu integrierenden Systemen und Architekturen.

Dies ist auch wegen einer deutlich höheren Lebensdauer solcher Systeme und ihrer Inhalte notwendig, um auch zukünftigen Anforderungen gerecht werden zu können. Da Data-Warehouse-Systeme nicht wie operative Systeme auf einen Schlag („Big Bang") eingeführt werden, sondern sich evolutionär entwickeln, sind Ausbaufähigkeit und Erweiterbarkeit wichtige Aspekte, die innerhalb eines Vorgehensmodells berücksichtigt werden müssen.

Eine weitere Besonderheit von Einführungsprojekten ist die Abschätzung des Nutzens eines solchen Systems. Im Gegensatz zu operativen Systemen, wo man einen Nutzen bei der Durchführung einer Aufgabe tatsächlich quantifizieren kann, ist der Nutzen eines Data Warehouses kaum messbar. Wie hoch ist der Nutzen von qualitativ besseren Daten oder der Nutzen auf Grund einer zusätzlichen Information, die eine Entscheidung beeinflussen kann?

Solche Nutzenaspekte können in der Regel nur subjektiv bei der Nutzung eines solchen Systems entstehen. Aus diesem Grund ist es für Data-Warehouse-Projekte wichtig, schnelle Nutzenerfolge bei den Endanwendern zu erreichen, um diese dann als Promoter im Unternehmen am Erfolg eines solchen Projektes zu beteiligen.

5.4 Evolutionary Data Warehouse Engineering EDE

Nachdem in dem vorangegangenen Kapitel diskutiert wurde, welche Vorgehensmodelle zur Einführung eines Data Warehouses in der Literatur und Praxis Verwendung finden, worin deren Zielsetzungen bestehen und besondere, für ein Data Warehouse typische Anforderungen an solche Vorgehensmodelle dargestellt wurden, soll nun in den folgenden Abschnitten ein spezielles Vorgehensmodell zur systematischen Einführung und Realisierung eines Data Warehouses vorgestellt werden.

Es handelt sich dabei um die Einführungsstrategie des Full Solution Providers PLAUT International Management Consulting, welche in zahlreichen Data-Warehouse-Projekten mit aktuellem Schwerpunkt im SAP-Umfeld erfolgreich eingesetzt wird. Dabei erfolgt basierend auf den zusätzlich in den Projekten gewonnenen Erfahrungen eine permanente Anpassung, Erweiterung und Vervollständigung des aktuellen Konzepts, da man relativ schnell zu der Erkenntnis gelangte, dass ein Konzept eben nicht statisch ist und sich an Veränderungen des Umfeldes anpassen muss, wie das Data-Warehouse-System, das man mit dem Konzept systematisch einführen möchte. Das Vorgehensmodell der PLAUT International Management Consulting trägt den Namen „Evolutionary Data Warehouse Engineering", oder in Kurzform „EDE". Der Name des Konzepts, genauer dessen Bestandteile, repräsentieren gleichsam auch die Kernelemente des Vorgehensmodells zur Software-Entwicklung und -Einführung:

„Evolutionary"

Bei EDE handelt es sich zentral um einen Ansatz, der – im Rahmen eines Data-Warehouse-Projektes – versucht, in mehreren aufeinander aufbauenden Schleifen mit Möglichkeiten zur Rückkopplung, ein System, zugehörige Prozesse und eine adäquate Organisation in einem Unternehmen zu etablieren. Dies geschieht im Unterschied zu alternativen Ansätzen, bei denen man davon ausgeht, dass man von einem klar definierten Startpunkt/-zustand mittels eines wohlstrukturierten und sequenziellen Ablaufs zu einem eindeutigen finalen Endpunkt/-zustand gelangt.

„Data Warehouse"

Im Gegensatz zu anderen Ansätzen in diesem Umfeld wurde nicht versucht, altbekannte Vorgehensmodelle zur Software-Entwicklung und -Einführung auf den Data-Warehouse-Ansatz zu portieren, sondern die Problemstellung „Data Warehouse" und deren Herausforderungen wurden in den Mittelpunkt gestellt. Um diese Aufgabenstellungen zu lösen, hat man versucht, einen standardisierten Ansatz zu finden, um der Komplexität derartiger Projekte begegnen zu können und die Projektlaufzeiten und die damit verbundenen Kosten überschaubar zu halten und kalkulierbar zu machen.

„Engineering"

EDE versucht mit einem ingenieurmäßigen Ansatz die Konstruktion und den Aufbau eines Data Warehouses zu unterstützen und voranzutreiben. Die Nutzung dieses Ansatzes stellt sicher, dass in laufenden Entwicklungsprozessen alle wesentlichen Prozessschritte eingehalten werden. Dies geschieht mit dem Ziel, Systeme, Prozesse und eine Organisation zu etablieren, die zukunftssicher sind und die getätigten Investitionen rechtfertigen. So entsteht ein integriertes, funktionierendes Gesamtsystem.

Nach der Skizzierung des Gesamtkonzepts wird das Vorgehensmodell „Evolutionary Data Warehouse Engineering" in den folgenden Abschnitten in allen Facetten dargestellt, nachdem Grundannahmen und davon abgeleitet Schlussfolgerungen für typische Data-Warehouse-Projekte aufgezeigt wurden.

5.4.1 Gesamtkonzept EDE

Ausgangspunkt bei der Entwicklung des Vorgehensmodells „Evolutionary Data Warehouse Engineering" waren die Erfahrungen, die im Rahmen von Kundenprojekten bei verschiedenen mittleren und vor allem großen, multinationalen Unternehmen unterschiedlichster Branchen gesammelt werden konnten. Dabei fallen verschiedene Problematiken vielfach – gewissermaßen als Muster über alle Unternehmensgrößen und Branchen hinweg – ins Auge, deren man sich bei Data-Warehouse-Projekten bewusst sein sollte.

Die wichtigsten Erkenntnisse beziehungsweise Grundannahmen lassen sich in vier Kategorien einordnen. Dies sind projekt-, unternehmens-, system- und benutzertypische Dimensionen.

Projektdimension

Bei Data-Warehouse-Projekten handelt es sich in aller Regel um äußerst komplexe Aufgabenstellungen. Zum einen nehmen sie häufig eine kritische Größenordnung an, selbst wenn dies zur Zeit des Projektstarts oftmals nicht so abzusehen oder gar geplant war. Andererseits vermutet man in einem Data Warehouse immer noch das „Allheilmittel" zur Lösung sämtlicher Informationstechnologie- und Reporting-Probleme, so dass versucht wird, möglichst alle Anforderungen auf einmal mit dem Data Warehouse abzudecken.

Erfahrungsgemäß beschränkt man sich deshalb auch nicht erst einmal auf die Abbildung eines Teilbereiches des zukünftigen Data Warehouses (sog. Data Marts), sondern bindet in ein Data-Warehouse-Projekt weite Teile des Unternehmens und der Organisationsstruktur ein.

Ganz besonders bewusst muss man sich die Tatsache machen, dass sich im Verlauf eines Data-Warehouse-Projektes die Anforderungen an das am Projektende abzuliefernde Berichtswesen häufig ändern werden. Dies ist naturgemäß auf die sich ändernden Rahmenbedingungen des Unternehmens zurückzuführen, besonders durch Umstrukturierungen in Unternehmen, Merger, Verkäufe oder Zukäufe von ganzen Unternehmen oder Teilkonzernen, wechselnde Berichtslinien und Berichtsempfänger, rechtliche Änderungen, Veränderungen der Konkurrenzstrukturen oder Kunden- bzw. Lieferantenbeziehungen, Produkt- und Dienstleistungsangeboten usw.

Unternehmensdimension

Auch wenn sich viele mittelständische Unternehmen aus strategischen und operativen Gründen für ein Data Warehouse entscheiden, lässt sich ein weitaus höherer Nutzen in der Gruppe der „Global Player", also multinationalen Konzernen mit einer komplexen Unternehmensstruktur und großer Änderungshäufigkeit realisieren.

Kleinere Unternehmen haben deshalb im Moment eher eine untergeordnete Bedeutung, was sehr stark auf deren Kostenstruktur und die relativ hohen Aufwendungen für die Einführung eines Data Warehouses zurückzuführen ist. In den Unternehmen, die sich nun entschließen, ein Data Warehouse einzusetzen, um bestehende Informationssysteme zu ergänzen oder abzulösen, wird man dann zudem damit konfrontiert, dass eine Unzahl von Systemen produktiv im Einsatz sind, die zum Teil überschneidende Themengebiete und Anforderungen abdecken.

Systemdimension

Es existiert in aller Regel ein hoher Kenntnisstand über die operativen Systeme und die damit verbundene Komplexität in der unternehmensweiten Systemlandschaft. Im Bereich der Informationssysteme stellt sich die Situation so dar, dass es eine große Anzahl an Systemen gibt, diese aber fast nie integriert sind, so dass beispielsweise beim Vergleich zweier Umsatzberichte aus zwei parallelen Systemen festzustellen ist, dass verschiedene Größen berichtet werden. Dies liegt zum einen an unterschiedlichen Definitionen betriebswirtschaftlicher Begriffe, zum anderen an den unterschiedlichen Datenquellen und deren Transformationen, aus welchen die Informationssysteme gespeist werden. Diese größtenteils in unterschiedlichen Unternehmensbereichen lokal betriebenen Informationssysteme erfreuen sich außerordentlicher Beliebtheit. Doch muss es im Sinne einer integrierten unternehmensweiten Informationsversorgung das Ziel sein, diese „Partisanensysteme" nach und nach abzuschaffen. Damit wird aber die Harmonisierung solcher Systeme hinein in ein Data Warehouse eine äußerst komplexe Herausforderung. Forciert wird diese Herausforderung noch dadurch, dass vermehrt die Anforderung zur Verknüpfung interner Informationen, extern verfügbarer Daten (Kunden, Konkurrenten, Markt, Branche usw.) sowie unstrukturierter (weicher) Informationen entsteht.

Benutzerdimension

Die Bedeutung des zukünftigen Benutzers eines Data Warehouses ist als sehr hoch einzuschätzen. Die Akzeptanz des neuen Systems (zuzüglich Prozesse und Organisation) von Seiten der Benutzer ist essenziell für den Erfolg eines Data-Warehouse-Projektes. Das Wissen um das Thema Data Warehouse und darüber hinaus über neue Technologien ist im Allgemeinen eher gering. Es handelt sich vielmehr um „gefährliches Halbwissen" („Das Data Warehouse löst alle unsere Reporting-Probleme"). Dennoch besteht in der Regel Einigkeit darüber, dass man neue Wege beschreiten muss, um aktuelle Anforderungen abdecken zu können.

Die oben genannten Problemfelder, die in zahlreichen Projekten beobachtet werden konnten, haben zu Schlussfolgerungen geführt, welche die Grundideen und damit die Basis des Vorgehensmodells zur Einführung eines Data Warehouses der PLAUT International Management Consulting bilden:

1. Ein umfassendes, zentrales Data Warehouse in einem Unternehmen einzuführen ist schon deshalb eine komplexe Herausforderung, weil multiple Systeme und Unternehmenseinheiten eingebunden und integriert werden müssen. Deshalb ist es unabdingbar, ein systematisches, koordiniertes und wohl strukturiertes Vorgehen zu wählen, um das Projekt zum Erfolg führen zu können.

2. Data-Warehouse-Projekte sind nicht innerhalb eines sequenziellen einmaligen Prozesses durchführbar. Es ist nicht Erfolg versprechend, ein Data Warehouse innerhalb eines einzelnen Schrittes einführen zu wollen. Ein Vorgehenskonzept mit wohl definierten Phasen, mit Rückkopplungsmechanismen und mehreren Durchläufen erscheint für das Ziel, ein umfassendes, globales und integriertes System zu erstellen, sinnvoller zu sein. Treffend ist hier die Maxime „Think big but start small", welche von der Vision eines globalen Data Warehouses ausgeht, mit dem Weg der mehreren kleinen Schritte (Data Marts) hin zu diesem Ziel, wobei man Rückwirkungen beachtet und damit frühzeitig geänderte Rahmenbedingungen im Projekt einfließen lässt („Feedback Loops"). Grundsätzlich ist ein Data Warehouse ein System, welches neben der eigentlichen technischen Lösung auch die Dimensionen Prozesse und Organisation mit ein-

schließt. Dies zusammen wird niemals abgeschlossen oder fertig eingeführt und entwickelt sein.

3. Es handelt sich bei einem Data Warehouse um ein „lebendes" System, das sich häufig ändert. Deshalb ist es extrem wichtig, eine Lösung zu etablieren, die anpassbar ist.

4. Nicht zuletzt ist es für den Erfolg eines Data-Warehouse-Projektes und die spätere Nutzung des Systems wichtig, dass die Anwender früh in das Projekt eingebunden werden und sich intensiv an dessen Verlauf beteiligen, sich einbringen und so die geplante Lösung mittragen können.

Ausgehend von den oben genannten Erkenntnissen ist das Vorgehensmodell „Evolutionary Data Warehouse Engineering" als Standardansatz für Data-Warehouse-Projekte (vgl. Abb. 27).

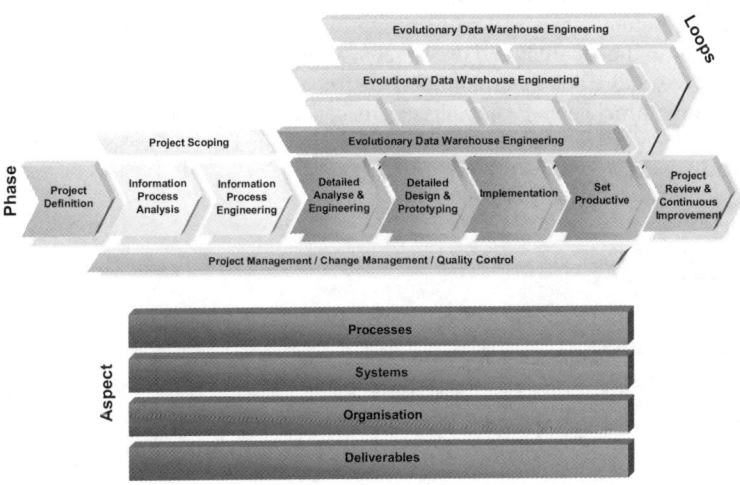

Abb. 27: Das Evolutionary-Data-Warehouse-Konzept von Plaut

Die Grundgedanken dieses Konzepts sollen im Detail erläutert werden, um im nächsten Schritt die Inhalte der einzelnen Phasen entfalten zu können.

Im Zentrum des Modells beziehungsweise Konzepts EDE stehen zwei Projekthauptphasen. Das „Project Scoping" und die zweite große Phase „Evolutionary Data Warehouse Engineering".

Die *„Project-Scoping-Phase"* wird innerhalb eines Data-Warehouse-Projektes genau einmal vollständig durchlaufen und versucht mit den Teilphasen „Information Process Analyses" und „Information Process Engineering" ein Gesamtkonzept für ein globales, integriertes Data Warehouse zu konzipieren. Änderungen auf Grund von Rückkopplungen werden in Form von Change Requests in das Gesamtkonzept eingearbeitet. Das Gesamtkonzept ist in einzelne Teile oder Teilprojekte zu zerlegen, zu qualifizieren und zu priorisieren. Die einzelnen Teilprojekte werden dann nacheinander an die zweite große Projektphase übergeben und abgearbeitet.

Innerhalb der Phase „*Evolutionary Data Warehouse Engineering*" mit den vier Teilphasen „Detailed Analyse and Engineering", „Detailed Design and Prototyping", „Implementation" und „Set Productive" erfolgt dann die Einführung von Teilen des globalen, integrierten Data Warehouses unter Beachtung der in der „Project-Scoping"-Phase definierten Grundlagen.

Die Phase „Evolutionary Data Warehouse Engineering" wird in aller Regel mehrfach durchlaufen, je nachdem wie viele Teilprojekte identifiziert wurden.

Überlagert werden die beiden großen Phasen von einer Querschnittsprojektphase „*Project Management, Change Management, Quality Control*". Mit dieser wird versucht, die Projektsteuerung, das Projekt-Controlling, das Änderungsmanagement und die Qualitätssicherung zu gewährleisten. Vorgeschaltet wird hier die administrative, organisatorische Phase „Project Definition". Nachgelagert ist die Phase „Project Review and Continuous Improvement". Bei letzterer wird das Ziel verfolgt, Erkenntnisse aus dem Gesamtprojekt in Folgeprojekten verwertbar zu machen, um so die Qualität und die Ergebnisse immer weiter zu verbessern und eine Wiederverwendbarkeit zu ermöglichen.

In allen angesprochenen Projektphasen, besonders in den zwei großen, sind mindestens folgende vier Aspekte zu beachten, um ein Data Warehouse erfolgreich einzuführen:

1. Prozesse
2. Systeme
3. Organisation
4. Deliverables

Die Gesamtarchitektur eines Data Warehouses umfasst nicht nur die eigentliche *Systemsicht* (z. B. Datenmodellierung, Datenbank, Datenbeschaffung, Transformation), sondern auch die *Informationsverarbeitungsprozesse* sowie eine *organisatorische* Dimension. Als letzten Teilaspekt des Vorgehensmodells ist der Bereich „*Deliverables*" zu nennen. Da jede Phase messbar als abgeschlossen beurteilbar sein sollte, sind bestimmte Ergebnisse, Ziele, Resultate, Meilensteine usw. pro Projektphase abzuliefern oder zu erstellen. Das wird unter diesen Aspekt subsumiert.

Damit ist das Gesamtkonzept des Vorgehensmodells zur Einführung eines Data-Warehouses vollständig umrissen worden. Bevor in den nachfolgenden Abschnitten auf die einzelnen Phasen eingegangen wird, soll hier eine kurze Zusammenfassung der Kernelemente des Konzepts vorgenommen werden:

1. EDE beinhaltet eine Vorphase zur Definition eines Gesamtkonzepts für ein globales und integriertes Data Warehouse.
2. Durch die Vorphase zusammengefasste und priorisierte Teilprojekte werden sequenziell nach einem dezidierten Vorgehen abgearbeitet.
3. Teilprojekte haben Rückkopplungseffekte auf andere nachfolgende Teilprojekte („Feedback-Loops").
4. Einsatz eines phasenübergreifenden Projektmanagements und -controllings, Änderungsmanagements und einer Qualitätssicherung.

5. Beachtung der Aspekte Prozesse, Systeme, Organisation und „Deliverables" pro Projektphase.

Die Teilphasen des EDE sollen nun in chronologischer Ordnung, gemessen am Projektverlauf, etwas genauer in den genannten Aspekten beleuchtet werden.

5.4.2 Project Definition

Bevor ein DV-Projekt und damit auch eine Data-Warehouse-Einführung begonnen wird, bedarf es eines formalen administrativ-organisatorischen Projektstarts. Dieser wird durch die Projektphase „Project Definition" innerhalb des EDE abgebildet.

Das Projekt wird i.d.R. durch ein Kickoff-Meeting offiziell mit allen beteiligten Personen eröffnet. Zudem wird das Team personell besetzt, Projektstandards definiert (z. B. regelmäßige Status-Meetings und -Berichte, Dokumentationsstruktur und Ablage, Infrastruktur für das Projektteam, Protokolle). Das wichtigste Ergebnis der Projektdefinitionsphase sollte aber der Projektauftrag mit einer klaren Zielsetzung sein, die in einen groben Project-Master-Plan münden sollte.

5.4.3 Project Scoping

Wie bereits oben beschrieben, teilt sich die Projektphase „Project Scoping" in zwei aufeinander folgende und aufeinander aufbauende Teilphasen auf: „Information Process Analyses" und „Information Process Engineering".

Das Ziel der ersten Teilphase „Information Process Analyses" ist es, eine umfassende Ist-Analyse beziehungsweise Ist-Studie der bestehenden Prozesse, Systeme und der Organisation des Unternehmens zu erstellen.

Dabei ist der Fokus der Untersuchung möglichst weit anzusetzen und sollte nicht zu tief ins Detail gehen. Die Detaillierung erfolgt dann wiederum im Rahmen der iterativen EDE-Schleifen.

Aus Prozesssicht ist in dieser Phase besonderes Augenmerk auf die aktuelle Unternehmensstrategie und in diesem Rahmen auf die IT-Strategie zu legen, da neu zu implementierende Informationssysteme sich nahtlos in diese einfügen müssen.

Zudem sind die aktuellen Informationsverarbeitungsprozesse zu untersuchen. Neben der aktuell vorzufindenden unternehmensweiten Systemarchitektur sind Fragen nach der Periodizität der Berichterstattung, dem Aggregationsgrad, den Datenvolumina (auch zukünftig zu erwartende Mengengerüste) und besonderen, systemimmanenten oder unternehmensindividuellen Abhängigkeiten zu beantworten.

Nicht außer Acht gelassen werden darf die aktuelle Organisationsstruktur und die Konstellation der Informationsanbieter und der Informationsnachfrager, deren Kooperation, Spannungsfelder usw.

Auf der Grundlage des festgestellten Ist-Zustands kann als weiteres Ergebnis dieser Phase eine Schwachstellenanalyse erarbeitet werden, die man in der zweiten Teilphase „Information Process Engineering" aufgreifen und in einem Soll-Konzept verarbeiten kann.

Neben dem Soll-Konzept liefert diese Phase eine Projektorganisation für das ganze Data-Warehouse-Projekt, einen detaillierteren Projektplan mit Definition von Teilprojekten und deren Priorisierung, zudem einen Ausbildungs- bzw. Trainingsplan, um die notwendigen Kompetenzen der Projektmitglieder für die Herausforderungen und Aufgaben des Projektes sicherzustellen. Organisatorisch sollte frühzeitig eine Kommunikationsstruktur etabliert werden, um den Wissenstransfer aus dem laufenden Projekt in das Unternehmen zu gewährleisten. Das Soll-Konzept muss zum einen die neu zu gestaltenden Soll-Informationsprozesse – mit der vollständigen Integration in die Unternehmensstrategie – beinhalten. Dies ist sicher nur dann möglich, wenn zuvor eine ausgiebige Informationsanforderungsanalyse innerhalb dieser Teilphase durchgeführt wurde. Andererseits muss das Soll-Konzept eine Soll-Systemarchitektur mit einer ausgiebigen Tool-Evaluation und -Selektion anbieten, die auf den erhobenen Anforderungen an das zukünftige System basiert. Dies gilt für die drei Ebenen eines Data Warehouses: Datenbeschaffung, Datenhaltung einschließlich Modellierung und Administration, Reporting.

Es soll hier noch einmal hervorgehoben werden, dass es sich beim „Project Scoping" um eine wichtige Phase innerhalb des Gesamtkonzepts handelt, das die Grundlage für eine globale und integrierte Data-Warehouse-Gesamtarchitektur bilden soll, die dann in den nachfolgenden Phasen im Detail ausgearbeitet wird.

5.4.4 Evolutionary Data Warehouse Engineering

Die Kernphase des Vorgehensmodells, die in der Regel iterativ mit Rückkopplungen mehrfach durchlaufen wird, zerfällt in vier Teilphasen: „Detailed Analysis and Engineering", „Detailed Design and Prototyping", „Implementation", „Set Productive".

Die umfassenden Ergebnisse und Ansätze der vorgelagerten Phase werden nun in der Teilphase „Detailed Analysis and Engineering" für ein abgegrenztes Teilprojekt ausgearbeitet. Dies geschieht mit der Zielsetzung, für das Teilprojekt – man könnte auch von einem Data Mart sprechen, der in das globale, unternehmensweite Data Warehouse integriert ist, - eine umfassende Ist-Analyse, ein Soll-Konzept, einen Projektplan und einen Ressourcenplan auszuarbeiten.

Dabei sind im Besonderen die aktuellen Ist-Berichtsprozesse mit mindestens den Aspekten Periodizität, Aggregation, Transformation, Datenfluss, Berichtsdimensionen und Datenstrukturen zu durchleuchten, um einen spezifizierten Soll-Berichtsprozess zu konzipieren. Systemseitig spielen daneben die Problemfelder der Datenmigration aus Altsystemen und die Datenversorgung aus den operativen Systemen eine besondere Rolle. Kennt man die zukünftig geplanten Berichtsprozesse, lassen sich bereits hier Benutzergruppen, deren Aufgabenbereiche und die benötigten Informationen ausmachen.

Nach Abschluss dieser Teilphase schließt sich das „Detailed Design and Prototyping" an. Die Ergebnisse der direkten Vorgängerphase sollten es zulassen, dass die Berichts- und Analyseprozesse bereits ausgebildet werden können; und dies möglichst in einem Prototypen, der später immer weiter verfeinert und in den Folgephasen zur Produktionsreife ausgeprägt wird. Anhand des Prototyps wird es immer einfacher, mit den Benutzern über weitere Anforderung, Design, Zusatzfunktionen usw. zu diskutieren. Die Erfüllung der Anforderungen durch das

System kann damit ebenso frühzeitig verifiziert werden. Da diese gesamte Hauptphase im Projekt mehrfach durchlaufen wird, entsteht so mittels evolutionärem Prototyping ein finales System, welches vor allem von den Benutzern getragen wird.

Bei der Auswahl, welche Berichtsinhalte in das System eingehen sollen, bieten einige Tool-Hersteller eine gute Hilfestellung in Form von ausgeliefertem, sog. „Business Content" an, der beliebig aktiviert, genutzt und erweitert werden kann. Dieser sollte in dieser Projektphase ebenfalls evaluiert und ggf. eingesetzt werden. Aus System- und Organisationssicht hat man sich zudem mit Fragen der Benutzerrollen, der Datenmodellierung, Datenbeschaffungsmechanismen und -steuerung, des Sizing der benötigten Systeme und mit dem Einsatz von LAN/WAN-Lösungen auseinander zu setzen.

Als Ergebnis dieser Teilphase sollte eine Systemarchitektur, die Definition der Berichte, das Datenmodell und ein Berechtigungskonzept manifestiert in einem Prototypen existieren. Für die dann anstehenden Realisierungsarbeiten ist daneben ein Aktivitätenplan mit Verantwortlichkeiten, Zeitvorgaben und Prioritäten aufzustellen.

Hier schließt die eigentliche Realisierungsphase „Implementation" an. In deren Zentrum steht die Abbildung des Konzepts in einem lauffähigen System einschließlich Dokumentation und Test. Aus Prozesssicht ist hier die eigentliche Datenverwendung und die Datenbeschaffung zu verwirklichen. Systemseitig ist das Datenmodell in das Data-Warehouse-Metadaten-Design zu überführen, das Data Warehouse ist einzurichten und die Programmierungen (z. B. Schnittstellen, User Exits, Add-ins usw.) sind abzuschließen. Darüber hinaus müssen organisatorisch Testszenarien und -fälle definiert, der Test durchgeführt und die Systemadministration aufgesetzt werden. Damit gehen mindestens folgende Elemente als Ergebnisse aus dieser Teilphase hervor: Frontend, Backend, Data Marts, Customizing, Zusatzprogramme, Dokumentation, Testberichte, Betriebsführungskonzept und -organisation, Benutzerausbildungs- und Trainingsplan.

Das formale Teilprojektende wird durch die Phase „Set Productive" eingeleitet. Als Ergebnis wird das erstellte System in den Produktivbetrieb übergeben, der Roll-out durchgeführt und das Projekt offiziell abgeschlossen. Zuvor ist lediglich noch ein Integrationstest und das Benutzertraining durchzuführen sowie der Produktiv-Support zu institutionalisieren.

Damit ist die Konzeption, Realisierung und Integration eines Teilsystems in das globale, integrierte und unternehmensweite Data Warehouse abgeschlossen und das nächste Teilprojekt kann sich anschließen, wobei Erkenntnisse aus dem Vorprojekt zu Änderungen und Anpassungen am Gesamtkonzept und -system führen können, sogar müssen, da es sich bei einem Data Warehouse um ein sich permanent änderndes System handelt.

5.4.5 Project Controlling

Die beiden großen Kernphasen des Vorgehensmodells EDE werden von der Phase „Project Controlling" vollständig überlagert, in der der Projektfortschritt überwacht, eine Kostenkontrolle und Budgetierung ermöglicht wird, Meilensteine definiert und deren Einhaltung gesichert werden soll. Es ist rechtzeitig auf Zeitverzögerungen zu reagieren, die Qualität ist zu garantieren und ein Änderungsmanagement muss institutionalisiert werden.

5.4.6 Project Review and Continuous Improvement

Diese nachgelagerte Projektphase hat die Funktion, nach Gesamtprojektabschluss einen ex-post Projekt-Review durchzuführen, um Besonderheiten, Fehler, Problemfelder, Erfolge, Schwierigkeiten usw. zu sammeln, um diese in Folgeprojekten wiederzuverwerten.

5.5 Kritische Erfolgsfaktoren und Erfahrungen

Erfahrungen in unterschiedlichsten Data-Warehouse-Projekten haben gezeigt, dass eine Vielzahl von Gesichtspunkten zu berücksichtigen und viele Entscheidungen zu fällen sind – und das bezieht sich sowohl auf die technische Konzeption, auf das Design als auch auf die Vorgehensweise.

Der nachfolgende Abschnitt soll helfen, bei der Durchführung eines Data-Warehouse-Projektes die wesentlichen Faktoren für eine erfolgreiche Einführung eines Data Warehouses zu berücksichtigen, die richtigen Fragen zu stellen und ein Höchstmaß an Return on Investment des Data-Warehouse-Systems sicherzustellen.

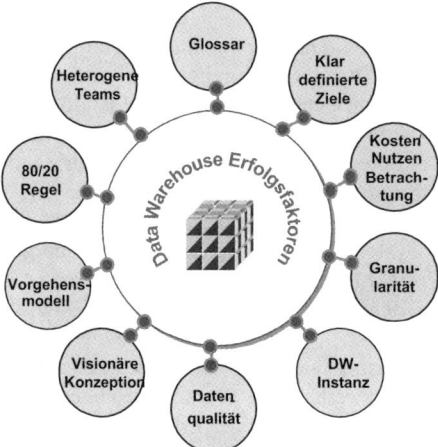

Abb. 28: Kritische Erfolgsfaktoren von Data-Warehouse-Projekten

5.5.1 Die Konstruktion einer einheitlichen Begriffswelt – Glossar

Während der Ist-Aufnahme wird man vielen Unternehmen heterogene Datenumgebungen vorfinden. Die Erstellung von Berichten bzw. Entscheidungsgrundlagen obliegt meistens den Fachabteilungen, die aus der jeweiligen Sicht Unternehmensbereiche, Umsätze, Mengen usw. anders abgrenzen, ausweisen und eventuell auch unterschiedliche Datenquellen nutzen.

Untersucht man beispielsweise den Umsatz oder die Produktstatistiken quer über verschiedene Vertriebsschienen, so wird häufig mit Frustration festgestellt, dass in der Vergangenheit falsche oder nicht vergleichbare Zahlen in Auswertungen benutzt wurden.

Das Data Warehouse bietet die große Chance, dieses Daten- und Abgrenzungsproblem zu beseitigen. Nicht gemeint ist das Zusammenführen der Daten, sondern die ganzheitliche Analyse und die daraus resultierende Notwendigkeit der Erstellung eines konzernweiten Glossars (Metadaten Repository), in dem z. B. die Größe „Umsatz" oder „Vertriebsbereich" so definiert wird, dass eine eindeutige Beschreibung unmissverständlich ist. Mit Hilfe des Data-Warehouse-Ansatzes ist man gezwungen, sich eine einheitliche Definition im Unternehmen für solche Begriffe zu schaffen. Zum einen, um eine Vergleichbarkeit von Zahlen und Sachverhalten sicherzustellen, und zum anderen, um überhaupt die Kommunikation im Unternehmen zu gewährleisten. Das Data-Warehouse-Projekt kann somit in diesem Bereich die Initialzündung für die Integration einer einheitlichen Begriffswelt sein.

Diese Aufgabe sollte von neutraler Seite unterstützt werden, das Gros der Arbeit kann jedoch von den Fachabteilungen bewältigt werden. Eine sorgfältige Erarbeitung in dieser Phase bildet ein solides Fundament für ein erfolgreiches Projekt.

5.5.2 Zusammensetzung des Teams

Die Annahme, ein Data-Warehouse-Projekt sei ein IT-Projekt, welches auch maßgeblich von Mitarbeitern der EDV durchgeführt werden soll und die Fachabteilungen nur peripher tangiert, zeigt sich in zunehmendem Maß als bedenklich. Wesentliche Informationen über Entscheidungsgrundlagen und benötigte Informationen aus den verschiedenen Abteilungen werden nur unzureichend integriert. Fazit aus Studien ist, dass die Kommunikations-, Kompetenz-, Verantwortungs- und Verständnisprobleme zwischen Anwendern, der IT-Abteilung und dem Projekt-Management durch die Zusammenstellung heterogener Teams überwunden werden müssen.

Unter heterogenen Teams sind Teams zu verstehen, die zum einen aus Mitarbeitern der Fachabteilungen und zum anderen aus Mitarbeitern des Informationstechnologie-Bereichs besetzt sind. Erfahrungen haben gezeigt, dass es nicht von Vorteil ist, wenn die Fachabteilung oder die IT-Abteilung allein Data-Warehouse-Projekte durchführen. Naturgemäß kommt die Fachabteilung eher aus der Anwendungs- bzw. betriebswirtschaftlichen Blickrichtung. Damit kommt hier oftmals die Realisierbarkeit mit den heute verfügbaren und sinnvollen Mitteln der Technik zu kurz. Dafür ist das Data Warehouse im Konzept stark inhaltlich untermauert. Ist dagegen die IT-Abteilung die treibende Kraft in einem Data-Warehouse-Projekt, können Informationsbedürfnisse der Fachabteilungen hinsichtlich Inhalt und Funktionalität nicht vollständig erfüllt werden. Die Realisierbarkeit von z. B. Datenmodellierung, der Datenbeschaffung, Performance-Optimierung usw. stehen dann im Vordergrund. Die Sinnhaftigkeit und Notwendigkeit bezogen auf die betriebswirtschaftlichen Anforderungen bleibt eher unberücksichtigt.

Daraus resultiert die Notwendigkeit zur Integration der betroffenen Abteilungen und der späteren Key User mit IT-Fachleuten und Verantwortlichen aus dem

Management sowie mit externen Fachleuten. Erfolgreiche Data-Warehouse-Projekte sind in dieser Form besetzt!

5.5.3 Klar definierte Ziele

Grundprobleme bei Data-Warehouse-Projekten sind oftmals eine wenig spezifizierte Aufgabenstellung und fehlende Projektziele. Der Auftrag „Einführung eines Data Warehouses" ist hier sicher nicht ausreichend. Dies gilt auch für Teilprojekte und deren zugeordneten Ziele und Aufgaben. Das führt dazu, dass der Erfolg eines Data Warehouses nur schwer messbar ist. Auch die Bestimmung des Erfüllungsgrades erweist sich gerade in den ersten Phasen als schwierig.[16]

Es kommt zudem vor, dass man ein Data Warehouse als das Allheilmittel für alle Berichts- und Steuerungsprobleme in einem Unternehmen ansieht. Nach dem Motto: Alle Daten eines Unternehmens in einem Datentopf (= Data Warehouse) führen zu besseren Informationen und den darauf basierenden Entscheidungen. So kann es natürlich nicht funktionieren. Deshalb ist es wichtig, in kleinen, definierten und zielgerichteten Schritten diesem Idealbild nahe zu kommen. Erst durch die Fähigkeit, aus der Fülle der verfügbaren bzw. zugänglichen internen und externen Daten erfolgsrelevante Informationen herauszufiltern, wird ein effektives und zielorientiertes Arbeiten möglich. Das Suchen und Erarbeiten einer sinnvollen 80 %-Lösung ist das Ziel, nicht das Streben nach einer nie erreichbaren 100 %-Lösung, auch im Sinne eines hohen Return on Investment.

Das heißt, ein evolutionärer Ansatz zur Entwicklung eines unternehmensweiten Data Warehouses hat größere Erfolgschancen als der „Große Big Bang" mit einem umfassenden Gesamtsystem.

Treibende Kraft in einem Data-Warehouse-Projekt sollten auch nicht die technische Machbarkeit und Verfügbarkeit von Daten sein, sondern die Bedürfnisse der Endanwender. Dies sind die Kunden eines Data-Warehouse-Projektes. Das Data Warehouse verfolgt keinen Selbstzweck, sondern ist die zentrale und integrierte Datenbasis für die aufgesetzten Informationssysteme. Die Anforderungen an diese Informationssysteme sollten die Datenstrukturen, -beschaffung, -transformation und -speicherung determinieren.

5.5.4 Vision einer Gesamtarchitektur

Idee des Data Warehouses ist es, ein zentrales, integriertes System mit einer einheitlichen Datenbasis für ein Unternehmen zu schaffen. Normalerweise ist es aber nicht sinnvoll, den gesamten Informationsbedarf in einem Schritt in ein solches System zu überführen. Vielmehr ist es notwendig, eine Architektur zu entwickeln, die eine schrittweise und evolutionäre Ausbaufähigkeit des Data Warehouses ermöglicht. Bei der Erstellung eines Gesamtkonzeptes sollten folgende Punkte Beachtung finden:

- Architektur
- Strukturierung
- Standardisierung

- Modellierung
- Beschaffungsprinzipien
- Scheduling
- Berechtigungen etc.
- Erweiterbarkeit

Diese Festlegungen sollten richtungsweisend für alle folgenden Teilprojekte (Data Marts) sein und dabei von allen Folgeprojekten synergetisch genutzt werden, um somit eine wirkliche Integration garantieren zu können.

Dies bildet das Fundament, damit das Data Warehouse jederzeit ausbaufähig ist und damit eine Investition rechtfertigt, die auch in der Zukunft noch Bestand hat.

5.5.5 Strukturierte Vorgehensweise nach einem Vorgehensmodell

Data-Warehouse-Projekte sind äußerst komplexe Vorhaben, deren Verlauf oftmals größeren Richtungswechseln unterliegt und damit nicht sonderlich leicht zu handhaben, zu kontrollieren und zu steuern sind.

Dies macht es unbedingt erforderlich, dass man bei der Einführung eines Data Warehouses einen strukturierten Ansatz verfolgt und diesen auch konsequent einhält.

Dabei sind entsprechende Phasenkonzepte (z. B. EDE) hilfreich. Die Erfahrung hat gezeigt, dass der Ansatz des „Evolutionären Data Warehouse Engineering" zum Erfolg führen kann. Die Besonderheiten dieses Ansatzes sind:

- Vorgeschaltete Gesamtkonzeptionsphase
- „klassisches" fünfstufiges Phasenkonzept pro Teilprojekt
- Feedback Loops
- Permanente(s) Projektsteuerung/Controlling und Qualitätssicherung
- Beachtung mehrerer Aspekte für jede Projektphase
- Bewusstsein, dass sich Data Warehouses Veränderungen unterliegen
- 80/20-Regel bei Modellierung, Datenbeschaffung und Berichtswesen bezogen auf den Aufwand

Dabei ist es wichtig zu erkennen, dass der Hauptaufwand bei der Einführung eines Data Warehouses nicht in den Bereich Reporting fließt, sondern dass nahezu 80 % im Bereich der Datenbeschaffung, Datenmodellierung und des Data Cleanings anfallen. Üblicherweise werden diverse Vor-Systeme an ein Data Warehouse angeschlossen. Diese Vor-Systeme haben in aller Regel verschiedene Strukturen, Architekturen und Kodierungen. Um diese in einem System zu vereinen, ist es unabdingbar, eine Harmonisierung vorzunehmen. D. h. es sind zum Teil sehr aufwendige Prozesse und Programmierungen vorzunehmen, um dies zu ermöglichen.

Zum anderen muss der Prozess der Datenbeschaffung organisiert werden und das so, dass die Transaktionssysteme, die als Datenlieferant des Data Warehouses zu verstehen sind, nicht in ihrer Funktionsfähigkeit beeinflusst werden. Dies erfordert einen erheblichen Koordinierungsaufwand.

Der Teil des Reportings fällt leichter. Wichtig bleibt aber weiterhin, dass der Informationsbedarf im Reporting die Struktur und Inhalte der zu beschaffenden

Daten determiniert, d. h. dieser ist als Erstes zu ermitteln, um dann die Datenmodellierung usw. vorzunehmen.

5.5.6 Kosten/Nutzen eines Data Warehouses

Während die Kosten eines Data Warehouses noch klar zu identifizieren sind, ist der Nutzen eines Data Warehouses in aller Regel schwer bis gar nicht zu quantifizieren.

Man sollte sich aber bewusst machen, dass nicht alle Anforderungen an ein Data Warehouse abgebildet werden müssen und sollten.

Es ist z. B. nicht notwendig, alle Daten in verschiedensten Granularitätsstufen für längere Zeiträume vorzuhalten, auch wenn diese Wünsche zunächst häufig geäußert werden. Grundsätzliche Fragestellungen sollten immer sein:

- In welcher Häufigkeit werden die Daten benötigt?
- Wer benötigt diese Daten?
- Gibt es einfachere Datenquellen für die Informationen?
- Wie notwendig ist die Einbindung bestimmter Daten ins Data Warehouse?
- Wie komplex gestaltet sich die Versorgung des Data Warehouses?

Aus der Beantwortung dieser Fragen lassen sich Rückschlüsse auf das Kosten/ Nutzen-Verhältnis gewinnen. Auch hier kann man die 80/20-Regel heranziehen. Um die letzten 20 % an Anforderungen abzubilden, ist ein überproportionaler Aufwand zu betreiben. Demnach ist es zu empfehlen, zu analysieren, welche Funktionalitäten für welche Benutzerebene wirklich wichtig sind, und zwar mit welcher Priorität, um dann nach Relevanz stufenweise ein Data Warehouse einzuführen.

5.5.7 Granularität/Detailgrad

Eine der wichtigsten Entscheidungen bei der Einführung eines Data Warehouses wird es immer sein festzulegen, mit welchem Detaillierungsgrad man im Data Warehouse arbeiten möchte. Sehr detaillierte Daten haben eine niedrige Granularität, mit zunehmender Verdichtung wird eine höhere Granularität erreicht. Grundsätzlich ist davon auszugehen, dass in einem unternehmensweiten Data Warehouse für entsprechende Führungsebenen nicht Einzelbelege, sondern hauptsächlich aggregierte Informationen relevant sind, nach denen das Unternehmen gesteuert wird. Dies hat den Vorteil, dass ein performantes System zur Verfügung gestellt werden kann, wenn man bereits vorverdichtete Daten in das Data Warehouse aufnimmt. Mit zunehmender operativer Tätigkeit steigt der Detaillierungsgrad, und die Anforderung nach Informationen auf Einzelbelegebene wird sinnvoller und notwendiger. Dies hat hohe Datenmengen und Performance-Verluste zur Folge. Um diese konträren Anforderungen abzubilden ist es ratsam, ein Historienkonzept für die Datenhaltung zu entwickeln. Im Konzept wird dann gemäß den Anforderungen die Granularität für eine bestimmte Zeitdauer festgelegt. Beispiel: Speicherung Umsatz/Kunde/Beleg für einen rollierenden Zeitraum von drei Monaten mit anschließender Verdichtung auf Umsatz/Kunde/Monat. Grundsätzlich sollte auch hier als Determinante das Informationsbedürfnis des Benutzers herangezogen werden. Dabei ist sicher oft zu vermuten, dass das Detail unwichtiger ist, außer es handelt sich um ein transaktionsnahes operatives Reporting. Doch dann ist ebenfalls fraglich, warum dieses nicht im OLTP-System verbleibt.

5.5.8 Etablierung einer festen Organisationseinheit

Ein sehr bedeutender Aspekt ist die Etablierung einer festen Organisationseinheit (z. B. eines Data-Warehouse-Managers) im Unternehmen, die für die Belange des Data Warehouses verantwortlich wirken kann. Diese Einheit sollte dafür sorgen, dass alle weiteren Teile in das System integrierbar sind und sich an der Vision der Gesamtstruktur ausrichten. Darüber hinaus gilt es, strategische und administrative Aufgaben zu bewältigen, wie z. B. die Festlegung und Umsetzung der weiteren mittel- und langfristigen Ziele, Festlegung von Metadaten und Architektur sowie das Planen, Koordinieren der beteiligten Personen, Aufgaben und das Herbeiführen von grundsätzlichen Entscheidungen. Diese Einheit sollte auch als Pflege- und Wartungsorganisation mit koordinierenden Aufgaben verstanden werden, die den laufenden Betrieb unterstützt und zum Beispiel die Datenbeschaffung des Data Warehouses aus den Quellsystemen organisiert und überwacht und darüber hinaus bei neuen Anforderungen im Reporting der Fachabteilung unterstützend zur Seite steht.

Ohne eine solche Einheit kann eine kontinuierliche Versorgung nicht sichergestellt werden. Als Folge sinkt der Akzeptanzgrad des Data Warehouses, was zum Scheitern des Data Warehouses nach der Einführung führen kann, da solche komplexen Systeme regelmäßiger und dauerhafter Betreuung bedürfen, um die Qualität zu sichern.

Diese Aufgabe sollte nicht sporadisch von Externen durchgeführt, sondern in die laufenden Prozesse integriert werden. Zu den Aufgaben des Data-Warehouse-Managers zählen:

- Datenmodellierung und Integration
- Datenbeschaffung organisieren und kontrollieren
- Datenqualität sicherstellen
- Unterstützung bei der Berichtsdefinition
- Weiterentwicklung/Anpassung des Data Warehouse

5.5.9 Datenqualität/-volumina

Das Datenvolumen wird bestimmt durch die Granularität und die Art der Datenhaltung. Zu beachten ist, dass im Zuge des Nutzens von immer neuen EDV-Techniken auch das Datenvolumen massiv steigen wird, was zu weiteren Herausforderungen im Data-Warehouse-Bereich führt. Dieser Aspekt darf nicht unterschätzt werden, da die Nutzung des Systems und somit die Zufriedenheit der Nutzer auch vom Antwortzeitverhalten abhängt. Somit sind verstärkt Techniken zur Optimierung der Performance zu verwenden und zu entwickeln, um weiterhin akzeptable Reaktionszeiten im Berichtswesen sicherstellen zu können.

Ein weiterer Punkt ist die Qualität der Daten im Data Warehouse. Die Sicherstellung der Datenqualität muss durch geeignete Werkzeuge, Plausibilitätsprüfungen und Prozesse, z. B. Rückkopplung auf die operativen Systeme im Unternehmen, garantiert sein. Ist dies nicht mehr der Fall, dann wird das Data Warehouse im Unternehmen von seinen Nutzern zunehmend in Frage gestellt und es wird kaum noch Verwendung finden. Besonders kritisch ist dies zu Beginn eines Data-Warehouse-Projektes. Man sollte entsprechende Qualitätssicherungsmaßnahmen durchführen, bevor man das System dem Endanwender übergibt. Fehler in der frühen Phase können schnell zu einem Misserfolg der Data-Warehouse-Einführung führen.

5.5.10 Rückwirkungen auf operative Systeme/Prozesse

In diesem Bereich spricht man auch von „Close the Loop". Das bedeutet, Informationen werden im Data Warehouse gesammelt, anschließend verarbeitet und in Form von Berichten präsentiert; daraus werden dann wieder Rückschlüsse auf die gesammelten Daten gezogen.

Das Data Warehouse wird ja nicht für die reine Datenhaltung verwendet, sondern man verfolgt mit einem Data Warehouse das klare Ziel der Steuerung und Optimierung des Unternehmens durch fundierte Verbesserung der Entscheidungsgrundlagen. Es ist unabdingbar, dass die Informationen, die das Data Warehouse liefert, in einem direkten Zusammenhang mit den operativen Prozessen stehen müssen. Dadurch ist es möglich, aus den Erkenntnissen im Berichtswesen des Data Warehouses Rückschlüsse auf das operative Geschäft vorzunehmen.

Basis eines unternehmensweiten Informationssystems sind heutzutage immer mehr Data Warehouses. D. h. auch, dass man MIS, EIS, DSS usw. nicht getrennt von einem Data Warehouse betrachtet. Die Gesamtarchitektur ist ohnehin ein Drei-Schichtenmodell mit einer Beschaffungsebene, einer Datenhaltungsebene und einer Präsentations-/Analyseebene, mit dem Data Warehouse als zentraler Datenhaltungsebene für alle Informationssysteme, das vorher durch entsprechende Datenbeschaffungsprozesse gefüllt wurde.

5.6 Ausblick

Data-Warehouse-Systeme werden zukünftig eines der wichtigsten, zentralen Systeme für die Lenkung eines Unternehmens werden. Dabei sind sie von hoher Komplexität, besonderer Wichtigkeit („Mission Critical System") innerhalb der Systemarchitektur und steigender Bedeutung für den Erfolg eines Unternehmens gekennzeichnet. Diesen Punkten muss schon ab dem ersten Teilprojekt Rechnung getragen werden.

Ein Vorgehensmodell, das auf die Besonderheiten eines solchen Systems eingeht, einen evolutionären Projektansatz unterstützt und zudem auch die Kostenseite solcher Systeme berücksichtigt, schafft die Grundlage zur erfolgreichen Durchführung solcher Einführungsprojekte. Aber auch das Vorgehensmodell selbst muss die Möglichkeiten zur Verfügung stellen, Erfahrungen und neue Entwicklungen in das Projektvorgehen zu integrieren. Nur so werden auch zukünftige Erweiterungen des Data-Warehouse-Systems mit den besten Lösungsansätzen umgesetzt.

Literaturverzeichnis

Brun, R.; Müllenbach, S.; Ruwe, P.: Vom Sichtflug zur Instrumenten-Navigation – Unternehmen in einer dynamischen Umwelt steuern. In: Information Management & Consulting 14 (1999) 4, S. 7-11

Gill, H.S.; Rao, P. C.: The official guide to Data Warehousing. Indianapolis 1996

Hansen, W.-R.: Erfahrungen mit unterschiedlichen Ansätzen und Lösungswegen in Data-Warehouse-Projekten, in: Muksch, H.; Behme, W. (Hrsg.), S. 425-454

Hesse, W.; Merbeth, G.; Frölich, R.: Software-Entwicklung: Vorgehensmodelle, Projektführung, Produktverwaltung. München 1992

Kimball, R.; Reeves, L.; Ross, M.; Thornthwaite, W.: The Data Warehouse Lifecycle Toolkit. New York 1998

Muksch, H.; Behme, W. (Hrsg.): Das Data-Warehouse-Konzept. Wiesbaden 1996

Stahlknecht, P.: Einführung in die Wirtschaftsinformatik. 7. Aufl., Berlin 1995

6 Externe Daten als Achillesferse von Data-Warehouse-Projekten – Probleme und Lösungsansätze

Cai Fischer, Hamburg

Die Veröffentlichungen zum Thema „Data Warehousing im Konsumgüterbereich" lassen sich zwei Klassen zuordnen: Konzeptionelle Beiträge und Success Stories. Während die konzeptionellen Beiträge betonen, dass insbesondere externe Daten im Data Warehouse Händlern und Herstellern Wettbewerbsvorteilen eröffnen, finden sich in Fallstudien nur selten entsprechende Hinweise. Wer darin einen Widerspruch sieht, vergisst zwei Konstellationen, über die ein Betroffener ungern berichtet: „Durchbrüche" und „Reinfälle". Dass Data-Warehouse-Projekte faktisch oft Gratwanderungen zwischen beiden Extremen gleichen, ist vor allem den externen Daten zuzuschreiben. Einerseits erlaubt beispielsweise erst die Integration externer, etwa einzelne Marktsegmente beschreibender Daten eine Beurteilung der eigenen Situation im Wettbewerberumfeld. Andererseits sind externe Daten sehr gefährliche Katalysatoren für eine Vielzahl von Barrieren, an denen Data-Warehouse-Projekte in der Praxis scheitern. Sie bringen in der Regel gravierende inhaltliche Probleme mit sich, die ohne Zugeständnisse der Nutzer i.d.R. nicht lösbar sind. Damit von Seiten der Betroffenen eine effiziente Nutzung erfolgt, sind Maßnahmen zur Überwindung der Hindernisse zu ergreifen. Dabei geht es – ob man will oder nicht – primär nicht um „techno"logische, sondern um „psycho"logische Zusammenhänge.

6.1 Das Grundproblem

Einen guten Einstieg bietet das in Abb. 29 dargestellte Modell. Während der „Vorwärtszweig" die operativen Geschäftsprozesse und deren Abbildung über Transaktionsdatensysteme symbolisiert, beschäftigt sich der „Rückführungszweig" mit der Kontrolle und Steuerung dieser Prozesse. Die für die Entwicklung der strategischen Leitlinien erforderliche Wissenserzeugung erfolgt dabei über Tools zur Entscheidungsunterstützung, wie klassische OR-Methoden oder Data Mining. Mit deren Hilfe können für gegebene Problemstellungen Lösungsalternativen identifiziert und durch Ergebnisprognosen bewertet werden. Werkzeuge zur Ergebnisanalyse können dann die Ergebnisse auf die zu Grunde liegenden Ursachen zurückführen.

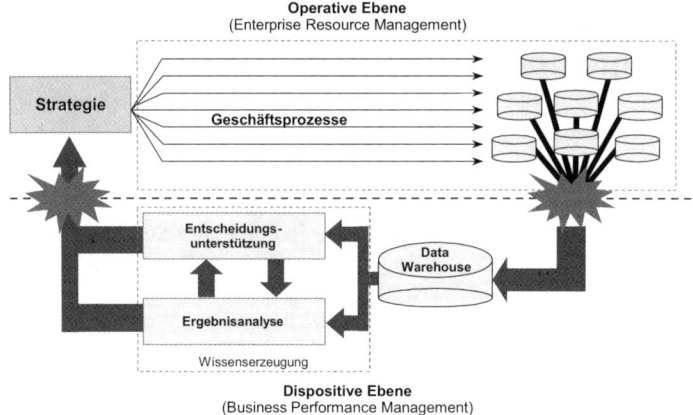

Quelle: In Anlehnung an Meta Group (1999).

Abb. 29: Bruchstellen im Modell

In unserem Kontext ist dieses Modell vor allem deshalb hilfreich, weil es sehr deutlich die Stellen zeigt, an denen Data-Warehouse-Projekte scheitern: Kritisch sind die Übergänge zwischen den beiden Ebenen. Dies allein ist für sich genommen nichts Neues, sondern wird unter Stichworten wie MIS, DSS, EIS usw. schon seit Jahrzehnten diskutiert. Was diesen Bruchstellen ihre heutige Brisanz verleiht, ist die weitgehende hard- und softwaremäßige Grenzenlosigkeit, wenn es darum geht, Datenanalysen auf niedrigstem Aggregationsniveau performant und kostenmäßig vertretbar zu realisieren. Die früher als Insellösungen betriebenen Anwendungen können heute ohne weiteres zu einer Gesamtlösung integriert werden. Nur führt das auch dazu, dass Probleme, die früher lediglich partiellen Schaden anrichten konnten, heute den gesamten Pool der dispositiven Hilfsmittel beeinträchtigen können.

Im Modell nicht ausdrücklich erwähnt, aber letztlich für das Funktionieren bzw. die Unterbrechung des Rückkopplungssystems verantwortlich sind die Entscheider, die sich derartiger Hilfsmittel bedienen. Sie sehen diese Werkzeuge als „intelligente Bleistifte", die nicht per se existieren, sondern die Entscheidungsfindung absichern sollen und dazu in die bestehenden formellen und informellen Prozessgeflechte innerhalb eines Unternehmens eingebunden werden müssen.

Setzt ein Entscheider zur Entschlussfindung Hilfsmittel ein, so muss er

1. sicher sein, dass diese Hilfsmittel auch in der aktuellen Entscheidungssituation anwendbar sind,
2. prüfen, inwieweit der Einsatz der Hilfsmittel andere betriebliche Entscheidungsprozesse überlagert,
3. wissen, wie man mit diesen Hilfsmitteln umgeht,
4. abschätzen, ob die mit dem Einsatz verbundenen Erkenntnisse seine persönlichen Ziele gefährden,

5. zusätzliche Informationen verarbeiten, die möglicherweise sogar im Gegensatz zu seinen bisherigen Erfahrungen stehen.

Während (1) zu inhaltlichen Barrieren führen kann, hat (2) u. U. Interferenzeffekte zur Folge, die sich allerdings nicht zwangsläufig negativ auswirken müssen. (3) kann Handhabungsbarrieren auslösen, (4) persönliche Interessenkonflikte und (5) stressbedingte Barrieren. Diese fünf Problemfelder konstituieren zusammen genommen „das" Grundproblem Data-Warehouse-Projekten. Zu zeigen, was sich nun praktisch hinter diesen Begriffen verbirgt, wie diese Einflussfaktoren zusammenwirken und welche Gegenmaßnahmen ergriffen werden können, ist Ziel der folgenden Ausführungen.

6.2 Akzeptanz- und Nutzungsbarrieren im Überblick

Inhaltliche Barrieren ergeben sich immer dann, wenn das angebotene Hilfsmittel nach Einschätzung des Entscheiders Merkmale aufweist, die eine sachgerechte Problemlösung be- oder gar verhindern. Wie auch bei allen anderen Barrierentypen kommt es dabei nicht auf die tatsächliche Beschaffenheit, sondern allein auf die individuelle Wahrnehmung dieser Eigenschaften durch den Entscheider an. Konkret kann es sich hier um Unzulänglichkeiten in der Datenbasis, Probleme bei der Informationsaufbereitung oder unangemessene Werkzeuge zur Extraktion und Präsentation der gewünschten Informationen handeln.

Interferenzen wirken als Barrieren, wenn der betroffene Entscheider befürchtet, der Einsatz der Hilfsmittel könne andere, zeitlich parallel laufende oder zukünftig für möglich gehaltene Entscheidungsprozesse in einem für ihn negativen Sinne beeinflussen. Ist das betreffende Tool zu Testzwecken im Einsatz, können beispielsweise Befürchtungen entstehen, die bewährten und gut beherrschten bisherigen Entscheidungsgepflogenheiten bei erfolgreichem Abschluss des Tests aufgeben zu müssen. Andere Ursachen liegen in der Erwartung zunehmender Arbeitsbelastung infolge steigender Informationsverarbeitungskapazitäten, in der Gefahr, das eigene Erfahrungswissen entwertet zu sehen, im Risiko zunehmender Transparenz und Kontrollierbarkeit oder etwa in der Furcht, dass die eigenhändige Bedienung eines Computers mit dem eigenen Status nicht vereinbar sei.

Handhabungsbarrieren beruhen nicht auf der Wahrnehmung inhaltlicher Defizite, sondern sind Ergebnis erwarteter Unzulänglichkeiten im Umgang mit dem Hilfsmittel. Neben Problemen bei der Bedienung der Hardware spielen hier vor allem die Art der Interaktion zwischen Nutzer und Hilfsmittel, die auftretenden Systemresponsezeiten und die für den Nutzer zur Fehlerbewältigung verfügbaren Mechanismen eine wichtige Rolle.

Persönliche Interessenkonflikte erwachsen im Gegensatz zu den Interferenzbarrieren nicht aus Überlagerungen mit anderen betrieblichen Entscheidungen, sondern aus der Entscheidungssituation selbst. Ein Beispiel im unmittelbarsten Sinne des Wortes können persönliche Zielvereinbarungen auf Umsatzbasis sein, denen deckungsbeitragbezogene Entscheidungsziele gegenüberstehen. Ebenso gut ist es auch möglich, dass der Entscheider Zeit auf die Lösung eines Problems ver(sch)wenden muss, das seiner Einschätzung nach keines ist.

Stressbedingte Barrieren sind Folge zweier wechselseitig aufeinander bezogener Bewertungsprozesse, die die Bedeutsamkeit einer Entscheidungssituation und die zur Situationsbewältigung verfügbaren Ressourcen betreffen. Die Bedeutsamkeit einer Entscheidung lässt sich durch deren Reichweite und Komplexität, das mit einem Entschluss verbundene Risiko und die zur Entschlussfindung erforderliche Kreativität beschreiben. Stress entsteht immer dann, wenn die zur Lösung eines als bedeutsam eingestuften Problems verfügbaren Kapazitäten nicht ausreichen bzw. nicht auszureichen scheinen. Informationen werden dann umso eher außer Acht gelassen, je neuartiger sie sind bzw. je eher sie zu Dissonanzen führen können.

Für die spätere Darstellung des Zusammenwirkens der Barrierentypen ist es wichtig, sich deren Wirkungsrichtungen klar zu machen. So bestimmen inhaltliche Barrieren und Interferenzeffekte über Akzeptanz bzw. Ablehnung des Hilfsmittels, während die faktische Nutzung unabhängig von Akzeptanzgesichtspunkten auch durch Handhabungsbarrieren, persönliche Interessenkonflikte und stressbedingte Barrieren beeinträchtigt oder verhindert werden kann.

Im Mittelpunkt der folgenden Ausführungen stehen die unmittelbar von den externen Daten ausgehenden Effekte. Die zur Illustration genannten Beispiele beschränken sich auf die wichtigsten Arten externer Daten, nämlich Handels- und Haushaltspaneldaten, sowie Scannerrohdaten. Mittelbare Fragestellungen, wie insbesondere das Redesign des Datenbanksystems und der Benutzeroberfläche, und daraus u. U. resultierende inhaltliche Barrieren durch unangemessene Werkzeuge und Handhabungsbarrieren werden aus Platzgründen nicht weiter behandelt.[1]

6.3 Unzulänglichkeiten in der Datenbasis

Obwohl für manche Marktforschungsinstitute heute noch Grundlage des eigenen wirtschaftlichen Erfolgs, bergen gerade Paneldaten eine ganze Reihe von Unzulänglichkeiten in der Datenbasis in sich, deren Grundsätzlichkeit immer wieder Anlass zu Erstaunen bietet (vgl. Abb. 30).

Unbesetzte Schlüssel- und/oder Attributfelder

Geänderte Attributfelder bei unverändertem Schlüsselwort, z.B. Produktnamen oder Packungsgrößen

Inkonsistenzen bei der Verwendung von '0' und 'NA'

Doppelte, u.U. widersprüchliche Datensätze in einer Lieferung

Inkonsistente Datensätze, z.B. Absatz x Menge ≠ Umsatz

Aus Einzelwerten nicht nachvollziehbare Aggregationen

Unterschiedliche Skalierungen vergleichbarer Daten, z.B. TDM und Mio DM

u.a.m.

Abb. 30: Typische Probleme bei Handels- und Haushaltspaneldaten

---

[1] Vgl. dazu schon Fischer (1995), S. 110-142.

Ähnlich vielfältig, inhaltlich aber anders gelagert, sind die Probleme bei Verwendung von Scannerrohdaten (vgl. Abb. 31).

| Eingabe verschiedener, aber preisgleicher Artikel über Multiplikatortaste |
| Verwendung von 'Sumpfnummern' oder Sammeltasten auf der Kasse |
| Fehlerfördernde Konventionen bei der Verwendung von Artikelschlüsseln |
| (dargestellt am Beispiel der EAN) |
| Zeitlich parallele Verwendung mehrerer EAN für einen Artikel, z.B. für Aktions- und Normalware |
| Eine EAN für Mehrfachpackungen und Einzelartikel bzw. keine EAN auf den Einzelartikeln einer Mehrfachpackung |
| Verschiedene EAN für Artikel mit bzw. ohne Umverpackung |
| EAN-Wechsel: Folgeartikel oder Neuanlage ? |
| Eine EAN für verschiedene Sorten eines Artikels |
| Fehlende bzw. praktisch nicht durchgesetzte Standards für Codierungen im Bereich der Frischesortimente |
| Lese- und Handlingprobleme bei der Erfassung der Artikelschlüssel an der Kasse |
| Unzureichende Hellzonen zur Abgrenzung des Codes von seinem Umfeld |
| Über die Toleranzgrenzen hinausgehende Balkenweiten |
| Mangelnder Druckkontrast zwischen Balken und Zwischenräumen |
| Ungünstige und/oder wechselnde Plazierungen des Codes |
| Fehlende oder inkonsistente Normierungsmodi bei Gewichtsartikeln |
| Geschäftsspezifisch variierende Stammdaten |
| u.a.m. |

Abb. 31: Typische Probleme bei Scanner-Rohdaten

Obwohl viele der genannten Punkte schon seit langem bekannt und immer wieder problematisiert worden sind, haben sie nichts an Aktualität eingebüßt. Auf den ersten Blick möglicherweise unverständlich, in seinen praktischen Konsequenzen für Data-Warehouse-Projekte aber nicht zu unterschätzen ist bei Scannerrohdaten das Problem der geschäftsspezifisch variierenden Stammdaten: Dieses Problem betrifft auch Filialsysteme, die sich dem Grundsatz der zentralen Stammdatenpflege verschrieben haben, und beruht im Kern darauf, dass es faktisch kaum ein Warenwirtschaftssystem gibt, das den Verantwortlichen vor Ort im Markt nicht doch Hintertüren offen lässt, unter bestimmten Bedingungen und in reservierten Nummernkreisen – z. B. für Saison- und Postenware, Aktionsartikel oder Restanten – selbst Stammdatensätze anzulegen. Kommt es dann vor, dass die Ware schneller im Markt ist als der dazugehörige zentrale Stammdatensatz, steht der Marktleiter vor der Entscheidung, entweder auf Umsatz zu verzichten oder aber den Artikel über die ihm offenen Wege kassierfähig zu machen. Wozu das führen kann, zeigen die Abb. 32 und Abb. 33. Basis ist eine Stichprobe von 20 Verkaufsgeschäften eines Verbrauchermarkt-Filialisten. Die Betrachtung der Beispiele in Abb. 32 macht deutlich, dass selbst die konventionelle Standardberichterstattung unter solchen Bedingungen spürbar an Wert verliert. Dass es sich zudem nicht um Einzelfälle handelt, ist in Abb. 33 aus der Zahl der Woche für Woche neu auftretenden Artikel mit abweichenden Stammdaten abzulesen.

Filiale	Artikelnummer	Waren-gruppe	MWSt	Text
117	000018721540	68	7%	Whiskas zart. St. Geflügel 195g
108	000018721540	68	7%	Whiskas zart. St. Geflügel 195g
118	000018721540	68	7%	Whiskas zart. St. Geflügel 195g
103	000018721540	68	7%	Whiskas zart. St. Geflügel 195g
105	000018721540	68	7%	Whiskas zart. St. Geflügel 212ml
106	000018721540	68	7%	Whiskas zart. St. Geflügel 212ml
109	000018721540	68	7%	Whiskas zart. St. Geflügel 212ml
110	000018721540	68	7%	Whiskas zart. St. Geflügel 212ml
117	000010804444	67	16%	Punica Orange Diät Nektar MW 6/1l
109	000010804444	71	16%	Punica Orange Diät Nektar MW 6/1l
101	000093091155	20	7%	Golden Delicious
102	000093091155	20	7%	Golden Delicious
103	000093091155	20	7%	Golden Delicious
105	000093091155	20	7%	Golden Delicious
106	000093091155	20	7%	Weintrauben blau
109	000093091155	20	7%	Golden Delicious
114	000093091155	20	7%	Jonagold
101	000097007391	102	16%	Fa Duschbad Beauty 250ml
103	000097007391	70	7%	Fanta Mandarine 1,5l
105	000097007391	47	16%	10 Eier Bodenhaltung
109	000097007391	102	16%	Pampers 80

Abb. 32: Beispiele geschäftsspezifisch variierender Stammdaten

Woche	Anzahl Artikel	Anzahl Protokollzeilen	Korrekturaufwand (Std.)
1	958	19.916	13
2	506	6.106	9
3	388	4.553	6
4	333	3.796	5
5	203	2.522	4
6	148	1.593	3
7	185	1.943	4
8	288	2.846	6
9	272	2.374	5
10	238	2.499	5
11	220	2.332	4
12	304	3.299	5
13	370	4.300	5
14	214	2.366	4
15	185	1.930	3
16	183	1.939	3
17	161	1.970	3

Abb. 33: Manuelle Stammdatenkorrekturen

Um inhaltliche Barrieren durch Unzulänglichkeiten in der Datenbasis zu vermeiden, hilft nur eines: die intensive und präventive Analyse der in Frage kommenden Gefahrenquellen auf Basis von Mehrperioden-Massendaten. Im Falle der Scannerrohdaten sollte zusätzlich unbedingt Feedback von den Verantwortlichen am POS und in der Warenwirtschaft eingeholt werden. Da häufig nicht mit uneingeschränkter Offenheit der Betroffenen zu rechnen ist, bietet sich im Zweifel der Einsatz neutraler Dritter an, die die Anonymität der Auskünfte garantieren. Unbedingte Offenheit ist aber auch gegenüber den künftigen Nutzern höchstes Gebot: Erforderlich sind gemeinsam erarbeitete und operationalisierte Qualitätsstandards, die sich dann je nach Marktposition in mehr oder weniger verbindliche, im Ideal-fall sanktionsbewährte Vereinbarungen mit den jeweiligen Lieferanten umsetzen lassen. Für den Fall, dass die definierten Qualitäten nicht auf Anhieb erfüllt wer-den, sind die zum Erreichen der Zielwerte erforderlichen Aufgaben nachvollzieh-bar zu dokumentieren und aktiv zu kommunizieren. Die Integration der Daten in das Data Warehouse setzt Einvernehmen über die Erfüllung der Standards voraus. In Anbetracht der dynamischen Sortimentsstrukturen ist das Auftreten von Fehlern gleichwohl nicht auszuschließen. Professionelles Fehlermanagement besitzt in diesem Sinne höchste Priorität. Möglichkeiten zur Fehlerverfolgung und -prävention sollten voll ausgeschöpft werden; Fehlerentdeckung und -bewältigung müssen als kontinuierliche Prozesse gesehen werden, die trotz aller Automatisie-rungsmöglichkeiten immer manuelle Eingriffe erfordern. Je nach Breite und Ver-schmutzungsgrad der Datenbasis bietet sich deshalb häufig das Outsourcing der entsprechenden Tätigkeiten an. Im Bereich der Madakom-Daten hat man aus die-ser Not eine Tugend gemacht; hier ist der Bezug der Daten über ausgewählte Ver-bundpartner, die das Cleaning und die Aufbereitung übernehmen, heute der Regel-fall.

Eine saubere und konsistente Datenbasis allein ist freilich kein Garant für den Projekterfolg. Mindestens ebenso wichtig ist die Frage, inwieweit die Daten zur Lösung der anstehenden Entscheidungen beitragen können.

6.4 Probleme bei der Informationsaufbereitung

Immer wenn Daten beschafft oder verarbeitet werden, müssen Annahmen getrof-fen werden. Diese Annahmen bestimmen über die grundsätzliche Brauchbarkeit der Daten in konkreten Entscheidungssituationen.

Bezogen auf Paneldaten ergeben sich verschiedene Ansatzpunkte, die Beden-ken auslösen können: Neben klassischen Problemen, wie etwa dem einer ausrei-chenden Coverage, stellt der Wunsch nach einer Integration von Paneldaten neue Anforderungen an die Zusammenarbeit zwischen den Instituten und ihren Han-delskunden: Beruht die Datenbasis der Kunden ebenfalls auf Stichproben, so ist die Kenntnis der institutsseitig angewandten Schätz-, Glättungs- und Hochrech-nungsverfahren nicht nur nützlich, um die Brauchbarkeit der gelieferten Daten be-urteilen zu können, sondern unverzichtbar, wenn man Vergleichbarkeit mit den eigenen Werten sicherstellen will, ohne die Aufbereitung der Daten an die Insti-tute auszulagern. Hinzu kommen erhebliche „handwerkliche" Herausforderungen. So stimmen die intern verwendeten Gliederungen nach Warengruppen, Geschäfts-typen und Regionen nur in den seltensten Fällen mit den institutsseitig verwandten Aufbrüchen überein. Dies erfordert laufende Cross-Checks der beiden Daten-quellen und immer wieder auch manuelle Zuordnungsentscheidungen. Unter Ak-zeptanzgesichtspunkten zu prüfen ist schließlich auch die gegenüber den eigenen Daten geringere Granularität der möglichen Aufbrüche.

Bei den Scannerrohdaten sollten Konventionen festgelegt werden, wie z. B. bei Datenausfällen zu verfahren ist oder nach welchen Regeln die historischen Ein-kaufs- bzw. Einstandspreise den abgesetzten Mengeneinheiten zugeordnet werden müssen, um im Normal- wie Aktionsgeschäft mit möglichst validen Artikelspan-nen arbeiten zu können. Beruhen die verfügbaren Scannerdaten nicht auf einer

Vollerhebung aller Outlets, so steht und fällt die Akzeptanz der Informationen mit der Repräsentativität der zu Grunde liegenden Stichprobe. Die Auswahl geeigneter Verkaufsgeschäfte ist dabei nicht so sehr ein formales statistisches Problem, das durch Erfassung und Auswertung einiger weniger Merkmale rechnerisch schnell lösbar ist, sondern in erster Linie Ergebnis eines ganzheitlichen Beurteilungsprozesses, der ausdrücklich auch „weiche" Faktoren in das Kalkül einbezieht und seine wesentlichen Impulse aus der Nutzung des Wissens der verantwortlichen Vertriebs- und Bezirksleiter bezieht. Das macht den Auswahlprozess zwar mehrstufig und langwieriger, erhöht den Erklärungsbedarf und erzwingt das Verlassen des „grünen Tisches", kann sich aber lohnen, wie Abb. 34 am Beispiel eines regionalen Supermarktpanels eindrucksvoll zeigt. Die Abweichungen der auf Basis eines Auswahlsatzes von 4 % gezogenen Stichprobe liegen in einem Toleranzbereich von $-1,8$ % bis $+2,5$ % und betreffen ausschließlich Warengruppen, die sich durch hohe Lokalität bzw. Aktionslastigkeit auszeichnen.

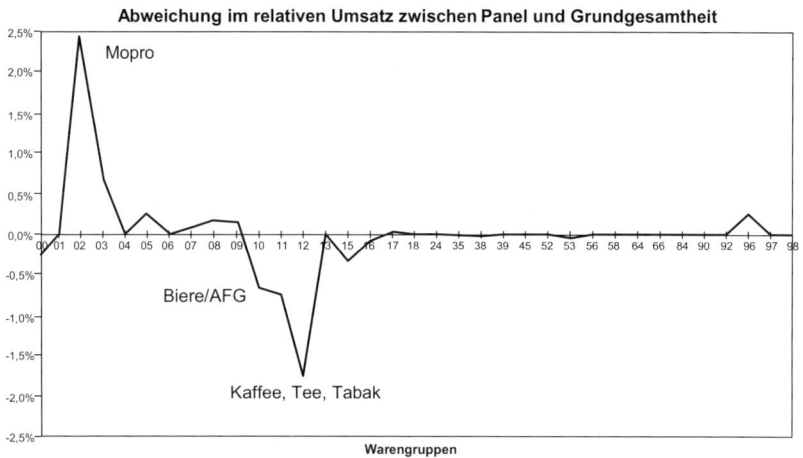

Quelle: Deutsche Spar (1997).

Abb. 34: Panelaufbau – Repräsentativität der Daten

Ebenso wie bei den Unzulänglichkeiten in der Datenbasis stellt sich natürlich auch hier die Frage, wie Fallstricke dieser Art vermieden werden können. Die Antwort ist im Kern weder originell noch neu und theoretisch selbstverständlich, muss aber im praktischen Miteinander immer wieder neu ins Bewusstsein der Beteiligten gerückt werden und heißt, IT-seitig offen und ernst gemeint mit den künftigen Data-Warehouse-Nutzern zusammenzuarbeiten. Dabei gilt es, gemeinsam nach Lösungsmöglichkeiten zu suchen, die unter Kosten- und Nutzen-Aspekten für beide Seiten tragfähig sind und deshalb je nach unternehmenseigener Streitkultur u. U. moderiert erarbeitet werden sollten.

6.5 Externe Daten als Mittel zur Demontage von Data-Warehouse-Projekten

Die Integration externer Daten kann also über eine Vielzahl von Möglichkeiten zur Bildung inhaltlicher Barrieren beitragen, die sich grundsätzlich allerdings immer auf objektiv prüf- und fassbare Sachverhalte zurückführen und durch entsprechende Maßnahmen vermeiden lassen. Für die übrigen Barrieren gilt dies freilich so nicht: Ihr Entstehen hat stets etwas mit subjektiven Befindlichkeiten der jeweiligen Entscheider zu tun. Wie im Rahmen des Überblicks an einigen Beispielen dargestellt, beruhen dabei gerade Interferenzbarrieren und persönliche Interessenkonflikte auf Beweggründen, deren Preisgabe sich aus Sicht der Betroffenen in der Regel verbietet. Um trotzdem nicht zur Passivität verurteilt zu sein bzw. beobachtbare Konsequenzen des Widerstandes legitimieren zu können, müssen dann Umwege eingeschlagen werden. Inhaltliche Barrieren bieten in dieser Hinsicht – noch weit vor den möglichen Unzumutbarkeiten im Umgang mit dem System – „beste" Chancen, und zwar selbst dann, wenn man ihre Bedeutsamkeit nicht sachlich unangemessen überdehnt.

Zahlenmäßig handelt es sich bei diesem Personenkreis dabei keineswegs um einen unbedeutenden Bodensatz notorischer Bedenkenträger, der letztlich überall zu finden ist. Professionell durchgeführte Betroffenheitsanalysen vor dem Projektstart zeigen nicht selten, dass 50 bis 70 % aller Mitarbeiter, in deren Arbeitsumfeld sich Veränderungen ergeben könnten, in diese Gruppe fallen.

Das Auftreten stressbedingter Barrieren kann diesen Prozess noch beschleunigen. Die für das Entstehen von Stress mitverantwortliche Zeit- und Sachmittelknappheit beruht nämlich mitunter schlicht auf eigenen Wissensdefiziten. Ob das die Nutzung der externen Daten fördert oder einschränkt, hängt an deren Kompatibilität mit dem verfügbaren Wissen und der Bedeutsamkeit der zu treffenden Entscheidung. Quasi zur Sicherung des eigenen Kompetenzempfindens kommen in solchen Situationen – oft unbewusst – Heuristiken zum Einsatz, die die erforderlichen Informationsverarbeitungsprozesse vereinfachen, aber gleichzeitig auch zu Verzerrungen führen:

- Ausblendung oder Abwertung von Informationen, die den bisherigen Erfahrungen widersprechen.

- Überbewertung an sich unsicherer und wenig bedeutsamer Quellen, sofern sie erwartungskonforme Informationen liefern.

- Bevorzugung leicht erhältlicher oder unmittelbar erinnerter Informationen

- Im Vergleich zur Eintrittswahrscheinlichkeit überproportionale Gewichtung außergewöhnlicher Beobachtungen.

- Verwendung einfacherer Auswahlregeln und/oder einer geringeren Zahl von Bewertungskriterien.

- Senkung der bislang geltenden Ansprüche, falls ad hoc akzeptable Alternativen fehlen.

Untersuchungen, nach denen die Entscheider bei Nutzung externer, aber integrierter Daten trotz vorliegender Barrieren mit ihren Entschlüssen auch dann weniger zufrieden sind, wenn die erzielten Ergebnisse besser ausfallen als im Falle einer

Entschlussfassung ohne Hilfsmittel,[2] verstärken den Eindruck, dass einmal aufgetretene Barrieren nicht nur schwer zu beheben sind, sondern schnell schlecht überschaubare und kontrollierbare Prozesse auslösen können, deren Folgen – wenn überhaupt – noch weit schwieriger zu neutralisieren sind.

Möglichst gute Startbedingungen für ein Data-Warehouse-Projekt resultieren deshalb nicht daraus, dass man die Implementierungsstrategie am technologisch Machbaren, der Einsetzbarkeit aktuell in der Optik stehender Tools oder betrieblichen Sanktionsmöglichkeiten, wie sie etwa in der Unterstützung durch das Top-Management zum Ausdruck kommen, ausrichtet. Weit besseren Erfolg verspricht der Weg, die künftigen Nutzer aktiv und frühzeitig in die Systemgestaltung einzubeziehen, um sich abzeichnende Barrieren rechtzeitig erkennen und vermeiden bzw. vorhandene Barrieren im unmittelbaren Dialog abbauen zu können. Mitunter gelingt es sogar, positiv gerichtete Interferenzen zu schaffen: Sieht man die Einbindung eines Entscheiders in sein Arbeitsumfeld als Einbindung in eine Arena für die Übung sozialer Werte, so kann „sozial auffälliger Konsum" gerade neuartiger Informationen zu einem Symbol für die Rationalität und die Kompetenz des Betroffenen werden.

Grundvoraussetzung eines solchen Ansatzes ist neben einem professionellen Projektmanagement[3] allerdings die beiderseitige Bereitschaft, einerseits die eigenen Vorstellungen dem anderen verständlich zu machen, andererseits aber auch dessen Belangen gegenüber aufgeschlossen zu sein. Dass diese Forderung in der Sache keineswegs selbstverständlich ist, ergibt sich schon aus dem Einschüchterungspotenzial, das dem heutigen IT-Fachvokabular aus Sicht so mancher Anwender anhaftet.

Partizipative Systementwicklung ist gleichwohl mehr als ein Konzept, dessen Realisierung allein Kommunikations- und Einflussmöglichkeiten im eben definierten Sinne voraussetzt. Insbesondere ablaufmäßig werden oft keine weiteren Konsequenzen gezogen, d. h. der sachliche und zeitliche Entwicklungsablauf vollzieht sich im Grunde nach wie vor in Anlehnung an die traditionellen Software-Lebenszyklus-Modelle. Einmal abgesehen von den verfahrensspezifischen Nachteilen, die derartige Phasenschemata mit sich bringen,[4] liegt die eigentliche Gefahr eines solchen Vorgehens darin, dass die im Zuge der Systemrealisierung aufgewandten Ressourcen die Inanspruchnahme der theoretisch vorgesehenen Rücksprünge auf frühere Phasen faktisch unmöglich machen. Folge derartiger Prozessdeformationen ist, dass die künftigen Nutzer in der Lage sein müssen, ihre Vorstellungen bereits in den der Realisierung vorgeschalteten Definitions- und Entwurfsphasen exakt und endgültig zu artikulieren. Gerade dies kann aber regelmäßig nicht vorausgesetzt werden.

Einen Ausweg aus dieser Situation bieten Prototypen. Der testweise Einsatz solcher vorläufigen Versionen entschärft durch die rasche Verfügbarkeit sichtbarer und beurteilbarer Ergebnisse nicht nur die bestehenden Artikulationsprobleme, sondern hat im Vergleich zum traditionellen Vorgehen meist auch noch erhebliche Kostenvorteile. Selbst wenn keiner der entwickelten Prototypen direkt als eigentliches Endergebnis angesehen werden kann, liegen die bis zum Abschluss der Ap-

---

[2]   Vgl. bereits Hirschberger-Vogel (1990).
[3]   Vgl. z. B. GMO (1998).
[4]   Vgl. z. B. Pomberger (1990), S. 224.

plikationsentwicklung anfallenden Kosten noch immer um ca. ein Drittel unter den entsprechenden Vergleichswerten.

6.6 Nicht nur die Technik, sondern auch der Mensch kann das Data Warehouse zum Einsturz bringen

Data-Warehouse-Lösungen technisch zu implementieren, bereitet keine nennenswerten Schwierigkeiten. Erfolg hat ein solches Projekt aber erst dann, wenn die damit verfügbar gemachten Informationen in die täglichen Entscheidungsprozesse integriert, die Entscheidungen sicherer und schneller getroffen werden. Ob die Entscheidungen besser werden, hängt freilich nicht von der Technologie ab, sondern von denen, die damit umgehen.[5] Die Schlüsselfaktoren heißen Akzeptanz und Nutzung. Zu wissen, was sie beeinträchtigt und wie man solchen Beeinträchtigungen begegnen kann, entscheidet deshalb letztlich über Erfolg bzw. Misserfolg eines solchen Versuches, der Unternehmenspolitik, aber auch der Steuerung des operativen Geschäfts zu höherer Professionalität zu verhelfen.

---

[5] Vgl. Fischer, Wien (1998).

Literaturverzeichnis

Fischer, C.: Verbundorientierte Preispolitik im Lebensmittelhandel. Berlin 1995.

Fischer, C.; Wien, H.: Mitarbeiter müssen mit der Technik arbeiten – Erfolgsfaktoren beim Data Warehousing. In: Lebensmittelzeitung Nr. 47 vom 20.11.1998, S. 40.

GMO: Leitfaden Projektmanagement, 13., aktualisierte und erweiterte Fassung. Hamburg 1998.

Hirschberger-Vogel, M.: Die Akzeptanz und die Effektivität von Standardsoftwaresystemen. Berlin 1990.

Martin, W.: Data Warehouse, Data Mining und OLAP: Von der Datenquelle zum Informationsverbraucher, in: META Group (Hrsg.), Data Warehousing. Bonn (1998).

Pomberger, G. (1990), Methodik der Softwareentwicklung. In: Kurbel, K., Strunz, H. (Hrsg.), Handbuch Wirtschaftsinformatik. Stuttgart (1990), S. 216-236.

Teil 3: Ausgewählte Softwarelösungen

7 Marktüberblick Data-Warehouse-Werkzeuge

Heiko Schinzer

7.1 Der Data-Warehouse-Markt in Deutschland

Die Schlagworte wechseln – das Problem bleibt: Mit welchen Informationssystemen können Unternehmen das Management entscheidungsorientiert unterstützen? Die Zahl der konkurrierenden Systemanbieter ist hoch, so dass in der individuellen Entscheidungssituation wenig Transparenz über die möglichen Handlungsalternativen besteht. Die unterschiedlichen Lösungsangebote sowie die Vielzahl verfügbarer Systemanbieter verhindern einen direkten Vergleich der Produkte. Im folgenden werden ausgehend vom primären Ziel aller Werkzeuge – der Unterstützung der Entscheidungsfindung –verschiedene Systemebenen betrachtet: die Datenverwaltungsebene, die Extraktions- und Transformationsebene, die Datenmodellierungs- und die Datenverwaltungsebene und die Analyseebene (vgl. Abb. 35). Auf der Speicherebene erfolgt die Übernahme der selektierten Daten aus den operativen Systemen und die Verwaltung der Daten in einem Data Warehouse bzw. in Data Marts. Die mehrdimensionale Modellierung des Datenbestands erfolgt dann mit Hilfe von OLAP-Werkzeugen. Auf der Analyseebene werden nicht nur die etablierten Business-Intelligence-Ansätze, sondern darüber hinaus innovative Lösungen für das Data Mining sowie zur Analyse über das Internet berücksichtigt.

Für jede dieser Ebenen werden Anforderungen an eine Werkzeugunterstützung skizziert, denen anschließend das Leistungsvermögen der am Markt verfügbaren Produkte gegenüber gestellt wird. Der vorliegende Beitrag basiert auf einem Labortest führender Werkzeuganbieter in Deutschland, beschränkt sich dabei auf einen Überblick.[1]

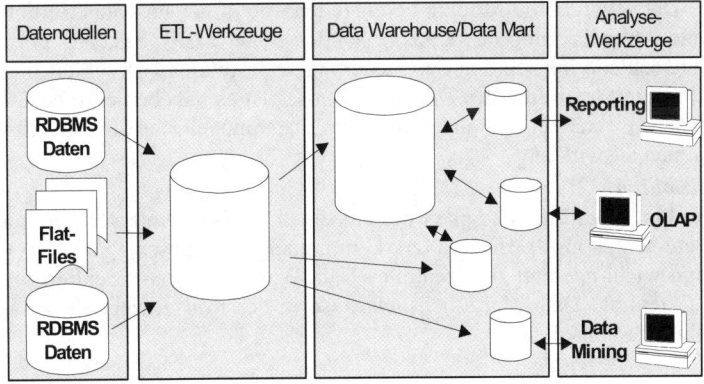

Abb. 35: Vier-Ebenen-Modell für EIS-Werkzeuge

---

[1] Vgl. hierzu ausführlich Schinzer, Bange, Mertens (1999); Schinzer, Bange, Mertens (2000); Bange, Mertens, Schinzer (2000).

Diese Einteilung bedeutet nicht, dass für jede Ebene ein separates Produkt eingesetzt werden muss, erlaubt aber die faire Berücksichtigung leistungsfähiger Werkzeuge, die nicht alle Ebenen einer umfassenden Lösung abdecken. So verfügt beispielsweise ESSBASE von Hyperion über ausgeprägte Speicher- und Modellierungskomponenten, während die Analyse und Präsentation der so modellierten Informationsbasis zumeist in Kombination mit spezifischen BIT-Werkzeugen realisiert wird.

Aufbau eines Beurteilungsrahmens

Beim Aufbau eines entscheidungsorientierten Informationssystem (EIS) kommt es darauf an, eine Lösung zu finden, die auf allen vier Ebenen den spezifischen Anforderungen entspricht. Im Folgenden werden die dem Produktvergleich zu Grunde liegenden Beurteilungskriterien skizziert. Sie können auch als Richtlinien bei der Auswahl und Beurteilung von EIS-Produkten für das eigene Unternehmen herangezogen werden.

Selektieren und Speichern: Data Warehouse

Ziel eines Data Warehouses ist der Aufbau einer für die EIS geeigneten und konsistenten Informationsbasis. Die bei der Auswahl eines passenden Data Warehouses zu berücksichtigenden Kriterien umfassen dabei folgende Punkte:[2]

▩ *Datenanbindung*

Herzstück einer Data-Warehouse-Lösung ist die Leistungsfähigkeit bei der Anbindung des Data Warehouses an die operativen DV-Systeme sowie externe Datenquellen. Zunächst ist entscheidend, dass möglichst viele verschiedene Datenquellen angebunden werden können. Für die Leistungsfähigkeit ist daneben auch die Art der Anbindung (Direktzugriff, ODBC oder Import-Dateien) von wesentlicher Bedeutung.

▩ Datenaktualisierung

Durch die Abkopplung des Data Warehouses von den operativen Systemen muss das Data Warehouse Module bereitstellen, die in gewünschten Zeitintervallen eine Aktualisierung des Datenbestandes sichert. Hier bestehen gravierende Unterschiede hinsichtlich der Steuerung und Automatisierbarkeit dieser Zyklen. Für die Flexibilität des Data Warehouses ist es daneben entscheidend, zu untersuchen, wie sich Veränderungen im Datenmodell auf die Aktualisierungsroutinen auswirken.

▩ *Interoperabilität*

In diesem Punkt wird die Fähigkeit der einzelnen Produkte untersucht, mit anderen Date-Warehouse-Lösungen zu kommunizieren. Dieser Punkt ist vor allem dann wichtig, wenn kein zentrales Data Warehouse implementiert wird, sondern dezentrale Data Marts beispielsweise in der Konzernzentrale zusammengeführt werden sollen.

---

[2]   Vgl. hierzu auch Inmon (1992); Inmon (1994).

Modellieren: OLAP

Um den Anwendern eine flexible Sicht auf die Informationsbestände zu ermöglichen, wird zwischen der Speicher- und Analyseebene eine Modellierungsebene eingefügt. Dabei steht bei den betrachteten Lösungen nicht mehr die „buchstabengetreue" Umsetzung der OLAP-Modellierungskriterien im Vordergrund,[3] sondern vor allem die Frage, wie effizient Dimensionen, Hierarchien und Merkmalsausprägungen in den Systemen erstellt und vor allem gepflegt werden können.

▪ *Modellbildung*
  Die Modellierungswerkzeuge arbeiten fast alle ähnlich wie die Gliederungsfunktion von Textverarbeitungs- und Präsentationsprogrammen oder bieten Wizards zur Modellbildung an. So werden sehr benutzerorientiert Dimensionen und Dimensionsausprägungen erstellt und in verschiedenen Hierarchien ineinander verwoben. Nach wie vor bestehen allerdings gravierende Unterschiede bei der Verwaltung der Dimensionselemente und bei der maximalen Anzahl der zulässigen Dimensionen pro Datenwürfel. Einer der interessantesten Punkte ist hierbei der Umgang mit Datumsfeldern und deren Konsolidierung. Des Weiteren existieren sehr große Unterschiede bei der Flexibilität hinsichtlich Vorberechnung von Dimensionen etc.

▪ *Modellpflege*
  Ein wesentliches Leistungsmerkmal der OLAP-Werkzeuge liegt in der Fähigkeit, bestehende Modelle zu pflegen und zu verändern. Der Aufkauf eines Unternehmens, der Abbau von Hierarchien, neue Produktgruppen etc. erfordern eine rasche Anpassung des EIS an diese Gegebenheiten.

Analysieren: Business Intelligence, Data Mining und WWW

Die Analyse der Informationsbasis ist das eigentliche Ziel der EIS. Alle vorherigen Schritte dienen nur dazu, dass die Analyse möglichst benutzerbezogen, flexibel, dynamisch und vor allem entscheidungsorientiert erfolgen kann. Dazu werden bei diesem Vergleich vor allem nachfolgende Gesichtspunkte bewertet:

▪ Zielgruppe
  Nach wie vor bestehen extreme Unterschiede zwischen den Anforderungen des obersten Managements und den Fachkräften an Benutzerschnittstellen und Funktionsumfang. Hier ist genau zu analysieren, für welchen Kreis im eigenen Unternehmen welche Lösung in Betracht kommt.

▪ *Navigation und Visualisierung*
  Inzwischen bieten alle Werkzeuge auch mehr oder weniger elegante Möglichkeiten zur Navigation in den einzelnen Dimensionen an. Doch die Leistungsfähigkeit hinsichtlich Slice & Dice, Drill down und Drill up und vor allem auch die Lösung des Übergangs vom Data Warehouse auf die einzelnen Belege (Drill through) variiert sehr stark. Die grafische Darstellung der Analyseergebnisse muss sich an den Möglichkeiten der weit verbreiteten Standardwerkzeuge wie MS Excel u. a. messen lassen. Zusätzlich finden sich inzwischen überall Lösungen zur Visualisierung von Ausnahmewerten (Traffic Ligthing) etc.

---

[3]   Vgl. hierzu Codd (1993).

■ *Analysefähigkeiten*
Der betriebswirtschaftliche Analyseumfang ist nach wie vor bei vielen Produkten unbefriedigend. In der aktuellen Untersuchung werden daher auch die Module zum Data Mining mit einbezogen. Hier haben die Anbieter eine Vielzahl von Analysemethoden implementiert, die es den Unternehmen erlauben, auch komplexe Untersuchungen über den Datenbestand durchzuführen.

■ *Weiterverarbeitung*
Der Gesichtspunkt der Weiterverarbeitung spielt gerade dann eine wichtige Rolle, wenn entscheidungsorientierte Analysewerkzeuge in eine bestehende Softwareumgebung integriert werden. Hierbei ist auf eine mögliche Bearbeitung von Analyseergebnissen in anderen Anwendungen, wie z. B. in Office-Programmen, zu achten. Des Weiteren bieten einige Anbieter die Möglichkeit, Auswertungsergebnisse mittels eines E-Mail-Verteilers an andere Anwender weiterzuleiten.

■ *Flexibilität*
Die dynamische Struktur der Daten erfordert eine entsprechende Flexibilität bei der Anpassung der Analysemöglichkeiten. Hierbei steht insbesondere die einfache Unterstützung der Werkzeuge bei der Erstellung neuer Ad-hoc-Analysen und -Sichten auf den Datenbestand im Vordergrund.

■ *Sicherheitskonzept*
Bei der Integration verschiedener Unternehmensdaten stellt sich immer wieder das Problem des Zugriffs unterschiedlicher Anwender auf diese Datenbasis. So können neben datenschutzrechtlichen auch unternehmenspolitische Gründe für eine Restriktion des Zugriffs sprechen. Die untersuchten Werkzeuge unterscheiden sich hier sowohl im Umfang der möglichen Einschränkungen als auch in der Einfachheit der Verwaltung mit Hilfe sog. Benutzer(gruppen)profile.

■ *Anwendungsentwicklung*
Mit der Entwicklung verschiedener Anwendungen sind teilweise hohe Kosten für die Schulung der Entwickler verbunden. Eine geringe Komplexität und intuitive Benutzung der Werkzeuge kann daher ein entscheidender Faktor sein, um Kosten zu vermeiden.

7.2 Überführung der Daten in ein Data Warehouse durch ETL-Werkzeuge

Werkzeuge zur Datenversorgung werden beim Aufbau größerer Data-Warehouse-Lösungen immer wichtiger. Mit der erfolgreichen Nutzung der bereits eingeführten Lösungen nehmen die Anforderungen hinsichtlich der Integration heterogener Datenquellen immer weiter zu. Die oftmals am Anfang stehende manuelle Entwicklung der notwendigen Schnittstellen reicht dann nicht mehr aus, wenn Integrations- und Transformationsprozesse zunehmend komplexer und ein effizientes Metadatenmanagement daher immer wichtiger werden. An dieser Stelle setzen die Extraktions-, Transformations- und Ladewerkzeuge (ETL) an.

7.2.1 ETL-Prozessschritte

ETL-Werkzeuge unterstützen den gesamten Prozess der Datenaufbereitung und -überführung zwischen den Quellsystemen und dem Data Warehouse (vgl. Abb. 36). Gerade bei der Zusammenführung verschiedener Datenquellen reicht eine einfache Anbindung des Data Warehouses an die operativen Systeme nicht aus. Im Zuge der Extraktion erfolgt die Selektion der Basisdaten in eine sog. Staging Area. Die temporäre Zwischenspeicherung ist notwendig, um die Rohdaten von systematischen Fehlern zu bereinigen, die verschiedenen Datentypen zu harmonisieren, gegebenenfalls zu verdichten und anzureichern, ehe sie ins Data Warehouse gelangen. Die Behebung systematischer Fehler, z. B. fehlende oder nicht-interpretierbare Steuerzeichen, Umwandlung unterschiedlicher Zeichensätze etc. erfolgt dabei schon im Zuge der Extraktion mit Hilfe von Mapping-Tabellen. Dazu werden in die Extraktionsprozeduren Regeln zur Fehlerbereinigung integriert. Werden während der Extraktion Anomalien festgestellt, die nicht mit Hilfe einer bekannten Regel zu lösen sind, werden diese in einer Logdatei dokumentiert und müssen manuell bearbeitet werden. In aller Regel nehmen diese Fehler im Laufe der Aktualisierungszyklen jedoch stark ab, da die Extraktionsergebnisse auch zu Qualitätsverbesserungsmaßnahmen in den operativen Informationssystemen führen.

Im zweiten Schritt erfolgt die entscheidungsorientierte Transformation der selektierten Rohdaten. An dieser Stelle werden Schritte zur homogenen Darstellung von Zeit- und Währungsdaten, Beseitigung von Attributs- und Schlüsseldisharmonien, Aggregation und Berechnung von Kennzahlen sowie die Konsolidierung verschiedener Filialen oder Tochterunternehmen vorgenommen. Nach der technisch ausgerichteten Extraktion steht bei der Transformation primär der betriebswirtschaftlich logische Aspekt im Mittelpunkt. Die Transformation der Daten erfolgt dabei nicht im luftleeren Raum, sondern in der Staging Area, die gerade bei umfangreichen Data Warehouses oft den Flaschenhals bildet. Alle Daten müssen durch die Staging Area, werden hier umgerechnet, zerlegt und verdichtet, ehe sie an die richtige Stelle ins Data Warehouse weitergereicht werden. Der Nutzen der Staging Area wird unmittelbar deutlich, wenn z. B. Verkaufszahlen unterschiedlicher Unternehmen aus heterogenen Informationssystemen in eine Kennzahlenhierarchie (Absatz insgesamt, Absatz pro Land, Absatz pro Produkt oder Absatz pro Kunde) berechnet werden sollen. Abschließend werden die Daten im Ladeprozess von den ETL-Werkzeugen an das Data Warehouse übermittelt. Hierzu zählt sowohl der erstmalige Einladevorgang bei der Inbetriebnahme als auch die fortlaufende Aktualisierung, die dabei entweder inkrementell oder vollständig durchgeführt werden kann. Die Wahl der Aktualisierungsvariante hängt dabei zum einen von der Größe des Datenvolumens und zum anderen von der Komplexität der notwendigen Prozesse ab. So ist das Datenvolumen bei der inkrementellen Aktualisierung sehr klein gegenüber der vollständigen Übernahme. Auf der anderen Seite müssen komplexe Mechanismen zur Änderungsverfolgung (Zeitstempelverfahren usw.) implementiert werden, die eine richtige Selektion der noch fehlenden Daten erlauben.

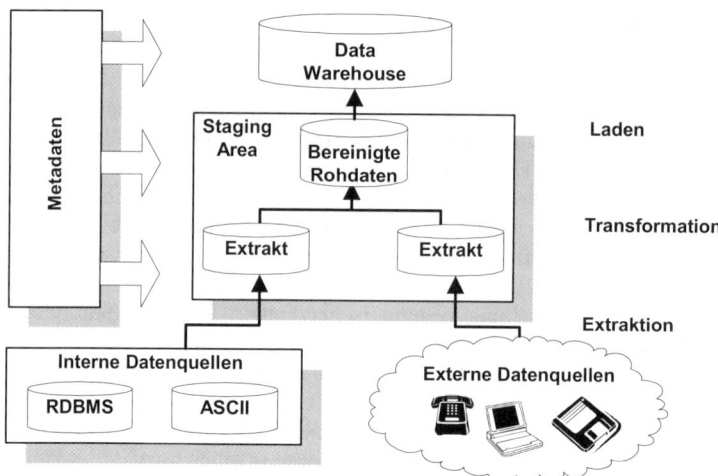

Abb. 36: ETL-Prozess im Überblick

7.2.2 Veränderungen auf dem ETL-Werkzeugmarkt

Nachdem sich in den letzten Jahren die Erkenntnis durchgesetzt hat, dass auch sehr unternehmensindividuelle ETL-Prozesse und -Probleme nicht zwangsläufig durch Eigenentwicklungen realisiert bzw. gelöst werden müssen, existieren inzwischen eine Vielzahl von ETL-Werkzeugen auf dem Markt. Unterschieden werden können dabei Spezialwerkzeuge und Komponenten von Data-Warehouse-Produktsuiten. Während erstere nur einen Prozessschritt, nämlich die „Befüllung" des Data Warehouses fokussieren, versuchen integrierte Produktsuiten den gesamten Prozess des Data Warehousings von der Anbindung der Datenquellen über die Verwaltung der Datenbestände bis hin zur Bereitstellung von Berichts- und Analysewerkzeugen abzudecken. Die unabhängig entwickelten ETL-Spezialwerkzeuge boten dabei bisher häufig eine breitere Funktionalität, bessere Bedienbarkeit und flexiblere Einsatzmöglichkeiten als Datenbankkomponenten. Um diese Defizite auszugleichen, wurden in letzter Zeit von vielen Anbietern verstärkte Anstrengungen bei der Weiterentwicklung ihrer ETL-Komponenten unternommen. Eine oft gewählte Alternative hierzu sind allerdings auch Partnerschaften oder Übernahmen von ETL-Anbietern, um schnell ein entsprechendes Angebot zur Verfügung zu haben. Gerade in letzter Zeit sind durch die Aufkäufe von Relational Matters durch Cognos, Carleton durch Oracle oder Ardent durch Informix einige renommierte ETL-Softwareproduzenten vom Markt verschwunden und die entsprechenden Produkte in Datenbank- oder Data-Warehouse-Suiten integriert worden.

Tabelle 3: Überblick über die wichtigsten ETL-Anbieter

Am Markt positioniert als ...	Anbieter	Produktbezeichnung
ETL-Spezialwerkzeug	Acta Technology	ActaWorks
	Computer Associates	Platinum DecisionBase
	Data Mirror	Transformation Server
	Evolutionary Technologies International (ETI)	ETI*Extract Tool Suite
	Informatica	PowerCenter und PowerMart
	Information Builders	EDA/Copy Manager
	Minerva Softcare	MetaSuite
	systemfabrik	InformationIntegration
Datenbank- oder Data-Warehouse-Suite-Komponente	Cognos	DecisionStream
	Hummingbird	Genio Suite
	Informix	DataStage
	Microsoft	Data Transformation Services
	Oracle	Warehouse Builder
		Pure•Extract & Pure•Integrate
	SAS	SAS/Warehouse Administrator
		SAS/Access to ...
	Seagate	Data Manager

Die so in Gang gesetzte Konsolidierung des Marktes wird voraussichtlich weiter anhalten, da auf der einen Seite einige Data-Warehouse-Anbieter noch Defizite im ETL-Bereich haben, die durch weitere Aufkäufe ausgeglichen werden können. Auf der anderen Seite erhöht das inzwischen erreichte Niveau der ETL-Komponenten in den Data-Warehouse-Suiten den Druck auf die unabhängigen Anbieter, was zu Zusammenschlüssen oder einer Verlagerung der Geschäftsfelder führen kann.

In Tabelle 3 werden die wichtigsten Werkzeuge aufgeführt. Ergänzend zu diesen Anbietern, die sich auf eine umfassende Abdeckung des skizzierten ETL-Prozesses konzentrieren, gibt es noch Werkzeuge, die sich auf eine spezifische Aufgabe, z. B. die Verbesserung der Datenqualität (Data Quality Tools) oder die physische Integration heterogener Quellen über eine Middleware konzentrieren.

Der Markt für ETL-Tools ist gerade in Deutschland noch recht jung, dynamisch und daher unübersichtlich strukturiert. Neben einem häufig anzutreffenden Partnerkonzept sind überwiegend nur Vertriebs- und Servicegesellschaften präsent. Produkte mit einer breiten Präsenz im Markt stammen momentan von den großen Data-Warehouse- bzw. Datenbankanbietern Informix (mit DataStage), Microsoft, Oracle und SAS. Aber auch Spezialwerkzeuge wie Informaticas PowerCenter, der auf der EDA-Middleware aufsetzende Copy Manager von Information Builders, die ETI*Extract Tool Suite (über Kooperation mit IBM) oder DataMirrors Transformation Server können mit höheren Marktanteilen aufwarten. Dabei gibt es zusätzlich Anbieter mit regionalen (z. B. Systemfabrik in Deutschland) oder technologischen Schwerpunkten (z. B. Acta bei der SAP R/3-Anbindung).

Während bis vor einiger Zeit vor allem technologische Aspekte wie die direkte Anbindung an alle verschiedenen Arten von Datenbasen (RDBMS, VSAM, IMS etc.) im Mittelpunkt standen, sind momentan die lösungsorientierte Kopplung an führende ERP-Produkte (vor allem SAP R/3, aber auch PeopleSoft oder Baan), ein integriertes Metadatenmanagement und die Erweiterung der Datenintegration zur Enterprise Application Integration (EAI) wichtige Entwicklungen.

7.2.3 ETL-Funktionen im Überblick

Die Funktionalität eines ETL-Werkzeuges kann hinsichtlich der Unterstützung bei der Entwicklung der Datenbewegungsprozesse (Development), der Überführung von Entwicklungs- in produktive Umgebungen (Deployment) sowie Betrieb und Wartung von laufenden Systemen (Maintenance) betrachtet werden.

Im Rahmen der Entwicklungsfunktionalität gehören zu den wichtigen Punkten:

- Unterstützung vielfältiger Quell- und Zielsysteme. In einem Datenbewegungsprozess sollen Daten aus verschiedenen Quellsystemen integriert und über Netzwerke in mehrere Zielsysteme eingespielt werden. Dabei werben die Anbieter auf der technischen Ebene primär mit der Unterstützung einer großen Zahl von Dateiformaten (>50) und Systemplattformen (>25).
- Bereitstellung einer Funktionsbibliothek. Die Anbindung der Datenquellen muss einfach und ohne Entwicklung von Hard- oder Software-spezifischen Codes ablaufen. Ebenso wichtig ist die Verfügbarkeit und einfache Integrierbarkeit von häufig verwendeten Transformationsobjekten (z. B. Filter, Aggregation, Look-Pups usw.), auf die bei der Modellierung des Datenflusses zurückgegriffen werden kann. Hinsichtlich der Bereitstellung solcher Objekte, die eine erhebliche Reduktion des Entwicklungsaufwands bedeuten können, existieren enorme Unterschiede zwischen den Produkten.
- Integration eigener Programme. Auch wenn umfangreiche Funktionsbibliotheken zur Verfügung stehen, müssen diese auf Grund der hohen Heterogenität in der Regel individuell ergänzt werden. Die einfache Einbindung von Programmen in verschiedenen Programmiersprachen ermöglicht dies. So können fehlende Transformationsregeln durch Eigenentwicklungen ergänzt werden.
- Benutzerfreundliche Oberfläche. Leistungsfähige Werkzeuge verfügen über Wizards zur Anbindung der Datenquellen und grafische Oberflächen, auf denen Datenflüsse und Umwandlungsprozesse benutzerorientiert modelliert, visualisiert und damit auch dokumentiert werden.
- Modellierungsunterstützung. Teilweise sollen nicht nur Datenbewegungen, sondern auch die Zielstrukturen modelliert werden. Übliche Data-Warehouse-Schemata können in den Zieldatenbanken angelegt werden, wobei teilweise auch über ein einheitliches Modell Daten in relationalen und multidimensionalen Datenbanken abgespeichert werden können.
- Aufbau der Metadatenbasis. Da während des ETL-Prozesses die meisten Metadaten eines Data-Warehouse-Systems anfallen, findet die Sammlung, Speicherung und der Austausch von Metadaten durch ETL-Werkzeuge eine besondere

Beachtung. Die Informationen über Herkunft und Bedeutung der Quelldaten und die Dokumentation der bei der Transformation durchgeführten Operationen und deren betriebswirtschaftlicher Zweck sollte in einem zentralen Repository offen und über Standards austauschbar abgelegt werden.

- Debugging. Zur Überprüfung der entwickelten ETL-Prozesse sollten Simulationsmöglichkeiten bzw. Monitore vorhanden sein, die einen Überblick über den gesamten Veränderungszyklus der Daten liefern. Auch in diesem Punkt bestehen noch erhebliche Unterschiede zwischen den Produkten.

- Performance und Skalierbarkeit. Mögliche Performance-Engpässe können operationale Systeme bei der Datenbereitstellung, rechenintensive Transformationsprozesse oder Zielplattformen sein, die Informationen nicht schnell genug übernehmen können. Wichtig ist die Unterstützung von verschiedenen leistungsfähigen Datentransportmechanismen, der Einsatz von Parallelisierungs- und Bulk-Load-Möglichkeiten oder Mechanismen wie einem Staging auf der Festplatte mit dem Caching im Hauptspeicher. Die Skalierbarkeit wird häufig durch den Einsatz von (mehreren) ETL-Servern auf verschiedenen Plattformen erreicht.

Bei der Überführung in produktive Umgebungen spielen weiterhin folgende Faktoren eine Rolle:

- Multi-Plattform-Support. Die im ETL-Werkzeug entwickelten Prozesse sollen durch Exportmechanismen auf verschiedenen Plattformen (Hardware- und Betriebssystem-seitig) ablauffähig sein.

- Roll-out-Unterstützung. Die einfache Übertragbarkeit von Entwicklungsprozessen in ein operatives ETL-System erhält die Flexibilität der Entwickler für ständige Verbesserungen und nötige Veränderungen.

- Für Betrieb und Wartung der ETL-Komponenten müssen beachtet werden:

- Prozesssteuerung. Notwendig sind zeit- und ereignisgesteuerte Ausführungssteuerung der ETL-Prozesse durch Scheduler. Dabei sollen verschiedene Aufgaben parallel oder sequentiell und auch abhängig von den Ergebnissen vorheriger Prozesse ablaufen.

- Wiederverwendbarkeit. Die erstellte Logik der Transformations- und Ladeschritte sollte in Form von Objekten, die zentral vorgehalten werden, wiederverwendbar sein.

- Changed Data Capture. Die Datenmengen, die in großen Data-Warehouse-Umgebungen bewegt werden müssen, machen es erforderlich, leistungsfähige Mechanismen einzuführen, die über imkrementelle Updates lediglich veränderte Daten der Quellsysteme übertragen, aber auch Änderungen im Datenmodell bzw. in den Stammdaten erfassen und in das Data Warehouse überführen.

- Datensicherheit. Im Falle von abgebrochenen oder fehlerhaft ausgeführten Transformations- oder Ladevorgängen müssen Möglichkeiten zur Wiederherstellung der Ursprungsdaten und Neustart an Abbruchpunkten vorhanden sein.

7.2.4 Enterprise Application Integration (EAI)

Seit Mitte des letzten Jahres wird auch in Deutschland der Begriff des EAI immer intensiver diskutiert. Während sich viele Anwender am Anfang wieder nur von einer Marketingwelle einiger Anbieter überrollt sahen, die den langweiligen, schon fast antik klingenden Begriff der Middleware durch ein neues Schlagwort ersetzen wollten, hat sich gerade bei den Electronic-Commerce-Pionieren die skeptische Haltung sehr stark verändert. EAI gewinnen langsam den gleichen Stellenwert in der IT-Welt der Unternehmen wie die Extraktions-, Transformations- und Ladewerkzeuge (ETL) in der Data-Warehouse-Umgebung. Am Anfang weiß keiner, warum er ein solches Werkzeug einsetzen sollte und nach wenigen Jahren ist es aus der Projektumgebung gar nicht mehr wegzudenken. EAI und ETL sind ein Zeichen für die wachsende Bedeutung des Produktionsfaktors Information und damit letztlich ein Signal für die erfolgreiche Nutzung der IT-Lösungen in den letzten Jahren.

Das sehr starke Wachstum im EAI-Markt führt auch einige Anbieter aus dem ETL-Umfeld in dieses Segment. So spielt SAS hier die Stärke aus über 30 Jahren Erfahrung hinsichtlich der Kopplung von Datenquellen aus allen verschiedenen Datenbanken auf fast allen Betriebssystemplattformen aus. Systemfabrik dagegen erweitert die etablierte Warehouse Workbench zur IntegrationInformation und bietet nach eigenen Angaben damit nun eine adaptive Infrastruktur-Architektur für taktische Flexibilität der IT.

7.3 Tools zur Modellierung und Speicherung der Daten

Zur Speicherung der Daten werden Data-Warehouse-Lösungen eingesetzt, die auf der nach Codd benannten multidimensionalen OLAP-Struktur zur Modellierung aufsetzen. Auf der Data-Warehouse-Ebene können die Produkte hinsichtlich ihrer Architektur unterschieden werden. Neben dem eigentlichen Data Warehouse, in das die Daten aus den operationalen Datenbanken bzw. externen Datenquellen überführt werden (physikalisches Data Warehouse), existiert eine zweite Variante, das sog. virtuelle Data Warehouse. Hier werden die Daten weiterhin in einer operationalen Datenbank gehalten und durch ein OLAP-Werkzeug als virtueller Würfel präsentiert. Neben dem Vorteil der Vermeidung von redundanten Datenbeständen hat die zweite Data-Warehouse-Variante jedoch auch Nachteile wie z. B. mangelnde Systemperformance, die sich auch auf die operativen Transaktionen negativ auswirken kann, oder das Problem der dynamischen Veränderung der operativen Daten.

Weiterhin lassen sich die Produkte anhand des zu Grunde liegenden Datenbanksystems in relationale (ROLAP) und multidimensionale (MOLAP) Werkzeuge differenzieren. Einige Anbieter unterstützen auch die Möglichkeit, die Daten entweder in einem relationalen oder einem multidimensionalen Datenbanksystem abzulegen (hybrides OLAP (HOLAP)). Während die Stärken von ROLAP insbesondere bei der Verwaltung hoher Datenvolumina liegen, kann es auf Grund der relationalen Datenstrukturen bei diesen Ansätzen zu Performance-Problemen kommen (vgl. auch den Beitrag von Eicker, Kapitel 4.3). MOLAP-Werkzeuge hingegen zeichnen sich durch geringe Antwortzeiten aus, wobei die Schwächen hier vielfach im Bereich der Verwaltung großer Datenvolumina zu finden sind. Insgesamt zeigt jedoch die Entwicklung in letzter Zeit, dass die Unterschiede zwischen MOLAP und ROLAP geringer werden. Desktop-basierte OLAP-Lösungen (DOLAP) übernehmen die multidimensionale Aufbereitung der Daten zur lokalen Analyse. Unterschieden werden muss das Konzept des virtuellen Data Warehouses (siehe oben sowie die Ausführungen im Beitrag von Eicker), bei dem auf dem Client nur eine Verwaltung der Metadaten stattfindet (z. B. bei Business Objects), und der physikalischen Speicherung der Daten auf dem Client Rechner (z. B. bei PowerPlay). Beim zweiten Konzept handelt es sich i. d. R. um geringe Datenmengen, die ohne Verbindung zum Server angezeigt und analysiert werden können. Naturgemäß eingeschränkt in Kapazität und Funktionalität können so kleine Lösungen für überschaubare Probleme realisiert werden. Ein weiteres bedeutenderes Einsatzfeld für DOLAP ist die mobile Analyse auf Stand alone Basis, z. B. auf Laptops. Hierfür werden kleine Teilwürfel aus OLAP-Datenbanken extrahiert und lokal gespeichert. Spezielle Analysen z. B. bei der Vertriebsunterstützung können so vor Ort ohne dauerhafte Datenbankverbindung durchgeführt werden.[4]

Tabelle 4: Anbindung der OLAP- und Business Intelligence-Tools

Produkt	Datenhaltung		Multidimensionale Aufbereitung		
	physikal. Data Warehouse	virtuelles Data Warehouse	ROLAP	MOLAP	HOLAP
Applix TM1	✓			✓	
Brio Enterprise		✓			
Business Objects		✓	✓		
Cognos Suite	✓			✓	✓
Comshare Decision	✓			✓	
Crystal Info		✓	✓		
Hummingbird BI/Suite	✓		✓	✓	✓
Hyperion EssBase	✓			✓	
IBM	✓		✓	✓	✓
Microsoft	✓		✓	✓	✓
MIKsolution+	✓			✓	
MicroStrategy	✓		✓		
MIS Alea	✓			✓	
NCR	✓		✓		
Oracle	✓		✓	✓	✓
Pilot	✓			✓	
SAP	✓		✓		
SAS	✓		✓	✓	✓
Seagate Holos	✓		✓	✓	✓

Neben den oben genannten Differenzierungskriterien muss beim Aufbau eines Data Warehouses auch dessen Größe berücksichtigt werden. Auch wenn eindeutige Aussagen hinsichtlich der Eignung der getesteten Produkte schwierig sind, so

---

[4]   Vgl. Elkins (1998).

lassen sich diese tendenziell in zwei Kategorien einteilen. Zum einen handelt es sich dabei um Werkzeuge, die für den Aufbau großer Data Warehouses geeignet sind. Dagegen befinden sich in Tabelle 4 aber auch Produkte, die für den Aufbau kleiner bis mittlerer Data Warehouses bzw. für Data-Mart-Lösungen prädestiniert sind. Dabei sind die Schnittstellen zwischen beiden Bereichen sehr fließend. So sind Essbase nach dem Zusammenschluss mit Hyperion und die Cognos Suite sicherlich Produkte, die auch in großen Projekten zur Anwendung kommen.

7.3.1 Anbindung an operative Back-End-Systeme

Für den Zugriff auf die Datenquellen werden unterschiedliche Alternativen unterstützt. Neben dem Zugriff auf flache Dateien (z. B. ASCII) können inzwischen fast alle Produkte über ODBC auf verschiedene relationale Datenbanksysteme zugreifen. Des Weiteren unterstützen viele Anbieter den direkten Zugriff auf verschiedene Datenbanksysteme, was insbesondere bei umfangreichen Datenbeständen zu Performancevorteilen führt. Bei der Realisierung der Anbindung sind jedoch teilweise gravierende Unterschiede hinsichtlich der Anwenderunterstützung zu erkennen. So verzichten beispielsweise einige Produkte auf jegliche grafische Unterstützung und fordern die Eingabe von SQL-Befehlen, um auf die gewünschten Tabellen zugreifen zu können. In anderen Fällen muss der Data-Warehouse-Entwickler bereits im Vorfeld exakt wissen, wo die benötigten Informationen abgelegt sind und wie die syntaktisch korrekte Bezeichnung lautet, da vorhandene Tabellen nicht angezeigt werden können.

Bei der Bereinigung der Daten besteht bei der Mehrzahl der Produkte die Möglichkeit, Regeln für die Manipulation der Attributsausprägungen zu hinterlegen. So können beispielsweise bestimmte Zeichen oder ganze Felder ersetzt werden oder das Programm kann Datensätze anhand von Suchkriterien vollständig ablehnen. Anschließend kann der Anwender diese Regeln für zukünftige Datenimporte speichern. Während sich die Produkte im Umfang der zur Verfügung gestellten Manipulationsmöglichkeiten kaum unterscheiden, differenzieren sie sich zum Teil deutlich bei der Definition der Regeln.

Die Verdichtung der operationalen Daten auf verschiedenen Aggregationsebenen wird von den Anbietern auf unterschiedliche Weise unterstützt. Bei einigen Produkten, wie z. B. MIS ALEA oder TM1 oder auch bei den sog. virtuellen Data Warehouses werden keine Aggregate gespeichert. Hier findet die Berechnung während der Laufzeit statt, was insbesondere bei den virtuellen Data Warehouses, die auf relationale Datenbanksysteme zugreifen, zu Performanceeinbußen führen kann. Im Gegensatz dazu besteht bei z. B. Essbase die Möglichkeit, über Einstellungen festzulegen, welche Daten aggregiert und gespeichert bzw. welche erst zur Laufzeit berechnet werden sollen. Hier hat der Anwender die Möglichkeit, die Datenbank an seine speziellen Bedürfnisse anzupassen.

Die Ergänzung der Daten im Data Warehouse durch betriebswirtschaftliche Kennzahlen wird von allen Produkten unterstützt, wobei auch hier die Anwenderorientierung stark variiert. Über einfache Formeleditoren können im Rahmen der Modellierung entsprechende Berechnungsformeln für die Kenngrößen hinterlegt werden. Analog zur Berechnung der Aggregate werden bei den oben genannten Werkzeugen auch die Kenngrößen erst während der Laufzeit berechnet, was insbesondere bei komplexen Berechnungsvorschriften zu langen Antwortzeiten führen kann.

Sehr gute Lösungen zeichnen sich dabei durch die Anbindung möglichst vieler Datenquellen aus. Neben dem Zugriff auf flache Dateien bzw. über ODBC auf relationale Daten, ist hier insbesondere der direkte Zugriff auf relationale Datenbanksysteme zu nennen. Durch die zunehmende Verbreitung von Standardanwendungssoftware, wie z. B. SAP R/3 oder Baan, wird auch die Unterstützung entsprechender Schnittstellen zu einem wichtigen Bestandteil eines Data-Warehouse-Werkzeugs.

Die durchgeführte Analyse zeigt, dass bei den untersuchten Produkten bereits ein hohes Niveau erreicht wird. Der Datenimport aus flachen Dateien oder über ODBC aus relationalen Datenbanken wird von allen Anbietern unterstützt. Darüber hinaus verfügen viele Werkzeuge über eine SAP Schnittstelle, über die direkt auf operative Daten aus einem R/3-System zugegriffen werden kann. Oracle hingegen kann mit verschiedenen Toolkits R/3-, Baan- JDEdwards sowie Peoplesoft-Daten anbinden.

Gravierende Unterschiede treten noch bei der Benutzerunterstützung auf. Bei einigen Produkten ist die Anbindung verschiedener Datenquellen und die Definition von Transformationsregeln nur durch Programmierung in einer herstellereigenen Scriptsprache möglich. Essbase hingegen verfügt mit dem Data Preparation Editor über ein komfortables Werkzeug, mit dem die Realisierung einer Datenanbindung sowie die Definition von Transformationsregeln ohne Programmierkenntnisse über eine grafische Oberfläche erfolgt. Der Anwender kann per drag & drop verschiedene Transformationsregeln definieren, wobei die Anwendung dieser Regeln anhand eines Datenausschnitts vor der Integration betrachtet und kontrolliert werden kann.

Die Segmentierung der Produkte in Data-Warehouse- sowie OLAP- und Business-Intelligence-Werkzeuge drückt sich auch durch eine massive Differenz in den Lizenzkosten aus. Der Gegenwert dieses Kostenunterschieds ist dabei vor allem in den Möglichkeiten zum Aufbau und der Verwaltung der Datenbasis erkennbar. Hier schneiden die Data-Warehouse-Werkzeuge nicht nur deutlich besser ab, sondern verfügen auch über leistungsfähige Funktionen zur Koordination und Steuerung des Data Warehouses, die im Rahmen dieses Beitrags nur unzureichend gewürdigt werden können. Leistungsfähige Werkzeuge zur Unterstützung des Extraktions- und Transformationsprozesses, Transaktionsmonitore, Steuerungsparameter zur Verbesserung der Performance und Speicherverwaltung sind für den Betrieb eines umfangreichen Data Warehouses unerlässlich. Umfangreich kann hierbei zwei Faktoren beinhalten: zunächst das Volumen des Data Warehouses, aber vor allem auch die Anzahl der mit dem System zu bedienenden Benutzer. Zur Selektion der passenden Lösung sind jedoch auch die verfügbaren Benchmarks nur unzureichend geeignet, da die tatsächliche Leistungsfähigkeit von der individuellen Implementierung determiniert wird.

7.3.2 Aktualisierung der Datenbasis

Befindet sich das Data Warehouse in der operativen Phase, müssen in periodischen Abständen (Tage, Woche, Monat) neue Daten integriert bzw. alte ausgelagert werden. Die untersuchten Produkte bieten hierfür unterschiedliche Vorgehensweisen an. Am häufigsten vorzufinden ist die manuelle Aktualisierung, bei der die Daten entweder als flache Datei vorliegen oder per Hand aus den entsprechenden Datenbanken selektiert werden müssen. Anschließend kann durch einmalig definierte Importregeln die Aktualisierung angestoßen werden. Einige Produkte erlauben die Programmierung von Batch-Dateien und ermöglichen durch den Einsatz von Schedulern einen größeren Automatisierungsgrad.

Insgesamt betrachtet ist die Unterstützung der Bereinigung und Aktualisierung der Daten unterschiedlich gelöst. Während bei der Manipulation bereits vielfältige Möglichkeiten bestehen, gibt es bei den Möglichkeiten der Datenaktualisierung noch erheblichen Verbesserungsbedarf. Insbesondere die automatische Replikation wird von den getesteten Produkten zumeist nicht unterstützt, was bei kurzen Aktualisierungszyklen zu einem entsprechend hohen manuellen Aufwand führen kann. Die Unterstützung der für die Aktualisierung zuständen Benutzer (Data-Warehouse-Administratoren) ist oft noch sehr rudimentär.

Das von Codd geprägte Konzept des Online Analytical Processing[5] ist inzwischen bei allen Produkten implementiert worden. Dabei liegt der Fokus jedoch nicht in der exakten Umsetzung der von Codd definierten 12 Evaluierungsregeln oder den von Creeth und Pendse im „OLAP-Report", einem Vergleich von verschiedenen OLAP-Werkzeugen, geprägten FASMI-Kriterien.[6] Vielmehr werden unter der Bezeichnung OLAP die Modellierungswerkzeuge zur Abbildung der mehrdimensionalen Datenwürfel angeboten.

Die Modellbildung wird inzwischen von allen Anbietern durch eine grafische Darstellung des Datenmodells unterstützt. Die Dimensionen und Hierarchien werden überwiegend in Form von hierarchisch aufgebauten Gliederungen dargestellt. Zusätzlich werden bei einigen Produkten wie z. B. BUSINESS OBJECTS die Datenstrukturen des Modells in Form eines Snowflake-Schemas abgebildet. Durch Verfahren wie Point & Click bzw. Copy & Paste kann der Anwender die Datenstrukturen flexibel bearbeiten. Analog zur Datenanbindung können umfangreiche Dimensionen aus verschiedenen externen Datenquellen eingelesen werden. Des Weiteren unterstützen Produkte wie Hummingbird BI, Crystal Info oder Business Objects den Anwender bei der Modellierung durch Assistenten. Sie ermöglichen beispielsweise das automatischen Erkennen von potenziellen Dimensions- bzw. Faktenattributen oder erleichtern den Aufbau von standardisierten Dimensionen (z. B. Zeitdimension). Weiterhin stellen einige Anbieter auch vorkonfigurierte Dimensionen (Templates) zu Verfügung und entlasten so den Benutzer beim Aufbau eines Datenmodells.

Neben der Einfachheit der Modellierung spielen insbesondere auch die technischen Möglichkeiten eine wesentliche Rolle. Hierzu gehören Kriterien wie die Anzahl der möglichen Dimensionen pro Würfel, die Verfahren zur Berechnung konsolidierter Elemente und die Verfahren zur Performanceverbesserung.

Ein wesentliches Leistungsmerkmal der OLAP-Werkzeuge liegt in der schnellen Abwicklung von Abfragen. Obwohl die Performance stark von der Hardwareumgebung abhängt und somit allgemeine Aussagen bezüglich des Antwortzeitverhaltens schwierig sind, lassen sich die getesteten Produkte in verschiedene Kategorien einteilen. Während bei den virtuellen Data Warehouses die Performance

---

[5]   Vgl. Codd (1993); Codd (1994).
[6]   Vgl. Creeth (1995).

stark von den operativen Datenbanksystemen abhängt, unterstützen die Anbieter physikalischer Data Warehouses meist effiziente Speicherstrukturen und Algorithmen. So können beispielsweise bei Essbase neben der Wahl der Berechnungsverfahren von konsolidierten Elementen auch verschiedene Speicherparameter verändert werden. Hierdurch kann unter Umständen eine höhere Performance bzw. ein geringerer Speicherplatzbedarf erreicht werden.

Schwächen weisen einige der auf multidimensionalen Datenbanken basierenden Produkte hinsichtlich der Fähigkeiten zur Speicheroptimierung (dense und sparse) auf. Gute Lösungen bieten hier den Modellierern weit reichende Möglichkeiten zur individuellen Beeinflussung der Speicherverwaltung der Datenwürfel. Als nur zufrieden stellend sehen wir es an, wenn diese Optimierungsläufe vom System selbständig durchgeführt werden, ohne dem Benutzer einen Eingriff zu gestatten, da hier die Transparenz zu kurz kommt.

Im Rahmen der Modellpflege ist entscheidend, welche Lösungsalternativen die Werkzeuge im Hinblick auf die Anpassung und Pflege der Datenstrukturen bereitstellen. Neben der manuellen Änderung, bei der durch Hinzufügen bzw. Löschen einzelner Dimensionen oder Hierarchien Änderungen vorgenommen werden können, unterstützen einige Anbieter auch die automatische Aktualisierung während der Datenintegration. Hierzu müssen entsprechende Importregeln hinterlegt werden, welche die Datenstrukturen der Importdateien mit den vorhandenen Dimensionen verknüpfen. Erscheinen anschließend bei der Integration der Daten z. B. neue Produkte, so wird das Datenmodell automatisch angepasst. Insbesondere bei umfangreichen Datenstrukturen kann somit der Verwaltungsaufwand erheblich verringert werden.

7.4 Werkzeuge zur Analyse der Daten

Moderne Ansätze wie Supply Chain und Customer Relationship Management oder auch Electronic Commerce werden zusätzlich immer stärker in enger Abstimmung mit einem Data Warehouse und OLAP-Technologie aufgesetzt. Die ungebrochene Dynamik auf dem Markt für Business Intelligence sowie ständig neue Marketingschlagwörter machen es für Unternehmen in einer Auswahlsituation nicht gerade einfacher, das passende Werkzeug zu finden. Die Anbieter konzentrieren sich derzeit entweder verstärkt auf strategische Applikationen zur Unternehmensplanung, methodische Lösungen zur Unternehmenssteuerung wie die Balanced Scorecard oder den Aufbau eines Informationsorientierten Business über Enterprise Information Portals. Der Beitrag arbeitet die verschiedenen Einsatzszenarien heraus und stellt wichtige Anbieter kurz vor.

Durch den inzwischen erreichten sehr hohen Grad an technischer Leistungsfähigkeit, wird seit knapp 1 ½ Jahren der Wettbewerb nicht mehr über Kapazitäten und Potenziale der Infrastruktur, sondern über die darauf implementierten Applikationen geführt. Zur Identifizierung herausragender Produkte müssen daher verschiedene Anwendungsszenarien (vgl. Abb. 37) isoliert werden, innerhalb derer eine gezielte Betrachtung der Produkteigenschaften möglich ist. Diese subjektive Einordnung der Werkzeuge hinsichtlich ihrer Eignung für bestimmte Anforderungen kann die individuelle Vorauswahl eines Unternehmens unterstützen.

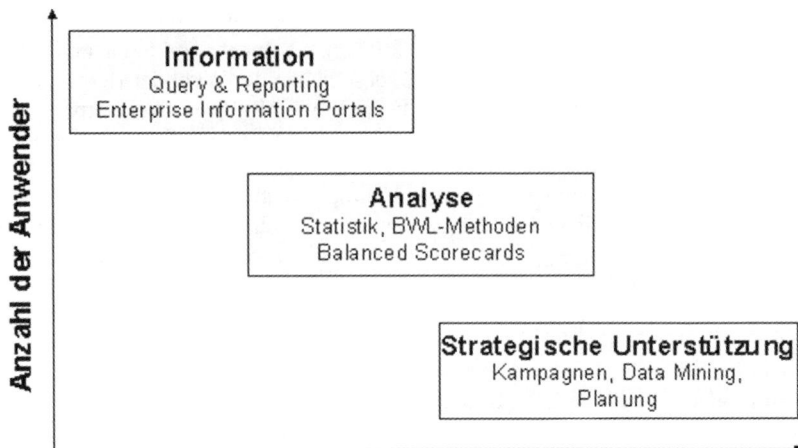

Abb. 37: Anwendungsszenarien für Business Intelligence

▨ Informationsorientierung

Schwerpunkt und Kernfunktion heutiger Business-Intelligence-Applikationen ist weiterhin die Informationslieferung an unterschiedlichste Benutzerkreise. Das klassische Berichtswesens einer Unternehmung erweiternd, müssen Berichte online schnell und komfortabel erzeugt und einfach verteilt werden können. Die große Zahl der reinen Informationsempfänger – häufig ca. 70-80 % einer üblichen Business Intelligence Implementierung – wird vor allem durch das WWW als Verteilmöglichkeit erreicht. Zum Benutzerkreis gehören daher ganz unterschiedliche Anwendergruppen, von Stabs- und Assistenzkräften über Fachkräfte bis hin zum Topmanager. Die Informationslieferung kann über ad hoc Query und Reporting Ansätze geschehen, in denen Benutzer Berichte direkt definieren können oder nur lesenden Zugriff haben. Produkte wie Brio Enterprise, Business Objects, Seagate Info bieten einfach zu bedienende, aber mächtige Funktionen zur Reportdefinition und –erstellung sowie Push- und Pull-Mechanismen der Informationsweitergabe auf der Basis einer Vielzahl an unterstützten Datenquellen an. Auf der anderen Seite wird auch die Entwicklung von maßgeschneiderten Oberflächen unterstützt, mit denen individuelle Anforderungen an die Entscheidungsunterstützung befriedigt werden können. Arcplan dynaSight, die Cognos BI Platform oder Hyperion Wired for OLAP erlauben damit auch die redaktionelle Aufbereitung entscheidungsrelevanter bzw. interessanter Informationen in benutzerindividuellen Benutzungsoberflächen. Im Rahmen der Informationsorientierung wird eine Erweiterung und Anreicherung der Informationsbasis auf qualitative und unstrukturierte Datenquellen durch die Implementierung von *Enterprise Information Portals* angestrebt.

▨ Analyseorientierung

Um Abweichungen oder Auffälligkeiten im Detail genauer zu untersuchen, werden Spezialisten oder Assistenzkräfte beauftragt, tiefer gehende Analysen mit komplexeren Methoden durchzuführen und dann die Ergebnisse dieser Untersuchungen zu präsentieren. Gerade betriebswirtschaftliche Analysemethoden eignen sich für den Einsatz in entscheidungsunterstützenden Systemen, wenn sie mit der entsprechenden Benutzerunterstützung und Visualisierungsmöglichkeiten verbunden sind. Dabei lassen sich ähnlich dem Trend von Standardsoftwareprogrammen sog. Methodenbibliotheken identifizieren, die verschiedene Analysemethoden beinhalten. Der Analyst kann aus diesem Fundus die gewünschte Methode auswählen und je nach seinen individuellen Bedürfnissen durch Parameter anpassen. Werkzeuge wie MIKsolution+ oder der Bissantz Delta Miner zielen dabei primär auf die Anwendergruppe der Controller. Auf diesen Fokus ausgerichtete Anbieter widmen sich derzeit der Umsetzung komplexer betriebswirtschaftlicher Analysemethoden durch die Implementierung von *Balanced Scorecard*, Value Based oder Activity Based Management Lösungen.

▪ Planungsunterstützung

Hier erfolgt die Abbildung der betrieblichen Planungsaufgaben über entscheidungsorientierte Informationssysteme. Zielgruppe sind daher alle an der Planung Beteiligten, von den Kostenstellenverantwortlichen bis hin zu den Planungsspezialisten, welche die Einzelpläne aggregieren. Jeder dieser Applikationsbereiche wird im Folgenden kurz charakterisiert. Neben den Lösungen der etablierten OLAP- und Business Intelligence Anbietern sind hier zum Teil auch zahlreiche Spezialwerkzeuge verfügbar, die bestimmte Aufgaben dezidiert unterstützen.

7.4.1 Enterprise Integration Portals – der Weg zum Knowledge Management?

Im Grunde spiegeln die in einem Data Warehouse gespeicherten Informationen nach wie vor nur einen unzureichenden Ausschnitt aus der Welt der betrieblichen Informationsverarbeitung wider. Die darin enthaltenen Zahlen und Fakten basieren auf – in der Regel dokumentierten – Entscheidungen von Mitarbeitern vor Ort. Enterprise Information Portals ist das Zauberwort für die Art von Werkzeugen, die alle diese verschiedenen Quellen, Strukturen und Formate über eine Oberfläche, einen Browser zusammenführen sollen. EIP folgen dabei dem Ansatz der Consumer-orientierten Internet-Portale wie Yahoo.com, Lycos etc. und versuchen sich als die Eintrittstür für alle Formen der betrieblichen Information zu positionieren. Der Markt für EIP wird dabei von zwei Seiten aufgerollt. Auf der einen Seite versuchen Anbieter für Content-Management-Systeme mit dem Erfahrungshintergrund des Dokumenten- und Workflowmanagements sich hier als strategische Anbieter zu etablieren. Auf der anderen Seite nutzen viele Business-Intelligence-Anbieter ihr Know-how bezüglich der Anbindung und Transformation heterogener Datenquellen sowie die Fähigkeiten zur strukturierten Modellierung solcher EIP als Wettbewerbsvorteil. Die massive Ausbreitung der Data-Warehouse-Nutzung in den Unternehmen hat fast alle Anbieter dazu bewogen, nun auch eigene EIP-Lösungen anzubieten.

Dabei differieren die gewählten Ansätze jedoch sehr stark. Anbieter wie arcplan bauen sehr stark auf ein Redaktionskonzept und etablieren sich als umfassendes Front-End-Werkzeug für Data-Warehouse-Lösungen und integrieren über ihr Produkt dynaSight auch dynamisch externe Internet-Inhalte. MIS geht mit der Entwicklung des eCetera-Werkzeugs den Weg, ein vollständig eigenentwickeltes EIP in die Produktfamilie aufzunehmen. Pilot Software dagegen versucht, über die Kooperation mit einem Dokumenten-Managementsystem die Verbindung stark und schwach strukturierter Daten zu ermöglichen. Hummingbird dagegen versucht, über Zukäufe den Weg vom Anbieter für Query-Werkzeuge hin zu einer umfassenden EIP-Lösung zu gehen. Ausgefeilte EIP-Lösungen haben es dann auch nicht mehr schwer, sich mit dem Schlagwort des Knowledge Managements zu schmücken.

7.4.2 Balanced Scorecard – Unternehmenserfolg auf einem Screen

Kennzahlen sind in den 20er Jahren als Instrument der strategischen Unternehmensführung entwickelt worden, als es noch keine technische Unterstützung zur Sammlung, Verdichtung und Analyse von Daten gegeben hat. Seit der aktiven Nutzung von Computern sind verschiedene Versuche unternommen worden, die den Kennzahlen und –systemen zugesprochenen Nachteile der starren Struktur und rein quantitativen Ausrichtung zu überwinden. Das Konzept der kritischen Erfolgsfaktoren kann als wichtiger Vorläufer der von Kaplan und Norton Anfang der 90er Jahre entwickelten Managementmethode Balanced Scorecard (BSC) angesehen werden. Bei dieser Managementmethode wurde gleichfalls der Ansatz verfolgt, die unternehmerische Steuerung und Kontrolle primär über die Analyse weniger qualitativer Faktoren wie der Kundenzufriedenheit abzudecken, die erst sekundär über die Verknüpfung quantitativer Kennzahlen ermittelt wurde.[7] Die BSC ist demnach mehr als der Versuch, Kennzahlen entlang von vier Dimensionen (Lernprozess und Wachstum, Interne Prozesse, Kunden und Finanzen, vgl. Abb. 38) anders zu strukturieren. Vielmehr ist sie ein Instrument, das Unternehmen dabei helfen soll, formulierte Strategien in beobachtbare und messbare Ziele zu überführen. Durch die Steuerung und Kontrolle dieser Zielfaktoren können Unternehmen dann auch rasch den Erfolg der gewählten Strategieparameter nachvollziehen.

Die Idee der BSC ist bestechend und kann zu einer enormen Verbesserung der eigenen Steuerungsfähigkeit im Unternehmen beitragen. Dabei sollte jedoch berücksichtigt werden, dass BSC-Projekte erst in einer sehr späten Phase zu einem IT-Projekt werden. Primär und überwiegend ist es ein Strategieprojekt, in dem sich die Unternehmensführung auf diese Managementmethode einlassen muss. BSC-Projekte brauchen nicht nur einen Sponsor in der Unternehmensführung, sondern müssen von dieser getrieben und gelebt werden. Wesentlicher Erfolgsfaktor ist daher die Wahl eines guten BSC-Beratungshauses und nicht die Selektion der besten Technologie. Allerdings beschränken sich ausgefeilte BSC-Applikationen auch nicht mehr auf den Funktionsumfang einer rein grafisch aufgebauten EIS-Anwendung, wie dies vor wenigen Jahren der Fall war. Die inzwischen etablierte Generation von BSC-Produkten setzt in der Regel auf einer OLAP-Datenbank auf. Der Grund hierfür liegt vor allem in der Heterogenität der zu berücksichtigenden Datenquellen und den daher notwendigen umfangreichen Transfor-

---

[7] Kaplan, Norton (1996).

mationsprozessen, ehe dann eine auf die visuellen Anforderungen der Führungskräfte zugeschnittene Oberfläche zum Einsatz kommt. Neben der reinen Visualisierung verfügen die Anbieter fortschrittlicher Werkzeuge inzwischen über ausgefeilte Simulations- und Prognoseverfahren sowie über einfach nachvollziehbare Ansätze zur Visualisierung von Ursache-Wirkungsketten (Werttreiberketten).

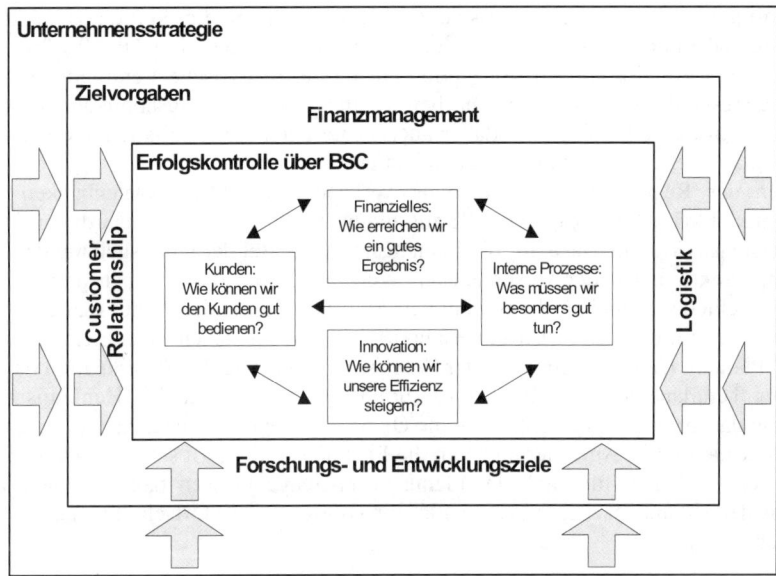

Abb. 38: Perspektiven der BSC

Als Marktführer gelten dabei bislang die Lösungen von Gentia und CorVu, die sich diesem Thema sehr früh und fokussiert gewidmet haben. Allerdings holen die großen Anbieter wie ORACLE, Peoplesoft und SAP sehr schnell auf und wurden inzwischen ebenfalls von den Gründern des BSC-Konzepts als Prüfstelle initiierten Balanced Scorecard Collaborative (www.bscol.com) zertifiziert.

Tabelle 5: Exemplarische Auswahl verfügbarer BSC-Lösungen

Anbieter	Produktbezeichnung	WWW-Adresse
CorVu Corporation	CorVu CorManage	www.corvu.de
Gentia Software	Renaissance Balanced Scorecard	www.gentia.com
ORACLE	ORACLE SEM (BSC)	www.oracle.de
PeopleSoft	PeopleSoft Balanced Scorecard	www.peoplesoft.com
SAP AG	SAP SEM (BSC)	www.sap.de
SAS Institute	SAS Balanced Scorecard	www.sas.de

7.4.3   Mehrdimensionale Unternehmensplanung

Planung und Budgetierung sind mehrdimensionale Problemfelder, die bislang bei vielen Unternehmen auf Basis von Tabellenkalkulationslösungen in umständlichen Abstimmungsprozessen langwierig, kostenintensiv und recht ungenau umgesetzt werden. Plandaten gehen wieder als eigene Dimension in die analytischen Informationssysteme ein, so dass der Gedanke nahe liegt, diesen Prozess direkt im System abzubilden. Dabei ist allerdings zu berücksichtigen, dass OLAP-Lösungen nach ihrer grundsätzlichen Konzeption nur für das analytische Verarbeiten großer Datenbestände geeignet sind. Die beim Aufbau von Planungsapplikationen notwendigen Schreibrechte sind daher auch heute noch nicht bei allen Werkzeugen zur analytischen Datenhaltung implementiert.

In der Regel setzen die Planungswerkzeuge auf OLAP-Datenbanken wie Applix iTM1, MIS Alea oder MIK auf und nutzen die angelegte mehrdimensionale Datenstruktur als Basis für die Planungsmodelle. Bei der Untersuchung der Planungsfunktionalität der verschiedenen Werkzeuge sind derzeit noch gravierende Unterschiede erkennbar, die sowohl den Abdeckungsgrad der Planungsarten (Top-down, Bottom-up, Gegenstromverfahren), die verschiedenen Detaillierungsgrade der Planung (Jahres-, Monats- oder Wochenebene) sowie die Koordination dezentraler Teilpläne zu einem Gesamtplan umfassen. Als wesentliches Hemmnis steht dabei das grundsätzlich zentralistische OLAP-Konzept im Wege, das bei dezentral unterschiedlichen Anforderungen an die Planungsmodelle zu schwierigen Koordinationsproblemen führen kann. Planungswerkzeuge müssen daneben auch verschiedene Planungsebenen sowie Plananpassungen und -fortschreibungen ermöglichen.

Tabelle 6: Auswahl verfügbarer Planungs- und Budgetierungswerkzeuge

Anbieter	Produktbezeichnung	WWW-Adresse
CODEC GmbH	Comshare BudgetPlus	www.codec.de
CORPORATE PLANNING GmbH	Corporate/Strategic Planner	www.corporate-planning.com
elKom GmbH	elKomPlanung	www.elkom-solutions.de
Hyperion Solutions Deutschland GmbH	Hyperion Pillar	www.hyperion.com
Information Factory	IPE	www.information-factory.com
IntelliCube Software AG	Control-It!	www.intellicube.com
MIK GmbH	MIK-ONE	www.mik.de
Oracle Deutschland GmbH	Financial Analyzer	www.oracle.de
PointOut GmbH	PointOut	www.pointout.de
SAP AG	SAP SEM (BPS)	www.sap.de
WINTERHELLER software GmbH	Professional Planner	www.winterheller.com

Ein wesentlicher Vorteil dieser Werkzeuge liegt in der mehrdimensionalen Analyse der dezentral eingegebenen Plandaten sowie in der Anwendung komplexer Simulations- und Prognoseverfahren. Planung und Budgetierung sind bislang Themen, denen sich die OLAP-Werkzeuganbieter nur z. T. mit großer Intensität gewidmet haben. So sind aus der in Tabelle 6 exemplarisch aufgeführten Liste von Anbietern vor allem die Produkte von Hyperion und ORACLE als OLAP-basierte Produkte und die unabhängig von OLAP-Technologie aufgebauten Werkzeuge von Corporate Planning und Winterheller am Markt bekannt. Gerade bei den OLAP-basierten Werkzeugen sind daher in den nächsten Versionen noch erhebliche Verbesserungen hinsichtlich der Leistungsfähigkeit zu erwarten, aber auch dringend erforderlich.

7.4.4 Business Intelligence – Wegbereiter für die umfassende Informationsversorgung

Egal welches Schlagwort derzeit als das dominierende angesehen wird: Business Intelligence, Customer Relationship Management, Enterprise Application Integration oder Electronic Commerce. Der wesentliche Innovationsschub basiert auf einer immer weitergehenden Vernetzung der internen und externen Informationswelten eines Unternehmens zur Verbesserung der Wettbewerbsfähigkeit. Nachdem mit der Einführung integrierter Standardsoftware lange die operative Unterstützung den Schwerpunkt der IT-Budgets verschlungen haben, stehen nunmehr primär die strategischen Aspekte im Vordergrund. Die Business-Intelligence-Anbieter haben hier schnell reagiert und können sich daher vielfach auch als Applikationslieferant in den Unternehmen etablieren. Lösungen wie SAP SEM zeigen dabei den Weg auf: Sammlung und Umsetzung der besten betriebswirtschaftlichen Konzepte in einer Bausteinsammlung, die dann über Partner an die Bedürfnisse adaptiert werden. Die intelligente Anpassung und Nutzung macht dann den Wettbewerbsvorteil aus und nicht mehr die vollständige Individualentwicklung. Ob daraus höhere Potenziale, kürzere Implementierungszeiten und niedrigere Kosten resultieren, hängt dann primär von der Qualität der Dienstleister ab – nicht mehr von der Software alleine.

Literaturverzeichnis

Bange, C.; Mertens, H.; Schinzer, H.: Data Warehouse. 12 Softwareprodukte im Vergleich. Studie des Business Application Center. Würzburg 2000.

Codd, E. F. et al.: Providing OLAP (On-Line Analytical Processing) to User-Analysts. In: An IT Mandate, Whitepaper, o.O. 1993.

Codd, E. F.: OLAP. On-Line Analytical Processing mit TM/1. E. F. Codd & Associates und M.I.S. GmbH, o.O. 1994.

Creeth, R.; Pendse, N.: The OLAP Report. Succeeding with On-Line Analytical Processing. Business Intelligence, Wimbledon 1995.

Elkins, S. B.: Open OLAP, DBMS April 1998. (http://www.dbmsmag.com/9804d14.htm, 12.02.1999).

Inmon, W. H.: Building the data warehouse. Wellesly 1992.

Inmon, W. H.; Hackathorn, R. D.: Using the Data Warehouse. New York et al. 1994.

Kaplan, R. S.; Norton, D. P.: The Balanced Scorecard: translating strategy into action. Harvard Business School, Boston 1996.

Schinzer, H.; Bange, C.; Mertens, H.: Data Warehouse und Data Mining. Marktführende Produkte im Vergleich. 2. Aufl., München, Wien 1999.

Schinzer, H.; Bange, C.; Mertens, H.: OLAP und Business Intelligence. 12 Softwareprodukte im Vergleich. Studie des Business Application Center. Würzburg 1999.

8 Das Business Information Warehouse der SAP

Holger Kothen, Josef Spannagel, Thomas Struzeck

8.1 Einleitung

Die *SAP AG* in Walldorf ist seit einigen Jahren mit ihrem Produkt SAP R/3 führender Anbieter im Bereich der integrierten Software für betriebswirtschaftliche Anwendungen. Dabei liegt der Schwerpunkt in der Integration aller relevanten Geschäftsprozesse, die innerhalb der modular aufgebauten Standardsoftware abgebildet werden können. Mit mehr als 20.000 Installationen in über 100 Ländern ist die SAP AG Weltmarktführer im Bereich der betriebswirtschaftlichen Software. Unterstützt wird sie dabei von zertifizierten Hardware- und Implementierungspartnern, die Kunden innerhalb der Projektierungs-, Planungs- und Implementierungsphase beraten und unterstützen.

Seit 1997 bietet die SAP AG neben der eher prozessorientierten ERP-Software (Enterprise Resource Planning) R/3 auch eine Data Warehouse Lösung an, welche die R/3 Datenbasis für den Aufbau eines strategisch orientierten Reportings nutzen kann, aber auch in der Lage ist, Fremddaten zu integrieren: Das SAP Business Information Warehouse (BW). Das SAP BW stellt sich dabei als End-to-End-Lösung dar, weil es von der Extraktion bis zum Frontend alle Komponenten zur Verfügung stellt, die für den Betrieb eines Data Warehouse notwendig sind. Diese Komponenten werden im Kontext der Releaseplanung stets optimiert und aufeinander abgestimmt.

Das BW wird von der SAP AG aufgrund ihrer Erfahrung in der Gestaltung betriebswirtschaftlicher Prozesse bereits mit vorgefertigten Informationsstrukturen ausgeliefert. Dieser sogenannte Business Content ermöglicht es dem Anwender innerhalb kürzester Zeit, Auswertungen und themenbezogene Reports aus dem BW zu generieren. Dabei liefert SAP vom Extraktor bis zur vordefinierten Query alles, um das BW in bestimmten Bereichen nach minimaler Projektlaufzeit nutzen zu können. Offen gelegte Schnittstellen ermöglichen ein Anbinden von Fremddaten an das BW, um Datenbestände von Nicht-R/3-Systemen zu integrieren oder über ein Auswertungstool von Drittanbietern die BW-Reports zu bearbeiten.

Im folgenden werden die Architektur des Business Warehouses und deren Bestandteile erläutert. Anschließend werden die Besonderheiten des Business Content am Beispiel der Konsumgüterindustrie und des Handels skizziert. Abschließend findet eine Einordnung des BW-Konzeptes in verschiedene Anwendungsbereiche statt. Dabei wird sowohl die Rolle des Business Warehouse im SAP-Produktportfolio als auch als Lösung in einer heterogenen Systemlandschaft dargestellt.

8.2 Business-Information-Warehouse-Architektur und Komponenten

8.2.1 Einleitung

Das Business Information Warehouse (BW) hat die Aufgabe, aus verschiedenen Datenbeständen einen integrierten Datenpool zur Verfügung zu stellen, der ein objektbezogenes Berichtswesen möglich macht. Der Nachteil eines im ERP-System implementierten Reportings, welches auf große Datenbestände zurückgreift, ist, dass die Datenselektion aus den im Tagesgeschäft gesammelten Daten die Transaktionen im ERP-System verzögern. Man spricht hierbei von einem Abfall oder einer Belastung der Systemperformance. Dies äußert sich z. B. darin, dass in dem Moment, in welchem ein Mitarbeiter eine Monatsauswertung über Umsätze und Absatzzahlen in bezug auf Produktgruppen, Filialen und Vertriebswegen generiert, die Belegerfassung von Fakturen höhere Antwortzeiten fordert und somit das Tagesgeschäft blockiert. Aus diesem Grund werden Daten zu Reporting- und Analysezwecken in ein anderes System, nämlich dem Business Information Warehouse geladen, welches lediglich genau diesen Reporting- und Analysezwecken dienen soll. Das BW stellt ein Data Warehouse dar, welches Daten aus operativen Systemen sowohl sammeln, als auch über ein Analysewerkzeug in Form verwertbarer Informationen darstellen kann. Aufgrund der Erfahrungen und des Know-hows im Bereich der SAP R/3 Software zeigt das BW besondere Stärken in Hinblick auf die Integration zum R/3.

Im BW werden Daten bezüglich ihres Detailgrades vorgehalten und über die Metadatenverwaltung mit Hilfe der Administrator Workbench verwaltet. Im BW Standard dient der Business Explorer, welcher über ein API (Application Programming Interface) auf den OLAP-Prozessor zugreift, dem Anwender als Frontend für Ad-Hoc Reporting. Mit dem WEB-basierten Business Explorer Browser können umfangreiche Berichte anwenderfreundlich verwaltet und organisiert werden. Individuelle Anforderungen an die Berichtsoberfläche können im Business Explorer, der auf MS-Excel basiert, zum einen mit VBA (Visual Basic for Applications) oder durch die Anbindung eines Reporting-Tools von Drittbietern, die über eine ODBO-Schnittstelle Zugang zum OLAP-Prozessor haben (vgl. Abb. 39).

Grob kann man das Business Information Warehouse in die drei Komponenten Quellsysteme, BW-Server und Frontend aufteilen, die im folgenden beschrieben werden.

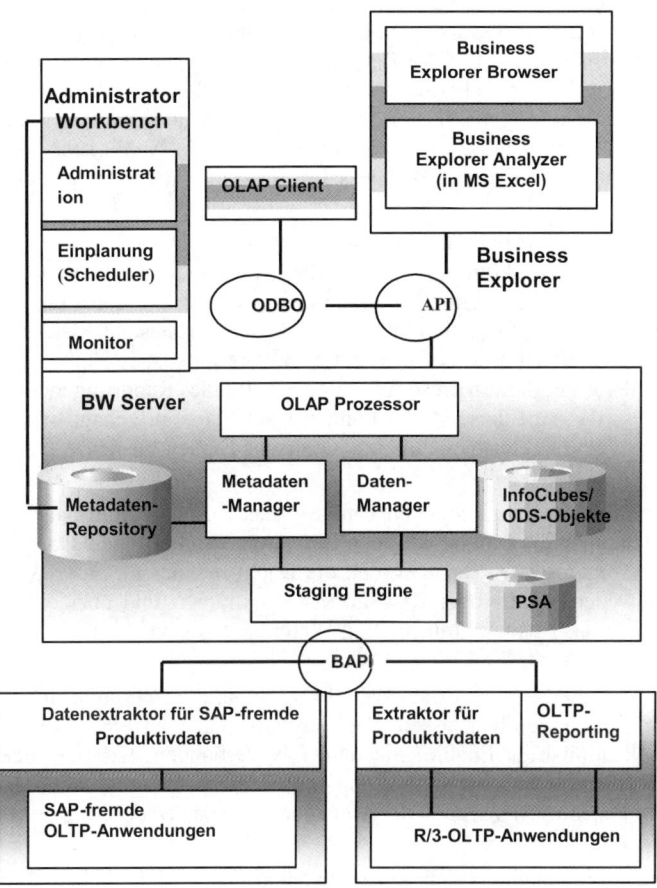

Abb. 39: Business-Information-Warehouse-Architektur

8.2.2 Quellsysteme

Als Quellsysteme werden Referenzsysteme bezeichnet, die dem Business Information Warehouse als Datenlieferant dienen. Dabei unterscheidet das Business Information Warehouse grob vier Arten von Quellsystemen:

▪ *SAP R/3 Systeme ab Release 3.1F*
SAP liefert für R/3 Systeme ab dem Releasestand 3.1F mit dem Business Information Warehouse entsprechende Extraktionsstrukturen, sog. *Data Sources* und Programme aus, die den Extraktionsprozeß vom Quellsystem zum BW im

Rahmen des Business Content unterstützen. Diese Strukturen werden im SAP R/3 aktiviert und bilden den Business Content. Für jedes Release gibt es separat definierte Business-Content-Strukturen, die den jeweiligen Releasepezifika gerecht werden. Der Business Content, der sich themenbezogen gliedert und auch Branchenspezifika, wie z. B. SAP Retail, berücksichtigt, stellt den Standard des Business Information Warehouse dar, der je nach Bedarf an individuelle Informationsbedürfnisse angepasst werden kann. Metadaten können über die standardisierte Schnittstelle, den sog. BAPIs (Business Application Programming Interfaces) direkt in das Business Information Warehouse geladen werden.

▪ *Andere Business-Information-Warehouse-Systeme*
Komplexe Konzernstrukturen, bei denen die Daten in einzelnen Systemen gesammelt werden, machen eine Systemlandschaft denkbar, die aus einer Mehrzahl von Business-Information-Warehouse-Lösungen besteht. Diese halten Daten in aggregierter Form, bezogen auf z. B. eine juristische Einheit im Konzernverbund vor und liefern diese für ein übergreifendes Reporting an ein anderes zentrales BW. Auf diese Weise können Data Marts aufgebaut werden, die sich, bezogen auf das Beispiel, auf eine juristische Einheit beziehen.

▪ *Filesysteme*
Neben der direkten Extraktion von Daten in das Business Information Warehouse besteht auch die Möglichkeit den Datentransfer über flache Dateien, sog. *flat files*, zu organisieren. Dazu werden die Daten in einer für das BW lesbare Datei - entweder ASCII- oder CSV-Format – extrahiert und über eine Dateischnittstelle in das Business Information Warehouse geladen.

▪ *Fremdsysteme*
Als Fremdsysteme betrachtet das BW alle Systeme, die sich nicht in einer der o. g. Kategorien einordnen lassen. Sie werden direkt über eine ALE-Verbindung (Application Link Enable) mit dem BW verbunden. Externe, nicht von SAP zur Verfügung gestellte Extraktions- und Transformationsprogramme sorgen für den Datentransfer – auch der Metadaten – in das BW.

▪ *Datenprovider*
Neben den Möglichkeiten, sich aus vorhandenen unterschiedlichen Systemen zu bedienen, kann das BW auch von Providern mit zielorientierten Daten versorgt werden. Die Firma AC Nielsen US, die Marktforschungsdaten zur Verfügung stellt, ist dabei ein Beispiel für die Anbindung solcher Provider an das BW. Dabei ist die Schnittstelle für die Übertragung der Daten, die von AC Nielsen geliefert werden im BW vorhanden, so dass ein problemloser Datenimport gewährleistet ist.

Alle Quellsysteme werden über die Administrator Workbench angelegt und verwaltet.

8.2.3 Business Information Warehouse Server

Das Herz des Business Information Warehouse ist der BW-Server. Die BW-Software, die eigenständige Releasezyklen durchläuft, ist als Applikation auf einer SAP R/3 Basis Plattform implementiert. Hier befinden sich neben der sog. *Staging*

Engine, die den Ladeprozess von Daten steuert, sie verarbeitet und bereit stellt, die BW-Datenbanken, welche neben Stamm- und Bewegungsdaten auch die Metadaten speichern. Dabei ist neben der Datenverarbeitung die Speicherung der Daten eine der Hauptaufgaben, welche auf dem BW-Server durchgeführt wird. Die Organisation der Prozesse und die Administration der Objekte erfolgt dabei über die Administrator Workbench. Bevor Daten allerdings in der Form vorliegen, dass sie zu Auswertungszwecken und Analysen geeignet sind, müssen sie zunächst extrahiert und aufgrund möglicher Anforderungen transformiert werden, um dann in entsprechenden Informationsstrukturen gespeichert werden zu können.

8.2.3.1 Extraktion, Transformation und Ladeprozess

Ausgangspunkt des ETL (extraction, transformation, loading)-Prozesses ist die *Data Source*. Sie stellt quellsystemseitig eine Struktur dar, die Daten problembezogen bereit stellt. Dabei stellt die sog. *Extraktstruktur* die Daten aus dem operativen System zur Verfügung, indem sie Daten aus dem operativen System nach informationsspezifischen Gesichtspunkten herausfiltert. Diese Daten werden dann von der Extraktstruktur an eine *Transferstruktur* übergeben, die im Business Information Warehouse in replizierter Form vorliegt und die Daten aus dem Quellsystem übernehmen kann.

Die Data Source enthält die Daten aus den Quellsystemen im Originalformat. Dies bedeutet, dass sowohl Format, als auch Inhalt dem des Quellsystems entsprechen, und noch kein Prozess der Vereinheitlichung der ankommenden Daten aus eventuell sehr heterogenen Quellen stattgefunden hat. Aus diesem Grunde findet eine Übertragung der Daten aus der Data Source in eine *Info Source*, die *Übertragungsregeln*, eine *Kommunikationsstruktur* und *Fortschreibungsregeln* umfasst. Mit Hilfe der Übertragungsregeln können die Daten aus den verschiedenen Quellsystemen verändert und somit den Anforderungen eines einheitlichen Datenbestandes gerecht werden. Die transformierten Daten werden den Informationsstrukturen über eine Kommunikationsstruktur angeboten, aus denen die Kennzahlen fortgeschrieben werden. Der Fortschreibungsprozess wird über Fortschreibungsregeln definiert.

Um die Datenvolumina, die pro Upload-Prozess in das BW geladen werden, in Grenzen zu halten, unterstützt das Business Information Warehouse ein Delta-Verfahren, welches es ermöglicht, bei jedem Ladeprozess nur die Daten zu selektieren, die seit dem letzten Ladeprozess dazu gekommen sind (vgl. überblicksartig Abb. 40).

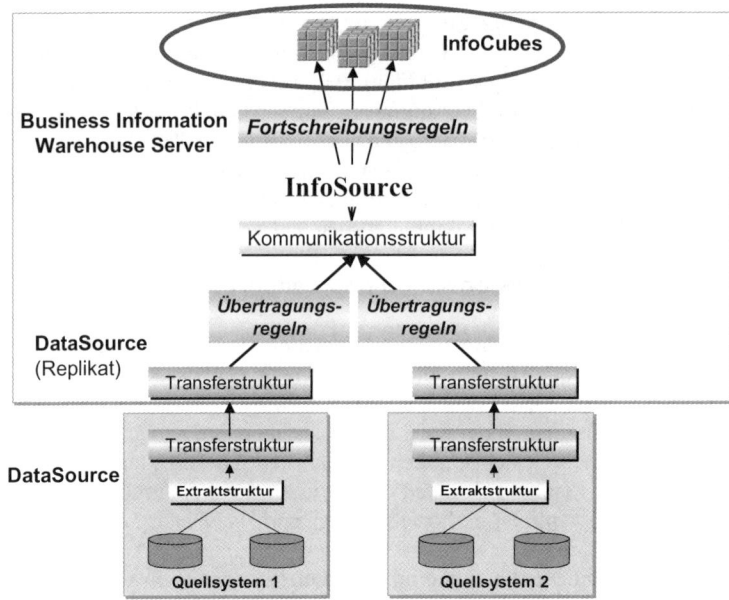

Abb. 40: Extraktion, Transformation und Ladeprozess im BW

Als Beispiel für eine Definition von Übertragungsregeln wäre das Homogenisieren von Kundennummern zu nennen. Liefert die Data Source von Quellsystem 1 z. B. für den Kunden Müller die Kundennummer 1500 und die von Quellsystem 2 für den gleichen Kunden die Kundennummer 15 müssen die Nummern vereinheitlicht werden. Dieser Prozess der Vereinheitlichung wird über die Übertragungsregeln definiert, indem eine Kundennummer umgeschlüsselt wird, z. B. der Wert 1500 des Quellsystems 1 in den Wert 15 von Quellsystem 2.

8.2.3.2 Datenhaltung

Um aus dem Datenbestand Informationen generieren zu können, ist es notwendig Daten in Informationsstrukturen zu speichern, auf deren Basis Queries und Reports definiert werden können. Da allerdings unterschiedliche Anforderungen bezüglich der Datenhaltung, besonders was den Detaillierungsgrad der Daten betrifft, existieren, stellt das Business Information Warehouse verschiedene Möglichkeiten zur Verfügung, auf unterschiedlichen Ebenen Daten zu speichern.

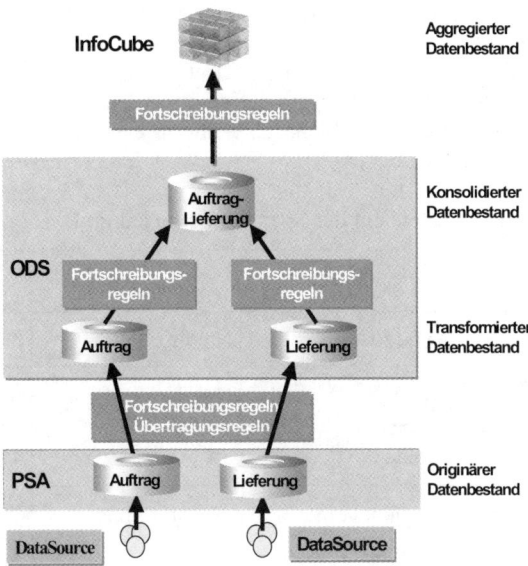

Abb. 41: Datenhaltung im Business Information Warehouse

Abb. 41 zeigt drei Ebenen, auf denen Daten im BW zu unterschiedlichen Zwecken gehalten werden.

Das *PSA (Persistant Staging Area)* lädt Daten im Originalformat aus dem Quellsystem, ohne dass diese die Übertragungsregeln durchlaufen haben. Die Daten werden dabei in relationalen Tabellen abgelegt. Das PSA bietet dabei die Möglichkeit, die Daten zu überprüfen und gegebenenfalls zu ändern, bevor diese aus der PSA-Tabelle weiter in die Kommunikationsstruktur und in die jeweiligen Datenziele fortgeschrieben werden.

Ein *ODS-Objekt (Operational Data Store)* dient der Ablage von konsolidierten und bereinigten Bewegungsdaten auf Beleg- oder Bonebene. Es beschreibt einen konsolidierten Datenbestand aus einer oder mehreren Info Sources. Dieser Datenbestand kann z. B. mit einer Query ausgewertet werden.

Im Gegensatz zur mehrdimensionalen Datenablage bei Info Cubes werden die Daten in ODS-Objekten in transparenten, flachen Datenbanktabellen abgelegt.

Ein *Info Cube* stellt einen in sich geschlossenen, themenbezogenen Datenpool dar, auf den Queries definiert werden können. Ein Info Cube stellt sich als eine Menge von relationalen Tabellen, die nach dem sog. Sternschema, also multidimensional zusammengestellt sind, mit einer Faktentabelle im Zentrum und mehreren sie umgebende Dimensionstabellen, dar. Im Info Cube werden die Daten oft auf einem höheren Aggregationslevel, z. B. auf Tages- oder sogar auf Monatsebene, gespeichert. Die Daten beziehen sich i. d. R. auf längere Zeiträume, so dass es zu Terabyte großen Datenbeständen innerhalb der Info Cubes kommen kann. Da große Datenbestände die Systemperformance beim Ausführen der darauf basierenden Berichte negativ beeinflussen, können die relevanten Daten problembezogen in sog. *Aggregaten* gespeichert werden, die als Datenbasis für entsprechende Queries genutzt werden können, aufgrund der Aggregation allerdings einen Bruchteil der Datensätze aus dem Info Cube beinhalten. In bezug auf einen Info Cube können mehrere Aggregate definiert werden.

Tabelle 7 gibt einen Überblick über die Merkmale der unterschiedlichen Möglichkeiten der Datenhaltung.

Tabelle 7: Merkmalsübersicht der Speichermethoden im BW

	PSA	ODS	Info Cube
Aggregationslevel	Niedrig	Niedrig	Niedrig / Hoch
Schreibender Zugriff	Ja	Nein	Nein
Zugriff über Queries	Nein	Ja	Ja
Transformationsgrad der Daten	Original vom Quellsystem	Übertragungsregeln	Übertragungs- und Fortschreibungsregeln

8.2.3.3 Administrator Workbench

Die Administrator Workbench ist das zentrale Steuerungs- und Überwachungstool und damit der Data Warehouse Manager des Business Information Warehouse. Mit Hilfe der Administrator Workbench können alle relevanten Objekte und Prozesse des BW verwaltet und gesteuert werden. Neben der Definition aller relevanten Informationsobjekte werden über die Administrator Workbench die Ladevorgänge mit Hilfe eines Schedulers geplant und über einen Monitor überwacht. Entsprechende Assistenten ermöglichen eine umfangreiche Analyse des Ladevorgangs, welche besonders bei auftretenden Fehlern schnell zur Ursachenfindung beitragen.

Über einen *Objekt Browser* können einzelne Objekte gesammelt und problemspezifisch bearbeitet werden. Er dient auch dazu, metadatenspezifische Zusammenhänge, wie z. B. welche Info Sources welche Info Cubes mit Daten versorgen, visuell darzustellen. Gegliedert sind die Objekte über sog. *Info Areas*, die i. d. R. ein betriebswirtschaftliches Teilgebiet, wie z. B. Materialwirtschaft oder Controlling umfassen.

Da über die Quellsystemdefinition eine ALE-Verbindung vom BW zu den einzelnen Quellsystemen existiert, ist man auch in der Lage, die quellsystemseitigen Extraktoren über die Administrator Workbench zu verwalten.

8.2.3.4 Der OLAP-Prozessor

Der *OLAP (Online Analytical Processing)-Prozessor* ist ein in ABAP4 erstelltes Programm, welches multidimensionale Analysen im BW-Datenbestand ermöglicht. Dabei ermöglicht der OLAP-Prozessor über das Frontend ein intuitives

Navigieren im Datenbestand, welches drill down sowie slicing- and dicing-Funktionalitäten erlaubt. Er ist darüber hinaus im Stande, alle bedeutenden Rechenoperationen durchzuführen. Dabei werden die Navigationsanweisungen über eine Schnittstelle vom Frontend an den OLAP-Prozessor weitergegeben und auf dem BW-Server bearbeitet. Dieser schickt das jeweilige Ergebnis des Navigationsschrittes zurück an das Frontend, welches das Ergebnis der Berechnung anzeigt.

8.2.4 Frontend Tools

Das Business Information Warehouse bietet neben standardisierten Extraktions- und Transformationskomponenten sowie verschiedenen Datenhaltungskonzepten auch ein voll integriertes Frontend. Der Business Explorer, der als Frontend Client MS-Excel nutzt, ermöglicht durch den Zugriff auf den OLAP Prozessor eine intuitive Navigation durch ein multidimensional modelliertes Reporting.

Da die Wünsche der Anwender, gerade was die Präsentation der Informationen betrifft, sehr unterschiedlich sein können, und die Akzeptanz der Anwender in hohem Maße vom Frontend abhängig ist, bietet das Business Information Warehouse durch seine ODBO-Schnittstelle die Möglichkeit, andere Frontend Tools an das BW anzubinden.

8.2.4.1   Der Business Explorer

Der Business Explorer kann in zwei Komponenten gegliedert werden:

1. Business Explorer Analyzer
2. Business Explorer Browser

Im Business Explorer Analyzer werden Queries definiert und angezeigt. Die Darstellung der Berichte findet dabei in MS-Excel statt. Neben den durch den OLAP-Prozessor zur Verfügung gestellten Funktionalitäten, kann der Anwender durch VBA (Visual Basic for Application)-Programmierung das Maß der Funktionalitäten im Business Explorer Analyzer steigern. Mit dem Analyzer lassen sich schnell und anwenderfreundlich Ad-hoc-Berichte definieren, die sich im *Info Catalog* des BW abspeichern lassen. Über den Info Catalog können dann autorisierte Anwender auf den Bericht zugreifen. Bei der Berichtsdefinition gibt es eine Vielzahl von Möglichkeiten, Berichte anzureichern. So können auf Berichtsebene berechnete Kennzahlen definiert werden, welche die im Info Cube enthaltenen Kennzahlen nach speziellen Anforderungen kalkulieren. Diese im OLAP-Prozessor berechneten Kennzahlen können dann in allen Queries, die auf dem Info Cube basieren, verwendet werden.

Berichte werden auf der Basis von Info Cubes definiert. Dabei werden im Analyzer per drag and drop die Kennzahlen und Informationsobjekte ausgewählt, die im Bericht ausgewertet werden sollen. Dabei können Merkmale als Filterwerte gesetzt werden, die den zu betrachtenden Datenbestand von vorne herein benutzerspezifisch eingrenzen. Diese Filter können auch über die sog. *Variablen* definiert werden, die z. B. über entsprechende Exits bei der Sicht auf die Daten das Benutzerprofil validieren und nur bestimmte Berechtigungsobjekte zur Ansicht freigibt. Abb. 42 zeigt den Aufbau den *Query Builder* des Business Explorer Analyzers.

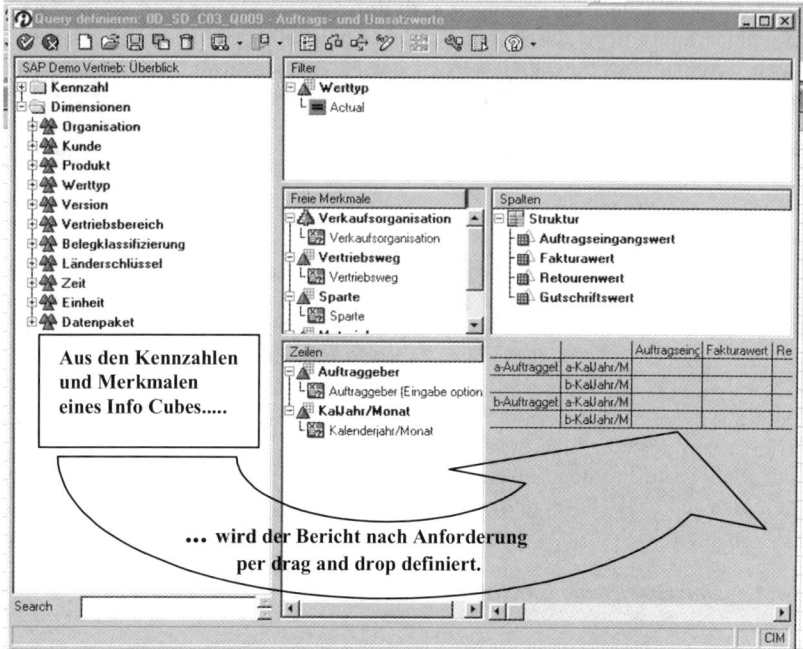

Abb. 42: Der Query Builder im Business Explorer Analyzer

Der Business Explorer Analyzer unterstützt ein Exception Reporting, welches ein problembezogenes Berichtswesen ermöglicht. Dabei stellen die Exceptions Kennzahlen dar, welche im Bericht einen definierten Grenz-Sollwert entweder über- oder unterschreitet. Diese Unter- bzw. Überschreitung kann mit Hilfe einer Farblegende qualifiziert werden und ermöglicht es somit dem Anwender in einem Report die kritischen Werte zu identifizieren, da diese durch die Farbgebung bereits interpretiert sind. Im Rahmen des SAP Workplace können diese Exceptions auch gemeldet werden, indem z. B. eine Nachricht auf dem Workplace (Monitor am Arbeitsplatz) erscheint, dass ein bestimmter Wert den Zielkorridor verlassen hat.

Der Business Explorer Browser dient dem Anwender als Oberfläche, um seine ihm zugeordneten Berichte zu organisieren und zu verwalten. Dabei kann er die Berichte nach eigener Vorstellung themenbezogen gliedern. Die Auswahl eines Berichtes im Business Explorer Browser führt zur Berichtsanzeige im Business Explorer Analyzer (vgl. Abb. 43).

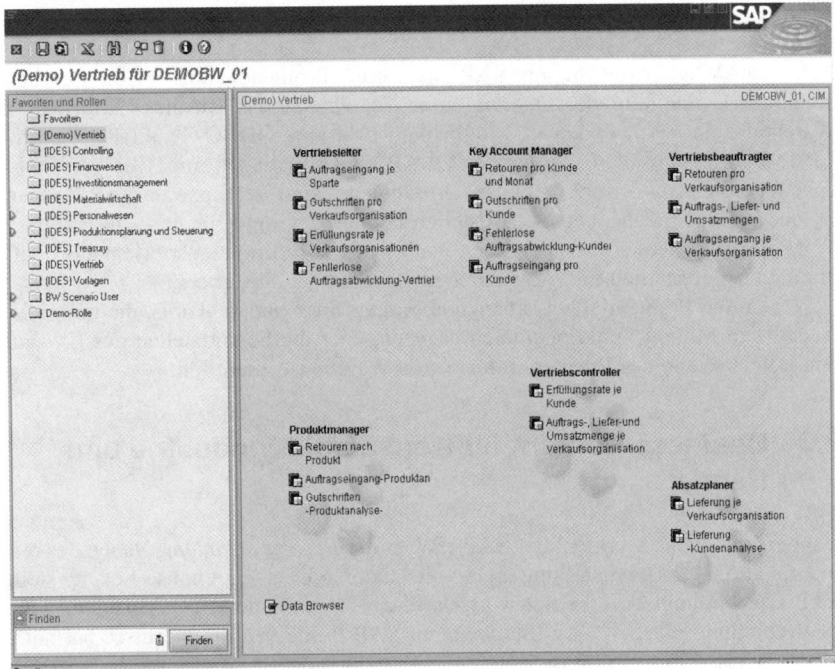

Abb. 43: Der Business Explorer Browser

8.2.4.2   Web Reporting

Mit Hilfe des Web Reporting können Queries, die im Business Explorer Analyzer definiert wurden, über das Intranet bzw. Internet publiziert werden. Die Queries lassen sich in beliebige HTML-Seiten einfügen und präsentieren. In eine HTML-Seite können verschiedene Queries eingebettet werden und der Anwender kann vordefinierte Navigationsbuttons oder Grafiken zur Darstellung der Daten verwenden (Cockpit). Die Daten der Web Query können durch Navigation (Aufreißen, Auffrischen etc.) ausgewertet werden.

Die Web Query lässt sich mit jedem beliebigen HTML-Editor oder Web Authoring Tool bearbeiten. Mit der Komponente *BW Web Publisher* des Business Explorer Analyzers können Sichten zu bereits definierten Queries abgespeichert und mit Darstellungsoptionen für die Webpräsentation versehen werden. Die Web Queries können in jedem beliebigen Web Browser geöffnet werden, da für deren Darstellung reines HTML verwendet wird. Sie können die BW Web Queries auch mit Hilfe des Business Explorer Browsers im Web aufrufen, ohne dass ein Business Explorer-Frontend installiert ist.

8.2.4.3 Third Party Tools

Neben der Möglichkeit die von SAP integrierten Frontend-Tools für die Bearbeitung und Darstellung der Queries zu nutzen, bietet das Business Information Warehouse dem Anwender die Möglichkeit über eine ODBO-Schnittstelle bestehende Queries mit allen verfügbaren OLAP-Funktionalitäten mit Hilfe von Drittanbieter-Tools auszuwerten. Diese Drittanbieter sind zertifizierte SAP-Partner, welche die entsprechenden Schnittstellen bedienen. Grund für den Einsatz eines Third Party Tools kann der Wunsch nach anderer Informationspräsentation aufgrund von Vertrautheit und Anwendungssicherheit der Nutzer sein.

Neben den Frontend Tools können allerdings auch andere Tools, die beispielsweise Data Mining Funktionalitäten besitzen, über die Schnittstellen des BW auf den Datenbestand des Business Information Warehouse zugreifen.

8.3 Business Content für Konsumgüterindustrie und Handel

Ein bestimmendes Merkmal des SAP BW ist der *Business Content*. Neben der reinen funktionalen Bereitstellung einer vollständigen Data Warehouse Lösung stellt SAP BW umfangreiche betriebswirtschaftliche Datenmodelle zur Verfügung, die in Verbindung mit SAP R/3 und weiteren SAP Produkten direkt einsetzbar sind. Der Business Content umfasst zum einen umfangreiche vorkonfigurierte Berichts- und Analysevorlagen aus verschiedensten Unternehmensbereichen und zum anderen deren technische Basis. Dabei sind die Datenextraktion und –bereitstellung, Metadaten sowie Informationsmodelle wesentliche Komponenten (vgl. Abb. 44). Weiterhin ist eine große Bandbreite von betriebswirtschaftlichen Benutzerrollen integriert, die in SAP BW als sofort betriebsbereiter Standard enthalten sind.

Technisch betrachtet ist im Business Content der gesamte Datenfluss aus verschiedenen SAP Applikationen bis hin zum vorbereiteten Report bereits vorkonfiguriert. Im Detail bedeutet dies:

- die Datenextraktion aus SAP Lösungen oder Fremdanwendungen,
- definierte Zuordnungs- und Update-Regeln,
- vorgefertigte Informationsmodelle (z. B. mehrdimensionale Info Cubes),
- individuelle Abfragen und Reports und
- Präsentationen durch Benutzerrollen und Favoriten.

Durch die Verfügbarkeit des Business Content werden verschiedene Vorteile realisiert, die insbesondere den Zeit- und Arbeitsaufwand für Implementierung und Wartung deutlich reduzieren können. SAP BW nutzt z. B. die Metadatenmodelle von den Datenelementen der SAP Applikationen, womit gewährleistet wird, dass sofort identifiziert werden kann, woher die Daten stammen und welchen Zweck sie erfüllen. Dies erspart vor allem bei der Implementierung i. d. R. einen beträchtlichen Arbeitsaufwand.

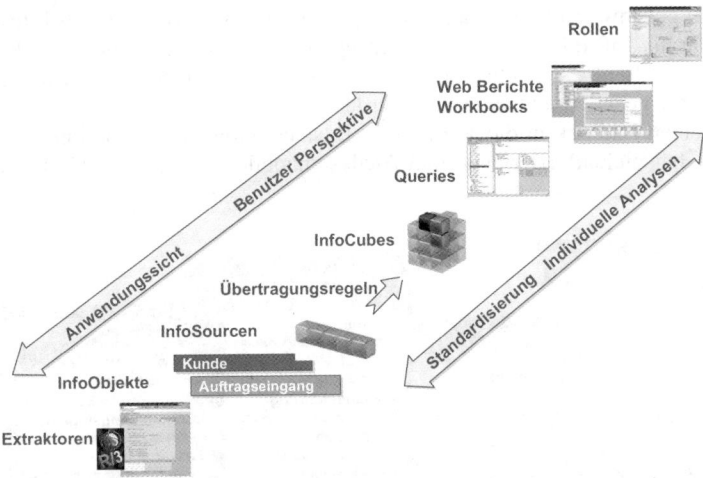

Abb. 44: Komponenten des Business Content

Inhaltlich umfasst der Business Content vordefinierte Berichts- und Analysemodelle für die unterschiedlichsten Unternehmensbereiche. Neben dem Berichtswesen für die klassischen SAP R/3 Module (z. B. FI, CO, HR, usw.) werden für die Branchenlösungen (u. a. SAP Retail, SAP Consumer Products) auch die übrigen SAP Lösungen unterstützt (z. B. CRM, SAP SEM, SAP APO). Damit ist in SAP BW Business Content verfügbar, der fast alle Produktbereiche der SAP abdeckt (vgl. Abb. 45).

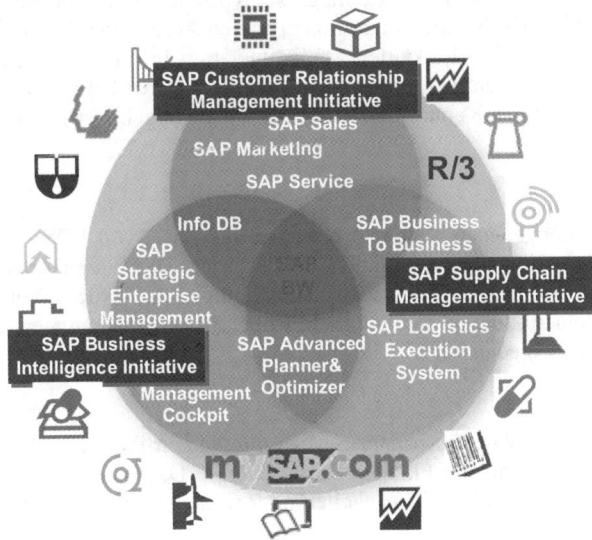

Abb. 45: SAP BW-Initiativen

Mit dem gegenwärtigen Release SAPBW 2.0B stehen z. B. über 200 Info Cubes und mehr als 150 Info Sources zur Verfügung. Alle standardmäßig ausgelieferten Business Content Elemente können dennoch auf die unternehmensspezifischen Bedürfnisse geändert und angepasst werden.

Um einen Einblick in die Vielfalt des Business Content zu bekommen, sind in Abb. 46 beispielhafte Berichts- und Analysemodelle für SAP R/3 Module dargestellt:

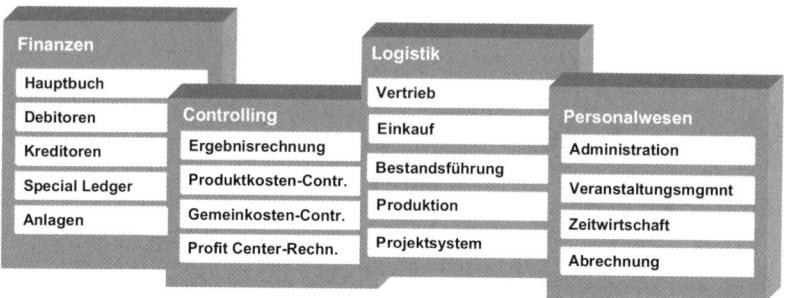

Abb. 46: Berichts- und Analysemodelle für SAP R/3 Module

SAP BW bietet zudem ein umfangreiches Spektrum an Berichts- und Analyseszenarien, das speziell an den Bedürfnissen des Handels und der Konsumgüterindustrie ausgerichtet ist. Zu den wichtigsten Bereiche für den *Handel* zählen:

Artikelinformationssystem

Mit dem Artikelinformationssystem ist es möglich, typische Transaktionsdaten aus der Warenwirtschaft aufzubereiten und zu analysieren. Neben der Extraktion von SAP Retail und einer Rolle „Einkäufer" stehen hier fünf Info Cubes mit den Schwerpunkten: Einkauf, Warenfluss, Konsument, Kunde und Artikel zur Verfügung. Dazu sind alle wichtigen Kennzahlen sowie Merkmale abgebildet und nutzbar.

Warenkorbanalyse

Mit der artikel- bzw. bongenauen Warenkorbanalyse auf Basis von POS-Daten lassen sich u. a. Sonderaktionen gezielt planen und bewerten. Die Warenkorbanalyse kann zudem als Instrument zur Sortimentsplanung eingesetzt werden. Weiterhin sind genaue Kundenstrukturanalysen möglich, wobei zwischen anonymen und bekannten Kunden unterschieden wird.

POS-Analyse

Mit einer Komponente der Warenkorbanalyse ist es möglich, artikel- bzw. tagesgenaue Abverkaufsanalysen für die Filialen durchzuführen. Damit wird es möglich, auf Filialebene z. B. Umschlagshäufigkeiten oder wichtige Aktionskennzahlen zu bestimmen.

Sales Audit

Mit SAP BW wird Business Content zum Thema Kassenrevision ausgeliefert. Von den verschiedenen Stornoarten über kassen-spezifische Vorgänge bis hin zum Kassiererverhalten sind gezielte Auswertungen möglich. Viele der einzelnen Vorgänge lassen sich bis auf einzelne Bons nachvollziehen.

Store Controlling

Künftig wird mit SAP BW eine Deckungsbeitragsrechnung für einzelne Filialen ermöglicht. Dazu werden Kostendaten aus den SAP R/3 Modulen Finanzwesen (FI), Controlling (CO) und Personalwesen (HR) ausgewertet und den Erlösen der Filialen gegenübergestellt. Damit lassen sich verlässliche Aussagen über die Ertragskraft der Filialen treffen.

Merchandising and Assortment Planning (MAP)

Mit dem in SAP Retail zur Verfügung stehenden Planungstool SAP Retail – MAP sind Planungen für u. a. Filialen, Warengruppen und Artikel möglich. In SAP BW können dann Plandaten aus MAP mit Istdaten auf der Basis von BW verglichen werden. Dazu stehen verschiedene Plan-Ist-Datenmodelle bereit.

In ähnlicher Weise wie für den Handel steht für die *Konsumgüterindustrie* branchenspezifische Contents zur Verfügung. Diese umfassen die Schwerpunkte: Customer Relationship Management, Marketing & Innovation und Supply Chain Management.

Customer Relationship Management

Insbesondere für Verkaufsleiter, Key Account Manager und Brand Manager stehen spezielle Auswertungen zur Verfügung. Je nach Betrachtungsweise wird der Bezug auf die Verkaufsorganisation, den Kunden oder zu den Produkten im Berichtswesen fixiert.

Marketing & Innovation

Marketingkennzahlen entstammen zum überwiegenden Teil von Daten, die von externen Marktforschungsunternehmen angeboten werden, weil diese den Vergleich mit Mitbewerbern durchführen können. So werden z. B. wichtige Kennzahlen wie der Marktanteil auf Produkt- oder Markenebene oder der Absatzanteil verschiedener Vertriebswege von Marktforschungsunternehmen ebenso angeboten wie Kennzahlen zur Distribution, Promotions oder Reichweiten von Medienereignissen.

Supply Chain Management

Zwei Prozesse im operativen Supply Chain Management sind für Konsumgüterhersteller von besonderem Interesse. Zum einen die Kundenauftragsabwicklung und zum anderen die Beschaffung vom Distributionszentrum über eine Produktionsstätte bis hin zum Einkauf. Wichtige Kennzahlen für die Kundenauftragsabwicklung stellen Autrags- bzw. Liefermengen, Gutschriften, Retouren, usw. dar. Für die Beschaffung sind u. a. Kennzahlen wie Wiederbeschaffungszeit, Out-of-Stock-Rate, Kapazitätsauslastung verfügbar.

8.4 Business Warehouse im Kontext integrierter Softwarelösungen

Die SAP AG steht mit seinem Produkt SAP R/3 für eine integrierte Softwarelösung. Die Anbindung von strategischen Tools, die für Reporting-, Planungs- oder Optimierungszwecke eingesetzt werden und somit die Daten des R/3 Systems nutzen, erfolgt ebenfalls integriert. Integration versteht sich hierbei als Eigenschaft, die es ermöglicht, Systeme, die über Schnittstellen miteinander verbunden sind, im Kontext einzusetzen, so dass sie für den Nutzer eine funktionale Einheit darstellen. Im folgenden werden sowohl die Integration im SAP-Umfeld, als auch in bezug auf andere Systemlandschaften erläutert.

8.4.1 Integration BW mit mySAP.com

Die *mySAP.com Initiative* der SAP soll dem Anwender u. a. ein individuelleres und anwenderfreundlicheres Arbeiten ermöglichen. Ziel dabei ist, dass der Anwender möglichst schnell und bequem alle für ihn relevanten Transaktionen, egal auf welcher Plattform diese durchgeführt werden, ausführen kann. Dieser Ansatz wird über den *mySAP.com Workplace* realisiert (vgl. Abb. 47).

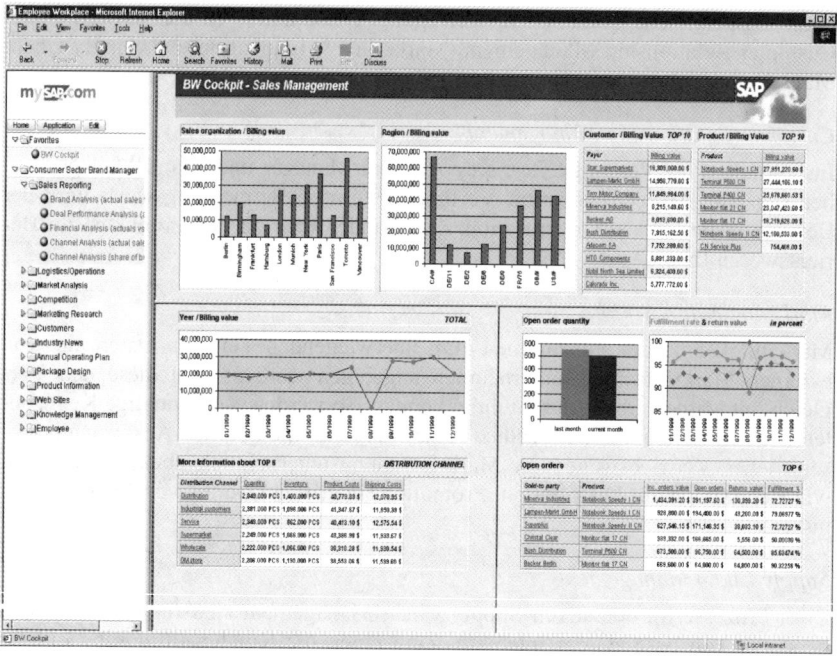

Abb. 47: mySAP.com Workplace (BW Cockpit)

Über den Workplace kann der Anwender über einen Browser alle Transaktionen von seinem Bildschirm ausführen. Dabei spielt es keine Rolle, ob es sich dabei um eine Transaktion im ERP-System, die Ausführung eines Berichtes oder den Aufruf einer Homepage handelt. Die Integration des Business Information Warehouse in den Workplace ist durch die Einbindung des Web Reportings, welches die Reports browserbasiert anzeigt, gewährleistet.

Die SAP AG bietet mit der Anwendung PI 2000.1 ein plug-in an, welches die Integration aller mySAP.com-Komponenten steigert. Dabei handelt es sich um ein eigenständiges Produkt, welches R/3-seitig implementiert, die Integration z. B. durch ereignisgesteuerte Abläufe erhöht. Dieses plug-in unterliegt eigenen Releasezyklen und greift bei Änderungen innerhalb der mySAP.com Umgebung nicht in die jeweiligen Applikationen ein.

8.4.1.1 Integration mit SAP R/3

Neben der Integration zu verschiedenen Frontend-Ansätzen spielt auch die Integration des Business Information Warehouse zu den Quellsystemen eine entscheidende Rolle. Die Integration vom BW zum SAP R/3 wird wesentlich vom Business Content determiniert, der für beide Seiten, BW und SAP R/3, Strukturen und Programme bereithält, die den Extraktions- und Ladeprozess unterstützen. Alle im Business Content definierten Informationsobjekte sind auf Basis der SAP R/3-Datenelemete definiert worden und somit, was die Metadaten betrifft, gleich.

Beide Systeme sind über ein BAPI miteinander verbunden, so dass der Austausch von Daten standardmäßig gewährleistet ist (vgl. Abb. 39). Neben dem Business Content kann das Business Information Warehouse auch die Strukturen der konventionellen Informationssysteme im SAP R/3 nutzen, wie z. B. das Logistik- oder das Retail-Informationssystem. Diese Informationsstrukturen können über generische Extraktion Datenlieferant für das Business Information Warehouse sein.

8.4.1.2 SAP SEM & SAP APO

Neben Analyse- und Reportingfunktionalitäten kann das Business Information Warehouse auch als Datenlieferant für umfangreiche Planungs- und Simulationsprozesse auf der Basis eines aggregierten Datenbestandes genutzt werden.

Das *SEM (Strategic Enterprise Management)* ist ein Business Information Warehouse Add On, welches für die strategische Planung und ein strategisches Controlling eingesetzt werden kann. Dabei ist neben Simulationsprozessen auch das Konzept der Balance Scorecard umgesetzt. Es nutzt dabei die Daten in den Info Cubes des Business Information Warehouse als Plattform für Planungen und Simulationen auf unterschiedlichen Aggregationsstufen. So kann z. B. ein Szenario simuliert werden, welches die Auswirkungen einer möglichen Energiepreiserhöhung in bestimmten Ländern auf die Deckungsbeiträge hat. Dabei können verschieden Szenarien simuliert werden, die zur Entscheidungsunterstützung herangezogen werden können. Im Business Information Warehouse werden dazu spezielle, problembezogene Data Marts angelegt, die für z. B. einen Planungprozess nicht nur lesenden, sondern auch schreibenden Zugriff auf die Daten erlauben.

Beim *APO (Advanced Planner and Optimizer)* ist das Business Information Warehouse eine zentrale Komponente. Ziel von APO ist dabei, logistische Prozessketten, auch systemübergreifend, zu optimieren. APO leistet dabei neben der umfangreichen Produktionsplanung auch Simulationen im logistischen Bereich zur Entscheidungsfindung. Das Programm greift dabei auf konsolidierte, historische Daten im BW zurück und plant auf dieser Grundlage z. B. Verkaufs- und Produktionsmengen. Dabei kann APO die einzelnen Aggregationsstufen des Business Information Warehouse für die Planung nutzen. So können beispielsweise Verkaufsmengen auf Material- und Kundengruppenbasis geplant werden. Voraussetzung dafür ist eine vom BW bereitgestellte mehrdimensionale Datenbasis in Form der Info Cubes.

Das komplette Business Information Warehouse ist mit der Administrator Workbench im Umfang des APO enthalten. Der Business Content enthält eine Vielzahl von vordefinierten, APO-spezifischen Kennzahlen, die für eine Planung herangezogen werden können.

8.4.2 Integration in heterogene Systemlandschaften

Schwerpunkt bei der Anbindung von SAP-fremden Quellsystemen ist die Gestaltung und technische Umsetzung des Extraktions- und Transformationsprozesses. Das Business Information Warehouse arbeitet nach dem Pull-Prinzip, d. h. über das Scheduling werden Daten vom BW angefordert. Aus diesem Grunde muss es möglich sein, über eine Verbindung zu den diversen Nicht-R/3-Quellsystemen einen im Quellsystem vorhandenen Baustein anzustoßen, der den Extraktionsprozess durchführt und die Daten über ein BAPI an das BW übergibt. Der Transformationsprozess wird dann im BW über die Definition von Übertragungsregeln erfolgen.

Der Extraktionsprozess bei Fremdsystemen kann teilweise von Tools übernommen werden, die zwischen dem Quellsystem und dem Business Information Warehouse den Datenfluss steuern. Diese Tools arbeiten z. T. generisch. Das bedeutet, der Anwender selektiert einen betriebswirtschaftlichen Bereich im Quellsystem und der Extraktor generiert Programme, welche diese Daten in eine für das BW lesbare Transferstruktur schreibt.

8.5 Zusammenfassung und Ausblick

Das Business Information Warehouse schließt eine Lücke in der Produktpalette von SAP. Dabei grenzt es sich klar durch den Business Content und die Integration zum SAP R/3 von anderen Data-Warehouse-Lösungen ab. Genau diese Aspekte ermöglichen eine schnelle und betriebswirtschaftlich sinnvolle Implementierung.

Die Offenlegung von Schittstellen und die Zusammenarbeit mit Anbietern von diversen Extraktions- und Frontend-Tools sorgen dafür, dass Daten aus sehr heterogenen Quellsystemen im Business Information Warehouse geladen und in unterschiedlicher Art und Weise ausgewertet werden können. Dabei bietet das BW im Standard, auch auf der Grundlage des Business Content, einige Möglichkeiten, individuellen Ansprüchen gerecht zu werden. So ist es z. B. aufgrund der unterschiedlichen Datenhaltungs- und Datenzugriffsmethoden möglich, belegnahe Daten, wie Kassenbons, im Business Information Warehouse auszuwerten. Somit besteht die Möglichkeit, auch einen Teil des operativen und taktischen Berichtswesens in das Business Information Warehouse zu verlagern und damit die ERP-

Systeme zu entlasten, nicht zuletzt auch deshalb, weil die im R/3 angesiedelten Informationssysteme, wie das Logistik-, das Retail-Informationssystem und die profitability analysis (CO-PA) in das BW übertragen werden können.

Betrachtet man das Business Information Warehouse im Kontext des Business Framework Konzeptes, so kann man feststellen, dass das BW eine Schlüsselrolle einnimmt. Es steht sowohl als Datenlieferant für Reportingzwecke, als auch für Planungs-, Simulations- und Optimierungsprozesse zur Verfügung. Dabei ist die für SAP typische Integration bezeichnend, die dem Anwender in Form des SAP Workplace schnellen Zugriff auf Prozesse und Informationen ermöglicht und somit das Tagesgeschäft bequem und wirtschaftlich gestaltet. Außerdem entwickelt die SAP ständig neue Lösungen, welche die Integration erhöht und alle Komponenten zusammenschweißt.

Innerhalb laufender BW-Projekte sammeln Entwickler und Berater immer neue Anforderungen aus unterschiedlichen Bereichen, die bei der Weiterentwicklung innerhalb der Releasezyklen berücksichtigt werden. Dabei steht neben der Anreicherung des Business Content mit neuen, betriebswirtschaftlichen Inhalten auch die Weiterentwicklung der Technik im Vordergrund. So wird das Business Information Warehouse seine zentrale Bedeutung und die Akzeptanz auch zukünftig noch weiter steigern können.

9 Die Data-Warehouse-Lösung von Oracle

Peter Wittenborg, Jürgen Rother

9.1 Vorbemerkungen

Laut einer Studie von International Data Corporation (IDC) wird der Handel im Internet bis zum Jahr 2003 ein Volumen von mehr als 1,6 Billionen USD erreichen und die Mehrheit der Kunden im Web zu diesem Zeitpunkt außerhalb der USA leben. Das Internet verändert die Regeln der Geschäftswelt schneller als jemals zuvor in der Geschichte der Menschheit. Das bedeutet, Unternehmen müssen heute in der Lage sein, schnell und flexibel auf die neuen Gegebenheiten zu reagieren. In unserer schnelllebigen Zeit bietet sich zur Unterstützung der Entscheidungsfindung und der strategischen Ausrichtung ein Data Warehouse an. Dieser Beitrag beschreibt die Oracle Technologien zum Aufbau eines Data Warehouses, den Nutzen und die Methoden zur strategischen Unternehmensausrichtung.

9.2 Die Herausforderung

Das Umfeld des Lebensmitteleinzelhandels ist geprägt durch Firmenübernahmen und Fusionen. Durch die Öffnung und das Zusammenwachsen der Märkte stehen Handelsunternehmen heute unter einem immer härter werdenden Wettbewerbsdruck. Der Euro als gemeinsame Währung für den europäischen Markt wird diesen Trend zusätzlich beschleunigen.

Die geografischen Grenzen werden durch das Internet weiter aufgebrochen. Traditionelle Hemmnisse verschwinden und neue Vertriebskanäle entstehen. Neue Marktplätze werden von Unternehmen besetzt, deren Namen Sie gestern noch nicht gehört haben und heute werben diese um Ihre Kunden. Der Eintritt in die Geschäftswelt gestaltet sich immer einfacher. Unternehmen, die traditionelle Vertriebsstrukturen aufgebaut haben, stellen sich virtuellen Mitbewerbern, die reine Internet-Marktplätze betreiben und damit schlanke Geschäftsmodelle besitzen. Unternehmen, die heute eine starke Wettbewerbsposition sichern oder aufbauen wollen, müssen nicht nur das Zukunftspotenzial des Internets richtig einschätzen, sondern auch auf eine zukunftssichere Technologie setzen.

Das Internet verändert die Beziehung, die Unternehmen mit ihren Kunden haben. Es ermöglicht, neue Kunden anzusprechen und bestehende zu binden, indem differenziertere, personalisiertere Produkte und Dienstleistungen offeriert werden. Kunden haben den direkten, unkomplizierten Zugriff auf Informationen und damit die Möglichkeit, viel leichter Preise und die angebotenen Dienstleistungen rund um die Uhr im Internet zu vergleichen. Anbieter können die Preise dynamischer und flexibler gestalten.

Der steigende Wettbewerb führt zu veränderten Anforderungen und damit zu neuen Geschäftsmodellen, es entstehen integrierte Vertriebs- und Kommunikationskanäle. Das Internet bietet die Möglichkeit, durch reverse Auktionen neue Einkaufsmöglichkeiten zu schaffen (vgl. Abb. 48). Die Lieferanten geben ihre

Angebote im Internet/Intranet ab, so dass ein einfacher Vergleich der Leistungsmerkmale stattfinden kann. Auf diese Art und Weise reduzieren sich die Kosten
für alle Beteiligten.

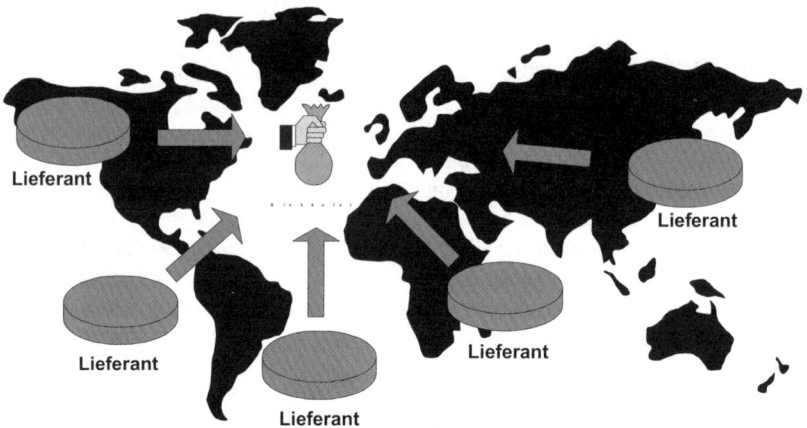

Abb. 48: Reverse Auktionen führen zu geringeren Beschaffungskosten

Anstelle der Produkte rückt der Kunde immer stärker in den Mittelpunkt der
Unternehmensausrichtung. Ein ansprechend gestalteter Internet-Auftritt regt die
Kunden zur interaktiven Kommunikation mit den Unternehmen an.

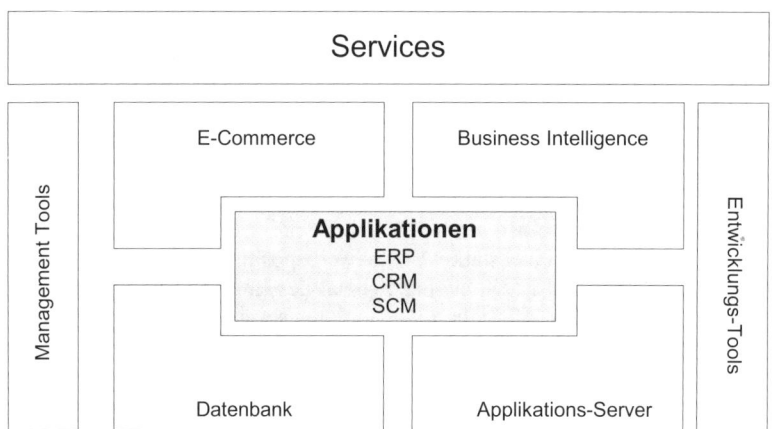

Abb. 49: Integration von Technologien, Applikationen und Services

Eine große Herausforderung wird es sein, die Internet-gestützten Prozesse ganz-
heitlich zu optimieren und Technologien, Applikationen und Services zu integrieren. Kunden, Lieferanten, Fertigungsstätten, Lager, Distributoren, Spediteure und
weitere Partner müssen in diese Prozesse eingebunden werden (vgl. Abb. 49). Ein

Beispiel hierfür ist Supply Chain Management, das Lieferanten und Kunden online in das Wertschöpfungs-Netzwerk des Unternehmens via Internet integriert.

Beim Business-to-Business-Sektor (B2B), also dem Geschäft zwischen den Unternehmen, und auch beim Business-to-Consumer-Sektor (B2C) wachsen das Internet/Intranet immer stärker mit der Technologie der Telekommunikation zusammen. Bestellungen und Aufträge können so via Mobiltelefon ausgeführt werden.

9.3 Data Warehouse als Basis für zukunftsorientiertes Wissensmanagement

In der heutigen Zeit ist es wichtiger denn je, die richtigen Informationen zur Entscheidungsfindung zum richtigen Zeitpunkt vorliegen zu haben. Wissen wird in den vernetzten Geschäftswelten von morgen zur treibenden Produktivkraft. Data Warehousing und Business Intelligence liefern hierzu die Grundlage (vgl. Abb. 50). Mit einem Data Warehouse kann beispielsweise die Verbindung zwischen den Verkaufszahlen und der prozentualen Out-of-Stock-Rate nachvollzogen werden.

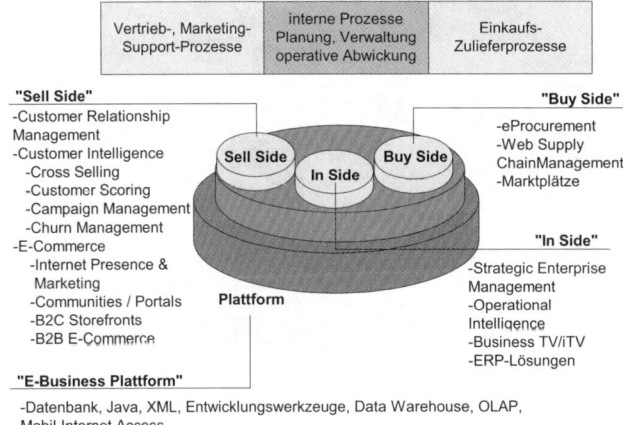

Abb. 50: Oracle-E-Business-Lösungen für die gesamte Wertschöpfungskette

Unternehmen, die mit Hilfe eines Data Warehouses auf Ihre Bestandsdaten zurückgreifen, können nicht nur für einen einzelnen Artikel die Folgen einer Aktion betrachten, sondern auch die Auswirkungen auf die ganze Kategorie oder Zeitperiode ermitteln und das Sortiment sowie die Regalauslastung optimieren.

Ein Data Warehouse unterstützt die Entscheidungsfindung und strategische Ausrichtung des Unternehmens. Oracle verfügt über hochintegrierte Lösungen, um Wissen aufzubauen, zu verwalten, auszuwerten und zu verteilen, um so die Einkaufs-, Produktions-, Verkaufs-, Lieferungs- und interne Prozesse zu optimieren.

Die Click-Stream-Analyse wertet das Verhalten von Besuchern einer Webseite aus. So können Informationen über die Nachfragen, das Kaufverhalten sowie über die Präferenzen und Interessen von Online-Kunden gewonnen werden. Mit Analysen wie den folgenden fällt die Beurteilung von den zum Teil hohe Kosten verursachenden Marketingaktionen leichter:

- Welche Werbeaktionen führen zu dem gewünschten Erfolg?
- Welche Kaufmuster legen die Kunden an den Tag?
- Wird die richtige Zielgruppe adressiert?
- Welche Internet-Seiten wecken das stärkste Interesse?
- Welche Anreize müssen geschaffen werden, damit sich der Kunde auf der Webseite registriert und damit die Kundendaten besser ausgewertet werden können?
- Von welcher Website aus wurde die Unternehmensseite angewählt?

Die Click-Stream-Analyse dient zur Beantwortung von Fragen dieser Art, um die Kundenloyalität und damit die Rentabilität der Unternehmen zu verbessern. Je mehr Wissen ein Unternehmen über seine Kunden und Interessenten besitzt, umso besser lassen sich Dienstleistungen und Produkte auf die Bedürfnisse der Kunden zuschneiden.

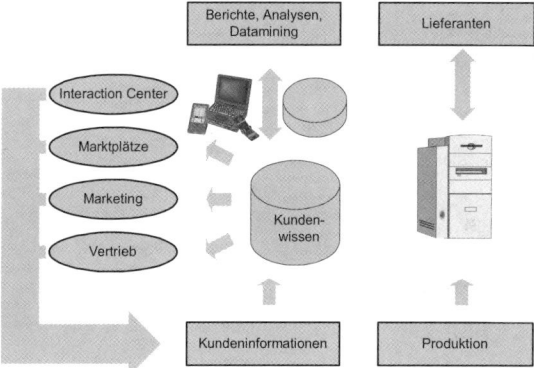

Abb. 51: Wertschöpfungskette Kunde

Das mit Hilfe des Data Warehouses gewonnene Wissen erlaubt einen Rückfluss auf die Steuerung der operativen Prozesse, um die Wertschöpfungskette Kunde ständig zu optimieren (siehe Abb. 51).

9.4   Anforderungen an ein Data Warehouse

Von einem Data Warehouse wird auch bei großen Datenmengen die komfortable Analyse komplizierter Sachverhalte mit niedrigen Antwortzeiten erwartet. Das Erkennen von

- profitablen Kundenbeziehungen,
- Cross-Selling-Potenzial oder

▪ die Entwicklung von verbesserten Geschäftsmodellen

erfordert die Einbindung von verschiedenen Systemen (vgl. Abb. 52). Immer kürzer werdende Innovationszyklen und ein herausforderndes Time-to-Market verlangen eine schnelle Umsetzung der neuen Anforderungen und damit den Einsatz von flexiblen und offenen Technologien.

Auswertungen beliebiger Art sollten ohne Programmierkenntnisse des Anwenders möglich sein. Jede Anwendergruppe hat unterschiedliche Fragestellungen. Der Analytiker ist oft an Detailauswertungen interessiert, während die Unternehmensspitze Auswertungen auf komprimiertem Niveau zur strategischen Unternehmensplanung und Kontrolle vorzieht.

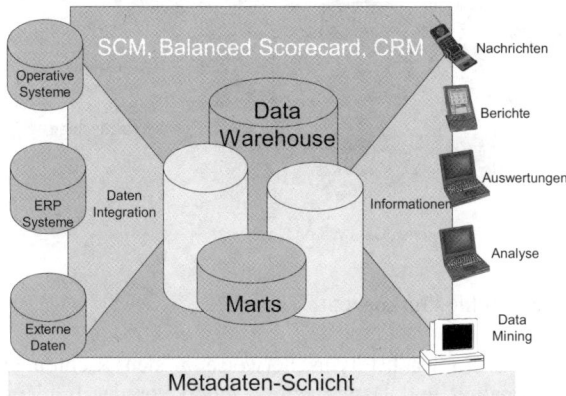

Abb. 52: Oracle Enterprise Data Warehouse

Ein wesentliches Ziel des Data Warehouses ist die Abbildung der operativen Daten eines Unternehmens sowie notwendiger externer Daten in Form eines dispositiven Datenbestandes, der von den operativen Systemen entkoppelt ist. Diese Trennung ist erforderlich, um einerseits die operativen Systeme nicht zusätzlich durch Analyseläufe zu belasten und andererseits die grundsätzlich anderen Anforderungen an ein Data Warehouse, nämlich die performanten Auswertungen von Massendaten, optimal erfüllen zu können. Die dispositiven Daten werden den Anwendern zusammen mit leistungsfähigen Business Intelligence Werkzeugen zur Analyse bereitgestellt.

9.5   Architekturkonzepte

Im Gegensatz zur konventionellen Applikationsentwicklung, deren Funktionalität irgendwann einmal feststeht, Änderungen oft keine Berücksichtigung mehr finden und nur noch die Fehler beseitigt werden, unterliegt ein Data Warehouse häufigen Änderungen, was zu einem iterativen Vorgehen bei der Erstellung eines Data Warehouses führt. Um flexibel und schnell auf neue Anforderungen reagieren zu können, dient eine offene Data-Warehouse-Architektur als Grundlage (siehe Abb. 53).

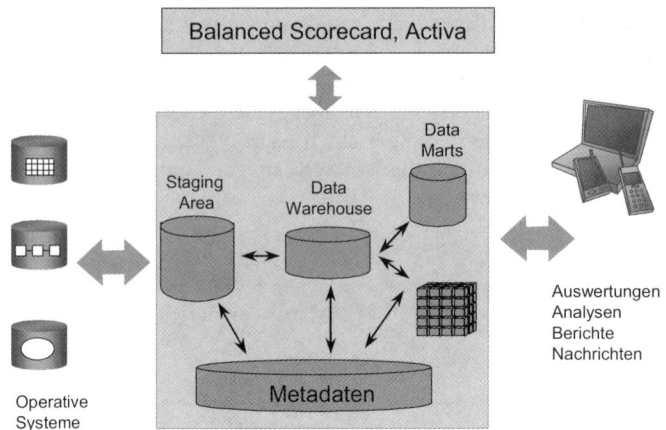

Abb. 53: Offenes Architekturkonzept

Ein Informationssystem wächst typischerweise in den Richtungen Anzahl der Benutzer, Funktionalität und Datenmenge. Schon vor der Implementierung des Data Warehouses sollte bei der Auswahl der richtigen Technologie darauf geachtet werden, dass ein Wachstum des Data Warehouses in diese Ausprägungen gewährleistet ist. Die Berücksichtigung dieser Anforderungen hilft bei der kostengünstigen Implementierung und der Verwaltung auch von stark wachsenden Datenmengen.

Oracle bietet eine umfassende Data-Warehouse-Lösung an, die die Weiterentwicklung und Beschleunigung der Inbetriebnahme von neuen Data-Warehouse-Funktionalitäten und -Applikationen für jede Unternehmensgröße durch das optimale Zusammenspiel von Lösung und Dienstleistung vereinfacht. Durch die vollständige Integration der Lösungen Enterprise Resource Planning, Fertigung, Supply Chain Management und dem Projekt Management wird die Sicht auf Kunden, Mitarbeiter und Prozesse vollständig transparent. Sämtliche Informationen zu Kunden, Mitarbeitern, Prozessen, Produkten, Konditionen, Serviceanfragen, Verträgen oder Vereinbarungen lassen sich jederzeit abrufen.

Die Vorteile der vorgestellten Architektur liegen in der Durchgängigkeit der Lösung, einer hohen Verfügbarkeit, der Flexibilität der Anwendung und der Integration von Technologie, Prozessen und Methoden. Dabei wird immer darauf geachtet, dass sich der Eingriff der IT Mitarbeiter auf ein Minimum reduziert und folglich ein erheblicher Kostenfaktor entfällt.

Alle im Folgenden aufgezeigten Oracle-Produkte sind aufeinander abgestimmt und greifen auf eine einheitliche semantische Schicht zu. Vom Datenmodell über die grafische Darstellung der Datenflüsse mit den Extraktionsprozessen, den Vorschriften zur Bereinigung der Daten, der Regelabbildung, der Integration, der

Verdichtungen, den logischen Inhalten bis zur Rückwirkung aus den gesammelten Erfahrungen und Ergebnissen in die operativen Systeme bietet die Metadaten-ebene den „Single Point of Control". Diese zentrale Steuerung der unternehmens-weiten Daten auf Basis des CMWI- (Common Warehouse Metadata Interchange) Standards ermöglicht eine hohe Datenqualität und ein übergreifendes Management und trägt in einem hohen Maße zur Senkung der Total Cost of Ownership (TCO) bei.

9.6   Datenhaltungsmanagement

Aus den Anforderungen an das Data Warehouse folgen die Anforderungen an die Datenmodelle für Online-Analytical-Processing- (OLAP-)Systeme. Im Unter-schied zu den herkömmlichen Datenmodellen der operativen Systeme sind die Data-Warehouse-Modelle für schnelle Antwortzeiten auch bei komplexen Abfra-gen auf große Datenmengen ausgelegt. Als Datenbank-Design wird oft das Star-Schema oder Snowflake-Schema gewählt, um optimale Antwortzeiten zu gewähr-leisten. Schon während der Designphase und der Wahl des Datenhaltungssystems wird der Grundstein für die Auswertungsmöglichkeiten, die Performance der Ab-fragen und den nötigen Aufwand gelegt, um auf neue Anforderungen schnell rea-gieren zu können. Sollen Kundenprofile oder Auswertungen erstellt werden, die auf Artikelebene basieren, handelt es sich in der Regel um Betrachtungen der Da-ten auf niedrigstem Niveau, was zur Vorhaltung von kleinster Granularität und damit zur Auswertung von großen Datenmengen führt.

9.6.1 Relationale Datenhaltung

Relationale Datenhaltungssysteme gehen von flachen, zweidimensionalen Tabel-len aus. Sie sind besonders geeignet für die Speicherung von Massendaten, wie sie bei der Kassenbonanalyse auftreten oder typischerweise bei der Erstellung von Kundenprofilen anfallen. Um die Antwortzeiten und die Administration des Data Warehouses zu verbessern, beinhaltet die Oracle 8i Datenbank eine Reihe von speziellen Funktionen.

Mit der Oracle8i Datenbank können verschiedene Indizierungs- (bitmap), Parti-tionierungs- und Jointechniken (hashjoins) verwendet werden. Eine weitere Mög-lichkeit zur Steigerung der Auswertegeschwindigkeit bietet das Konzept des Summenmanagements mit der Verwendung von Materialized Views. Während klassische Views als virtuelle Tabellen betrachtet werden können, belegen Mate-rialized Views physikalischen Speicherplatz. Die Idee vorgerechneter Tabellen wird durch das Konzept der Materialized Views in einen komplett integrierten Vorgang innerhalb der Datenbank überführt.

Oracle Internet File System kombiniert die Leistungsstärke und Hochverfüg-barkeit von Oracle8i mit dem Bedienkomfort eines Dateisystems. Internet File System ermöglicht den universellen Zugriff auf Daten, indem es in Oracle8i ge-speicherte Datenbestände so darstellt, als handle es sich dabei um ein Dateilauf-werk im Netzwerk. Die Daten werden stets in der gleichen Weise dargestellt, egal ob der Zugriff auf das Internet File System mit dem Windows-Explorer, einem Web-Browser, einem FTP-Client oder einem E-Mail-Client erfolgt.

9.6.2 Multidimensionale Datenhaltung

Durch die Komplexität eines Unternehmens lassen sich die betriebswirtschaftlich relevanten Kennzahlen oft schlecht in flachen Strukturen abbilden. Hier bietet sich die multidimensionale Sicht auf die Daten an (vgl. exemplarisch Abb. 54).

Die multidimensionale Datenbank eignet sich besonders für komplex strukturierte Datenhaltung mit verdichteten Daten und bietet einen Laufzeitvorteil gerade bei komplexen Analysen. Der internetfähige Oracle Express Server bildet die Basis für alle MOLAP- (Multidimensional Online Analytical Processing) Applikationen. Die Geschäftsprozesse werden in einem multidimensionalen Datenmodell dargestellt. Der Express Server ermöglicht sehr komplexe Analysen wie z. B. Forecasting, Trendberechnungen, "What-if-Szenarien", Finanzmodelle, Planung, statische Berechnungen, Zeitreihenanalysen usw. Alle Berechnungen, Statistiken und Kalkulationen werden direkt auf dem Server ausgeführt, was eine extrem niedrige Netzwerkbelastung bewirkt. Die verwendete Three-Tier-Architektur entlastet die Clients und ermöglicht den Einsatz von Browser Technologien.

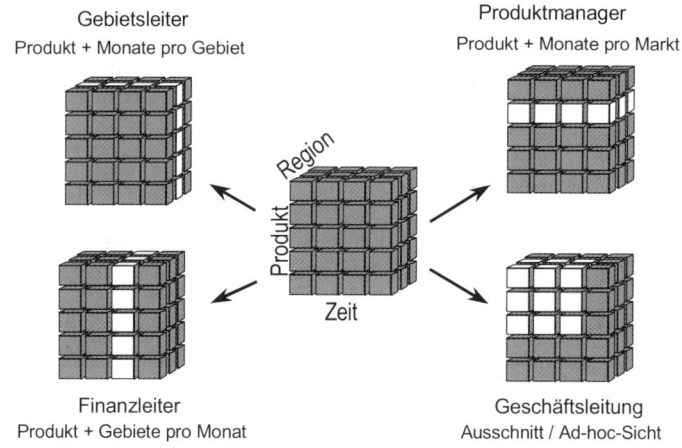

Abb. 54: Multidimensionale Sichten bei Region, Produkt, Gebiet

9.6.3 Hybride Datenhaltung mit Oracle 8i und Express

Oft bietet ein hybrider Ansatz zur Datenhaltung die größte Flexibilität, da die Vorteile beider Welten vereint werden. Dem Anwender bleibt bei diesem Ansatz verborgen, aus welcher Datenbank die Daten stammen. Bei der Datenhaltung können verschiedene Modelle gewählt werden. Das Spektrum reicht von der kompletten Datenhaltung in der relationalen Datenbank und nur der Abbildung der Struktur in der multidimensionalen Welt bis zur Datenhaltung in der relationalen Welt und zeitlichen- oder ereignisgesteuerten Übernahme der kompletten Daten in die multidimensionale Datenbank sowie alle denkbaren Mischformen. Dadurch lässt sich eine optimale Lastverteilung zwischen der relationalen und multidimensionalen Datenhaltung herstellen und es wird eine optimale Performance erreicht. Ebenfalls kann dadurch die redundante Datenhaltung im Data Warehouse auf ein Minimum reduziert werden.

Der automatische und dynamische Durchgriff von der multidimensionalen in die relationale Welt geschieht über die Standardschnittstelle mit dem Relational Access Manager (RAM). Für den Anwender erscheint die Architektur transparent, er merkt nicht, woher die Daten kommen. Der Anwender erstellt seine Analysen in einer einheitlichen Benutzeroberfläche.

9.7   Technologien zur Datenbewirtschaftung

Die Datenversorgung und das Qualitätsmanagement der Daten stellen die aufwendigsten Prozesse innerhalb des Data-Warehouse-Lebenszyklus dar. Untersuchungen, die auf Immon zurückgehen, schätzen den Aufwand von Extraktion, Bereinigung und Laden der Daten in das Data Warehouse auf bis zu 70 % des gesamten Projektes.

Durch den Einsatz von Werkzeugen zur Datenversorgung können der Zeitaufwands für die Erstellungsphase, das Einpflegen von Änderungen und den Betrieb minimiert werden. Die damit verbundenen Kosten werden stark reduziert. Dieses hat zu einer hohen Akzeptanz von Werkzeugen zur Datenversorgung gegenüber individuellen Entwicklungen der IT-Abteilungen geführt.

Der ETT- (Extraction, Transform, Transport) Prozess verwaltet die Kommunikation und die Datenflüsse zwischen Applikationen oder Datenbanken (vgl. Abb. 55). Dabei können die Datenströme in Echtzeit, ereignisgesteuert oder periodisch gesteuert ausgeführt werden. Der ETT-Prozess gehört zur Methode der wartungsfreundlichen Integration von den operativen Standardsoftwarelösungen im Bereich Enterprise Resource Planning, Customer Relationship Management, Supply Chain Management bis zu unstrukturierten und multimedialen Informationen. Für die Datenbewirtschaftung des Data Warehouses ist das Ziel immer eine Datenbank.

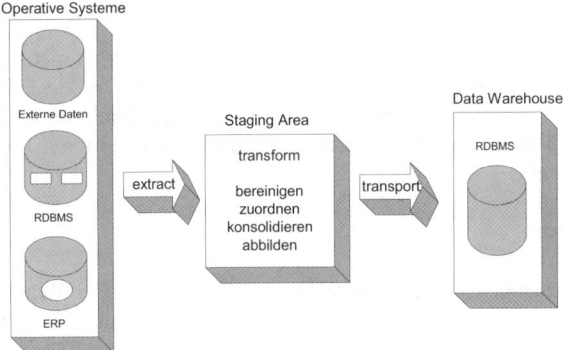

Abb. 55: ETT- (Extraction, Transform, Transport) Architektur

9.7.1 Der Extraktionsprozess

Zur Extraktion der Daten aus den operativen Systemen wird eine Verbindung zu den Quellsystemen benötigt, um die Strukturen, Abhängigkeiten und Beschreibungen nutzen zu können. Die für die Auswertungen und Analysen relevanten Quellsysteme können sich aus relationalen Datenbanken, hostbasierten Systemen, Dateien, Spreadsheets, Enterprise-Resource-Planning-(ERP) Systemen, Daten aus Internet-Seiten und Nachrichten zusammensetzen.

Der Oracle Warehouse Builder (OWB) ist ein Java-basierendes Werkzeug, das sämtliche Funktionalitäten bietet, die für den Aufbau, den Betrieb und die Verwaltung einer Data-Warehouse-Lösung erforderlich sind. Um die verschiedenen Quellen in heterogenen IT-Landschaften einfach integrieren zu können, stehen dem Oracle Warehouse Builder die Oracle Gateway Technologie, verschiedene Integratoren für die gängigen ERP-Systeme sowie die Module Oracle Pure*Extract und Oracle Pure*Integrate für hostbasierte Systeme zur Verfügung.

Wurde ein logisches Datenmodell mit dem CASE-Werkzeug Oracle Designer erstellt, kann der Warehouse Builder direkt auf das Entity-Relationship-Modell (ERM) zugreifen. Damit können neben den Tabellen und Attributen auch Geschäftsregeln, Wertebereiche und Beschreibungen als Metadaten übernommen werden.

9.7.2 Die Transformation

Nachdem der Zugang zu den Quellen durchgeführt worden ist, werden die Strukturen der logischen und/oder physikalischen Schemata als Metadaten in das Oracle Warehouse Builder Repository eingelesen, um so Abhängigkeiten und Zusammenhänge visuell darzustellen. Gerade bei ERP-Systemen ermöglicht die Bereitstellung der Beschreibungen der Quellobjekte und die Auflösung der Verknüpfungen eine schnellere Erstellung der notwendigen Übernahmeprozesse.

Die Abbildung der Quellsysteme auf das Zielsystem erfolgt zunächst einmal auf Objektebene und kann dann auf Attributebene feiner spezifiziert werden. Zur Abbildung des Regelwerkes können vordefinierte Standardtransformationen wie automatische Konvertierungsroutinen aus der Funktionsbibliothek ausgewählt werden.

Um eine hohe Datenqualität auch bei Einbindung heterogener Datenstrukturen zu gewährleisten, kann die Abbildung komplexer und unternehmensspezieller Regeln zur Konsolidierung notwendig werden. Aus diesem Grunde können die Standardtransformationen um eigene, wiederverwendbare Funktionen erweitert werden. Damit wird sichergestellt, dass alle unternehmensrelevanten Regeln abgebildet werden können.

9.7.3 Der Transport

Der Transport beschreibt die Techniken des Ladeprozesses. Der Oracle Warehouse Builder unterstützt den vollen Funktionsumfang der Oracle 8i Datenbank. Speziell die mit der Datenbank zur Verfügung gestellte Funktionalität für die performante Ausführung der Ladevorgänge und die Unterstützung der Administration des Data Warehouses können mit dem Warehouse Builder in einfacher Art und Weise optimal genutzt werden.

Um die Datenversorgung zu automatisieren, kann der Oracle Enterprise Manager oder ein im Unternehmen vorhandener global eingesetzter Scheduler verwendet werden, in dem die Ladeprozesse in die Unternehmens-Batch-Läufe integriert werden. Mit dem Oracle Enterprise Manager steht ein Management-Werkzeug zur Verfügung, mit dem große Benutzerzahlen, komplexe Anwendungen und geografisch verteilte Ressourcen, wie zum Beispiel in der komplexen Internet Welt, sicher zu handhaben sind. Der Oracle Enterprise Manager ist damit mehr als ein herkömmlicher Scheduler. Mit ihm wird ein reibungloser Betrieb gewährleistet, der zu einer Verbesserung der Sicherheit beitragen und damit helfen kann, die Gesamtbetriebskosten entscheidend zu senken.

Abhängigkeiten zwischen den Datenflüssen können mit dem Oracle Enterprise Manager definiert werden. Es besteht die Möglichkeit, den Ladeprozess zu bestimmten Zeitpunkten oder beim Eintreten von vorgeschriebenen Ereignissen, die im Oracle Enterprise Manager definiert werden können, auszuführen.

Alle Prozesse von der visuellen Modellierung, der grafischen Darstellung der Datenflüsse, der Datenextraktion, den Vorschriften zur Datenbereinigung, den erforderlichen Transformationsregeln, der Kontrolle der Ladeprozesse, den unterschiedlichsten Verdichtungsstufen, dem Metadaten-Management, dem Audit-System zur Fehlerbehandlung und der Integration der Analyse Werkzeuge bis zur Warehouse-Administration werden vom Oracle Warehouse Builder optimal unterstützt. Mit dem Warehouse Builder steht ein zentrales Werkzeug zur Vereinfachung des Informationsmanagements in heterogenen IT-Landschaften zur Verfügung.

Der Oracle Warehouse Builder protokolliert sämtliche Prozesse in einem Repository, welches den Common Warehouse Model Interchange- (CWMI) Standard unterstützt. Dadurch ist ein einfacher Austausch der Metadaten aller beteiligten Werkzeuge über Standardschnittstellen möglich. Das Schema des Data Warehouses kann entweder mit dem Oracle Warehouse Builder grafisch erstellt oder direkt aus dem Oracle-Designer-Case-Werkzeug übernommen werden. Das Zielschema kann beliebig gewählt werden. Kommt als Zielschema ein Star oder Snowflake zum Einsatz, unterstützt der Oracle Warehouse Builder die Verwaltung der Schlüssel zwischen den Dimensionen und den Faktentabellen automatisch. Der Oracle Warehouse Builder unterstützt Mehrschichten-Architekturen und es kann auf die Information des physikalischen und logischen Datenbankschemas zugegriffen werden, um eine einfache und komfortable Verwaltung von Joins, Benutzern, Hints, Tablespaces, Indizies etc. zu realisieren.

Wird das Data Warehouse genutzt, um Analysen und Auswertungen auf Artikelebene durchzuführen, so hat das Auswirkungen auf die Datenversorgung. Kassenbonanalysen führen zur Verarbeitung von Massendaten. Während der Datentransformation muss ein hoher Datendurchsatz erreicht werden, damit die Datenversorgung des Data Warehouses in angemessener Zeit geschehen kann. Der Warehouse Builder generiert automatisch ein optimiertes Programm, welches direkt auf der Zieldatenbank abläuft und die spezielle Data-Warehouse-Funktionalität der Oracle Datenbank nutzt. Durch Parallelisierung auf unterster Ebene und Ausführung der Ladeprozesse direkt auf der Datenbank wird sichergestellt, dass der Ladevorgang performant läuft. Die Datenversorgung skaliert dabei proportional mit der Datenbank. Wird die Hardware z. B. um weitere CPUs erweitert, wird der Ladeprozess automatisch auf diese zusätzlichen Ressourcen verteilt, ohne dass eine Anpassung der Versorgungsstrecke oder des Designs stattfinden muss.

Zum Monitoring des Betriebes verfügt der Oracle Warehouse Builder über ein umfassendes Audit System zur Sicherstellung der Datenqualität und Protokollierung der herausgefilterten Datensätze, die auf Grund von Schutzverletzungen abgelehnt worden sind. Ebenso wird die zeitliche Aktualität des Data Warehouses im Audit System verwaltet, damit Auswertungen eine zeitliche Entscheidungsgrundlage beinhalten. Bei Abbruch der Ladevorgänge sorgt das Audit System für den Wiederanlauf.

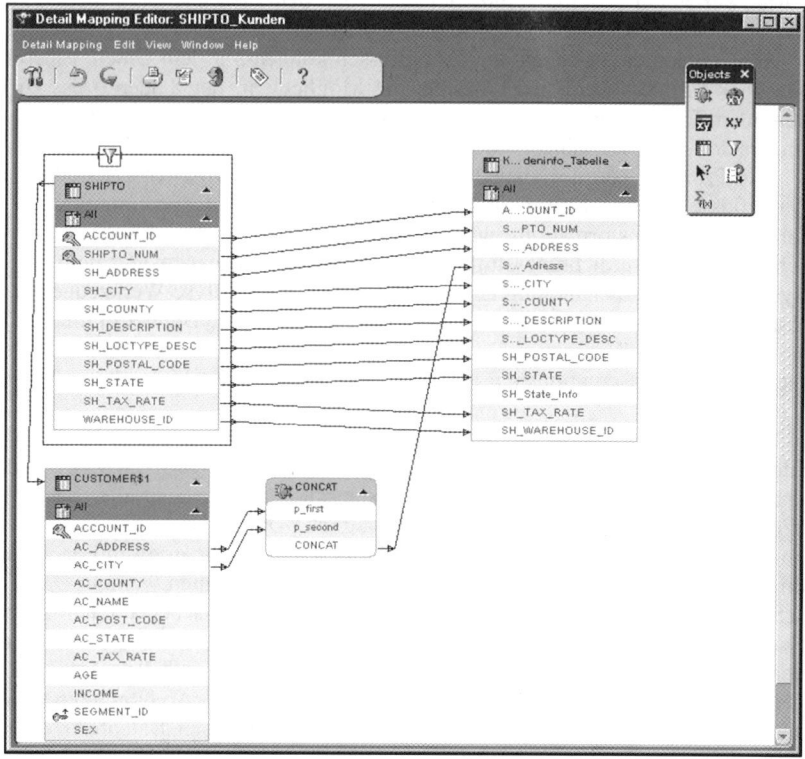

Abb. 56: Zuordnung zwischen Quell- und Zielsystem

Die grafische Darstellung der Datenflüsse unterstützt die komfortable Pflege und Erweiterung der Data-Warehouse-Funktionalität, was eine schnelle und preiswerte Umsetzung der neuen Anforderungen gewährleistet (vgl. Abb. 56).

9.7.4 Business Intelligence zur Informationsgewinnung

Nach Auffassung der Analysten werden die Unternehmen, die Business-Intelligence-Werkzeuge zur Optimierung und Steuerung ihrer Geschäftsprozesse nutzen, sich am schnellsten einen Wettbewerbsvorteil verschaffen können. Zur Analyse des Data Warehouses werden Business-Intelligence-Lösungen implementiert, die die verfügbaren Daten in entscheidungsrelevantes Wissen umwandeln.

Jede Anwendergruppe im Unternehmen ist mit verschiedenen Aufgabenstellungen betraut und stellt unterschiedlichste Analyse-Anforderungen. Durch die differierenden Aufgabenstellungen ist eine sinnvolle Verschmelzung von Werkzeugen unterschiedlicher Technologien oft die leistungsfähigste und kostengünstigste Lösung.

Mit maßgeschneiderten Applikationen und der Auswahl der Werkzeuge anhand der Bedürfnisse der Anwender kann der zielgerichtete, individuelle Informationsbedarf für die jeweiligen Benutzer abgedeckt werden, ohne eine Überflutung an Informationen zu bieten (siehe Abb. 57).

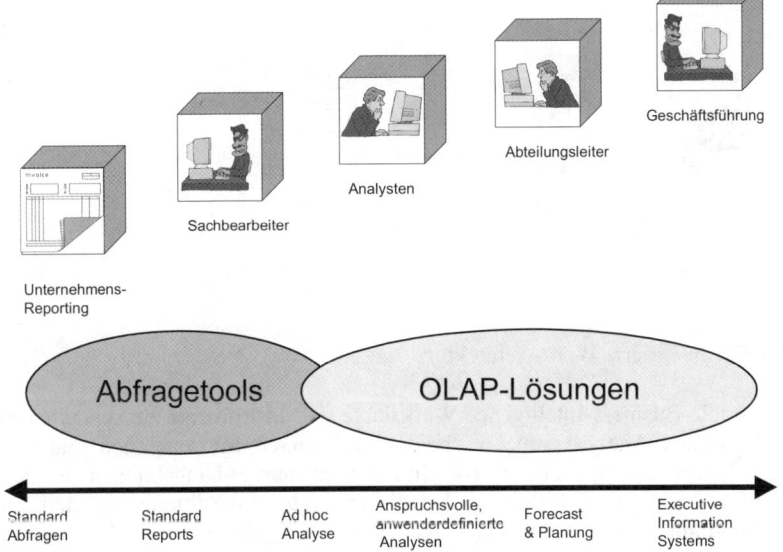

Abb. 57: Durchgängige Anwenderunterstützung

Auch bei komplexen Abfragen und Auswertungen (*On*line *A*nalytical *P*rocessing) großer Datenmengen sollten immer konsistente, schnelle und stabile Abfragegeschwindigkeiten sowohl in der Client/Server Umgebung als auch im Web garantiert werden können. Der Anwender kann mit den Oracle-Business-Intelligence-Werkzeugen seine Abfragen und Analysen in einer grafischen Benutzeroberfläche erstellen und muss keine Kenntnisse einer Programmiersprache besitzen oder die Strukturen der zu Grunde liegenden Datenbank verstehen.

Für eine internetfähige Lösung sprechen die einfache Wartung und die niedrigen Wartungskosten, da die Anwendungen sich komplett auf dem Server befinden. Änderungen der Applikation erfolgen nur auf der zentralen Server-Einheit. Den Clients steht die neue Funktionalität danach sofort zur Verfügung, da es sich um Webbrowser ohne eigene Applikationslogik handelt. Diese einfache Softwareverteilung und die zentrale Administration senken die laufenden Kosten. Die

Reduzierung der Implementierungs- und Wartungskosten führt zu geringen „cost of ownership".

Die Browser-Technologie bietet den Vorteil, dass dem Anwender eine ihm vertraute, einheitliche Oberfläche zur Verfügung gestellt wird, und zwar unabhängig von der jeweils verwendeten Plattform und dem Standort (vgl. Abb. 58). Die Unternehmensapplikationen, die schon auf der Web-Technologie beruhen, können schnell durch die Einbindung von Web-basierten Werkzeugen um Analyse- und Auswertungsmöglichkeiten erweitert werden.

Standard Browser
Standard und selbsterstellte Applikationen
Schnell, flexibel, leicht zu handhaben

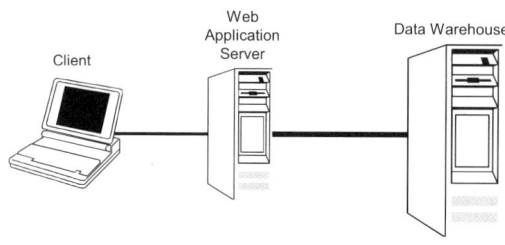

Abb. 58: Integrierte Web-Architektur

Alle Oracle-Business-Intelligence-Werkzeuge sind Instrumente zur schnellen Aufbereitung und Analyse von entscheidungsrelevanten Informationen und bieten eine vollständige Unterstützung sowohl in Client-/Server-Umgebungen als auch in der Web-Technologie. Damit werden die getätigten Investitionen geschützt und der Paradigmenwechsel von der Client-/Server-Umgebung zu der Zukunftstechnologie vollzieht sich reibungslos. Die Vorteile der jeweiligen Technologien können konsequent ausgeschöpft und bestehende Systeme mit zukünftigen integriert werden. Alle Analyse-Werkzeuge von Oracle unterstützen offene Architekturen und ermöglichen das reibungslose Zusammenspiel der relationalen und multidimensionalen Datenhaltung. Die im Data Warehouse gespeicherten Informationen dienen beispielsweise zum Aufzeigen von Trends und Simulationen:

- Welches ist der Artikel der Saison?
- Wie sehen die Produktumsätze verglichen mit der Vorsaison, dem letzten Jahr oder dem letzten Quartal aus?
- Welche Marken verkaufen sich in bestimmten Regionen am besten oder gar nicht?

Die Beantwortung dieser oder ähnlicher Fragestellungen dient dazu, die Prozesse im Handel zu optimieren. Mit den Simulations- und Planungsfähigkeiten der Werkzeuge für die unterschiedlichsten Szenarien können Sie die Sortimentsauswahl, Werbeaktionen, Preisgestaltung für unterschiedliche Regionen und Verkaufsflächen optimieren und so den Warenkorb vergrößern. Die Lieferprozesse können verbessert, die Bestandskosten reduziert und Out-of-stock-Situationen verhindert werden.

9.8 Profitabilitätssteigerung durch verbesserte Kundenbeziehungen

Die strategische Ausrichtung von Unternehmen wird immer öfter durch Customer Relationship Management (CRM) unterstützt. Das Wissen über das Kauf-, das Reklamations- und das Bestellverhalten ermöglicht eine individuelle Ansprache der Kunden, um flexibel auf die unterschiedlichsten Kundenwünsche eingehen zu können und nicht anonyme Zielgruppen zu adressieren. So wird die Kundenzufriedenheit und damit auch die Loyalität gesteigert, was zu einer Optimierung der Profitabilität des Unternehmens führt. Die Identifikation der richtigen Zielgruppe für die jeweiligen Werbeaktionen hilft den Anbietern, Herstellungs- und Versandkosten für die Werbemittel zu reduzieren. Der Empfänger erhält auf diese Art und Weise nur die für ihn relevanten Informationen, was zu mehr Akzeptanz, zu höherer Kundenzufriedenheit und stärkerer Kundenbindung führt.

Der Erfolg von CRM hängt maßgeblich davon ab, wie gut die Kunden in die Wertschöpfungskette eingebunden werden. CRM-Lösungen müssen sich an den Kriterien sichtbare Verbesserung der Kundenzufriedenheit, verbesserter Customer Lifetime Value, drastische Reduzierung der Kosten, schneller ROI, einen reibungslosen Betrieb, schnelle Anpassung an unternehmensspezifische Anforderungen und zukunftssichere Technologieplattform messen lassen.

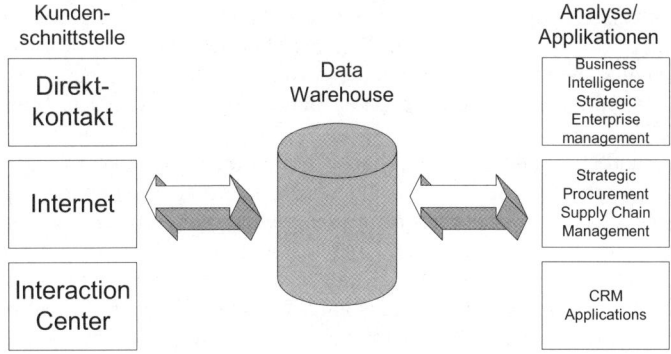

Abb. 59: Customer-Relationship-Management-Architektur

Voraussetzung für ein erfolgreiches 1:1 Marketing ist die Kundensegmentierung, um den Customer Lifetime Value richtig beurteilen zu können und das Kundenmanagement zu optimieren.

Für die Basis der 1:1 Marketingstrategien bietet sich das Data Warehouse und die entsprechenden Auswertungswerkzeuge an (siehe Abb. 59). Die Oracle CRM3i Suite hält Lösungen für das Marketing, die Vertriebskanäle, die Kundenschnittstellen, Interaction-Center und E-Commerce bereit und bietet die Möglichkeit einer ganzheitlichen Integration der Kundenschnittstellen, der ERP-Systeme und den CRM-Anwendungen. Durch die Integration und die vollständige Beschreibung der kundenbezogenen Aktivitäten im gesamten Unternehmen können komplexe Geschäftsabläufe vereinfacht werden.

9.9 Data-Mining-Prozess

Data Mining ist die entdeckungsgetriebene Analyse und Methode zur Erkennung von nicht-trivialen, unerwarteten und wichtigen Informationen aus großen Datenmengen.

Mit dem Oracle-Data-Mining-Werkzeug Darwin können Kundenprofile und Kaufverhaltensmuster identifiziert werden. Welche Dienstleistungen und Produkte sind für die Kunden morgen von Bedeutung? Das Ermitteln von zeitlichen Mustern dient zur Erkennung von Trends und Marktchancen. Diese Untersuchungen des Konsumverhaltens der Kunden stellen eine typische Aufgabe für Data-Mining-Prozesse dar. Die Erstellung von Kundenprofilen mit Darwin bietet ein Einsparungspotenzial bei Vertriebskosten. Die gezielte Ansprache der Kunden, wann welcher Kunde für welche Werbeaktion in Frage kommt, spart Kosten.

Mit Data-Mining-Prozessen können komplexe Produktbewertungsmodelle erstellt werden, die in Abhängigkeit von Mitbewerbspreisniveau, regionalen Aspekten, Kaufverhalten und Kaufkraft der Kunden den optimalen Produktpreis ermitteln können. Bei der klassischen Warenkorbanalyse können statistische Zusammenhänge zwischen Produkten aufgezeichnet werden und zu neuen Produktplatzierungen führen. Data-Mining-Werkzeuge nutzen geeignete mathematische Verfahren, um Zusammenhänge in Datenbeständen zu erkennen. Als Grundlage für die Entdeckungsreise bietet sich hier wieder ein Data Warehouse an, muss aber nicht notwendigerweise bereits bestehen. Wie bei allen Data-Warehouse-Anwendungen werden auch beim Data Mining hohe Ansprüche an die Datenqualität gestellt. Fehlerhafte oder nicht verfügbare Daten stellen den gesamten Data-Mining-Prozess in Frage.

An die zu Grunde liegende Data-Warehouse-Technologie werden bei Fragestellungen, die in Verbindung mit Kassenbonanalysen, Kundensegmentierungen, Preisfindungsmodellen oder Warenkorbanalysen stehen, hohe Ansprüche an die Datenmenge gestellt. Bei dieser Art von Analysen ist es oft erforderlich, das niedrigste verfügbare Attribut, also Granularität, auszuwerten. Eine entscheidende Rolle spielt die Einbindung von Marktforschungsdaten und Kundeninformationen aus den Internetauftritten in das Data Warehouse. Diese externen Daten bieten zusätzliche Informationen, die einen Mehrwert für den Data-Mining-Prozess bilden. Die Data-Warehouse-Architektur muss damit in der Lage sein, große Datenmengen aufnehmen und verwalten zu können. Für das Data-Mining-Werkzeug ergibt sich daraus die Anforderung nach Skalierbarkeit. Die großen und sehr großen Datenmengen müssen von dem Data-Mining-Werkzeug analysiert werden können.

Eine Stärke von Oracles Data-Mining-Werkzeug Darwin sind die Auswertungen riesiger Datenmengen, da Darwin linear mit der verwendeten Hardwareplattform wächst. Für die Analysen stehen alle gängigen Methoden wie der Einsatz Neuronaler Netze, statistische Verfahren zur Bildung von Baumstrukturen und Clustering zur Mustererkennung zur Verfügung. Die grafische Benutzeroberfäche erleichtert die Beurteilung der gefundenen Regeln.

9.10 Strategisches Management: Balanced Scorecard

In der Vergangenheit behaupteten sich erfolgreiche Handelsunternehmen hauptsächlich über eine aggressive Preispolitik im Markt. Bei aktuellen Umsatzrenditen von selten mehr als einem Prozent führt diese Strategie langfristig sicher nicht mehr zum gewünschten Erfolg. Eine strategische Neuausrichtung der Unternehmen ist daher angezeigt. Mit dem Konzept des Efficient Consumer Response liegen derartige Konzepte bereits vor. Diese zukunftsweisenden, betriebswirtschaftlichen Ansätze verlangen gleichzeitig nach Management-Informationssystemen zur strategischen Unternehmensführung, um das Change Management und den Erfolg der eingeleiteten Maßnahmen zu verfolgen.

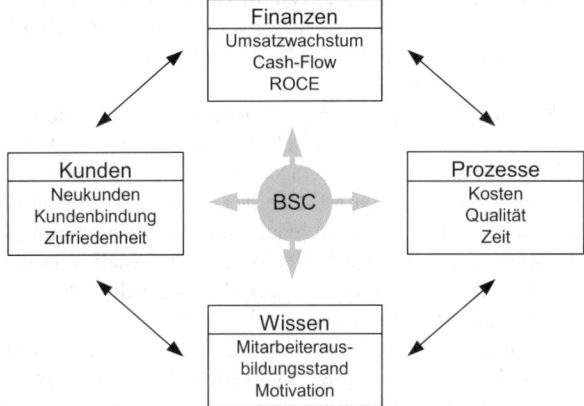

Abb. 60: Perspektiven der Oracle Balanced Scorecard

Management Informationssysteme zur strategischen Unternehmensführung erweitern die traditionellen Kennzahlensysteme um strategische Erfolgsfaktoren. Durch die Beobachtung der unternehmensrelevanten Messgrößen schon während der Entwicklungsphase dient die Balanced Scorecard als Frühwarnsystem und trägt zur Sicherung von Wettbewerbsvorteilen bei. Die betriebswirtschaftliche Applikation Oracle Balanced Scorecard beruht auf dem Ansatz von Kaplan/Norton (vgl. Abb. 60). Neben finanzwirtschaftlichen Kennzahlen werden auch nichtmonetäre Größen als strategische Erfolgsfaktoren definiert. Durch die Darstellung der zentralen Leistungsindikatoren (KPI – Key Performance Indicators) werden die Auswirkungen von Entscheidungen in allen Entscheidungsbereichen sowie die Auswirkungen auf die Gesamtstrategie sofort sichtbar. Mit der Oracle Balanced Scorecard können die unterschiedlichsten hypothetischen Szenarien simuliert und Entscheidungsalternativen aufgezeigt werden.

Das Konzept der Balanced Scorecard bezeichnet die Sicht auf die Erfolgsfaktoren als Perspektiven. Eine dieser Perspektiven ist der Grad der Kundenzufriedenheit, eine ausschlaggebende Messgröße für den Erfolg im Markt. Die Kundenperspektive wird in der Balanced Scorecard den finanziellen Kenngrößen gegenübergestellt, um Abhängigkeiten zwischen dem finanziellen Erfolg und der Kundenzufriedenheit analysieren zu können.

Die Finanzperspektive beschreibt die monetäre Situation des Unternehmens. Eine Möglichkeit der strategischen Ausrichtung wäre, sich an dem Shareholder-Value-Gedanken zu orientieren. Anhand von „Free Cash Flow" oder „Return of Capital Employed" kann der Kapitalgeber die finanzielle Situation des Unternehmens beurteilen.

Die Prozessperspektive ist eine Abbildung der wichtigsten Kernprozesse des Unternehmens. Eine Messgröße wäre beispielsweise die Durchlaufzeit. Die Lernbzw. Innovationsperspektive beschreibt die Voraussetzungen, unter denen sich die Ziele der anderen Perspektiven erreichen lassen. Zu dieser Gruppe gehören Messgrößen über die Qualifikation, Weiterbildungsmaßnahmen und die Motivation der Mitarbeiter. Wichtig ist, nicht nur die relevanten Erfolgsfaktoren nebeneinander darzustellen, sondern ein integriertes Steuerungssystem zu entwickeln. Durch die Zerlegung der Gesamtstrategie in operative, für jeden verantwortlichen Mitarbeiter leicht nachvollziehbare, transparente Faktoren können für alle Unternehmensbereiche eindeutige Ziele festgelegt werden.

Die Oracle Balanced Scorecard verfügt über eine flexible, intuitive Benutzeroberfläche, die speziell für die Erstellung strategischer Auswertungen und Abbildung von Maßnahmepaketen konzipiert wurde. Der Status der Erreichung der strategischen Ziele wird in der grafischen Oberfläche der Balanced Scorecard mit Ampelfunktionalität abgebildet und ermöglicht jederzeit eine Verbesserung der Geschäftsprozesse. Drill-Down-Funktionalität bietet zusätzliche Analysemöglichkeiten, wobei je nach Benutzerinteresse die Analysetiefe eingeschränkt werden kann. Führungskräfte erhalten die Sicht auf die verdichteten Daten, während dem mittleren Management detailliertere Analysedaten zur Verfügung gestellt werden. Die integrierte Oracle-Data-Warehouse-Lösung ermöglicht die Einbindung der Kenngrößen in den gesamten Strategieentwicklungsprozess inklusive den entsprechenden Rückkopplungsprozessen. Die skalierbare Architektur ist für den unternehmensweiten Einsatz ausgelegt und ermöglicht auch die Analyse von extrem großen Datenmengen.

9.11 Fazit

Diejenigen Handelsunternehmen, die es verstehen, ihre Angebote auf den Konsumenten individuell zuzuschneiden und dadurch eine hohe Kundenzufriedenheit erreichen, können so ihre Marktposition festigen und ausbauen. Im Unterschied zur bisher überwiegend betriebenen Preispolitik bietet beispielsweise das Category Management geeignete Verfahren, um sich von den Wettbewerbern abzuheben und Umsatzpotenziale besser auszuschöpfen.

Maßgeblich ist weiterhin, dass nur eine unternehmensübergreifende Optimierung der Logistikprozesse größere Kostensenkungspotenziale bietet.

Das Oracle Enterprise Data Warehouse bietet die unternehmensweite Datenbasis zur Steuerung, Kontrolle und Planung aller Aktionen. Durch die integrierte Lösung entsteht eine ganzheitliche Sicht auf die Geschäftsprozesse. Aus Daten wird

Wissen und aus dem gewonnenen Wissen findet ein Rückfluss zur Steuerung des operativen Geschäfts statt. Durch die Integration von Frontoffice- und Backoffice-Systemen auf einer zukunftssicheren Plattform kann der Aufwand minimiert und die Profitabilität des Unternehmens auch bei niedrigen Margen gesteigert werden. Dafür bedarf es Partner, die in der Lage sind, Software, Dienstleistungen und Know-how in den Bereichen Handel, Data Warehouse, Customer Relationship Management, Strategisches Management und E-Business unter einem Dach zu vereinen. Mit Oracle steht ein zuverlässiger Partner zur Verfügung, der integrierte Lösungen, Services und Know-how bietet, damit zukünftige Herausforderungen gemeistert werden können.

10 Die Data-Warehouse-Lösung von NCR

Hans Bertram

„Zum zukünftigen Handelsmanagement gehören Data-Warehouse-Anwendungen mit der Fähigkeit, jeden Artikel, jeden Kunden und jede Filiale einzeln und gezielt analysieren und ansprechen zu können".

Randy Mott, CIO Wal-Mart

10.1 Namhafte Kundenbasis

Im Mittelpunkt der NCR-Konzeption steht das *Datenbank-Management-System Teradata*, das seit Mitte der 80er Jahre speziell für die Anforderungen von Geschäftsanalysen und zur Entscheidungsunterstützung in Massenmärkten mit Millionen von Kunden und Hunderttausenden von Artikeln entwickelt worden ist. Zu den ersten Anwendern gehörten namhafte Großunternehmen aus Handel und Konsumgüterindustrie in den USA, später auch viele Marktführer aus Europa und Japan. Andere Kunden kommen aus den Bereichen Finanzinstitute, Telekommunikation und dem Transportwesen.

Im Gegensatz zu Universal-Datenbanken anderer Hersteller ist die Teradata-Konzeption von Anfang an für die besonderen Ansprüche komplexer Geschäftsfragen auf Milliarden von Datensätzen entwickelt worden, die von Hunderten bis Tausenden Benutzern – geplant oder ad hoc – in immer neuen Varianten gestellt werden.

Wal*Mart hat auf dieser Basis sein Data Warehouse von zunächst wenigen 100 Gigabyte bis auf die gegenwärtige Größe von über 100 Terabyte erweitert. Aus einer ersten Lösung für die Sortimentskontrolle ist inzwischen ein Spektrum von über 30 Anwendungen bis zur ständigen Warenkorbanalyse über alle Märkte geworden. 7.000 Lieferanten greifen auf das System zu. 120.000 Abfragen werden durchschnittlich pro Woche bearbeitet.

3M unterstützt mit NCR Teradata ein Data Warehouse für den weltweiten Einsatz. 30.000 Kunden und Lieferanten sind angeschlossen und können rund um die Uhr Informationen zu Geschäftsvorfällen, Absatzentwicklungen und anderen Fragestellungen abrufen.

Zu den NCR-Anwendern in Europa gehören heute neben vielen anderen die *Metro*-Gruppe einschließlich *Media-Saturn*, der *Otto Versand, AVA, EDEKA Minden, Migros* in der Schweiz und in der Türkei, *Tesco* (UK), *Casino* (Frankreich) und *Esselunga* (Italien). Metro unterstützt mit seinen Data-Warehouse-Systemen von zusammen 24 Terabyte Category Management, Supply Chain Management, Kundenmarketing und Filial-Controlling.

Best Practice – Erfahrungen

Die genannten und die vielen anderen Kunden haben bewiesen, dass die ungehinderte Zugriffsmöglichkeit auf die Detaildaten ein wesentliches Kriterium für den Data-Warehouse-Erfolg darstellt, auch und gerade wenn sie in die Terabyte-Größenordnung kommen. In jüngster Zeit verstärkt der *E-Commerce*-Gedanke diese Tendenz noch weiter.

Detaildaten sind zwingende Voraussetzung für bessere Geschäftsprozesse; Skalierbarkeit und Flexibilität des Data Warehouses sind entscheidende Erfolgsfaktoren für die Unterstützung neuer Firmenstrategien.

Im *B2B-(Business-to-Business)* Bereich ist *ECR (Efficient Consumer Response)* ohne systematische Unterstützung durch die Informationstechnologie nur sehr begrenzt realisierbar. Erfolgreiches Category und Supply Chain Management benötigen artikelgenaue Abverkaufsdaten vom POS, nämlich über das tatsächliche Kaufverhalten der Konsumenten am einzelnen Standort: *Pro Artikel, pro Filiale, pro Tag* – mit oder ohne Zugriffsmöglichkeit der Lieferanten. Sie ergänzen die Informationen aus den Handels- und Verbraucherpanels der Marktforschung und sind Voraussetzung für ein schlagkräftiges Controlling und Benchmarking aller Filialen. Zur Optimierung der Bestände sind natürlich auch die Lieferdaten erforderlich.

Sie alle müssen aus den verschiedenen operativen Systemen zusammengeführt und vielfach kombiniert werden. Und sie werden sofort oder später für die unterschiedlichsten Aufgaben im Unternehmen benötigt. Nur Detaildaten bis hinunter zum Einzelbon garantieren, dass sie auch bewältigt werden können. Die Mengengerüste wachsen dadurch exponenziell an.

Im *B2C- (Business–to–Consumer)* Bereich kommt die Analyse von Interaktionen im Internet und die Auswertung der angeklickten Seiten und Banner (also der „Fußspuren" der Konsumenten im Web) hinzu. Die Analyse der Clickstreams multipliziert die erforderlichen Mengengerüste um den Faktor fünf bis zehn.

Deshalb ist der Aufbau einer *zukunftssicheren, flexiblen Architektur* zur Bewältigung der Datenmengen und Benutzerzahlen eine zwingende Notwendigkeit. Das Teradata-Datenbankmanagementsystem liefert die richtige Basis. Sie ist

1. bei vielen großen Handelsunternehmen und Konzernen der Konsumgüterindustrie weltweit erfolgreich im Einsatz,
2. bewiesenermaßen hoch skalierbar von wenigen Gigabyte bis zu vielen Terabyte,
3. leistungsstark bei der parallelen Bearbeitung auch komplexer Geschäftsfragen von vielen (teilweise Tausenden) Benutzern,
4. flexibel in der Lösung neuer Aufgaben.

Insgesamt betreut NCR mit Teradata über hundert Installationen im Handel und in der Konsumgüterindustrie, von denen bereits ein beträchtlicher Anteil über mehr als 1 Terabyte Speicher verfügt. Sie beweisen die lineare *Skalierbarkeit* und die *Flexibilität*, die für die Umsetzung neuer Geschäftsstrategien in innovativen Vertriebskanälen in der Zukunft verstärkt erforderlich ist. Die folgenden Abschnitte erläutern die von NCR angebotenen Lösungen und Merkmale, die die Teradata-Plattform auszeichnen.

10.2 NCR-Anwendungen, -Services und -Plattform-Technologie

Das NCR-Portfolio umfasst das ganze Spektrum aus Hardware, Datenbank-Management-System, Anwendungs-Software und Professional sowie Customer Services (vgl. Abb. 61). Zahlreiche Kooperationen mit Softwarepartnern erweitern die Palette der verfügbaren ETL-Produkte zur Datenübernahme und -transformation und die Möglichkeiten multidimensionaler/OLAP-Abfrage-Werkzeuge.

NCR WorldMark Server
skalierbar vom 4 Prozessor SMP-Rechner
bis zum 512 Knoten Massiv Parallelsystem

Teradata®
Die Data Warehouse Datenbank
unübertroffen in Leistungsfähigkeit und Skalierbarkeit

Applikationen
speziell für den Handel von NCR + Partnern
Category Management, Marketing, Logistik, Data Mining

Partnerschaften
Zur Komplettierung der Lösung
Microstrategy, Cognos, Information Advantage, SAS
Oracle, Platinum, Prism, u.v.a.m

Dienstleistungen
Dienstleistungen
erfahrene Spezialisten aus den NCR-Bereichen Unternehmensberatung, Datenbank-Entwicklung, Anwendungsentwicklung und Projektmanagement
erstellen Ihre Data Warehouse Lösung: auf Wunsch als Generalunternehmer

Abb. 61: Das NCR-Leistungsportfolio

NCR übernimmt auf Wunsch GU (Generalunternehmerschaft) auch für die ergänzenden Leistungen, die von Dritten im Rahmen von allgemeinen oder projektspezifischen Partnerschaften benötigt werden.

Umgekehrt ist NCR bereit, sich in eine fremde Generalunternehmerschaft zu integrieren, um die speziellen Leistungen der Hardware-Familie NCR WorldMark und des Datenbank-Systems NCR Teradata sowie datenbankspezifische Professional Services einzubringen.

10.3 Applikationen und Partnerschaften

Abb. 62 zeigt das umfangreiche Angebot für Anwendungs-Software auf, das Lösungen für fast alle Elemente der Wertschöpfungskette, speziell im Handel, umfasst.

Für alle Anwendungen wird im Prinzip die gleiche Datenbasis von Detaildaten verwendet. Best-Practice-Beispiele der NCR-Kunden aus aller Welt belegen, dass die Umsatz-/Absatzdaten sowie Belieferungsdaten im Data Warehouse üblicherweise

■ pro Artikel, pro Filiale, pro Tag (meistens über 2 volle Jahre) und

▪ pro Bon und Bonzeile (meistens über 15 Monate oder länger)

gespeichert werden. Im Interesse maximaler Flexibilität für neue Fragestellungen gilt dabei das Prinzip, diese Daten in 3. Normalform mit nur geringen Denormalisierungen (zum Beispiel Codes zur Kennzeichnung von Werbeumsätzen) zu hinterlegen. Diese „Single Version of the Truth" wird aus den verschiedenen operativen Systemen, vor allem natürlich der Warenwirtschaft und den vorgelagerten Kassensystemen erzeugt und in einer einheitlichen Datenbank abgebildet.

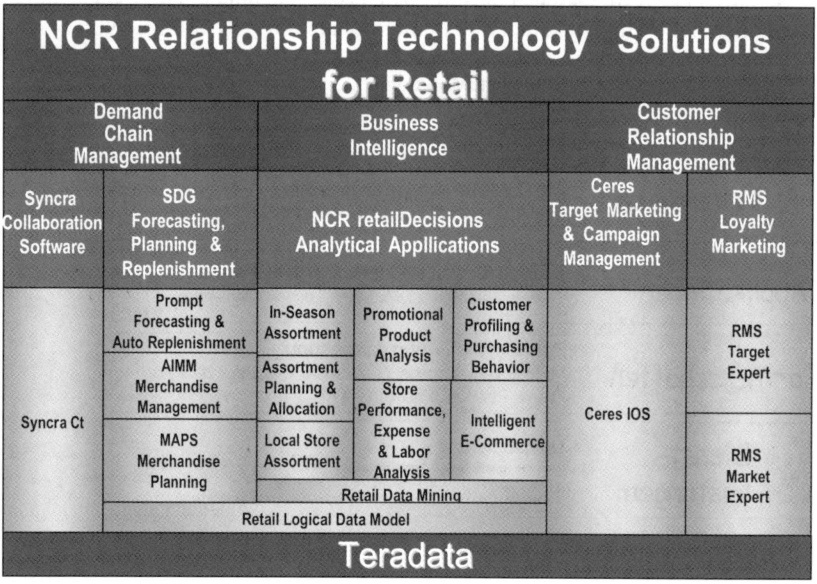

NCR Relationship Technology Solutions for Retail

Demand Chain Management		Business Intelligence				Customer Relationship Management	
Syncra Collaboration Software	SDG Forecasting, Planning & Replenishment	NCR retailDecisions Analytical Appllications				Ceres Target Marketing & Campaign Management	RMS Loyalty Marketing
Syncra Ct	Prompt Forecasting & Auto Replenishment	In-Season Assortment	Promotional Product Analysis	Customer Profiling & Purchasing Behavior	Ceres IOS		RMS Target Expert
	AIMM Merchandise Management	Assortment Planning & Allocation	Store Performance, Expense & Labor Analysis	Intelligent E-Commerce			
	MAPS Merchandise Planning	Local Store Assortment					RMS Market Expert
		Retail Data Mining					
	Retail Logical Data Model						

Teradata

Abb. 62: Anwendungssoftware-Lösungen

10.3.1 NCR retailDecisions (Business Intelligence)

Der Bedarf an jederzeit abrufbaren Informationen über den Geschäftsverlauf und mögliche Verbesserungspotenziale wächst. Altbekannte und ganz neue Fragen ergänzen sich:

1. Welche Märkte in der Region Süd haben unterdurchschnittliche Erträge generiert? Welche Warengruppen/Artikel haben diese Abweichungen verursacht?

2. Wie entwickelt sich der Abverkauf der Saisonartikel? Wo entstehen Bestandsüberhänge?

3. Wie erfolgreich war die Werbung in den verschiedenen Absatzkanälen einschließlich Internetauftritt?

4. Wie ist das Verhältnis von Webclicks und Kaufvorgängen im Internetauftritt und welche Bedeutung haben die verschiedenen Portale und Anzeigenbanner für das Geschäft (Clickstream-Analyse) ?

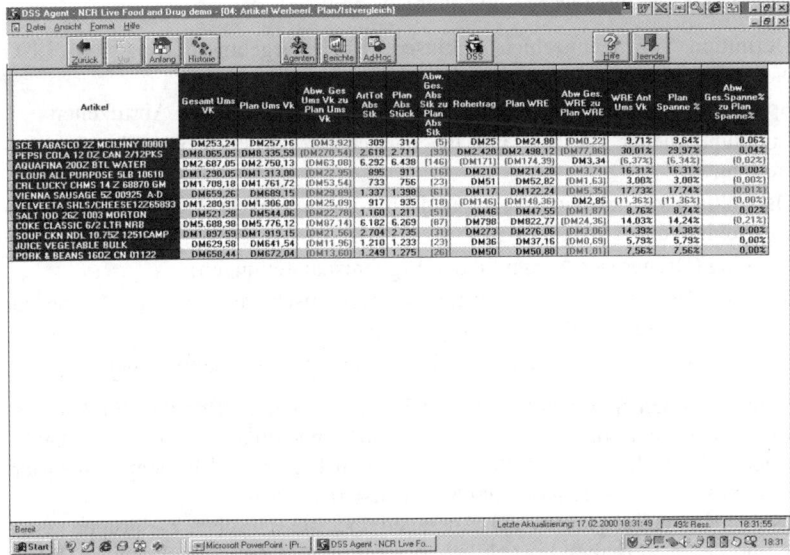

Abb. 63: NCR retail Decisions

Viele dieser Fragen wiederholen sich regelmäßig und werden deshalb als Standardauswertungen routinemäßig in festen Intervallen vorbereitet (siehe zu einem Beispiel Abb. 63). Aber die Antworten erzeugen neue Fragen, da Gründe für Erfolge und Misserfolge erkannt und ggf. Korrekturmaßnahmen ergriffen werden müssen. Aus den vielfältigen Praxiserfahrungen hat NCR zahlreiche Berichtsstrukturen vordefiniert. Sie stehen in einer Bibliothek als Templates zusammen mit dem Datenmodell für den schnellen Einstieg zur Verfügung. Sie unterstützen Filialunternehmen, Versandhändler, Internetanbieter und Firmen mit mehreren Vertriebskanälen gleichermaßen.

Den unterschiedlichen Schwerpunkten bei den verschiedenen Anwendern entsprechend kann der Kunde zwischen folgenden Teilsystemen wählen, die separat unter Lizenz genommen werden können:

1. Sortimentsplanung und -Kontrolle mit Spannenmix
2. Abverkaufs- und Bestandsanalysen (speziell für saisonale Artikel)
3. Regionale/lokale Sortimentsbildung
4. Werbeerfolgskontrolle
5. Filial-Benchmarking (Umsatz- und Ertragsmix, Kosten)
6. Warenkorbanalyse und Zielgruppensegmentierung
7. E-Commerce-Interaktions- und Kaufanalyse
8. Lieferanten-Scorecards

Im Vergleich mit traditionellen Warenstatistiken zeichnet sich das Konzept durch grafische und tabellarische Darstellungen aus, die auch lange Zeitreihen und damit Absatz- und Bestandsentwicklungen optisch wirksam wiedergeben.

Typische Eigenschaften dieser Anwendungen sind:

1. Definition von Kennzahlen, inklusive Rechenergebnisse (Spannen, LUG usw.), Prozentabweichungen, Anteilsrechnungen
2. Speicherung von Standardberichten mit festen oder variablen Abrufzeiten
3. Erstellung neuer Berichte mit tabellarischen oder grafischen Ergebnisdarstellungen
4. Darstellung von Zeitvergleichen und Zeitreihen (z. B. Umsatz- und Bestandsentwicklungen)
5. Pivoting (Drehen der Achsen in den Ergebnisdarstellungen)
6. Möglichkeit für Drill-Down zu tieferen Berichtsebenen (von der Region zur Filiale / von der Abteilung zur Warengruppe)
7. Abfrage von Schwellenwerten für die Meldung von Ausnahmefällen.

In einem typischen Startpaket sind zum Beispiel mehrere Berichte für Umsatz- und Ertragsanalysen enthalten. Sie basieren auf den artikelgenauen Abverkaufsdaten der Filialen. In Ausbaustufen können dann Liefer- und Bondaten integriert und Bestands- sowie Warenkorbanalysen realisiert werden.

Aus den Kassenbons lassen sich Aussagen über die typischen Zielgruppen erarbeiten und deren Verhalten hinsichtlich Warenmix und Kaufgewohnheiten (Reaktion auf Aktionen, Anzahl Posten im Warenkorb, Wochentag und Uhrzeit des Einkaufs) ermitteln. Sind sie einmal identifiziert, können wichtige Kennzahlen wie Durchschnittsbon und Käuferreichweite pro Filiale fortlaufend errechnet und im Berichtswesen integriert werden.

Die Sortimentsgestaltung kann an den bevorzugten Warenmix der großen und der profitablen Zielgruppen angepasst werden. Personaleinsatz und Serviceangebote lassen sich an den Kundengewohnheiten ausrichten.

NCR retailDecisions ist eine einzelhandelsspezifische offene Client-Server-Anwendung basierend auf einer ROLAP-Architektur. Mit Hilfe der bereits vordefinierten Metadaten hat das System deshalb uneingeschränkten Zugriff auch auf die Detaildaten des Data Warehouses. Auf diese Weise können neben den vordefinierten multidimensionalen Berichten auch beliebige ad hoc Abfragen getätigt werden.

Alle Teilsysteme sind über das gemeinsame Datenmodell integriert. Als OLAP-Werkzeug können verschiedene Partnerprodukte zum Einsatz kommen. Eine besondere Kooperation besteht mit MicroStrategy. Die Abfragewerkzeuge DSS Agent und DSS Web ermöglichen multidimensionale Abfragen und Analysen, basierend auf einer speziell dafür gebildeten Datenwelt, die in der Teradata-Datenbank abgelegt wird („Würfel" mit Dimensionen, Hierarchien, Attributen und Kennzahlen). Eine spezielle Metadatenschicht übersetzt die technischen Begriffe der Datenbank in die Fachsprache der Endanwender und macht sie weitgehend von den DV-Spezialisten unabhängig.

Alle Abfragen sind in vorbereiteten „Arbeitsmappen" abgespeichert. Zusätzlich können die Benutzer eigene ad hoc Abfragen entwickeln, die über den vordefinierten Umfang hinausgehen (sofern das mitgelieferte Datenmodell diese unterstützt). Sie können zur wiederholten Ausführung ebenfalls gespeichert werden.

Entscheidend ist, dass die Benutzer Standard- und Ad-hoc-Fragen dann stellen können, wenn sie anfallen, ohne Verzögerung, mit Modifikationen und mit kurzen Antwortzeiten.

10.3.2 SDG Demand Chain Management

SDG (Stirling Douglas Group) in Toronto, Kanada, hat sich seit vielen Jahren auf die Wertschöpfungskette von Handel und Industrie konzentriert und spezielle Methoden für die Bedarfsvorhersage entwickelt. NCR hat sich an dem Unternehmen beteiligt und vertreibt die Lösungen in Europa.

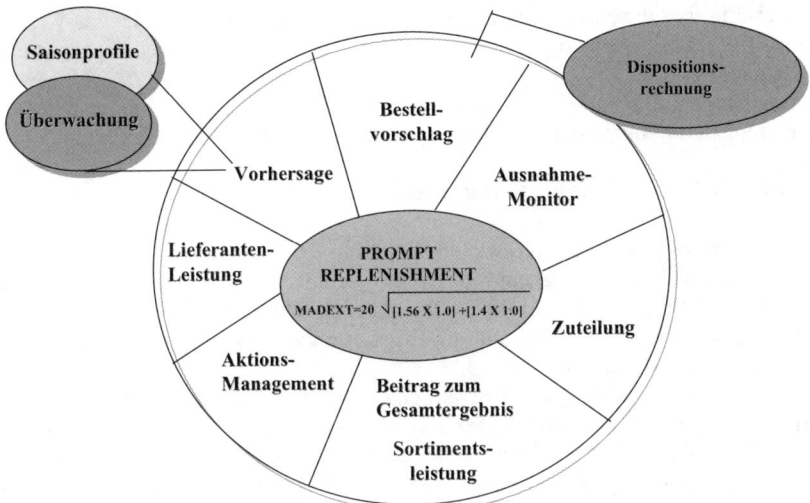

Abb. 64: Lösungen für das Demand Chain Management

10.3.3 PROMPT Automatische Disposition

Tausende von Dispositionsentscheidungen werden täglich getroffen. Jede versucht, die richtige Balance zwischen Servicegrad und Kapitalbindung zu wahren, um Kundenzufriedenheit und Profitabilität sicherzustellen.

Auch erfahrene Mitarbeiter haben es schwer, aus Einflüssen wie Wetter, Jahreszeit, speziellen Ereignissen und standortspezifischen Besonderheiten die richtigen Schlüsse zu ziehen – ganz zu schweigen von Kollegen, die urlaubs- oder krankheitsbedingt einspringen.

PROMPT (Product Replenishment on Merchandise Policy Techniques) verbessert Bestellwesen und Bestandssteuerung erheblich und entlastet die Mitarbeiter von Routineaufgaben.

Dazu ermittelt PROMPT für alle Artikel-(Gruppen) Absatzprofile aus der Data-Warehouse-Historie der letzten 52 Wochen oder mehr. Zusammen mit einer saisonbereinigten Prognose des zu erwartenden Wochenabsatzes und den Bestandsdaten ermittelt PROMPT daraus im Bestellintervall den Lieferbedarf. Dabei werden Unterschiede im Abverkauf an den einzelnen Standorten registriert und führen zu unterschiedlichen Nachbestellungen. Durch die Profile fließen jahreszeitlich wiederkehrende Effekte und Events in die Prognosen ein. Auch der Uplift von Aktionen kann berücksichtigt werden.

Zusätzlich können Regeln, z. B. für die Höhe des zu haltenden Sicherheitsbestandes, fixiert werden. Sie passen sich automatisch an die relative Sortimentsbedeutung des Artikels (Ranking) in der Filiale an. Dieses Ranking wird wöchentlich vorgenommen und gewährleistet, dass konsumstarke und profitable Artikel höher bevorratet werden als andere.

Durch andere Regeln führt PROMPT den Benutzer gezielt zur Bearbeitung der Sonderfälle, bei denen Handlungsbedarf besteht. Neu auftretende Trends werden frühzeitig und zuverlässig gemeldet und in der zentralen Bedarfsermittlung berücksichtigt.

Der Nutzen: Gleichmäßige Dispositionsentscheidungen, Entlastung der Disponenten, ohne die lokale Individualität für Sortiment und Artikel zu verlieren.

10.3.4 PROMPT Category Management

Sortimentserfolg gründet auf vielen Faktoren. Profitabler Artikelmix gehört ebenso dazu wie gute Flächenproduktivität, effiziente Werbung und geschickte Marken- und Preispolitik. Mit einem speziellen Modul analysiert die Applikation in kurzen Intervallen den Mix und die Ergebnisbedeutung eines jeden Artikels in einem Sortimentsbaustein.

So wird durch regelmäßige Programmläufe sichtbar, wie viele oder wie wenig Artikel den größten Teil des Umsatz und des Rohertrages ausmachen und aus wie vielen verschiedenen Artikeln auch noch das letzte Umsatzprozent besteht. Dazwischen liegen weitere drei Unterteilungen. Alles zusammen eine zuverlässige Basis, Kandidaten für die Auslistung zu identifizieren.

Ziel ist es, den Mix so zu gestalten, dass wenig verkaufte und profitable Artikel zwar zur Abrundung des Sortimentes vorhanden sind, aber idealerweise nur geringe Bestandskosten und wenig Flächeneinsatz benötigen. Mit seinen Abverkaufsdaten schafft das Data Warehouse die Erkenntnisse über den durchschnittlichen wöchentlichen Abverkauf, die täglichen Absatzspitzen und die Konsequenzen für den Bestandsauf- und -abbau. Der Ergebnisbedeutung des Einzelartikels entsprechend passt PROMPT unter anderem Lieferbereitschaft und damit Sicherheitsbestand dynamisch nach vorgegebenen Regeln an: Je wichtiger der Artikel im Sortiment ist, desto mehr wird die Lieferbarkeit durch ausreichenden Sicherheitsbestand gewährleistet.

Preis- und Promotion-Historie werden ebenfalls aus dem Data Warehouse gewonnen. Sie zeigen die Absatzauswirkungen solcher Maßnahmen in der Vergangenheit und erlauben eine Simulation der Zukunft.

PROMPT-Programme unterstützen so den Anwender bei der systematischen Gewinnung von Data-Warehouse-Nutzen. Regelmäßige Abläufe prüfen automatisch die Balance von Artikelmix, Absatz- und Bestandsverteilung und gewährleisten damit auch die Kontrolle von Flächenproduktivität und Werbeeffizienz.

10.3.5 MAPS Waren- und Limitplanung

Jahres- und Saisonplanungen sind zeitaufwendig und oft schon überholt, wenn sie gerade abgeschlossen sind. Oft reflektieren sie neue Trends nur unzureichend. Auch die laufende Geschäftsentwicklung wird nachträglich nur noch begrenzt berücksichtigt oder führt zu komplexen Anpassungen der Pläne auf allen Ebenen. Das Einkaufslimit basiert nicht selten auf Annahmen, die schon von jüngeren Geschäftszahlen überholt sind.

MAPS (Merchandise Activity Planning System) ermöglicht höhere Effizienz, optimalen Bestandsaufbau und geringere Abschriften. Ein Data Warehouse mit detaillierten Absatzdaten aus den letzten 52 oder 104 Wochen schafft die Voraussetzungen für eine fundierte Prognoserechnung, die durch die Fortschreibung der Ist-Daten ständig aktualisiert wird. Basierend auf den Stückzahlen pro Artikel oder Warengruppe kann das System eine Bottom-up-Planung durchführen und einen neuen Plan für die nächste Planperiode vorbereiten, auf jeder Sortimentsstufe, auch unter Berücksichtigung filialgenauer Umsatzprofile.

Natürlich kann der Anwender dann aus Unternehmenssicht Korrekturen vornehmen, Plansätze aus verschiedenen Gründen erhöhen oder reduzieren. Top down bilden sich diese Veränderungen bis zum einzelnen Sortimentsbaustein und bis zur Filiale ab. Nach abschließender Genehmigung entsteht eine autorisierte Limitplanung pro Einkäufer.

Hat die so geplante Periode (Saison) schließlich begonnen, lässt sich mit Hilfe des Data Warehouses eine ständige Soll-/Ist-Kontrolle realisieren. Hochrechnungen auf die gesamte Planperiode sind möglich. Bei Bedarf können Plankorrekturen erfolgen und Simulationen mit geänderten Kennzahlen vorgenommen werden. Ursprüngliche Planung, Korrekturen und Simulationen lassen sich parallel führen.

MAPS unterstützt die Bedarfsprognose, den Einkauf und optimiert die Filialzuteilung. Höhere Lagerumschlagsquoten und geringere Preisabschriften sind die Folge. Sie wirken sich in mehr Umsatz und Rohertrag aus.

10.3.6 Customer Relationship Management

Konsumenten- und standortorientierte Sortimentsbildung setzt voraus, dass man nicht nur die demografische Zusammensetzung im Umfeld der Filialen kennt. Das tatsächliche Kaufverhalten wird auch durch Wettbewerbssituation und Verkehrsanbindung mitbestimmt. Seine Kunden besser kennen lernen, sie in Zielgruppen zusammenzufassen und deren relative Profitabilität zu ermitteln, heißt deshalb die Devise. NCR liefert Lösungen hierzu.

Warenkorbanalysen und Bonstrukturen pro Zielgruppe sind der erste Schritt, Werbeerfolgsbewertungen durchzuführen. NCR retailDecisions bietet hierzu die geeigneten Analysen. Am besten lassen sich Umsatz und Marktanteil aber durch eine bessere Kundenansprache sichern und ausbauen. Immer mehr Firmen erkennen, dass es entscheidend darauf ankommt,

1. neue Kunden zu gewinnen,

2. vorhandene Kunden dauerhaft zu halten

3. und ihre Profitabilität zu steigern.

Mit anderen Worten: Es geht darum, den „Lebenswert" des Kunden für das eigene Unternehmen zu bewahren und zu entwickeln. An allen Kontaktpunkten zwischen Kunden und Unternehmcn, auch am *Multimedia-Kiosk*, im *Call Center* oder im *Internet*, entstehen Transaktionen bzw. Interaktionen, die Aufschluss über die Kundenpräferenzen geben.

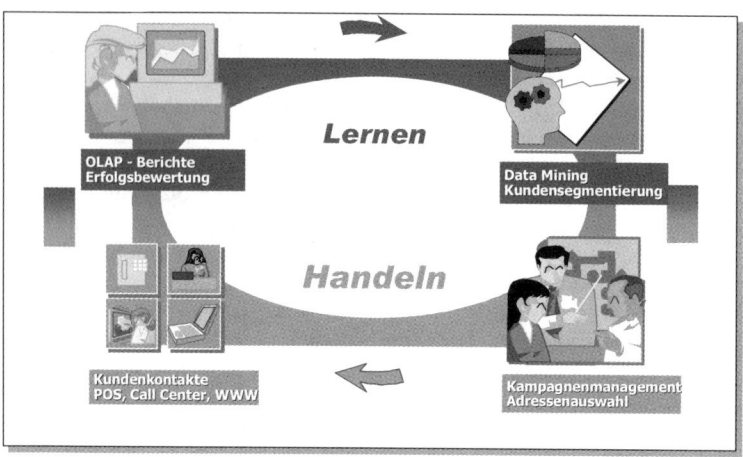

Abb. 65: Data-Mining-Anwendungen

Data-Mining-Systeme lassen Abhängigkeiten und Trends erkennen, Zielgruppen festlegen und *Scorings* (Bewertungen) der Kundenbeziehungen durchführen (vgl. Abb. 65). Wichtige Vergleichskennzahlen wie Kauffrequenz, geografische Reichweite und Durchschnittsbon können fortlaufend errechnet und im Standardberichtswesen integriert werden. Natürlich lassen sich aus den gespeicherten Kundenbons auch Bonussysteme versorgen und deren Zahlen als zusätzliche Erkenntnisse im Data Warehouse festhalten.

Data Mining, Kundenscoring und Werbeerfolgskontrolle sind die Basis für neue Aktionen. Sie können manuell oder mit Hilfe von *Campaign Management Applikationen* auf die Zielgruppen ausgerichtet und den Einzelkunden 1:1 zugeschnitten werden. Die Reaktion der Kunden auf diese Aktionen wird wiederum im Data Warehouse registriert und bei den nachfolgenden Scorings berücksichtigt. In vielen Fällen sinken die Aktionskosten bei gleichzeitig höherer Kundenzufriedenheit, mehr Umsatz und Ertrag.

10.3.7 CERES IOS Kampagnenmanagement

Im Frühjahr 2000 hat NCR das auf den Einzelhandel spezialisierte Software-Unternehmen CERES aus Raleigh/USA übernommen und vermarktet dessen System CERES IOS weltweit. CERES ist bereits bei namhaften US-Großunternehmen wie Wal*Mart, JC Penney und vielen anderen im Einsatz.

Es ist auf die Benutzung durch Marketingfachleute ausgerichtet und enthält folgende Funktionen:

- Marketing-Event-Planung (mit langfristiger Zeit- und Mediaplanung)
- Kunden Scoring nach frei definierbaren Algorithmen
  (alternativ Schnittstelle zu Data-Mining-Werkzeugen)
- Werbeselektion für verschiedene Vetriebskanäle
- Kundenhistorie (Geschäftsvolumen, Kontakte) nach allen vorhandenen Kennzahlen und Kaufpräferenzen
- Kundenanalysen mit Produktmix
- Produktanalysen mit Kundenmix
- Herkunftsanalysen (z. B. nach PLZ-Gebieten)

Neben der Beherrschung sehr großer Datenmengen besteht eine Stärke von CERES darin, dass bei den Analysen jederzeit ad hoc Kundengruppen grafisch zu neuen Zielen zusammengefasst und markiert werden können. Am Bildschirm können so Kunden mit dem gleichen gekauften Warenmix oder Kunden mit sinkenden Umsatzvolumen in bestimmten Sortimenten identifiziert und gezielt mit Werbemaßnahmen angesprochen werden.

Einsatzschwerpunkt sind Unternehmen im Versandhandel mit sehr vielen anzusprechenden Kunden, für die bereits eine umfangreiche Infrastruktur hinsichtlich Auftragserfassung aufgebaut worden ist, aber eine intensivere Zielgruppenbildung für individualisierte Werbemaßnahmen angestrebt wird.

10.3.8 RO Relationship Optimizer

Mit der zunehmenden Bedeutung von elektronischen Vertriebskanälen (Internet, Web Kiosk, Call Center) wächst die Herausforderung und die Chance, den Konsumenten in kürzester Zeit auf Grund seiner Transaktionen oder Interaktionen wieder anzusprechen und ihm maßgeschneiderte Angebote zu machen. Idealerweise wird jeder Konsument dann beworben, wenn er Bedarf hat, und dann mit einem für ihn passenden Angebot.

Allerdings wächst parallel auch die Gefahr, den potenziellen Kunden mit zu vielen Initiativen zu überfrachten und die eigenen Vertriebskapazitäten in Call Centern usw. zu überfordern. Es ist deshalb auch nötig, Werbeaktionen aus Budgetgründen und im Interesse der Kundenzufriedenheit zahlenmäßig zu begrenzen.

NCR hat hierfür mit einigen Data-Warehouse-Kunden gemeinsam neue Verfahren entwickelt und unter dem Namen RO (Relationship Optimizer) zusammengefasst. RO bietet eine Reihe von Leistungen, um die Chancen zu nutzen, ohne die Kundenbeziehung zu überfordern. Zum Softwaresystem gehören folgende Module:

- Der Event Manager dient als grafischer Leitfaden für das Kampagnendesign und als Schnittstelle zwischen Marketing und Technik. Hier wird auch das Know-how, weshalb eine Kampagne wann, wo und wie durchgeführt werden soll, gespeichert. Ebenso werden Prioritäten und Limitierungen der Kundenansprache definiert.

- Der Kommunikationsmanager steuert die Durchführung der Marketingkontakte über die verschiedenen Vertriebskanäle in Abhängigkeit von Zeitpunkten, Budgets, Mengenbegrenzungen, Kapazitäten und Prioritäten.

▪ Der Interaktionsmanager stellt die Kommunikation mit den operativen Systemen sicher, z. B. dem Call Center.
▪ Der Analysemanager übernimmt die Auswertung der Kampagnen-Reaktionen.

Einsatzschwerpunkt dieses Systems sind einerseits Finanzdienstleister mit ihrem hohen Aufkommen an analysierbaren Kundentransaktionen (alle Kontobewegungen), andererseits Anbieter aus dem Internetsektor (B2B), wo aus den Bewegungen des Internetbesuchers (von welchem Portal, via welchem Banner, auf welchen Seiten) Rückschlüsse auf denkbare Werbemaßnahmen gezogen und mit RO kurzfristig adressiert werden können.

10.3.9 RMS Loyalty Marketing

Unternehmen mit Kundenkartensystemen benötigen über die Analyse hinaus Unterstützung durch operative Systemkomponenten, zum Beispiel für die Stammdatenpflege und -verwaltung, die Einbindung einer Hotline und die Errechnung von Bonuspunkten sowie deren Vergütung.

Zusammen mit der Partnerfirma RMS Retail Marketing, LLC, vertreibt NCR hierfür die Systeme MarketExpert und TargetExpert. Ihre Leistungsstärken liegen in

▪ Pflege aller erforderlichen Kundeninformationen für das Betreiben eines Kundenloyalitätsprogrammes,
▪ Administration und Verwaltung von Kundenkarten für Einzelkunden, Haushalte und Institutionen (Mehrfachkarten),
▪ Namen- und Adressabgleich von mehrfach vorhandenen und gespeicherten Kundenstammdaten aus verschiedenen Quellen,
▪ Führen kundenindividueller Punktesalden entsprechend den Promotionsprogrammen des Händlers,
▪ Speicherung der Kundentransaktionsdetails,
▪ Gruppenbildung zur Analyse des Einkaufsverhaltens,
▪ Abwicklung von kundenindividuellen Angeboten basierend auf den Einkaufsgewohnheiten des jeweiligen Konsumenten oder Haushalts,
▪ Unterstützung von preisindividuellen Kundenangeboten,
▪ Unterstützung von 1:1 Marketingaktivitäten und Erfolgsmessung,
▪ Analyse der Wirksamkeit kundenspezifischer Angebote hinsichtlich Kundenprofitabilität, Werbeertrag und Kundentreue,
▪ Schnittstellen zu POS-unterstützenden Marketingfunktionen wie Kassensysteme, Kioskterminals und E-Commerce.

MarketExpert unterstützt die analytische Seite eines Kundenloyalitätsprogrammes wie z. B. Visualisierung des Einkaufsverhaltens, Kundensegmentbildung, Bewirtschaftung von Marketing-Kampagnen. Zusätzlich erlaubt es die Adressierung von individuellen Angeboten, Wettbewerben und die Erstellung von Punkteprogrammen verschiedenster Komplexitätsstufen.

TargetExpert stellt die interaktive Seite eines Loyalitätsprogrammes dar und erlaubt die Online-Behandlung von kundenspezifischen Angeboten sowie Punkteanzeige am POS-Terminal, an einem Kiosk-Terminal, via Internet oder mobilem Telefon.

Die RMS Produkte MarketExpert und TargetExpert kommen speziell dort zum Einsatz, wo die Einführung einer Kundenkarte mit integriertem Punkteprogramm im Vordergrund steht. Besonders geeignet ist die Lösung für den Food-Einzelhandel mit großen Tranksaktionsvolumina pro Einkauf und Punkteprogrammen, welche eine Vielzahl von Varianten beinhalten.

10.4 NCR Teradata Data Warehouse

10.4.1 Data-Warehouse-Architektur

Als Hauptfunktion eines Data Warehouses versteht NCR die Konsolidierung unternehmensweiter Daten und deren Transformation in ein von den Endanwendern nutzbares Format, unabhängig von deren Aufgabenstellung. Dies steht im Gegensatz zur aufgaben- und funktionsorientierten Ausrichtung von OLTP-Systemen und impliziert, dass ein Data Warehouse von verschiedenen Personengruppen unterschiedlich gesehen und benutzt wird.

Maßgeblicher Aspekt zum Verständnis einer Data-Warehouse-Architektur ist, dass alle Anwendungen (unabhängig ob als Reporting Tool, Business Intelligence Tool oder auch Data Mining Tool charakterisiert) einen Zugriff auf *einen* unternehmensweiten Datenspeicher oder auf daraus abgeleitete, d. h. inhaltlich *abhängige* (dependent) Data Marts haben müssen, soll der gewünschte Nutzen erzielt werden. Besteht diese funktionale Abhängigkeit nicht, wird ein Data Warehouse in seiner Leistungsfähigkeit deutlich eingeschränkt. Alte und neue Fragestellungen (Applikationen) werden aus unterschiedlichen Datenquellen gespeist, die Ergebnisse sind nicht konsistent. Der Wert für die Endanwender und damit das Unternehmen sinkt drastisch.

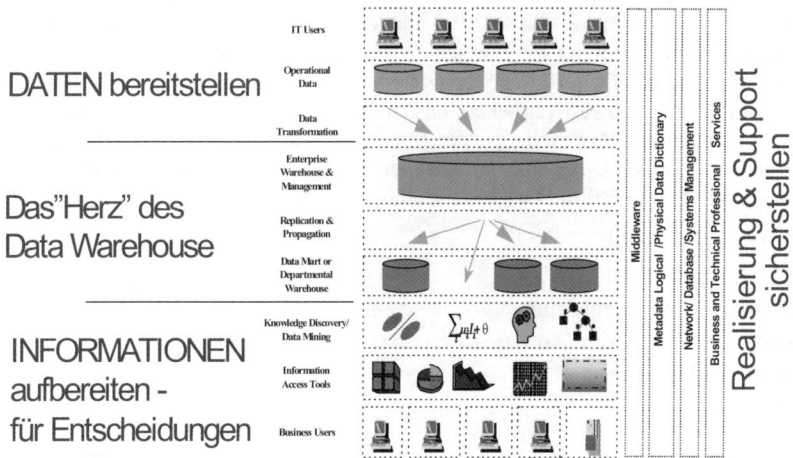

Abb. 66: Data-Warehouse-Architektur

Zu Beginn eines Projektes mag eine funktionsoptimierte Sicht für einen Themen-
kreis mit hoher Priorität durchaus sinnvoll erscheinen, doch erkennt ein Unternehmen den Nutzen eines Data Warehouses, so werden mehr Informationen
(„neue Projekte") gefordert, die nur eine ausbaufähige Lösung erfüllen kann. Zwar
ist Data-Warehouse-Projekten ein schrittweiser Aufbau gemeinsam, doch erst mit
jeder zusätzlich gewünschten Applikation stellt sich heraus, ob man ein „echtes"
(funktions- und organisationsübergreifendes) Data Warehouse besitzt, oder nur
eine Ansammlung von „Dateninseln". Deshalb ist ein „Bauplan" als Rahmen für
alle Projekte sinnvoll (siehe Abb. 66).

10.4.2 Erfolgsfaktoren für wachsende Data-Warehouse-Systeme

Ein Data Warehouse soll die Endbenutzer in die Lage versetzen, auf geschäfts-
relevante Fragen Antworten zu erhalten, und zwar auf der Basis sämtlicher verfügbarer Unternehmensdaten und in angemessener Zeit. Daher muss das Datenvolumen und die Speicherfähigkeit stets so groß wie nötig sein, um das Geschäft
zu unterstützen. *Die wertvollsten Antworten werden durch Ad-hoc-Abfragen generiert.*

Um ein langfristig erfolgreiches Data Warehouse zu erhalten, muss die zentrale
Datenbank erweiterbar sein. Damit ist nicht einzig und allein das Datenvolumen,
sondern auch die Anzahl der Benutzer, die Art der Nutzung und die notwendige
Datenmenge, die (täglich) durch Batchläufe verarbeitet wird, gemeint.

Die meisten Data Warehouses starten mit kleinem Datenvolumen und einer
kleinen Anzahl von Benutzern. Dabei ist es möglich, den Datenzugriff in der Regel auf 8-12 Stunden pro Tag zu beschränken, um den Rest der Zeit für das Aggregieren der Daten und für Updates zu verwenden. Oft werden die Daten auch nur
wöchentlich bzw. monatlich und nicht täglich aktualisiert.

Mit *fortschreitender Data-Warehouse-Nutzung* werden jedoch ziemlich rasch
zwei Herausforderungen sichtbar: Erstens wollen die Benutzer in der Lage sein,
Abfragen häufiger zu starten, und zweitens wird eine höhere Aktualität, Daten-
breite und damit Update-Rate gefordert. Verlängerungen der Ladenöffnungszeiten
verkürzen die Zeitfenster für diese Ladevorgänge. Bei E-Commerce-Projekten
sinkt es auf Null, denn der Konsument kann jederzeit Transaktionen/Interaktionen
auslösen, die an das Data Warehouse weitergegeben werden sollen.

Es ist daher wichtig zu verstehen, dass nicht nur das Datenvolumen wächst und
damit eine ständige Anpassungen der Speichergröße erfordert, sondern dass *alle
Teilfunktionen eines Data Warehouses beim Wachstum entsprechend Schritt halten müssen*. Das betrifft die Organisation und den Zeitbedarf für:

- Daten laden
- Sicherungsläufe
- Periodische Wartungsläufe
- mehr und komplexere Abfragen
- Software-Upgrades und
- Hardware-Erweiterungen.

Es ist durchaus normal, dass eine zentrale Datenbank, ausgehend vom anfänglichen Volumen, *innerhalb von 5 Jahren um das 10- bis 100-fache wächst*; so sind

auch NCR Teradata Installationen bei deutschen und europäischen Anwendern innerhalb von 24 Monaten von 200 GB auf 25 TB gewachsen. Die NCR-Architektur stellt sicher, dass *auch große Erweiterungen innerhalb eines Wochenendes durchgeführt werden können.*

Von erheblicher Bedeutung ist das Verhältnis zwischen Nettodaten (den eigentlichen Bestands- und Bewegungsdaten auf unterster Detaillierungsebene in ASCII-Speicherung) und dem Speicherplatzbedarf unter Einschluss von Aggregationen, Indizierungen, Zwischenergebnissen und Datensicherheitsstufe der Diskarraysysteme. Bei NCR Teradata beträgt dieses Verhältnis insgesamt nur 1: 2,4. *(Von einigen anderen Datenbanken sind Data Warehouse Konzepte mit weit mehr als doppelt, ja sogar fünffach so großen Relationen bekannt und im Interesse der Performance zwingend erforderlich.)* Dies wirkt sich massiv auf die zu installierende Hardwaremengen und die Wartbarkeit der Systeme aus.

NCR-Teradata-Systeme benötigen *extrem wenig Administrationsaufwand.* Auch große Systeme können mit 1-2 Systemadministratoren betrieben werden.

Angesichts der geforderten Flexibilität und Skalierbarkeit wird offensichtlich, dass die *Auswahl der für das Data Warehouse einzusetzenden Datenbankplattform keine taktische, sondern ein strategische Entscheidung* ist, die ein Unternehmen bereits zu Beginn – bei Planung und Aufbau der ersten Phase der Data-Warehouse-Infrastruktur – zu treffen hat. Die Auswahl der Datenbank muss auf jeden Fall die zukünftigen Anforderungen an das Data Warehouse berücksichtigen.

10.4.3 Teradata Leistungsumfang

NCR hat weltweit über 1.000 Data-Warehouse-Projekte implementiert, davon mehr als 200 Installationen mit mehr als einem Terabyte Datenbestand. Allen gemeinsam ist die Verwendung von NCR Teradata als Data-Warehouse-spezifische Datenbankplattform.

Das System hat sich für die Verarbeitung größter Datenmengen seit über zehn Jahren bewährt. Die folgenden Leistungsmerkmale zeichnen NCR Teradata aus:

- Optimale Skalierbarkeit bei wachsenden Datenvolumen, Nutzerzahlen und Aufgaben
- Hervorragendes Antwortzeitverhalten bei komplexen Abfragen
- Automatische parallele Lastverteilung
- Selbstoptimierende Parallelität
- Sehr günstiges Verhältnis von Netto- zu Bruttodaten (ca. 1:2,4)
- Mainframe-Integration und System-Anschließbarkeit
- Hohe Verfügbarkeit durch geringe Servicezeiten für Laden, Sichern und Reorganisieren
- Relativ niedrige Betriebskosten durch geringen Personalbedarf für Administration
- Abbildung unternehmensweiter Geschäftsmodelle durch Verwendung der 3. Normalform
- Schnelle Implementierung
- Zahlreiche Referenzkunden und hohe Produktreife
- Vollständige weltweite Support-Infrastruktur

▓ Parallel arbeitende Ladewerkzeuge mit Restart-Fähigkeiten

▓ Geringste „Total Cost of Ownership"

Entscheidend für die Eignung eines Datenbanksystems für Data-Warehouse-Aufgabenstellungen ist, dass sowohl Antwortzeiten wie auch die Systemadministration nur begrenzt durch geeignete Modellierung der Daten beschleunigt werden können. Denn eine optimale Datenhaltung für einen Bereich ist häufig kontraproduktiv für andere Abfragen.

NCR Teradata stellt ein zukunftssicheres Data Warehouse für die Unterstützung sortiments- oder marketingbezogener Entscheidungen sicher, in dem die Datenmodellierung möglichst neutral für alle im Laufe der Zeit entstehenden Anwendungen geeignet ist und die Datenbank (nicht der Systemadministrator) die Aufgabe der Abfrageoptimierung übernimmt.

Data-Warehouse-gestützte Systeme müssen Abfragen aus sehr unterschiedlichen Aufgabenbereichen bedienen. Sie reichen von routinemäßigen Standardberichten bis zu sehr komplexen Ad-hoc-Fragestellungen und werden von Hunderten Mitarbeitern ausgelöst. Im Extremfall werden täglich Zehntausende sehr unterschiedliche Fragen vom Data Warehouse bearbeitet, die häufig logisch aufeinander aufbauen. NCR Teradata-Anwender beweisen, dass diese Ansprüche auch bei größten Mengengerüsten erfüllt werden können.

10.4.4 Parallelverarbeitung

Seit dem Beginn der Entwicklung von Teradata vor 15 Jahren wurde jedes Design stets vor dem Hintergrund der vollen Parallelisierbarkeit aller Teilfunktionen durchgeführt; Teradata fügt keine fundamentalen Funktionen hinzu, die nicht parallel konzipiert sind. Daher werden Datenmanipulation (DML), Datendefinition (DDL), Recovery, Data Load and Extract, Priority Control, Software-Installation, Performance Management, Joins und Aggregation etc. stets parallel durchgeführt (vgl. Abb. 67).

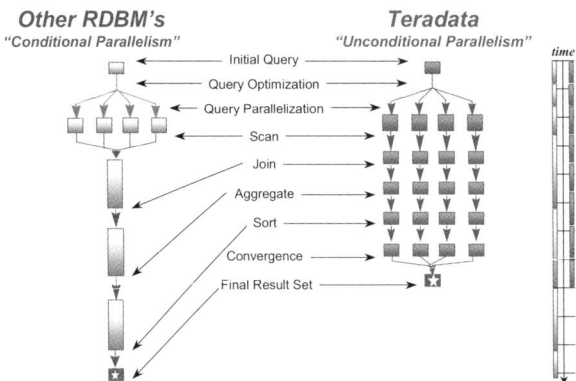

Abb. 67: Parallelverarbeitung bei Teradata

Für das Management der Abfragen verwendet Teradata einen prioritätsgesteuerten Fair Share Scheduler. Durch definierte Priorität für Benutzer-Session, CPU- und I/O-Ressourcen können die Arbeitslasten – entsprechend der Priorität im System – anteilsmäßig verteilt und überwacht werden. Sowohl spezifische Prioritäten als auch die Priorität für eine bereits laufende Anforderung können dynamisch geändert werden.

10.4.5 Systemmanagement und Total Cost of Ownership

Tabelle 8: Vergleich von Teradata mit anderen relationalen Datenbanken

Database Administration Task	Other RDBMS	Teradata
Logical Data Modeling	High	High
Physical Data Modeling	High	Low
Data Partitioning Definition	High	Low
Data Placement Definition	High	Auto
Free Space Management	High	Auto
Data Balancing Control	High	Low
Data Reorganizing	High	None
Index Reorganizing	High	None
Workspace Management	High	Auto
Query Tuning	High	Auto
Workload Management	Moderate	Auto
Change Management	High	Low

Die Anwendungsentwicklung, die Systemintegration sowie die laufende Unterstützung und Wartung erfordern oftmals mehr Gesamtaufwand als die anfängliche Investition in das System. Auf Grund seiner Architektur hat Teradata insbesondere im Bereich des Systemmanagements einzigartige Vorteile (vgl. Tabelle 8); wachsende Datenmengen führen nicht zwangsläufig zu steigenden Anwendungen im Bereich der Datenbankadmistration, da ein Großteil der „DBA-typischen" Aufgaben automatisch durch das Datenbank-Managementsystem übernommen wird.

Als einer der entscheidenden Vorteile hat sich erwiesen, dass die gerade bei parallelen Datenbanksystemen aufwendige Reorganisation bei NCR Teradata entfällt. Da ein Update nie „in place" stattfindet, sondern der veränderte Satz an anderer Stelle neu geschrieben wird und die Platzverwaltung über eine „Free Space List" erfolgt, sind Reorganisationen – auch bei Systemerweiterungen – grundsätzlich überflüssig.

Diese besonderen Eigenschaften von NCR Teradata haben unmittelbare Auswirkungen auf die laufenden Kosten des Systembetriebs. Auch große Systeme werden von nur ein bis zwei (mit Vertretung) Datenbank- und Systemadministratoren betreut. Andere Datenbanken müssen durch erheblich mehr Personal betreut werden und erzeugen dadurch ein Mehrfaches an laufenden Kosten.

10.4.6 Datenbank-Management-Werkzeuge

Zur Administration und Verwaltung der Datenbank Teradata bietet NCR eine Vielzahl von zusätzlichen Werkzeugen an:

- Teradata MANAGER
  Er unterstützt sämtliche Funktionen für die Datenbank-Administration; inklusive automatisch generierter Alarmhinweise u. a. für
  - Verwaltung von Konfigurationen,
  - Sessionstatus und Historie,
  - Grafische Überwachung der Ressourcennutzung,
  - Verwaltung von Zugriffsrechten,
  - Space Überwachung und Optimierung
  - Performance-Analysen
- DBQM
  Der Database Query Manager (DBQM) ist ein umfassendes Werkzeug zur Steuerung und Administration von Zugriffen auf die Teradata-Datenbank. DBQM bietet vielschichtige Möglichkeiten zur Definition und Kontrolle von Zugriffsrestriktionen auf Objekte im Data Warehouse und zum Überwachen und Steuern der Auslastung im Data Warehouse.
- ASF2
  ASF2 (Archive Storage Facility) dient zur Steuerung der Datenbankoperationen für Backup- und Restore-Prozesse. ASF2 arbeitet zusammen mit der Tape Robot Software REELlibrarian und REELbackup.
- ODBC und JDBC Driver
  Die Teradata ODBC und JDBC Driver ermöglichen den Zugriff beliebiger DBC- bzw. JAVA-fähiger Abfragewerkzeuge auf Teradata-Datenbanken.
- Teradata WinCLI
  WinCLI ist ein Call-Level-Interface für den direkt programmierten Zugriff auf die Teradata-Datenbank.
- QueryMan
  QueryMan ist ein einfach zu bedienendes Query Werkzeug für den SQL-kundigen Anwender, der seine Abfragen in einem Query-Window in SQL-Syntax definiert. Die Ausgabe der Ergebnissätze erfolgt in einer einfach formatierbaren Tabelle.
- PUT (Parallel Upgrade Utility)
  Die Installation und Verwaltung der Software kann menügesteuert für das ganze Teradata-System zentral durchgeführt und verifiziert werden.

10.4.7 Ladeprogramme

Je nach Aufgabenstellung sind jede Nacht erhebliche Datenmengen bis zum Gigabyte Bereich zu laden. Da sie im Handel aus den Filialen an die Zentrale gesendet und dort in der Regel für die operative Warenwirtschaft vorverarbeitet werden, stehen sie erst spät in der Nacht für die Speicherung im Data Warehouse zur Verfügung. Oft müssen zwei bis drei Stunden für diesen Prozess genügen, damit die ersten Anwender mit Arbeitsbeginn früh morgens auf die Ergebnisse des Vortages zugreifen können. Es gibt auch Fälle, in denen kein Nachtfenster übrig bleibt. In diesen Fällen werden die Daten mit speziellen Softwarefunktionen laufend während des Online-Betriebes eingespeichert. In den größten Systemen leistet Teradata heute ca. 300 Millionen Updates pro Tag.

NCR stellt spezielle Datenbank-Utilities bereit, die durch blockweise Verarbeitung die Bewirtschaftung größter Datenmengen ermöglichen.

▪ MultiLoad
MultiLoad ist ein Werkzeug für die Transformation von Daten aus Unix- oder Host-Dateien in das Data Warehouse. MultiLoad unterstützt Update, Insert, Delete und eine Reihe von weiteren Transformationen auf den Input-Daten. Für komplexere Transformationen können Inmods (Cobol-/C-Programme) eingebunden werden. Die spezielle UPSERT Operation ermöglicht ein gleichzeitiges UPDATE und INSERT eines Datenblocks.

▪ FastLoad
FastLoad ist ähnlich wie MultiLoad eine Utility zur Transformation und zum Laden von Daten. Im Unterschied zu MultiLoad arbeitet FastLoad jedoch nur auf leeren Tabellen; mit noch höherem Durchsatz.

▪ Tpump
Tpump ermöglicht es, eine kontinuierliche Datenaktualisierung durchzuführen, während sich die Datenbank im operativen Einsatz befindet. TPump kann während des laufenden Data-Warehouse-(Abfrage-)Betriebs selbstregelnd die zu übertragenden Datenmengen steuern und passt sich der jeweiligen Auslastung des Data Warehouses an, um die Produktion nicht zu behindern.

▪ FastExport
Der Einsatz von FastExport empfiehlt sich bei Abfragen, die umfangreiche Antwort-Sätze zurück an das operationale System liefern (etwa Listen aus Kundenadressselektionen oder Inputdaten für Call Center). FastExport ist im Prinzip die Umkehrung des MultiLoad-Programms (blockweises Schreiben der Ergebnisdateien) und daher ebenso wie Tpump im Bereich der „Active Data Warehouses" von großer Bedeutung.

Allen Werkzeugen ist gemeinsam, dass sie wie die Teradata-Datenbank selbst voll parallelisiert und – nach eventuellem Programmabbruch – wiederaufsatzfähig sind.

Zusätzlich oder alternativ können ETL-Werkzeuge von Partnern verwendet werden. Dies gilt speziell, wo die Daten ohne Zwischendateien direkt aus vorgelagerten Anwendungen übernommen werden sollen.

10.4.8 Datenauswertung

In diesem Bereich dominieren Spezialanbieter für Abfrage- und multidimensionale OLAP-Werkzeuge sowie für Data-Mining-Produkte, mit denen NCR intensiv zusammenarbeitet.

Um die Palette dieser Abfragetechniken und -werkzeuge umfassend zu unterstützen, besitzt Teradata eine Vielzahl von Erweiterungen, mit denen der Einsatz von OLAP und Data Mining Tools optimiert wird. Teradata verfügt über dementsprechende SQL-Spracherweiterungen. Für *OLAP-Anwendungen* sind Funktionen für das Bewerten (Ranking), Spitzenwerte Top(n), Bottom(n), laufende Summen, kumulierte Gesamtsummen, aktive Gesamtsummen, Durchschnittswerte und lineare Regressionen integriert. Für *Data-Mining*-Benutzer werden Funktionen wie Anteile (Quantiles) und Sampling unterstützt. Data-Mining-Werkzeuge erfordern oft zufällige Datenauszüge, um z. B. neuronale Netze oder andere Data-Mining-Algorithmen zu trainieren.

Da es sich um SQL-Erweiterungen handelt, stehen diese Funktionen auch anderen Batch-, Online- oder Web-basierenden Anwendungen zur Verfügung.

Auf Grund der Forderung nach statistischen Auswertungen, die auf großen Datenmengen basieren, hat NCR ein speziell auf die Leistungsfähigkeit von Teradata hin ausgerichtetes Data-Minig-Werkzeug entwickelt. NCR TERAMINER nutzt – auf Grund der Ausführung der Mining-Operationen direkt in der Datenbank – die Leistungsfähigkeit paralleler Datenbanken voll aus. Damit kann im Gegensatz zu anderen Data-Mining-Werkzeugen in vielen Fällen auf die aufwendige Extraktion von Teilmengen an Daten für die Anwendung von statistischen Verfahren verzichtet werden und statt dessen die Operation direkt auf der Gesamtheit der Daten erfolgen.

10.5 NCR WorldMark Server

NCR entwickelt und vertreibt eine eigene Hardwareserie, die auf Industriestandard-Komponenten beruht. Als Prozessoren dienen Intel-Rechner, die wahlweise unter UNIX oder NT betrieben werden können (vgl. Abb. 68). Innovative Mehrleistungen sichern die hohe Verfügbarkeit, die für das Speichern, die Verwaltung und die Analyse von Geschäftsinformationen unerlässlich ist.

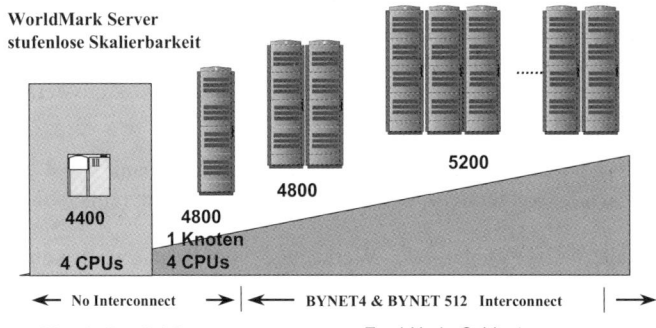

Abb. 68: Server-Lösung von NCR

Die Debatte zwischen SMP- und MPP-Architekturen wird bereits seit einiger Zeit innerhalb des Marktes geführt, wobei die Standpunkte zwischen „SMP ermöglicht alles" und „nur MPP unterstützt Decision-Support" variieren. NCR umgeht mit Teradata diese Diskussion durch die Implementierung auf kosteneffizienten SMP-Knoten (Nodes), die dann die Grundlage für den Wachstumspfad in massiv parallele Umgebungen bilden. Die WorldMark Serie bietet eine unübertroffene Skalierbarkeit von 2 bis 512 Nodes ohne Plattformwechsel.

Auch die größten Systeme lassen sich von einer einzigen Arbeitsstation, der Administration Workstation, betreuen.

BYNET Hochgeschwindigkeitsnetz

Das Hochgeschwindigkeitsnetz BYNET sorgt für die Kommunikation zwischen den einzelnen Knoten. Es bildet das Herzstück für die Skalierung massiv-paralleler *WorldMark* Systeme und ist für die optimale Ausnutzung der Teradata-Architektur entwickelt worden. Das BYNET ist ein point to point Hochgeschwindigkeitsnetz und unterstützt send/receive 200MB/sec je Knoten. Bei einem n-Knoten-System ergibt sich demnach eine Bandbreite von n* 200MB/sec. Das BYNET ist wie alle Komponenten redundant ausgelegt. Es ist intern fehlertolerant und rekonfiguriert sich online selbständig.

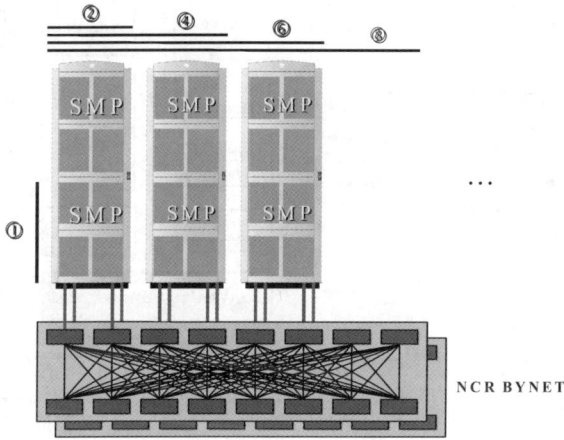

Abb. 69: Das Hochgeschwindigkeitsnetz Bynet

Die Philosophie der Teradata Node Strategie ist es, in Abhängigkeit von der wachsenden Datenmenge immer das kosteneffizienteste System auswählen zu können. Um die CPUs in einem SMP-System effektiv auszunutzen, muss erheblich in den Ausbau des Systembus für die Kommunikation der Prozessoren investiert werden. Daher ist es oftmals kostengünstiger, in eine Interconnect-Verbindung und MPP statt in zusätzliche Prozessoren zu investieren.

In der gegenwärtigen Teradata-Release können bis zu 512 SMP-Knoten über das BYNET verbunden werden.

10.6 NCR Professional Services

Die Implementierung eines Data Warehouses verlangt präzise Projektplanung, kompetente und erfahrene Fachleute mit Branchen-Know-how, Management Unterstützung, Zusammenarbeit mit Fachabteilungen und Computerspezialisten. Diese müssen bei der Nutzengestaltung des Data Warehouses, der Projektplanung, der Auswahl der richtigen Hardware-Plattform, Datenbank und Software-Applikationen sowie der Projektumsetzung unterstützen, beraten und realisieren können. Mit mehr als ein Dutzend Jahren Erfahrung und Hunderten von Installationen ist NCR der richtige Partner zum erfolgreichen Aufbau von Data-Warehouse-Lösungen im Handel, aber auch in der Konsumgüterindustrie.

Bei der Konzeption eines Data-Warehouse-Projektes ist zu beachten, dass die Implementierung schrittweise erfolgt und nicht ein fertig installierbares Produkt, sondern das Ergebnis eines Prozesses ist. NCR hat für diesen Prozess ein Vorgehensmodell entwickelt, das die einzelnen Schritte bei der Einführung eines Data Warehouses beschreibt (siehe Abb. 70).

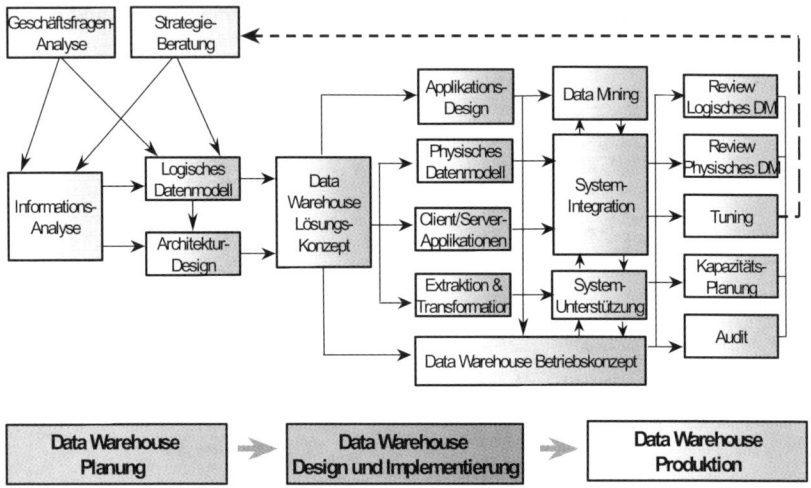

Abb. 70: NCR-Vorgehensmodell einer Data-Warehouse-Einführung

NCR weiß, dass jedes Unternehmen anders strukturiert ist. Um die zuvor beschriebenen Lösungen umzusetzen, arbeiten Mitarbeiter von NCR Professional Services mit dem Anwender nach diesem Vorgehensmodell zusammen. Diese Vorgehensweisen schließen auch Methoden für Migrationen von kleineren Systemen mit anderen Datenbanken auf die NCR Plattform ein.

Da ein Data Warehouse ein dynamisches System ist (oder zumindest sein sollte), das laufend um neue Aufgabengebiete erweitert wird, beginnt der Entwicklungszyklus nach erstmaligem Aufbau einer Data-Warehouse-Infrastruktur immer wieder von vorne, teilweise auch überlappend und ineinander verzahnt.

In der Praxis zeigt sich immer wieder, dass der Erfolg eines Data-Warehouse-Projektes im Wesentlichen von der Erfahrung der Projektbeteiligten geprägt ist.

Ein erfolgreiches Data-Warehouse-Team muss in der Lage sein, die unterschiedlichsten technischen und fachlichen Qualifikationen miteinander zu verknüpfen. Auf Grund der NCR-Verpflichtung, auch als Generalunternehmer in Data-Warehouse-Projekten zu fungieren, kann NCR branchenorientierte Professional-Service-Mitarbeiter für alle Projektphasen bereitstellen, z. B.:

1. *Business Consultants* (zur Analyse und Definition der zu lösenden relevanten Geschäftsfragen und Sonderauswertungen),

2. *Architecture Consultants*, die die Verantwortung für Integration und Konzeption des Gesamtsystems und für das technische Projektmanagement übernehmen,

3. *Database Consultants* zur Unterstützung des logischen und physikalischen Datenbankdesigns und -aufbaus,

4. *Technical Consultants* zur Realisierung der Routinen für die Extraktion, Transformation und das Laden von Daten,

5. *Solution Consultants* zur Unterstützung bei der Applikationsentwicklung, Aufbau von Metadaten und der zu realisierenden OLAP-Berichte, zur Unterstützung der Endanwenderbetreuung in der Einführungsphase sowie bei der Erstellung eines Schulungskonzeptes für die Systembetreuer,

6. *System Integration Consultants*, die bei der Erstellung eines Betriebskonzeptes und der Unterstützung bei der Implementierung dieses Konzeptes mitarbeiten und die Hardware-/Software-Installation vornehmen,

7. *Project Manager*.

Die handelsspezifisch erfahrenen NCR Business Consultants unterstützen den Anwender auch bei der weiteren Nutzengenerierung für das Unternehmen, zum Beispiel in Category und Supply Chain Management. Sie konzentrieren sich zunehmend auf Fragen der „aktiven" Nutzung, d. h. wie die gewonnenen Erkenntnisse effizient in Maßnahmen mit den operativen Systemen umgesetzt werden können.

Auch die vielfältigen Strategien zur Kundenbindung durch Kartenprogramme und für den Internetauftritt, dafür erforderliche Warenkorb- und Clickstream-Analysen sowie Zielgruppensegmentierungen und Data Mining werden von den NCR-Systemen und -Beratern unterstützt und ermöglicht.

10.7   Nutzen des NCR-Lösungsansatzes

10.7.1   Neue Fragen im wachsenden Wettbewerb

Das Marktgeschehen wird immer härter. Der Zwang zur Marktanteils- und Ertragssicherung verlangt nach neuen Strategien im Unternehmen. Ziel der Unternehmen ist es,

1. vorhandene Umsatz- und Rohertragspotenziale durch höhere Kundenbindung und bessere Verkaufsbereitschaft an jedem Standort auszuschöpfen,

2. Sortiments- und Spannenmix, Regalfläche und Bestände in jeder Filiale dem Konsumentenverhalten entsprechend zu optimieren.

Das zu erreichen, verlangt nach neuen Fragen und Aktionen:

1. Wie groß sind die Unterschiede im Artikel- und Spannenmix der Filialen?

2. Wie wirken sich Platzierung, Eigenmarken, Preislagen und Gebindegrößen auf unseren Durchschnittsbon aus?

3. Welche Kundenreichweite und welchen Bonschnitt erzielen wir mit unseren Aktionen in den verschiedenen Vertriebskanälen einschließlich Internetauftritt?
4. Welcher Rennerartikel ist in welcher Filiale nicht verfügbar oder droht auszugehen?
5. Welches sind unsere umsatzstärksten und profitabelsten Zielgruppen?
6. Mit welchem Warenmix erzielen wir die beste Verbundwirkung?
7. Wie groß ist die Wirkung unserer Banneranzeigen im Internet?
8. Wie hoch ist die Konvertierungsrate unserer Web-Besucher zu Web-Käufern?

Das richtige Geschäft betreiben..., Das Geschäft richtig betreiben...

Es besteht sicher kein Zweifel daran, dass Warengruppenstrategien und –marketingtaktik für Vertriebskanäle und -regionen generell erarbeitet werden müssen, will man nicht eine klare strategische Ausrichtung und Positionierung gefährden.

Liegen Strategie und Taktik jedoch einmal fest, müssen sie ständig auf ihre Umsetzung im Markt, d. h. also an jedem einzelnen Filialstandort überprüft und eventuell korrigiert werden. Nur dort ist der Konsument aktiv, bewertet mit seinen Einkäufen Sortiment und Preisgefüge im Wettbewerbsvergleich. Nur dort werden vom Filialpersonal Erfolge erwirtschaftet oder beeinträchtigt, sei es durch schlechte Disposition, ungenügende Realisierung von Werbemaßnahmen, schlechte Warenplatzierung oder ungeschickte Personalplanung.

Das NCR Data Warehouse ermöglicht es:

Jede Filiale führen, als wäre sie die einzige. Verbesserungsmaßnahmen können hierbei nur so präzise sein wie die Genauigkeit der Zahlen, auf denen sie beruhen. Verdichtete Zahlen für Schiene oder Region helfen nicht, Schwächen einzelner Filialen zu erkennen und zu beheben. Das NCR Data Warehouse hat die Leistung, diese Schwächen zu überwinden durch:

1. Detaillierung der Scannerdaten, Lieferinformationen und Bestände für jede Filiale und jeden Tag (auch bis zum Bon),
2. tägliche oder permanente Bereitstellung dieser Daten,
3. intelligente Anwendungen zur schnellen Erkennung von Wertigkeiten und handlungsbedürftigen Ausnahmen.

Ob Einkäufer oder Logistiker, ob Category Manager, Filial-Controller oder Marketing-Experte: Ein Data Warehouse mit detaillierten Abverkaufsdaten aus den Scannerkassen und den Lieferdaten aus der Warenwirtschaft schafft Transparenz zur besseren Steuerung von Sortiment und Warenversorgung.

10.7.2 Maximale Flexibilität und Skalierbarkeit

Zum zukünftigen Handelsmanagement gehören Data-Warehouse-Anwendungen mit der Fähigkeit, jeden Artikel, jeden Kunden und jede Filiale einzeln und gezielt analysieren und ansprechen zu können. Entsprechende Geschäftsfragen ändern sich so schnell wie der Markt und der Wettbewerb. Data-Warehouse-Konzeptionen müssen sich dieser Dynamik zügig anpassen. NCR-Lösungen haben vielfach ihre Flexibilität und Skalierbarkeit bewiesen.

11 Business Intelligence von IBM

Kay Pirk, Volkhard Wolf

Unternehmen werden heute zunehmend mit der Erkenntnis konfrontiert, dass der Geschäftswert nicht mehr nur in den konkret greifbaren Vermögenswerten des industriellen Zeitalters zu suchen ist. Er besteht vielmehr auch aus den digitalen, intellektuellen Ressourcen, die über die weltweiten Rechnernetze übertragen werden. Diese Ressourcen werden nicht in Lagerhallen gestapelt – sie sind integraler Bestandteil der Unternehmensprozesse, der betrieblichen Datenbanken und der Kenntnisse und Erfahrungen von Mitarbeitern und Geschäftspartnern. Von größter Bedeutung dabei ist, dass jedes einzelne Unternehmen diese Ressourcen und seinen vorhandenen Daten-Pool maximal nutzen kann. Und genau das ist gemeint, wenn IBM von Business Intelligence (BI) spricht.[1]

11.1 Einführung

Jahrzehntelang haben Firmen die verschiedensten Informationen für innerbetriebliche Zwecke gesammelt: Auftragsdaten, Finanzdaten, Kreditdaten und vieles mehr. Allein die weltweite Menge an Online-Daten beträgt mittlerweile mehr als ein Exabyte. Das ist vergleichbar mit einem Stapel von Telefonbüchern, der bis zum Mond reicht – und wieder zurück. In seinem Buch *Information Anxiety* hebt der US-Autor Richard Saul Wurman hervor, dass alleine in den letzten 30 Jahren mehr Information produziert worden ist als in den 5000 Jahren davor. Mehr noch: Das Informationsaufkommen, so schätzt man, wird sich in Zukunft alle fünf Jahre verdoppeln. Von dieser Informationsflut können in den Unternehmen heute schon nur noch 10 % genutzt werden. Quantitative Studien zum Thema innerbetrieblicher Produktivität belegen daher auch, dass die meiste Zeit für das Auffinden aussagekräftiger Daten investiert werden muss (siehe Abb. 71). Dieses dramatische Bild der Nicht-Produktivität, in dem die Mitarbeiter zum Jäger und Sammler von Daten werden – mithin auf archaischem Niveau agieren –, wird durch den Einsatz von Business-Intelligence-Systemen neu gezeichnet. Der Schwerpunkt betrieblichen Arbeitens kann jetzt auf der strategischen Entscheidungsfindung liegen – und eben das zu erreichen, wird in Zukunft immer mehr ausschlaggebend dafür sein, welche Unternehmen stark expandieren und welche weniger.

---

[1] Vgl. auch White (1999).

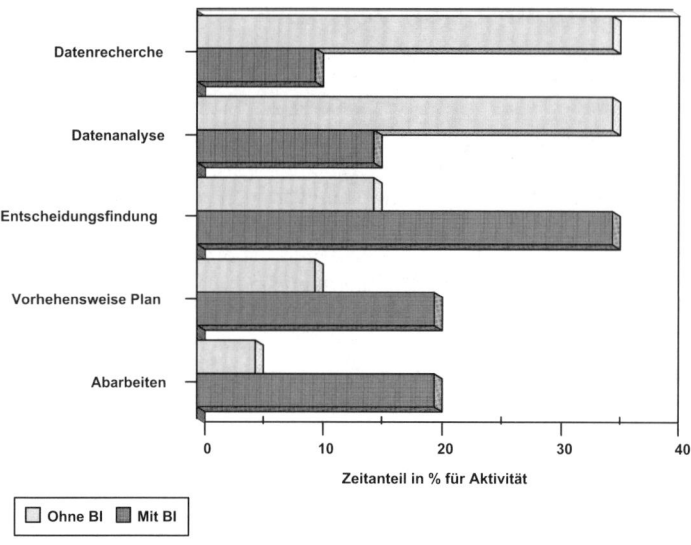

Ohne BI ☐   Mit BI ■

Quelle: Gartner Group (1999)

Abb. 71: Verteilung innerbetrieblicher Aktivität

„Das Geheimnis erfolgreichen Unternehmertums besteht darin, etwas zu wissen, was andere nicht wissen", so Aristoteles Onassis. Der größte Nutzen von Informationen liegt eben gerade im Einblick, den sie eröffnen. Business Intelligence von IBM sorgt für den nötigen Durchblick und gibt Antworten auf konkrete Fragestellungen des unternehmerischen Alltags, welche z. B. sind:

▨ Wie kann die Rentabilität erhöht und wie können die Betriebskosten reduziert werden?

▨ Wie kann das richtige Produkt, zur richtigen Zeit, am richtigen Ort bereitgestellt werden?

▨ Wer sind die profitablen Kunden des Unternehmens?

▨ Welches sind gewinnbringende Produkte und Dienstleistungen?

▨ Wie können Kunden hinzugewonnen bzw. gehalten werden?

Damit können Märkte zielgerichteter bearbeitet und, ausgehend von aktuellen Marktgegebenheiten, dynamisch in Segmente unterteilt werden. Beispielsweise lassen sich auch erforderliche Lagerbestände präziser vorhersagen. Daneben enthalten die aufgezählten Problemfelder auch den wichtigsten Aspekt im Nutzenspektrum von Business Intelligence: neben betrieblichen Innovationen ist nämlich vor allem *das Wissen über die Kunden* für den wirtschaftlichen Erfolg eines Unternehmens entscheidend. Denn selbst optimale Kenntnisse des eigenen Marktes, der Produkte und Dienstleistungen im Unternehmen und selbst optimierte Geschäftsprozesse schaffen ihn eben oftmals noch nicht – den entscheidenden Wettbewerbsvorteil. Ziemlich wahrscheinlich stellt sich dieser jedoch ein, wenn die wirklich profitablen Kunden eines Unternehmens identifiziert werden und ihnen in einem erweiterten CRM-Modell Service angeboten wird. Gelingt es beispielsweise, spezielle Präferenzen profitabler Kunden offen zu legen und werden diese durch geeignete Marketingmaßnahmen konsequent in einen kundenindividuellen Service umgesetzt, erhöht sich die Kundenloyalität. Als Ergebnis winkt mehr Unternehmensprofit, denn u. a. können kostenintensive Maßnahmen zur Neukundengewinnung reduziert werden.

Schon allein dieses Beispiel deutet es an: das Einsatzspektrum von Business Intelligence ist beachtlich. Laut einer Studie der Palo Alto Management Group aus dem Jahre 1998 wird der Markt dementsprechend durchschnittlich in den nächsten Jahren jeweils auch um etwa 50 % wachsen. Das bedeutet geschätzte Umsätze in Höhe von 80 Milliarden US-Dollar für das Jahr 2001. Wie die Zahlen aber auch konkret in der Zukunft aussehen werden, mit Business Intelligence eröffnet sich auf jeden Fall ein beachtliches Geschäftspotenzial. Dabei werden ca. 50 % dieser Investitionen in den Unternehmen selbst getätigt werden – etwa in Form von Personalaufwendungen oder Schulungsmaßnahmen. Wie ist dieser Teil der Prognose zu interpretieren? Es wird sich branchenübergreifend die Erkenntnis durchsetzen, dass mehr oder weniger alle Unternehmen im Informationsgeschäft tätig sind. Business Intelligence wird deswegen in den unterschiedlichsten Geschäftsfeldern und in allen wesentlichen Unternehmensfunktionen zum Einsatz kommen: z. B. in der Produktentwicklung und Produktion, im Marketing oder auch die Logistik- und Lieferkette und den Service betreffend. Auf bevorzugte Einsatzfelder von Business Intelligence wird am Ende dieser Ausführungen auf der Basis einschlägiger Untersuchungen und anhand konkreter Kundensituationen noch eingegangen. Aber zunächst – wie ist es einzuordnen und was ist es konkret: Business Intelligence von IBM?

11.2 Business Intelligence: Einordnung und Bewertungskriterien

Wenn IBM von Business Intelligence spricht, wird nicht selten die Frage gestellt, worin eigentlich der Unterschied zu einer Data-Warehouse-Lösung besteht. Um die Frage einmal unkompliziert zu beantworten: Es gibt keinen Unterschied. Das Angebot von IBM im Bereich Business Intelligence hat sich aus den Data-Warehouse-Systemen heraus entwickelt – steht also im Prinzip einfach nur für eine neue Generation. Genau genommen handelt es sich dabei allerdings schon um die dritte Generation von Informationssystemen im Unternehmen.

Die Systeme der ersten Generation setzten den sog. „Information Provider" voraus: einen Mittler zwischen Fachabteilung und kompliziert zu bedienenden Systemen. Die anfragende Person oder Funktion im Unternehmen, also der Informations-Konsument, kam meist in Form gewichtiger Computerlisten in den fragwürdigen „Genuss" der Ergebnisse.

Data Warehouses stehen dagegen schon für die zweite, erheblich verbesserte Generation: Im Gegensatz zu den operativen Anwendungen im Unternehmen, wie beispielsweise Lagerhaltungs- oder Buchungssysteme, die die aktuell anfallenden Daten verwalten, können in ein Data Warehouse zusätzlich historische und akkumulierte Daten eingestellt und daraus abgerufen werden. Und noch ein Unterschied: Im Gegensatz zu operativen Systemen beinhalten Data Warehouses bereinigte und konsistente Daten.

Klassische Data-Warehouse-Lösungen legen aber den eigentlichen Fokus noch zu wenig auf die effiziente Weiterverarbeitung von Informationen. Im gebotenen Umfang leisten das erst die Systeme der dritten Generation (wie das Business-Intelligence-System von IBM). Diese gehen damit über die herkömmliche Data-Warehouse-Funktionalität hinaus, die nur noch Teil einer übergreifenden Business-Intelligence-Architektur ist. Eine solche Konzeption kann auf der Basis von vier Aspekten grundsätzlich bewertet werden:

- Können Daten von mehreren heterogenen Quellen eingelesen, gefiltert, umgewandelt und konsolidiert werden, um Data Warehouses einzurichten und zu verwalten?

- Können die Verfahren zum Aufbauen und Verwalten von Data Warehouses automatisiert und unkompliziert gehandhabt werden?

- Sind Werkzeuge für Analysezwecke (Decision-Support-Systeme) verfügbar und werden alle heute gängigen Verfahren in diesem Bereich mit qualifizierter Technologie unterstützt?

- Ist die zu Grunde liegende Datenbank geeignet?

Es gibt eine Vielzahl von Angeboten auf dem Markt, die einzelnen dieser Herausforderungen gerecht werden. Es wird sich aber nur schwer ein Anbieter finden, der mehr in die gesamte Bandbreite von Business Intelligence investiert hat als IBM. Der folgenden Abschnitt wird das kritisch hinterfragen.

11.3 Die IBM Business-Intelligence-Architektur

Die Studie der beiden IBM Mitarbeiter Barry Devlin und Paul Murphy mit dem Titel: „An Architecture for a Business and Information System", gehört zu den ersten Publikationen zum Thema. Erschienen ist diese Arbeit nämlich bereits 1988 im *IBM Systems Journal*. Auf der Basis dieser frühen Konzeption ist IBM als einer der ersten Anbieter im kommerziellen Data-Warehouse-Umfeld schon Anfang der 90 er Jahre auf dem Markt präsent. Danach ist IBM, sowohl was das Marketing als auch was die Weiterentwicklung der Technologie angeht, eine Zeitlang zu wenig innovativ und andere Anbieter holen auf. Heute ist IBM eindrucksvoll *der* Marktführer. Mit einem Gesamtumsatz von 4,25 Milliarden US-Dollar wird hier knapp dreimal soviel umgesetzt wie vom Branchenzweiten.[2] Das liegt u. a. daran, dass eine integrierte Business-Intelligence-Gesamtkonzeption im Rahmen einer entsprechenden Architektur (Abb. 72) angeboten werden kann. Auf folgende wesentliche Komponenten der Business-Intelligence-Lösung von IBM soll näher eingegangen werden:

---

[2] Quelle: Palo Alto Management Group (PAMG): Business Intelligence and Data Warehousing, May 1999. Die angegebenen Marktdaten beziehen sich auf 1998.

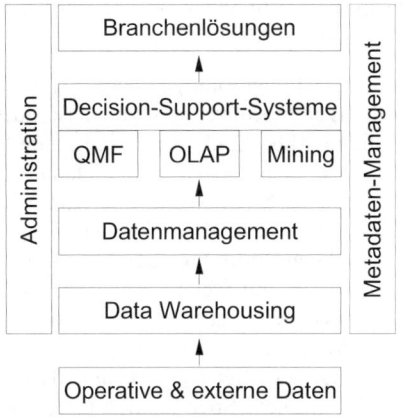

Abb. 72: Die IBM Business-Intelligence-Architektur[3]

▪ *Datenmanagement* ist letztendlich die Basis jedes Business-Intelligence-Systems. Hier sind die konsolidierten Daten sowie als Ergebnis der Datenanalyse neu hinzugewonnene Informationen hinterlegt. IBM kann hierfür eine der leistungsfähigsten relationalen Datenbank-Managementsysteme überhaupt anbieten, die *IBM DB2 Universal Database,* die nahtlos mit den anderen Komponenten einer BUSINESS-INTELLIGENCE-Lösung integriert werden kann.

▪ Unter *Data Warehousing (DW)* wird im Folgenden das Instrumentarium zusammengefasst, mit dem Daten aus den operationalen Systemen und auch aus externen Informationsspeichern in ein Data Warehouse eingestellt, bereinigt und in konsistente Formate transformiert werden können. IBM bietet eigene Werkzeuge in diesem Umfeld an. Gleichzeitig ist IBM aber auch umfangreiche Geschäftsbeziehungen mit Drittanbietern im Bereich Marketing und Entwicklung eingegangen, um für diese komplexen und vielseitigen Problemstellungen durchgängig optimale Lösungen anbieten zu können.

▪ *Decision-Support-Systeme (DSS)* dienen der Entscheidungsfindung und decken das ganze Spektrum der weitergehenden Analyse von Daten ab. Das beginnt mit einfachen Abfrage Tools und Reporting Tools (QMF) und geht über Systeme zur Echtzeitanalyse von Daten (OLAP)[4] bis hin zum Data Mining.

▪ Branchenlösungen. IBM geht aber noch einen Schritt weiter, fasst die Komponenten zusammen und ergänzt sie zu jeweils branchenorientierten Lösungen.

---

3 Die IBM Business-Intelligence-Architektur umfasst Komponenten aus den Bereichen Data Management, Data Warehousing, Decision-Support-Systeme und Lösungen mit Branchenfokus. Komponentenübergreifend sind Administration und Metadaten-Management gestaltet (hier durch vertikale Kästen angedeutet). Die Durchgängigkeit der Lösung wird durch einen standardbasierten Ansatz gewährleistet, u. a. mit den Schnittstellen: DB2 SQL API, ODBC, JDBC, Intelligent Miner API, Hyperion Essbase API, ESRI API, DB2 DataJoiner, DB2 OLAP Server und Net.Data. Die Abkürzungen finden sich im Text erklärt.

4 Hierunter sind Werkzeuge zum sog. Online Analytical Processing (OLAP) zu verstehen, auf die weiter unten konkret eingegangen wird.

Diese speziellen Business-Intelligence-Systeme werden unter der Bezeichnung *DecisionEdge for Relationship Marketing* angeboten.

Neben der Bereitstellung und Integration geeigneter Komponenten sind im Rahmen einer Business-Intelligence-Konzeption zunächst aber noch zwei weitere Dinge erwähnenswert, die in Abb. 72 als vertikale Balken komponentenübergreifend angedeutet sind. Hier geht es erstens um Metadaten, also um Daten über Daten. Zweitens geht es um die Möglichkeit, alle Komponenten einer Business-Intelligence-Lösung gemeinsam verwalten zu können.

Metadaten[5] sind beschreibende Informationen über Datenelemente oder Datentypen. Benutzer müssen wissen, auf welche Daten sie eigentlich Zugriff haben, was der Inhalt dieser Daten ist, wie aktuell sie sind usw. Die IBM Architektur erlaubt den Austausch von Metadaten systemübergreifend auf der Basis entweder der *IBM Metadata Tag Language* oder der *Common Warehouse Metadata Interchange Spezifikation (CWMI)*. Diese Spezifikation hat IBM zusammen mit Hyperion Solutions, NCR, Oracle und Unisys erarbeitet. Sie wurde dem branchenführenden Standardisierungsverband Object Management Group (OMG) am 24. September 1999 vorgelegt. Der neue Standard soll dazu beitragen, dass Unternehmen ihre IT-Systeme auf Basis eines einheitlichen Datenformates für unternehmensweite Data Warehouses integrieren können. Ohne ein wirkungsvolles, auf Standards basierendes Management der Metadaten gestalten sich Business-Intelligence-Anwendungen ungleich kostenintensiver und zeitaufwendiger bei der Implementierung. Ein gemeinsamer Standard sorgt dafür, dass sich das Personal auf das Wesentliche konzentrieren kann. Ein verbesserter Return-of-Investment (ROI) im Bereich Business Intelligence ist die Folge.[6]

Portale sind die neueste Entwicklung im Bereich übergreifende *Verwaltung* von Lösungskomponenten. IBM hat in diesem Zusammenhang das *Enterprise Information Portal*[7] angekündigt, das den integrierten Zugriff auf Informationen aus den unterschiedlichsten Quellen erlaubt. Das ist ein großer Schritt auch in Richtung zu einer hoch integrierten Business-Intelligence-Lösung. So lassen sich etwa durch die Einbindung modernster Methoden zur Datenintegration und Datensuche umfassende Suchabfragen über verschiedenste Datenquellen hinweg durchführen. Es können multimediale Daten, elektronische Dokumente und demnächst auch Lotus Notes Dateien, relationale Datenbanken und Webserver integriert werden. Darüber hinaus lassen sich Abfrageschemata personalisieren, so dass relevante Informationen automatisch bestimmten Mitarbeitern übermittelt werden. Der Kundenbetreuer einer Versicherung etwa kann mit einer einzigen einfachen Abfrage einen Überblick über sämtliche Policen des Kunden erhalten, aber auch über dessen Korrespondenz, seine Text- und Voice-Nachrichten.

11.3.1 Datenmanagement – die Basis von Business Intelligence

Die Basis jeder Business-Intelligence-Lösung ist jedoch das Datenmanagement. Das gerät leicht in Vergessenheit. Aber ähnlich wie beim Electronic Commerce

---

[5]   Vgl. auch IBM Data Management Solutions White Paper (1999).

[6]   Zum ROI von Business-Intelligence-Projekten vgl. auch Graham (1996).

[7]   Informationen zum Enterprise Information Portal finden sich unter www.ibm.com/software/eip/partners.

gilt auch für Business Intelligence: Eine unzulängliche Datenbank-Komponente wird unweigerlich zum Flaschenhals der Lösung, der das Antwortverhalten des gesamten Systems überproportional negativ beeinflusst. Im Folgenden werden Bewertungskriterien der IBM Datenbank vorgestellt, die auch generell zur Beurteilung von Produkten anderer Anbieter herangezogen werden können:

11.3.1.1 Skalierbarkeit der Datenbank

Alle Generationen von Informationssystemen im Unternehmen haben zumindest eines gemeinsam: Die Zahl der Endanwender, das Datenaufkommen und die Komplexität der Datenverarbeitung übertrifft *immer* die zunächst gestellten Prognosen. Es ist daher ratsam, Produkte einzusetzen, die mit dem unvermeidlichen Wachstum eines Business-Intelligence-Systems prinzipiell zurechtkommen – mithin die geeignete Skalierbarkeit mitbringen. Diese Skalierbarkeit ist eine weit gefächerte Thematik, zu der zum Beispiel gehört: die Möglichkeit paralleler Datenverarbeitung, sowohl auf Hardware- als auch auf Software-Ebene; Unterstützung für eine große und wachsende Zahl von Endanwendern; und schließlich die Möglichkeit, auch große Datenbestände noch effizient verwalten zu können.

Die Datenbankprodukte eines Anbieters sollten, um diesen Anforderungen gerecht werden zu können, auf unterschiedlichen Plattformen verfügbar sein. Beispielsweise muss es möglich sein, auf einer Plattform zu entwickeln und später auf eine andere, leistungsfähigere zu portieren. Hinzu kommt die Notwendigkeit, dass parallele Datenverarbeitung auf den unterschiedlichen Plattformen optimal unterstützt wird. Die Datenbank von IBM, die *DB2 Universal Database,* unterstützt auf allen gängigen Hardware-Plattformen parallele Abfragen und parallele Datenverarbeitung. Die oftmals außerordentlich große Rechenleistung, wie sie von Decision-Support-Systemen benötigt wird (siehe weiter unten im Text), und das enorme Datenaufkommen großer Data Warehouses wird damit nicht durch die Datenbank-Komponente der Business-Intelligence-Lösung eingeschränkt. IBM hat 76 Millionen US-Dollar in seine sog. Teraplex Integrations-Center investiert. Hier besteht für Entwickler der IBM, für Geschäftspartner und ausgewählte Endkunden die Möglichkeit, ihre Business-Intelligence-Lösungen mit großen Datenvolumina unter realen Bedingungen in verschiedenen Konfigurationen zu testen.

Die Datenbanklösung der IBM ist durch geeignete Erweiterungen für den Einsatz innerhalb einer Business-Intelligence-Lösung ausgelegt. Das betrifft sowohl eine Business-Intelligence-taugliche SQL-Implementierung[8] als auch weitere entsprechend angepasste Datenbankfunktionen. Dazu gehören spezielle SQL-Operatoren, die leistungsfähig bereits auf Datenbankebene multidimensionale Analysen[9] ausführen.

---

[8]   SQL (Structured Query Language) ist die Standardabfragesprache für relationale Datenbanken.

[9]   Gemeint sind die SQL-Operatoren *ROLLUP* und *CUBE.* Auf multidimensionale Analysen wird weiter unten im Kapitel Online Analytical Processing (OLAP) noch genauer eingegangen. In der Version 7 der *DB2 Universal Database* - zum Zeitpunkt der Textlegung gerade angekündigt - ist OLAP-Funktionalität in einem noch wesentlich erweiterten Umfang enthalten.

11.3.1.2 Erweiterungsmöglichkeiten der Datenbank

Ein entscheidender Aspekt bei der Bewertung von Business-Intelligence-Systemen ist, ob damit tatsächlich alle Arten von Daten einbezogen werden können. Um auch komplexeren Datentypen, wie z. B. umfangreiche Textdokumente oder auch multimediale Daten, verarbeiten zu können, eröffnet IBM mit DB2 Universal Database die Möglichkeit, sog. benutzerdefinierte Datentypen und Funktionen anzulegen. Für multimediale Daten, das sind beispielsweise Text-, Ton-, Bild- oder auch Videoformate, stehen sog. objektrelationale Erweiterungen bereit, mit denen diese Informationen Spalte an Spalte neben den traditionellen alphanumerischen Daten verwaltet werden können. Damit ist es beispielsweise auch möglich, innerhalb der Datenbankumgebung XML-Dokumente[10] zu verarbeiten.

Ein anderes interessantes Beispiel, wie auch nicht konventionelle Daten verarbeitet werden können, ist der sog. DB2 Spatial Extender[11]. Mit dieser Erweiterung werden räumliche und geografische Daten gespeichert und analysiert – also beispielsweise Daten aus Stadtplänen oder Landkarten. Auf der Basis einer leistungsfähigen relationalen Datenbankumgebung kann diese Art von Informationen z. B. zur Ermittlung der optimalen Route bei Belieferung von Filialen eingesetzt und zum integralen Bestandteil von Business Intelligence werden.

In diesem Zusammenhang lebt häufig die Diskussion auf: Ist es überhaupt sinnvoll, komplexe Datentypen in relationalen Datenbanken abzulegen? Um diesen Konflikt aufzulösen, bietet die IBM DB2 Universal Database zusätzlich das Konzept der DataLinks[12]. Dabei werden die komplexen Daten über eine Schnittstelle (API[13]) zwar von der Datenbank verwaltet, können also beispielsweise effizient sortiert oder aufgelistet werden, bleiben aber physisch außerhalb der Datenbankumgebung gespeichert.

Im Vordergrund stehen für die Verarbeitung in Business-Intelligence-Systemen aber natürlich vor allem nach wie vor die alphanumerischen Daten, die im operativen Tagesgeschäft in erster Linie anfallen. Diese Informationen sind jedoch nicht selten in relationalen Datenbanken verschiedener Anbieter abgelegt.

11.3.1.3 Unterstützung von Datenbanken anderer Anbieter

IBM begegnet dieser Problematik mit dem DB2 DataJoiner. Alle Komponenten eines IBM Business-Intelligence-Systems können damit auf Datenbank-Server von IBM und anderer Anbieter zugreifen und dort die Rohdaten zur weitergehenden Analyse beziehen. IBM geht noch weiter. Der DB2 DataJoiner erlaubt sogar, die Ergebnisse solcher Analysen oder auch die konsolidierten Daten eines Data Warehouses in jede der heute gängigen relationalen Datenbank-Umgebungen einzustellen – gleichgültig ob diese Datenbank von IBM ist oder nicht. DB2 Data-

---

[10]   XML (Extensible Markup Language) wird zur Zeit als potenzieller Nachfolger von EDI (Electronic Data Interchange) für den standardisierten elektronischen Austausch von Informationen, wie beispielsweise Kaufverträgen, zwischen Unternehmen gehandelt. Zu XML und DB2 siehe: www.ibm.com/software/ data/db2/extenders/xmlext/
[11]   Vgl. auch Davis (1998).
[12]   Vgl. auch Davis (1999).
[13]   Die Abkürzung API steht für „Application Programming Interface."

Joiner ist damit die IBM Technologie für heterogenen Datenzugriff[14]. Das bedeutet, dass Anwender mit einer einzigen Abfrage IBM, Nicht-IBM, relationale oder nicht relationale, lokale oder verteilte Datenbestände aus 55 verschiedenen Quellen abfragen können.

11.3.1.4 Anbindung der Datenbank an das World Wide Web

Eine der interessantesten Quellen für Geschäftsdaten mit hohem Potenzial ist aktuell aber zweifelsohne das World Wide Web (WWW) und damit das Internet, das die Vernetzung von Informationssystemen erheblich vorantreibt. Die Auswirkungen dieser Vernetzung gehen weiter als zunächst offensichtlich wird: Sie bestehen in der grundlegenden Umgestaltung einzelner Unternehmen, ja sogar ganzer Industriezweige. Jedes einzelne Mitglied einer Branche nimmt unweigerlich teil am Prozess der zunehmenden Internet-Nutzung, die früher oder später zur Umgestaltung dieser Branche führt – einem Prozess, der letztendlich die Beziehungen auch zwischen Industriezweigen automatisiert und damit unterschiedliche Branchen auf neue Art und Weise integriert. Dazu zählen beispielsweise die Beziehungen zwischen Transportunternehmen und ihren Auftraggebern, zwischen der Werbebranche und ihren Kunden, zwischen Finanzdienstleistern und ihren Klienten, zwischen den Herstellern von Rohmaterialien und den Produzenten von Fertigprodukten – bis schließlich die gesamte Wirtschaft über das WWW verflochten ist. Das ist gemeint, wenn IBM den Begriff E-Business verwendet.[15]

Richtig eingesetzt, stellen Business-Intelligence-Lösungen einen Schlüsselfaktor für die Nutzung von Erfahrungen eben gerade auch in E-Business-Systemen dar. Ob ein Unternehmen nun neue Arten des Lagerumschlags analysiert, die Reaktion auf Marketing-Aktionen von bestehenden und potenziellen Kunden weltweit testet oder die Art und Weise untersucht, wie diese Kunden auf Informationen zugreifen (sog. „Clickstream"-Analyse) – Business Intelligence trägt wesentlich zum besseren Verständnis von Online-Kunden und elektronischen Märkten bei.

Was bedeutet das aber für das Datenmanagement? E-Business erzeugt kundenbezogene Daten, die bereits in elektronischer Form vorliegen und die sich über Netzwerke verteilen lassen. Von Business-Intelligence-Systemen effizient weiter ausgewertet werden können diese Informationen aber trotzdem nur, wenn die zu Grunde liegende Datenbank-Technologie intelligent mit dem WWW verbunden ist. IBM richtet seine Datenbank aus diesem Grund bereits seit mehreren Jahren konsequent in Richtung Internet-Anbindung aus. Seiten im WWW können direkt mit DB2 Universal Database verbunden sein und von dort automatisiert Informationen beziehen bzw. ihre Informationen in das Datenbank-System einstellen. Nicht zuletzt ist in diesem Zusammenhang auch erwähnenswert, dass DB2 Universal Database sehr eng mit Java – der Sprache des Internet – verzahnt ist. Mithilfe von Java können Datenbankinhalte und WWW unkompliziert und effizient miteinander verbunden werden. IBM unterstützt z. B. bereits seit 1998 – und damit als erster Anbieter überhaupt – SQLJ, den neuen Standard für in Java einge-

---

bettetes statisches SQL. Noch vorher (seit Dezember 1996) konnte IBM seine Datenbanklösung mit Unterstützung für JDBC16 ausliefern.

Wie positiv sich die gelungene Einbindung der IBM Datenbank in das Internet auf den ROI von E-Commerce auswirkt, zeigen zahlreiche Studien.[17] Neben den schnellen Antwortzeiten liegt das vor allem auch an den komfortablen Suchmöglichkeiten, die DB2 Universal Database für Internet-Seiten bereitstellt. Dazu gehört die industrieweit führende Funktionalität für Textsuche: Mit DB2 Universal Database sind 90 Millionen Text-Suchvorgänge an einem Tag getestet worden, was etwa dem Aufkommen für die weltweit populärsten Internet-Seiten entspricht. Auch unter diesen extremen Bedingungen liegen die Antwortzeiten in jedem Fall unterhalb einer halben Sekunde.[18]

11.3.1.5 IBM DB2 Universal Database im Einsatz

Die enge Verzahnung mit dem WWW ist damit sicherlich ein Grund für den Markterfolg von IBM Datenbanktechnologie. So hat beispielsweise die SAP AG, Walldorf, im Dezember 1999 angekündigt, dass die *IBM DB2 Universal Database* zur bevorzugten Datenbank für alle IBM, Sun und Linux Plattformen wird und damit eine andere, bisher favorisierte Datenbanklösung eines anderen Anbieters ablöst. Außerdem wird die IBM Datenbank zur bevorzugten Entwicklungsplattform und Basis aller SAP internen Systeme.

Die Entscheidung von SAP liegt im derzeitigen Trend: 1999 migrierten 70 % mehr Kunden von der Lösung eines anderen Anbieters zu *IBM DB2 Universal Database* als im Jahr zuvor. Technisch gesehen gestaltet sich ein solcher Wechsel unkompliziert, denn die IBM Datenbank ist auf offene Schnittstellen und Standards ausgerichtet. Der Beitrag von IBM im Rahmen von Standardisierungsgremien ist erheblich. Tatsächlich hält IBM nicht weniger als 230 Datenbank-Patente – mehr als jeder andere Anbieter – und hat bisher sogar mehr Beiträge zum SQL-Standard geleistet als alle anderen Anbieter in der Summe. In Zahlen: 1999 stammten 57 % aller Eingaben in diesem Umfeld von IBM.

IBM bietet aber nicht nur die Technologie an, sondern vermittelt auch die richtigen Partner, die eine maßgeschneiderte Komplettlösung auf die Beine stellen können. Diese Partnerprogramme sind mittlerweile ein Schlüsselelement für den Erfolg. Mehr als 25 Prozent aller Verkäufe im Bereich *Verteilte Datenbanken* beruhen auf Installationen, die von IBM Business-Partnern durchgeführt werden. Darüber hinaus portieren rund 2.100 Softwarehäuser Anwendungen auf *DB2 Universal Database*. Mehr als 4.500 solcher Anwendungen werden bereits angeboten – nicht zuletzt auch im Bereich Data Warehousing.

11.3.2 Data Warehousing (DW)

Die Idee des Data Warehouses basiert zunächst einmal auf der systematischen Unterscheidung der verschiedenen Datenarten, die ein Unternehmen benutzt. So

---

[17] JDBC steht für Java Database Connectivity und bedeutet die Einbettung von dynamischem SQL in Java.

[18] Vgl. auch Aberdeen (1999).

sollen beispielsweise die Daten für die Verwaltung und Steuerung der operativen Prozesse, die sog. *operativen Daten* von den *Informationsdaten* – für Analyse, Planung und Kontrolle – getrennt werden.

Anwendungen, die im Geschäftsbetrieb eines Unternehmens eingesetzt werden, sind *operative Anwendungen*. Ihre Arbeitsweise ist auf Transaktionen oder Stapelverarbeitung ausgerichtet, wie z. B. Auftragseingabe, Verkaufsort, Warenbestand, Abrechnung und Gehaltszahlung. Sie greifen meist auf vergleichsweise kleinere Datenbestände für Abfragen und Aktualisierungen zu. *Operative Daten* sind zu diesem Zweck organisiert und optimiert. Da sie aus dem täglichen Geschäftsbetrieb stammen, sind operative Daten flüchtige Daten (sie werden ständig geändert) beziehungsweise Echtzeitdaten (sie enthalten nur aktuelle Werte). Außerdem sind sie eng mit Anwendungen verknüpft und von daher auch im Normalfall nicht aufbereitet. Das bedeutet, losgelöst von der Anwendung können sie nicht ohne weiteres interpretiert und als Informationsquelle genutzt werden.

Auf der anderen Seite sind *informative Anwendungen* mehr auf Datenmanipulation und Datenanalyse ausgerichtet. Beispiele sind: Abfragen und Berichte, Analysen zeitbezogener Daten und Trendanalysen. Die verwendeten *informativen Daten* sind eher mit einem Geschäftsbereich als mit einer bestimmten Anwendung verknüpft. Es handelt sich um bereinigte Daten, die transformiert wurden, damit sie leicht verständlich und für den Benutzer brauchbar sind. Solche Daten sind stabil und konsistent – eine Momentaufnahme, die erst geändert wird, wenn ein Benutzer dies wünscht.

Unternehmen benötigen also unterschiedliche Datenumgebungen: eine optimiert für operative, die andere optimiert für informative Anwendungen. Datenbanken für operative Anwendungen sind auf schnelle Antwortzeiten optimiert. Ein zusätzlicher Eingriff einer informativen Anwendung ist unerwünscht, da er sich meist störend auf die Antwortzeiten auswirkt. Prinzipiell unterscheiden sich operative von informativen Anwendungen so grundsätzlich, dass beim Einsatz beider in derselben Datenumgebung Leistung, Funktionalität und Nutzen der Systeme beeinträchtigt werden. Die Verkaufsdaten (operative Daten) der 800 Filialen der Drogeriemarktkette *dm* z. B. werden u. a. auch aus diesem Grund regelmäßig in ein mehrere hundert Gigabyte großes Data Warehouse auf der Basis von IBM Technologie eingestellt. Damit werden sie allgemein gesprochen zu informativen Daten und können losgelöst von den operativen Systemen weitergehend analysiert werden.

11.3.2.1 *Funktionen des Data Warehousings und Implementierungsalternativen*

Grundsätzlichen Funktionen des Data Warehousings sind: Zugriff, Transformation, Bereinigen, Verteilen, Speichern, Finden und Verstehen.[19] Damit wird ein Datenfluss von der Datenquelle zum Benutzer erzeugt. Es werden zum Beispiel Zugriffsmechanismen für Abfragen aus operativen Datenbanken benötigt. Diese Daten werden dann transformiert und an das Data Warehouse weitergeleitet, das auf einem definierten Datenmodell[20] basiert. Dieses Datenmodell ist, genauso wie

---

[19] Vgl. auch IBM Data Management Solutions White Paper 1998.
[20] Zu Datenmodellen siehe auch weiter unten unter Branchenlösungen.

die Quelldatenelemente selbst, anhand der Metadaten dokumentiert. Sie helfen dem Benutzer beim Finden und Verstehen der Inhalte des Data Warehouses.

Alle Funktionen sollten weitestgehend automatisch ablaufen. Vor allem in einer Umgebung, in der Produkte verschiedener Hersteller verwendet werden, ermöglichen offene, durch eine Architektur definierte Schnittstellen erst die Integration der Produkte. Viele Hersteller bieten Produkte an, die auf eine oder mehrere der eben beschriebenen Funktionen ausgelegt sind. Produkte verschiedener Anbieter so zu kombinieren, dass die erforderlichen DW-Prozesse durchgängig ausgeführt werden, verursacht einen erheblichen Arbeitsaufwand. IBM hat sich dieser Komplexität bereits im Vorfeld angenommen. Dazu gehört, dass dem Kunden eine vollständige Produktpalette von allen Werkzeugen, die im DW-Umfeld eine Rolle spielen, angeboten werden kann. Wesentlicher Punkt ist, dass die Integration dieser Werkzeuge IBM-seitig umfangreich und zuverlässig ausgetestet worden ist. Daneben wird auf die Anbindung der Werkzeuge über standardisierte Schnittstellen großen Wert gelegt. Die DW-Lösung kann damit im Kundenumfeld, falls gewünscht, jederzeit um ein Tool nach Wahl des Kunden ergänzt werden.

Prinzipiell können die Datenbestände eines Unternehmens für den Benutzer eines Data Warehouses unter nahezu jedem beliebigen Blickwinkel dargestellt werden. Damit lassen sich aktuelle und zukünftige Trends ermitteln. Weiterer Vorteil: Alle Mitarbeiter eines Unternehmens können auf die für ihre Entscheidungen relevanten Informationen Zugriff haben. Dabei gibt es verschieden Alternativen, wie Data Warehouses in den Unternehmen zum Einsatz kommen können:

Ein globales Data Warehouse ist eine Datenbank, die bereinigte, konsistente und erweiterte Datensätze enthält, auf deren Basis Systeme zur Entscheidungsfindung aufsetzen können. Die Daten haben in diesem Fall unternehmensübergreifenden Charakter, so dass z. B. die Entwicklung des Geschäftsergebnisses für das Unternehmen insgesamt untersucht werden kann. Beim globalen Data Warehouse ist die I/S-Abteilung direkt betroffen und dort liegt auch die Implementierungsverantwortung. Sie zeichnet für eine Gesamtarchitektur verantwortlich. Anforderungen und Implementierungsprioritäten richten sich nach den Erfordernissen des gesamten Unternehmens. Das globale Data Warehouse kann physisch zentralisiert oder auch logisch zentralisiert und physisch über mehrere Plattformen verteilt sein. Das Design kann die Unterstützung für eine unbegrenzte Anzahl sog. Data Marts (Datenmärkte) vorsehen.

Solche Data Marts sind Data Warehouses, die ein bestimmtes Anwendungsgebiet adressieren und innerhalb der Fachbereiche eingesetzt werden – also z. B. im Vertrieb, im Marketing, im Finanzbereich oder auch in der Produktion. Data Marts gehören zu den wichtigsten Bausteinen des DW und stellen im Prinzip eine Art „Mini-Data-Warehouse" dar. Dabei kommt in vielen Fällen nur eine relativ kleine Datenbank zum Einsatz (bis ca. 100 Gigabyte – es sind aber auch Größen von über einem Terabyte durchaus möglich). Der unabhängige („stand-alone") Data Mart wird mit minimalen oder gar keinen Auswirkungen auf die I/S-Organisation implementiert. Die Ressourcen werden von einer Abteilung oder Arbeitsgruppe selbst verwaltet. Dabei stammen die Daten meistens aus Datenquellen wie Test- oder Produktionseinrichtungen, die von der Abteilung betrieben werden. Der abhängige Data Mart hat dagegen durchaus Konnektivität zu den Datenquellen, die von der I/S-Organisation verwaltet werden.

Häufig stellen Data Marts den ersten Schritt zur Implementierung eines Data Warehouses dar. Sie stehen dabei für das Prinzip: „Klein einsteigen und zunächst eine klar abgegrenzte Problemstellung mit der DW-Technologie bearbeiten." Sicher kein schlechter Einstieg, denn DW-Projekte sind von großer Komplexität und es kann nur von Vorteil sein, schrittweise vorzugehen. Genauso wichtig aber ist, von Anfang an eine spätere Ausweitung des Systems zu berücksichtigen. Sonst besteht nämlich die Gefahr, irgendwann eine Reihe von Informationsinseln isolierter Data Marts erzeugt zu haben, die nicht mehr in ein unternehmensweites System integrierbar sind.

IBM möchte dieser Gefahr vorbeugen und seine Kunden von Anfang an mit einer breit angelegten Strategie unterstützen. Diese zielt sowohl auf die Belange begrenzter Lösungen, als auch auf die besonderen Anforderungen unternehmensübergreifender Data Warehouses. Um diesen breit gefächerten Ansatz durchgängig mit Spitzentechnologie zu hinterlegen, hat sich IBM mit Geschäftspartnern zusammengetan. Zu den Anbietern, die mit IBM eine sehr weitgehende Partnerschaft eingegangen sind, gehört beispielsweise Evolutionary Technologies International (ETI).[21] Aus diesem Hause sind Spezialwerkzeuge zur Daten-Extraktion und -Transformation am Markt. Vality Technology[22] ist ein Anbieter speziell im Bereich Daten-Bereinigung.

11.3.2.2 Visual Warehouse

Die zentrale DW-Komponente ist aber Visual Warehouse von IBM selbst. Es handelt sich dabei um eine Kombination aus Datenbank und allen grundlegenden DW-Funktionen, wie z. B. Daten-Extraktion und -Transformation, automatische Ablaufsteuerung, Anwender-Authorisierung, DW-Management und DW-Monitoring, Verwaltung und Erstellung von Informationskatalogen, Erzeugen von Abfragen und Erstellung entsprechender Berichte.[23] Damit bringt Visual Warehouse in konsolidierter und geschlossener Form alles mit, was für die schnelle Erstellung z. B. eines Data Marts benötigt wird.

Visual Warehouse erlaubt die Verarbeitung von Daten aus allen gängigen relationalen Datenbanksystemen, wie z. B. DB2, Oracle, Sybase, Microsoft und Informix. Auch Systeme wie IMS, CICS/VSAM und Text-Dateien können als Datenquellen verwendet werden. Die Hinzufügung entsprechender Treiber erlaubt die Integration weiterer Datenquellen. Die Darstellung der Information in Visual Warehouse orientiert sich nach den Bedürfnissen des Anwenders und erfolgt mittels sog. „Business Views." In diesen sind die Regelwerke festgelegt, nach denen entsprechende Eingangsdaten weiterverarbeitet und dargestellt werden sollen. In Visual Warehouse ist das Einstellen der Daten automatisiert. Dies kann in den „Business Views" unabhängig oder auch abhängig definiert werden, wie z. B. nur nach bestimmten Zeitintervallen oder nach vordefinierten Bedingungen.

---

[21] www.eti.com.
[22] www.validity.com
[23] Wesentliche Funktionen von Visual Warehouse werden in Zukunft auch von DB2 Warehouse Manager (www.ibm.com/software/data/db2/warehouse/) bereitgestellt, der noch enger mit DB2 Universal Database verzahnt ist.

Der Nutzen von Metadaten wird für den Endanwender noch einmal durch den sog. Informationskatalog (DataGuide) innerhalb von Visual Warehouse gesteigert. DataGuide hat die einzigartige Funktionalität, sowohl Datenelemente als auch Informationsobjekte verwalten zu können. Ein Informationsobjekt kann jede Zusammenstellung von gewünschten Geschäftsinformationen sein: etwa Grafiken, Tabellen, Berichtsdefinitionen, Abbildungen, Abfragen, Programme. Informationen werden hier im „Business Context" dokumentiert. Also ist es beispielsweise möglich, direkt nach den Ausgaben in einem bestimmten Geschäftsbereich oder in einer bestimmten Region zu fragen – ohne zu wissen, welche Tabellen im einzelnen kombiniert und konsolidiert wurden, um letztendlich als ein solches Informationsobjekt verfügbar zu sein. Der Informationskatalog innerhalb von Visual Warehouse ist Webfähig und dokumentiert damit auch Daten, die über das Internet verfügbar sind. Das können beispielsweise Datenformate, entsprechende Währungen, Daten-Zugehörigkeiten oder auch die Adresse sein, unter der die Daten zu finden sind.

Visual Warehouse unterstützt alle gängigen Schnittstellen, wie ODBC[24], JDBC, native DB2 Clients oder auch SQL. Damit können Warehouse-Daten mit nahezu beliebigen Anwenderprogrammen analysiert und weiterverarbeitet werden.[25]

11.3.2.3 IBM DW-Technologie im Einsatz

Eines der weltgrößten Data Warehouses wird im Auftrag der Deutschen Telekom AG betrieben werden. Partner und Technologielieferant ist IBM: Auf Basis von Servern der Reihe IBM RS/6000 SP und der Datenbank IBM DB2 Universal Database EEE wird ein 100 Terabyte großes Data Warehouse entstehen. Im Rahmen eines Abkommens wird die IT-Konzerntochter der Telekom DeTeCSM ein Data Warehouse aufbauen, mit einem Datenbestand von etwa 25 Terabyte in der ersten Ausbaustufe und schließlich den geplanten 100 Terabyte in der Endstufe. Es dient zur Optimierung des Leistungs- und Produktangebotes für die Telekom-Kunden.

Mit diesem Abschluss beim größten Telekommunikationsunternehmen in Europa (und einem der größten weltweit) unterstreicht IBM die führende Rolle im Data-Warehouse- und Business-Intelligence-Markt. Dazu die DeTeCSM: „Die Entscheidung für die Lösung von IBM fiel auf Grund der ausgeglichenen, sehr hohen Bewertung in allen für die Deutsche Telekom relevanten Bereichen."

11.3.2.4 Decision-Support-Systeme (DSS)

Decision-Support-Systeme sollen Entscheidern dabei helfen, aus vorhandenen Daten und wenig strukturierten Informationen mit Hilfe von Methoden und Entscheidungsregeln neue Einsichten zu gewinnen. Bei interaktiven Decision-Support-Systemen werden zudem das Wissen und die verschiedenen Präferenzen des Anwenders in den Lösungsprozess integriert. Das Anwendungsspektrum ist groß:

---

[24] ODBC steht für Open Database Connectivity, eine standardisierte Schnittstelle für den Zugriff auf Datenbanken.

[25] www.ibm.com/software/data/vw. Informationen zur Arbeitsweise von Visual Warehouse finden sich auch in der IBM Produktinformation: Visual Warehouse - ein schlüsselfertiges Data Warehouse. Form-Nr. GT12-5331-03

Ergebnisse für strategische Marketingentscheidungen werden ebenso erzielt wie Risikoanalysen für Lebensversicherungen bis hin zum Erkennen von Betrugsfällen bei Versicherungen. Denn DSS finden die in den Daten versteckten Informationen, erkennen und analysieren Zusammenhänge und Muster. Deshalb setzt beispielsweise die Fertigungsindustrie DSS erfolgreich ein, um Auffälligkeiten beim Ausfall von Bauteilen zu erkennen. Wieder andere Unternehmen unterstützen so ihr Controlling. Zum Funktionsspektrum von DSS gehören: Datenbank-Abfragen und Berichterstellung, Online Analytical Processing (OLAP) und Data Mining.

11.3.2.5 Werkzeuge für Abfragen und Berichterstellung (QMF)

Die IBM Query-Management-Facility- (QMF) Familie[26] wird schon seit langem im Großrechner-Umfeld eingesetzt, um Datenbankabfragen zu erzeugen und in entsprechenden Berichten zu konsolidieren. Heute ist QMF natürlich auch für Windows verfügbar. Mit QMF können nicht nur Daten aus DB2 verarbeitet werden, sondern auch Informationen aus anderen relationalen und nicht-relationalen Datenbanken und dem World Wide Web. Die Version für Windows ist kompatibel zur weit verbreiteten Großrechner-Version, so dass Unternehmensdatenbestände über QMF in gängige Windows-Anwendungen, wie Lotus 1-2-3, Microsoft Excel etc., übergeben werden können.

Das wird jedoch nur in seltenen Fällen erforderlich sein, da IBM im Bereich Abfrage und Berichterstellung umfangreiche Partnerschaften mit Anbietern von Spitzentechnologie eingegangen ist. Dazu gehört z. B. Brio[27] mit Brio Enterprise, was ein hervorragendes und benutzerfreundliches Tool für Abfragen, Analysen und zur Berichterstellung ist. Das preisgekrönte Produkt von Cognos[28], Cognos Impromptu, ist eine Unternehmenslösung für Datenbankabfragen und Berichterstellung auf dem Desktop und im Internet. Business Objects[29] bietet ein ausgezeichnetes integriertes Entscheidungsunterstützungs-Tool, das den Zugriff auf Daten sowie die Analyse und Nutzung der Informationsmasse in den Unternehmensdatenbanken ermöglicht. Die Partnerschaft, die IBM mit diesen Anbietern eingegangen ist, geht über eine reine Marketing-Beziehung hinaus. Es geht vielmehr auch hier darum, eine möglichst weit gehende Integration der einzelnen Produkte mit dem IBM Angebot zu durchgängigen Business-Intelligence-Lösungen zu realisieren, was beispielsweise für die übergreifende Verwendung und den Austausch von Metadaten auch unbedingt erforderlich ist.

11.3.2.6 Online Analytical Processing (OLAP)

Oft müssen Verkaufs- und Vertriebsdaten nach Produkten, Vertriebskanälen und Regionen getrennt analysiert werden; ebenso Kundendaten nach Haushaltseinkommen und Postleitzahl; oder Ausschussdaten nach Ausschussart, Fertigungsdatum und Produktionsanlage. Diese gängigen Probleme erfordern die Analyse

---

[26] www.ibm.com/software/data/qmf
[27] www.brio.com
[28] www.cognos.com
[29] www.businessobjects.com

von zwei oder mehr Datendimensionen, damit fundierte Geschäftsentscheidungen getroffen werden können. Diese mehrdimensionalen Analyse-Problemstellungen sind das Einsatzgebiet von Online Analytical Processing (OLAP).

Der DB2 OLAP Server[30] ist das IBM Werkzeug für die multidimensionale Datenanalyse. Er basiert auf der Essbase OLAP-Engine, einem allgemein als Spitzentechnologie akzeptierten Produkt der Firma Hyperion.[31] Dieses Tool kann sowohl für Enterprise Management- und Reporting-Lösungen als auch für Data-Warehouse-Anwendungen und zu Analyse- und Planungszwecken eingesetzt werden. Die aktuelle Version des DB2 OLAP Servers ermöglicht die Speicherung der OLAP-Daten sowohl in DB2 Universal Database als auch in dem von Hyperion Essbase verwendeten, proprietären multidimensionalen Format.

Durch den Einsatz von Hyperion Essbase oder IBM DB2 OLAP Server bei über 4.000 Anwendern weltweit hat sich die Verlässlichkeit der Technologie gezeigt. Mehr als 350 Partner sowie über 50 Werkzeuge und Anwendungen unterstützen den DB2 OLAP Server und Hyperion Essbase. Hyperion hat zudem durch den sog. APB-1-Benchmark eindrucksvoll belegt, dass die Essbase-Technologie den schnellsten OLAP-Server für Windows NT und Unix zur Verfügung stellt. Die schnelle Beantwortung von Ad-hoc-Anfragen führt zu einem ebenso schnellen Return on Investment (ROI). Dazu Dennis McDaniel von der Ohio Casualty Group, einer US-amerikanischen Lebens- und Unfallversicherung: „Wir kalkulieren, dass unsere Lösung, die auf dem DB2 OLAP Server und dem IBM Visual Warehouse aufsetzt, in den nächsten fünf Jahren Einsparungen von mehreren hunderttausend Dollar erwirtschaftet."

Der DB2 OLAP Server wurde für den professionellen Einsatz in verschiedenen Branchen entwickelt, die zur Stärkung ihrer Wettbewerbsposition eine umfangreiche Datenanalyse benötigen. Zielgruppe in den Unternehmen sind Verkaufsleiter, die Verkaufsentwicklungen und -trends erkennen und bewerten müssen, Finanzberater, die Ausgaben, Umsätze oder Gewinne planen oder analysieren, oder Marketing Manager, die herausfinden möchten, ob eine entsprechende Kampagne erfolgreich war. IBM DB2 OLAP-Server bietet alle technischen Voraussetzungen, um schnell und einfach analytisch oder planerisch Anwendungen zu entwickeln, da die benötigten mathematischen, statistischen und finanztechnischen Funktionen bereits integriert sind. Durch intuitiv bedienbare Benutzerschnittstellen, die auch den Einsatz von Tabellenkalkulationen oder Browsern erlauben, kann der Anwender schnell mit den Daten arbeiten, ohne dass er zuerst eine entsprechende Abfragesprache lernen muss.

In der IBM DB2 Visual Warehouse OLAP Edition wird der DB2 OLAP Server zusammen mit Visual Warehouse ausgeliefert. Daneben gibt es auch in diesem Bereich eine Reihe ergänzender Werkzeuge von Partnern der IBM: Cognos PowerPlay ist beispielsweise ein branchenführendes OLAP-Tool, das in Verbindung mit DB2 Universal Database, dem DB2 OLAP Server und Visual Warehouse als geschlossene Business-Intelligence-Lösung in einem Paket angeboten werden kann.[32]

---

[30]   www.ibm.com/software/data/db2/db2olap
[31]   www.hyperion.com
[32]   Vgl. Stevens (1999).

11.3.2.7 Data Mining

Data Warehouses und OLAP feiern zur Zeit einen wahren Triumphzug quer durch alle Branchen. Doch decken diese beiden Instrumente häufig noch nicht den Informationsbedarf. Daher steigt die Attraktivität von Informationssystemen, die große Datenbestände *automatisch* analysieren und komplexe Muster aufdecken können – das Data Mining.[33] Darunter wird ein integrierter Prozess verstanden, der durch die Anwendung von Methoden auf einen Datenbestand Muster identifiziert. Der Integrationsaspekt bedeutet, dass alle erforderlichen Schritte von der Datenbeschaffung über die Methodenanwendung bis hin zur Präsentation der Muster dem Data-Mining-Prozess zuzurechnen sind. Innerhalb dieses Prozesses können fünf Phasen unterschieden werden:

- *Extraktion* der Daten aus Data Warehouses, operationalen Datenbanken oder anderen externen Datenquellen.
- *Selektion* von Datensätzen (vertikale Selektion) und Attributen (horizontale Selektion).
- Fehlerhafte Datensätze werden in der *Vorverarbeitung* (Preprocessing) aussortiert.
- *Transformation* der verbleibenden Daten in ein Datenbankschema.
- Die *Methodenanwendung* führt schließlich zur Identifikation von Mustern.

Die ersten vier Phasen sind im Prinzip also lediglich der Datenvorbereitung vorbehalten. Tatsächlich werden nach Expertenangaben ca. 80 % der Zeit und Kosten des Data Minings für die Vorarbeiten aufgewendet.

Eines der Flaggschiffe auf dem Markt für Data-Mining-Produkte ist der *IBM DB2 Intelligent Miner for Data*[34]. Damit verarbeiten Anwender wichtige Informationen aus den Datenbeständen ihrer Unternehmens-IT, etwa Informationen über das Kaufverhalten von Kunden und über neue Branchentrends. Die so gewonnenen Erkenntnisse helfen Unternehmen, ihre Entscheidungen auf der Basis fundierter Datenanalysen zu treffen. IBM DB2 Intelligent Miner for Data sucht nach versteckten Informationen, die in traditionellen Dateien, Datenbanken, Data Warehouses oder Data Marts lagern. Die Software wurde bereits mit großem Erfolg in verschiedenen Branchen bei der Suche nach Betrugsversuchen, beispielsweise Kreditkartenbetrug, eingesetzt.

Der IBM DB2 Intelligent Miner for Data ist eine integrierte Data-Mining-Plattform, die durch die Unterstützung paralleler Hardware-Architekturen eine hohe Skalierbarkeit aufweist. Zur Speicherung der Daten wird die IBM DB2 Universal Database eingesetzt.[35] Die Methodenbank des IBM DB2 Intelligent Miner for Data stellt u. a. folgende Verfahren zur Verfügung: Assoziationsanalyse, Klassifikation, Clusteranalyse, Sequenzanalyse und Prognosenverfahren. Außerdem besitzt das

---

[33] Vgl. Bensberg et al. (1999).

[34] www.ibm.com/software/data/iminer/fordata/

[35] IBM hat sich in diesem Zusammenhang auch der Data Mining Group der OMG angeschlossen, um an der Entwicklung eines SQL-Standards mit Data-Mining-Fähigkeiten mitzuarbeiten.

System eine Reihe statistischer Funktionen, wie z. B. Faktorenanalyse, Regressionsverfahren oder auch Hauptkomponentenanalyse.[36]

Der IBM Intelligent Miner for Text[37] ermöglicht es Unternehmen, wesentliche Erkenntnisse über das Verhalten ihrer Kunden auch aus unstrukturierten Daten zu erlangen. Das Programm analysiert Textinformationen von Web-Sites, Informationsdiensten, Faxen, E-Mails, Lotus-Notes-Datenbanken, Call-Centern, Verträgen oder Patentverzeichnissen. Es besitzt die Fähigkeit, inhaltliche Muster aus Texten zu extrahieren, Dokumente thematisch zu organisieren, in einer Sammlung von Dokumenten das Hauptthema aufzuspüren und mit leistungsstarken, flexiblen Abfragen nach relevanten Dokumenten zu suchen.[38]

11.3.3 Branchenlösungen

IBM DecisionEdge for Relationship Marketing ist die integrierte Lösung im Bereich Business Intelligence. Sie versetzt Unternehmen in die Lage, profitable Kunden zu identifizieren, zu akquirieren, zu entwickeln und zu halten. *DecisionEdge* wird speziell auf einzelne Branchen zugeschnitten ausgeliefert. Damit ermöglicht diese Business-Intelligence-Lösung herauszufinden, welcher Interessent ein wichtiger Kunde werden könnte, welche Kunden auch im Zusammenhang mit einem veränderten Angebot (Produkt, Service) interessant werden könnten und schließlich, welche Kunden abwanderungsbedroht sind. Zum Funktionsspektrum von *DecisionEdge* gehört auch die Möglichkeit, Marketing Initiativen zu steuern und zu überwachen. *DecisionEdge* setzt auf zeitgemäßen Analyse- und Vorhersagealgorithmen auf, die eine wirksame Kundensegmentierung erlauben. Damit werden Unternehmen in die Lage versetzt, Kundenpräferenzen mit größerer Genauigkeit zu ermitteln und diese auch in eine individuell ausgestaltete Kundenbeziehung umzusetzen.

Neben diesen hochspezialisierten Analyse-Werkzeugen kann IBM im Rahmen von *DecisionEdge* auch alle die Komponenten anbieten, die letztendlich für eine „End-to-End"-Lösung obligatorisch sind: auf *DecisionEdge* abgestimmte Server, branchenspezifische Datenmodelle, spezifische Beratung, Unterstützung bei der Implementierung und entsprechende Schulung.

Alle Komponenten der Lösung haben am Markt bereits ihre erste Bewährungsprobe bestanden und sind vollständig miteinander integriert, was die Implementierung einer solchen Lösung vor Ort erheblich beschleunigt. Die Lösung ist speziell nach den jeweiligen Vorgaben und Anforderungen von Unternehmen konfigurierbar, was die Umsetzung individueller Marketing-Strategien und eines individuellen Unternehmensprofils auch im Bereich Marketing ermöglicht.

11.3.3.1 Einsatzbereiche von DecisionEdge

Anhand der zugehörigen Geschäftsanwendungen schafft DecisionEdge einen mühelosen Zugang auf die benötigten Informationen in einem Data Warehouse für

---

[36]   Vgl. auch Tkach (1998).
[37]   www.ibm.com/software/data/iminer/fortext/
[38]   Vgl. auch Tkach (1998).

den Endanwender – gleichgültig ob Experte oder Anfänger. Nachstehend sind die Geschäftsanwendungen in ihre entsprechenden Einsatzbereiche gegliedert:

Der Einsatzbereich Marketing-Analyse wird in DecisionEdge durch eine jeweils branchenspezifische Reporting-Funktion unterstützt, die die Auswahl aus Hunderten von Standardberichten in Bezug auf Umsätze, produktbezogene Auswertungen, Vertriebsdaten, Kundenprofile und Ähnliches erlaubt.

Zur Marketing Prognose dienen IBM DB2 Intelligent Miner for Data und IBM DB2 Intelligent Miner for Relationship Marketing (siehe auch weiter unten im Text). Hier geht es um die Entwicklung von Strategien und Maßnahmen in den Bereichen Kundensegmentierung und –profilierung, Kundenakquisition, Kundenwiedergewinnung, Cross-Selling und Bestandskundenpflege.

Für den Einsatz in den Bereichen Planung und Management von Marketing Initiativen ist das ValEX Marketing Management System von Exchange Applications in DecisionEdge implementiert. Dabei handelt es sich um ein umfassendes System zur zeitnahen Bewertung und zum Management der Marketing-Initiativen und Vertriebskanäle von Unternehmen. ValEX ist bereits mehrfach ausgezeichnet worden und basiert auf einer unkompliziert erlernbaren grafischen Benutzerumgebung und einer Beschreibungssprache, die speziell für die Belange von Anwendern im Business- und Marketing-Bereich ausgelegt wurde. Mit ValEX können Ressourcen effizienter eingesetzt werden und Marketing-Initiativen auch im Verlauf angepasst werden.[39]

11.3.3.2 Der IBM DB2 Intelligent Miner for Relationship Marketing

Der IM4RM ist eine Suite von branchen- und aufgabenspezifischen Anwendungen für das Relationship Marketing mit dem Ziel, das Data Mining in einem vereinfachten und strukturierten Prozess für CRM einsetzen zu können. Informationen über früheres Kundenverhalten werden durch die Analyse historischer Daten, den Aufbau vorausschauender Modelle und die Untersuchung von Zielpopulationen ermittelt. Die Ergebnisse können die Einsicht in zukünftige Kundenaktionen ermöglichen. Mit dem IM4RM wird Data Mining auch für Marketingfachleute einsetzbar, weil die Komplexität der Bedienung von ihnen systematisch ferngehalten wird. Damit unterscheidet sich der IM4RM grundlegend vom Ansatz der meisten Analysetools, die sich zur Zeit auf dem Markt befinden. Er ist benutzerorientiert. Eine abgestimmte Folge von einzelnen Stufen ermöglicht auch Nichtstatistikern, die Vorbereitung einer Marketing-Aktion. Die Stufen sind:

Zunächst werden mit einem Data Template die Schlüsselattribute und die benötigten Variablen identifiziert, um das Kundenverhalten in der entsprechenden Branche zu analysieren. Ein Modul zur Datenaufbereitung (Data Preparation Modul) legt die einzubeziehenden Daten für entsprechende Mining-Studien fest und bereitet die Daten für vorausschauende Modelle auf. Mit einem Modul zur Modell-Erstellung (Model Build Module) werden Voraussage-Modelle unter Anleitung erstellt und beurteilt. Ein spezielles Modul zur Identifizierung von Zielgruppen (Customer Focus Module) stellt grafische Werkzeuge zur Verfügung, die die Auswahl von Zielkunden auf der Basis der ermittelten Ergebnisse zulassen. Das

---

[39] Ein ausführliches Papier zur Funktionsweise von *ValEX* ist unter www.ibm.com/solutions/ businessintelligence/imrm zu finden.

kann z. B. für Maßnahmen im Bereich Cross-Selling oder Kundenbindung zum Einsatz kommen. Module zur weitergehenden Analyse (Business Insights Modules) erlauben einen tieferen Einblick in die durch das Customer Focus Module ausgewählten Zielsegmente sowie in deren spezifische Kundengruppen. Auf dieser Basis können z. B. zielgerichtete Angebote für ausgewählte Kunden erstellt werden.

Den IM4RM gibt es speziell abgestimmt auf die Belange der Telekommunikationsbranche. Dort zwingen alarmierende Umsatzeinbrüche auf 40 bis 60 Prozent Telekommunikations-Unternehmen in den USA zu einer intensiveren Kundenpflege. Auf Grund zunehmender Deregulierung dürfte sich dieser Trend bald auch in Europa zeigen. Durch den Einsatz von IM4RM für die Telekommunikationsbranche können die Unternehmen in kürzester Zeit die Kunden identifizieren, die zu einem Wettbewerber abwandern wollen. Durch entsprechende Maßnahmen sind sie dann in der Lage, diese Kunden gezielt anzusprechen.

In der Bankenbranche wird eine spezielle adaptierte Version des IM4RM z. B. auch für private Bankhäuser interessant. Dort liegt der Fokus der Aktivität nicht selten darauf, Neukunden mit hoher Profitabilität zu gewinnen bzw. diese profitablen Kunden zu halten. IBM IM4RM für die Bankenbranche hilft bei der Ermittlung verärgerter Kunden, bei der Rückgewinnung von Kunden und bei der Neukundengewinnung. Die neue Version dieser Anwendung enthält ein auf die Bankenbranche zugeschnittenes Neigungsmodell für die Kundengewinnung. Branchen- und Marketing-Analysten können mit Hilfe der Software die Datenbestände der Banken nach Mustern und Beziehungen zwischen vorhandenen Kunden und möglichen Neukunden durchsuchen.

Der IM4RM ist als eigenständiges Produkt und als wesentliche Komponente von IBM DecisionEdge for Relationship Marketing auf dem Markt verfügbar.

11.3.3.3 Integration der Daten in DecisionEdge

Die sog. Rohdaten, also Daten, wie sie von den operativen Systemen (Rechnungswesen, Kundendatenbank etc.) verwaltet werden, müssen vor dem Einfüllen in ein Data Warehouse konditioniert werden. Dieser Konditionierungsprozess beinhaltet folgende Arbeitsfolgen (wie bereits weiter oben ausgeführt):

- Datenextraktion, d. h. Bereitstellung relevanter Daten aus den ursprünglichen Datenquellen.
- Datentransformation, d. h. Anpassung des Datenformats anhand mathematischer Funktionen, Datums- und Zeitformaten, logische Ausdrücke usw. Damit werden auf den einfachsten Nenner reduzierte, konsistente und aussagekräftige Business-Daten erstellt.

Datenbereinigung, d. h. Entfernung nicht vollständiger, redundanter oder auch fehlerbehafteter Daten.

Generierung entsprechender Metadaten, d. h. im Wesentlichen die Generierung von Tabellen, die beinhalten, welche Daten an welchem Ort in einem Data Warehouse zu finden sind.

Das Einstellen der so konditionierten Daten in das entsprechende Data Warehouse.

Die IBM DecisionEdge-Lösung unterstützt alle IBM relevanten Werkzeuge für die Konditionierung der Daten. Dazu gehören, wie bereits erwähnt, IBM Visual Warehouse, ETI.EXTRACT und Vality INTEGRITY.

11.3.3.4 Datenmodelle von DecisionEdge

Eine zentrale Komponente von DecisionEdge ist aber das jeweilige Datenmodell. Dieses wird branchenspezifisch angeboten. Das Datenmodell beschreibt wesentliche Datentypen, deren Format und deren Beziehung zu anderen Datentypen. Damit wird die effiziente Darstellung zentraler Unternehmens- und Marketing-Eckdaten ermöglicht, wie z. B.:

- die Frequenz, mit der einzelne Kunden adressiert werden
- die Frequenz, mit der einzelne Kunden Produktwechsel vornehmen
- mögliche Produktkombinationen, die bisher so nicht angeboten wurden
- Produkt-Renner: Umsatzstärkste Produkte, Produkte mit der größten Kundenloyalität usw.

Entwicklung von Marktanteilen

Das Datenmodell beinhaltet auf diese Weise beträchtliches intellektuelles Kapital, das in DecisionEdge über einen branchenspezifischen Ansatz effizient zugänglich gemacht wird. DecisonEdge wird derzeit mit einem spezifischen Datenmodell für die Branchen Versicherung und Finanz angeboten.

Speziell für die Versicherungsbranche hat IBM zusätzlich folgende Komponenten entwickelt:

Campaign Management Quick Start. Die besonders effiziente Abwicklung von Marketing Initiativen wird hier durch ein vorgefertigtes Projekt, das eine umfangreiche Dokumentation und ein Data Mart enthält, erzielt. Dadurch fließen frühere Projekterfahrungen mit ein, was sowohl Projektzeit als auch Projektrisiko reduziert.

Underwriting Profitability Analysis (UPA). Ein Werkzeug zur Bewertung des Produktrisikos, der Produkteignung und zur Festlegung eines attraktiven und doch profitablen Produktpreises

Customer and Prospect Optimizer (CPO). Gibt dem Vertrieb präzise qualifizierte Kundenadressen weiter, durch die schnell mehr Abschlüsse erzielt werden können. CPO wurde in enger Zusammenarbeit mit zwei großen Versicherungsträgern entwickelt.

IBM DecisionEdge for Relationship Marketing für Banken setzt auf dem IBM Banking Data Warehouse for DecisionEdge- (BDW DE) Daten-Modell auf. Damit lassen sich Kundenprofile erstellen, auf der Basis derer z. B. Kundenbeschwerden, Kundenabwanderung, Möglichkeiten für sog. Cross-Selling oder auch die Ergebnisse von Marketing-Initiativen bewertet werden können. Das Modell erlaubt auch mit ebenfalls verfügbaren Zusätzen Vorgänge wie Risikobewertung und Profitabilitätsanalyse.

DecisionEdge for SAP ist für Unternehmen bestimmt, die ein SAP-Warenwirtschaftssystem nutzen und auf dieser Basis ein Data Warehouse für die strategische Nutzung des täglich wachsenden Datenmaterials erstellen wollen. Diese Programm-Suite gibt den Anwendern die Fähigkeit, schnell und einfach ihre SAP-Transaktionsdaten zu analysieren. Durch vorher definierte Reportmasken wird der Entscheidungsprozess vereinfacht und beschleunigt.

Weitere Versionen von DecisionEdge, wie DecisionEdge for Fraud and Abuse Management, das speziell zur Analyse von Betrugsmustern ausgelegt ist, sowie das gesamte Produktportfolio und interessante Kundenbeispiele finden sich im Internet unter: www.ibm.com/solutions/businessintelligence/ beschrieben.

11.3.3.5 Beratung und Service im Umfeld von DecisionEdge

Das Angebot von IBM Global Services Business Intelligence ist individuell, denn jedes Unternehmen in den unterschiedlichen Branchen benötigt ein anderes Business-Intelligence-System, um seine Ziele zu erreichen. IBM Global Services (IGS) hilft Firmen jeder Größe dabei, ihre Business-Intelligence-Bedürfnisse zu ermitteln. IGS hilft bei der Einführung der richtigen Lösungen und optimiert diese für den maximal möglichen Return-of-Investment. Das Angebot von IBM Global Services Business Intelligence, eine der wesentlichen Initiativen von Global Services, enthält etliche Dienstleistungen. Dazu zählen Strategieentwicklung und -planung aus der Perspektive der jeweiligen Branche oder Funktion; Erarbeitung von Methodologien, die den Kunden dabei helfen, geschäftliche Entwicklungen zu verstehen und darauf zu reagieren; gezieltes Projektmanagement für Data Warehouses sowie die Entwicklung und Implementierung neuester Analysesysteme.

11.4 Einsatzfelder von IBM-Lösungen zu Business Intelligence

Die Marktforschungsinstitute Palo Alto Management Group (PAMG) und International Data Corporation (IDC) haben den Business-Intelligence-Markt auf bevorzugte Einsatzfelder hin untersucht. Dabei liefern beide Institute ähnliche Ergebnisse in Bezug auf Entwicklung und Einsatz von Business Intelligence in den verschiedenen Unternehmensbereichen: Lösungen zu Customer Relationship Management (CRM) bilden, wie bereits angedeutet, auf lange Sicht mit einem Anteil von gut 40 % den wichtigsten Einsatzbereich von Business Intelligence. Im Bereich der Anwendungen für Finanzdienstleister kommen die Marktforscher zu abweichenden Ergebnissen: Während die Palo Alto Management Group hier einen Marktanteil von 11 % errechnete, ermittelt IDC 24 %. Auf die übrigen Bereiche verteilt sich der Einsatz annähernd gleichmäßig mit Werten zwischen 8 und 12 %. Nachfolgend werden die konsolidierten Werte der beiden Untersuchungen – Einsatzgebiete und Marktrelevanz von Business Intelligence (Quelle: Palo Alto Management Group/IDC) – aufgelistet:

- *Customer Relationship Management (CRM).* Marketing, Verkauf, Support/Service, 41 %
- *Vertrieb, Handel, Marketing.* Produkt, Preis, Promotion, Platzierung im Handelsraum, 8 %
- *„Supply Chain" Management (SCM).* Produktion, Transport, Lagerung, Lieferkette, 13 %

■ *Finanzmanagement.* Kalkulation, Budgetierung, Konsolidierung, 18 %

■ *Betrugs- und Risikomanagement.* Versicherungsrisiken, Kreditkartenabwicklung, finanzielle Risiken, 8 %

11.4.1 Customer Relationship Management

Im Bereich CRM bildet Business Intelligence den analytischen Prozess, bei dem der Kunde im Mittelpunkt sämtlicher Aktivitäten von Marketing, Vertrieb und Service stehen sollte. Zu den Zielen der speziell für dieses Einsatzfeld verfügbaren Business-Intelligence-Lösungen von IBM gehören messbare oder deutlich spürbare Verbesserungen bei der Kundengewinnung, bei der Erschließung neuer Kundengruppen, beim Erhalt der Kundenbasis sowie im Bereich der Dienstleistungen für Kunden. Business Intelligence hilft dabei, Marketingaktionen gezielt aufzusetzen, für gewinnbringende Kunden mehr Aktivitäten zu initiieren, den Bekanntheitsgrad des Unternehmens und seiner Produkte zu erhöhen, größere Marktanteile zu gewinnen und gleichzeitig die Kosten für das Marketing zu reduzieren. Erreicht wird dies durch die Analyse des Kundenverhaltens und durch die Untersuchung des Kundenumfelds.

Die in Großbritannien mit einem jährlichen Umsatz von 10 Milliarden US-Dollar führende Supermarktkette *Safeway* lernt anhand einer Business-Intelligence-Lösung von IBM besonders viel über das Kaufverhalten ihrer besten und umsatzstärksten Kunden. Vorlieben dieses Kundensegments für bestimmte Produkte werden konsequent analysiert und berücksichtigt: Bevorzugte Produkte bleiben im Regal, auch wenn sie sich sonst als eher verkaufsschwach herausstellen. Wie im Falle von *Safeway* sollten CRM-Lösungen in erster Linie auf Branchen zugeschnitten sein. Am weitesten verbreitet sind Anwendungen für den Handel, für das Banken- und Versicherungswesen sowie für Telekommunikation.

11.4.2 Vertrieb/Handel/Verkaufsförderung

Hier kommen Business-Intelligence-Lösungen zum Einsatz, die den Verkauf der Produkte steigern sollen. Es gilt herauszufinden, welches Warensortiment aus welchen Kategorien wo platziert und in welchen Mengen vorrätig sein muss. Dazu gehören auch Nachfrage-Analysen und Maßnahmen zur Erhöhung der Bereitschaft beim Kaufverhalten. Business Intelligence hilft unterstützend, die Produktions- und Vertriebskosten zu senken, indem die Lagerhaltung optimiert wird und Waren, die geringen Umsatz bringen, aus dem Sortiment genommen werden.

Die meisten Anwendungen gibt es für Banken und Versicherungen, in der Telekommunikation, für Kaufhäuser, aber auch z. B. für Restaurantketten. Infolge des wachsenden Wettbewerbsdrucks und der Kundennachfrage nach neuen Preis-/Leistungsverhältnissen hat sich beispielsweise *McDonald's* in Kanada veranlasst gesehen, seine Präsenz auf dem Markt zu verstärken. Zugleich versucht das Unternehmen, ständig seine Betriebskosten zu senken. Heute liefert eine Business-Intelligence-Lösung von IBM Schlüsselinformationen über Transaktionen für die Marktanalytiker bei *McDonald's.* Diese Informationen helfen, zentrale Fragen zu beantworten, wie z. B. welche Produktkombinationen zu einer bestimmten Tageszeit am besten laufen. Nach Aussage des Managements für strategische Planung bei *McDonald's* ermöglicht die IBM-Lösung den Zugriff auf Informationen, mit denen die Verkaufszahlen in den Restaurants erhöht und gleichzeitig die Betriebskosten gesenkt werden.

11.4.3 Supply Chain Management (Lieferketten-Management)

Business Intelligence sorgt in diesem Bereich für die Analyse sämtlicher Komponenten einer Lieferkette. Ziel ist die Optimierung und Beschleunigung der Lieferkette, von der Produktion über die Lagerhaltung bis zur Anlieferung beim Kunden. Gleichzeitig sollen die Produktion verdichtet und die Vertriebsausgaben gesenkt werden. Herstellung, Vertrieb/Transport und Lagerhaltung werden nach ihren spezifischen Auswirkungen auf die Effizienz der Lieferkette analysiert. Darüber hinaus müssen Bedarfsplanung und Nachfragesituation beim Handel mit jeder Komponente in der Lieferkette verbunden werden. Strategische Ziele sind deshalb die Optimierung des Produktionsprozesses, die Nachfrage-Analyse, die Berechnung des Lagerraums, der Einsatz der Arbeitskräfte und die Kosten für die Lagerhaltung. Letztendlich wird die Optimierung nur durch gemeinsame Anstrengungen von Hersteller, Distributor und Einzelhändler erreicht.

Mitarbeiter der Marketing-, Einkaufs- und Buchhaltungsabteilungen der Drogeriemarktkette *dm* hatten beispielsweise bisher zwar einen gewissen Zugang zu „Point-of-Sale"-Daten von Strichcode-Kassen, die erstellten Berichte konnten aber das für die genaue Auswertung erforderliche Datenmaterial kaum beschaffen. Der Grund waren veraltete Abfrage- und Berichterstellungs-Werkzeuge, die vor mehr als zehn Jahren installiert wurden und mit denen ein genaueres Suchen durch die verschiedenen Ebenen der Verkaufsdaten nicht möglich war. Zur Verbesserung des Informationsflusses zwischen den Filialen und der Zentrale wird heute bei *dm* ein IBM Business-Intelligence-System eingesetzt. Business-Intelligence-Lösungen zur Verbesserung des Lieferketten-Managements gibt es für alle Branchen. Am meisten verbreitet sind sie in produktionsintensiven Industrien.

11.4.4 Finanzmanagement

Business Intelligence wird im Finanzmanagement eingesetzt, um die Finanzdaten aus allen operativen Bereichen zu analysieren. Im Einzelnen geht es dabei darum, die Genauigkeit der Kostenrechnungen zu erhöhen und das Reporting zu beschleunigen. Auch sollen die Produktionskosten und die gesamte operative Leistung in Form von Kosten/Nutzen-Betrachtungen dargestellt werden können. Die hier adressierten Geschäftsprozesse umfassen die Budgetierung und Planung, die finanzielle Konsolidierung sowie Aufwands-Analysen – womit alle messbaren Aktivitäten gemeint sind, die in einer Organisation vorkommen, bedingt durch Arbeitseinsatz, Maschinen oder sonstige sachliche Ressourcen. Business-Intelligence-Lösungen für das Finanzmanagement sind prinzipiell branchenunabhängig und betreffen alle Abteilungen eines Unternehmens.

Der Verband Deutscher Rentenversicherungsträger (VDR) ist ein Beispiel für eine Behörde, die ihr Data Warehouse auf der Basis von IBM Technologie betreibt. Dort sind jetzt übergreifend *alle* Rentendaten verfügbar und damit ein großes Datenvolumen über jeden deutschen Staatsbürger, der eine Sozialversicherungsnummer hat. Vorteil: Die Angestellten der einzelnen Landesversicherungsanstalten (LVAs) müssen heute weniger Zeit für das Suchen der relevanten Informationen aufwenden und arbeiten effizienter. Als die Rentendaten noch ausschließlich als lineare Dateien gespeichert waren, benötigten die LVAs nach Angaben des VDR etwa zwei Tage, um selbst die einfachsten Informationen über ein Rentenkonto zu erhalten. Heute werden dazu ein paar Sekunden benötigt.

11.4.5 Betrugs- und Risiko-Management

Im Bereich Betrugs- und Risiko-Management werden Unternehmen mit Business Intelligence in die Lage versetzt, Muster, Trends und Zusammenhänge zu finden oder zu erkennen, die betrügerisches Verhalten oder erhöhte Risiken indizieren. Diese Muster können sich auf Individuen beziehen, auf Unternehmen oder auf Produktlinien. Zu den aufzudeckenden Delikten gehören Versicherungsbetrug sowie betrügerische Handlungen im Zusammenhang mit Krediten, Kreditkarten, „0190er"-Nummern, Hypotheken oder auch staatlichen Sozialleistungen. Auch bei Bargeldgeschäften und bei Aktien-Rückkäufen können Betrugsdelikte aufgedeckt werden.

Dabei kommen auch Software von IBM aus dem Bereich der künstlichen Intelligenz, neuronale Netze und weitere Algorithmen zum Einsatz, die durch Visualisierungs-Werkzeuge ergänzt werden. 1995 hat das Bundesfinanzministerium das Bundesaufsichtsamt für den Wertpapierhandel (BAWe) in Frankfurt gegründet. Hauptaufgabe dieser Behörde ist, auf der Basis einer 1994 neu gestalteten gesetzlichen Grundlage unerlaubte „Insidergeschäfte" aufzudecken und der zuständigen Staatsanwaltschaft zu übermitteln. 800.000 Transaktionen täglich müssen im Rahmen dieser Mission auf eventuelle Auffälligkeiten untersucht werden, wobei jede Transaktion durch ca. 60 Datenfelder beschrieben ist. Aus dieser Informationsflut hat das BAWe seit seiner Gründung mit Hilfe einer Business-Intelligence-Lösung von IBM 150 Fälle herauspräparieren können. Das Business-Intelligence-System ist dabei in der Lage, typische Muster eines „Insidergeschäftes" zu identifizieren und auf der Basis eines Gesamtvolumens von mittlerweile 260 Millionen Datensätzen nachvollziehen zu können.

11.4.6 Die Zukunft von Business Intelligence

Heute noch zu den Nischen-Anwendungen von Business Intelligence zu zählen sind Applikationen aus den Bereichen „Human Resources", Überwachung von Netzwerkverkehr und Überprüfung des Geschäftserfolgs. Business-Intelligence-Lösungen zu „Human Resources" umfassen auch Möglichkeiten zur Nutzung von Online-Personalsuche. Analysen des „Netzwerk-Traffic" mit Business Intelligence beinhalten etwa das Überprüfen der Leistung von Rechnernetzen oder Nutzer-Zugriffe auf solche Netze. Anwendungen zum Performanz- und Geschäftserfolgs-Management konzentrieren sich darauf, die Schlüsselelemente eines Erfolges oder Misserfolges – üblicherweise finanzielle Gewinne oder Verluste – zu analysieren.

Business Intelligence steht heute an der Schwelle zwischen "Early Adopter"-Phase und Massenmarkt. Welche Faktoren werden für das Überschreiten dieser Schwelle entscheidend sein? In jedem Fall wird die Steigerung der Rentabilität im Vordergrund stehen. Daneben natürlich auch die Verfügbarkeit von Daten entsprechender Qualität. Und nicht zuletzt immer natürlich auch, ob das Leistungs-vermögen der auf dem Markt erhältlichen Lösungen den Erwartungen gerecht werden kann.

11.5 Zusammenfassung

„Die Fähigkeit einer Organisation, zu lernen und das Erlernte schnell in die Praxis umzusetzen, entscheidet letztendlich über Erfolg oder Misserfolg", sagt Jack Welch, Chairman, General Electric. Mit Business Intelligence will IBM seine Kunden hierbei unterstützen und geht damit über die klassische Data-Warehou-sing-Funktionalität hinaus. Diese ist nur noch Teil einer übergreifenden Business-Intelligence-Architektur, die auf einem leistungsfähigen Datenbank-Management-system basiert und die es erlaubt, Daten von mehreren heterogenen Quellen zu verarbeiten, um Data Warehouses einzurichten und zu verwalten. Werkzeuge für Analysezwecke (Decision-Support-Systeme) sind verfügbar und alle heute gängi-gen Verfahren in diesem Bereich werden mit qualifizierter Technologie unter-stützt. Mit am Markt erprobten, branchenorientierten Lösungen wird IBM schließlich den wesentlichen Einsatzfeldern von Business Intelligence gerecht.

Bei allen Möglichkeiten, die sich eröffnen, sollte natürlich Schopenhauers Rat-schlag nicht vergessen werden (hier in leicht abgewandelter Form): *Mit Business Intelligence erarbeitete Einsichten sind letztendlich auch nichts weiter als die Spur eines Fußgängers im Sande: Man sieht wohl den Weg, welchen er genommen hat; aber um zu wissen, was er auf dem Weg gesehen, muss man seine eigenen Augen gebrauchen.*

Literaturverzeichnis

Alle White Papers sind, soweit nicht anders angegeben, direkt im PDF-Format zu beziehen über: www.ibm.com/software/data/pubs/papers/.

Aberdeen Group, Inc.: IBM DB2 and Net.Commerce E-Business Solutions: An ROI-Study. An Executive White Paper. August (1999).

Bensberg, F.; Dewanto, L.; Klein, M.; Manthey, V.: Schnorcheln in der Datenflut. Data-Mining-Tools: Datenanalyse und –auswertung. Der Entwickler, Ausgabe 6, 14ff. (1999)

Davis, J. R.: IBM's DB2 Spatial Extender: Managing Geo-Spatial Information with the DBMS. IBM White Paper, 1998.

Davis, J. R.: DataLinks: Managing External Data With DB2 Universal Database. IBM White Paper, o.O. 1999.

Graham, S.: The Foundation of Wisdom: A Study of the Financial Impact of Data Warehousing. IDC Special Report, International Data Corporation (Canada) Ltd. Toronto (1996)

IBM Data Management Solutions White Paper: Meta-Data Management for Business Intelligence Solutions. Stamford, Connecticut (1999).

IBM Data Management Solutions White Paper: Data Warehousing. The Key to an Effective Business Intelligence Solution. First Edition, Stamford, Connecticut, July (1998).

Stevens, C.: IBM and Cognos-Joint Business Intelligence Solutions. White Paper, September (1999).

Tkach, D. S.: Information Mining with the IBM Intelligent Miner Family. An IBM Software Solutions White Paper, February (1998).

Tkach, D. S.: Text Mining Technology. A White Paper from IBM, February (1998).

White, C. J.: The IBM Business Intelligence Software Solution. White Paper, DataBase Associates International, Inc. Morgan Hill, CA (1999).

Teil 4: Erfahrungen aus Data-Warehouse-Realisierungen

12 Aufbau eines Data-Warehouse-Verbunds bei der Douglas Holding

Claudia Bertram-Kretzberg

12.1 Einleitung

Insbesondere im hart umkämpften Einzelhandelssektor wird es immer wichtiger, Informationen von strategischer Bedeutung schnell und übersichtlich im Zugriff zu haben: Haben wir das richtige Produkt im Sortiment? Wie reagieren unsere Umsätze auf unsere Werbemaßnahmen? Wie stehen unsere Mitbewerber da? Sind wir konform mit unserer Gesamtplanung?

Als Beratungs- und Systemhaus der Douglas Holding Aktiengesellschaft entwickelt die Douglas Informatik & Service GmbH seit mehr als 15 Jahren Gesamtkonzepte zukunftssichernder Informationsverarbeitung und setzt sie in entsprechende Produkte und Dienstleistungen um. Die Dienstleistungsbereiche umfassen zentrale Logistik- und Warenwirtschaftssysteme, Bürokommunikation, Kaufmännische Systeme, Kundenbetreuung, Kundenbindungssysteme, Management Informationssysteme, Netzwerke, Telekommunikation, Systementwicklung und Zahlungssysteme. Die Kunden der Douglas Informatik & Service GmbH sind die Gesellschaften der DOUGLAS-Gruppe aus den Bereichen Parfümerie, Drogerie, Schmuck, Mode/Sport, Bücher und Süßwaren.

Wie alle Unternehmen besitzt die Douglas Holding sehr viele Daten. Neben Abverkaufs-, Einkaufs- und Bestandsdaten, BAB- und Umsatzzahlen stehen auch externe Daten zur Verfügung, z. B. Paneldaten und soziodemographische Daten. Durch die Einführung von Kundenkarten und die Ausweitung des E-Business kommen weitere Daten hinzu. Aus diesen Datenfluten die wichtigen Informationen zu filtern und zu kombinieren ist für die Position im Wettbewerb entscheidend.

Dieser Artikel gliedert sich in fünf Teile. Im ersten Abschnitt werden die Vorstellungen der Douglas Holding von einem Management-Informationssystem geschildert sowie die zu seiner Realisierung erforderlichen Phasen (Kapitel 12.2). Da der Wert eines Informationssystems maßgeblich von der Qualität der Daten abhängt, haben wir Maßnahmen zur Erreichung einer noch höheren Datenqualität ergriffen. Damit befasst sich der zweite Teil des Artikels (Kapitel 12.3). In vielen Veröffentlichungen zum Thema Data Warehouse fehlen detaillierte Angaben über die bei der Realisierung aufgetretenen Probleme. In Kapitel 12.4 werden daher Erfahrungen aus dem Projekt bei der Douglas Holding beschrieben. In Kapitel 12.5 werden die durch das Warehouse bedingten Erfolge nur kurz skizziert, da es hier um die Wahrung von Geschäftsgeheimnissen geht. Abschließend betrachten wir in einer kurzen Zusammenfassung potentielle Ausbaustufen des Data Warehouse.

12.2 Data Warehouse: Basis eines Informationssystems

Wie versorgen wir am besten die Entscheidungsträger der verschiedenen Ebenen aller Sparten mit den für sie entscheidungsrelevanten Informationen, damit sie ihr Unternehmen strategisch besser steuern können? Die Informationsbereitstellung soll auf ihre Aufgabenstellung zugeschnitten sein und entsprechend zeitnah erfolgen.

An dieser Stelle möchten wir unsere bisherigen Erfahrungen und die Schritte auf dem Weg zu einer neuen Anwendung schildern.

12.2.1 Die Situation von 1996 bis Anfang 1999

Seit 1996 gibt es in der Douglas Holding und ihren Tochtergesellschaften für viele Entscheidungsprobleme individuell zugeschnittene und isolierte multidimensionale Data-Marts (Oracle Express Datenbanken) mit integrierten Analyse-Tools für Douglas, Drospa, Phönix-Montanus, die Douglas Informatik und den Konzern. Unter einem Data Mart verstehen wir eine zur flexiblen Analyse und Visualisierung aufbereitete Datenmenge. Bei Douglas und Drospa gibt es diese Data Marts auf den Abverkaufs- und den Wettbewerbsdaten, bei Phönix-Montanus auf den Einkaufsdaten und den Kundenströmen, bei der Douglas Informatik auf den Rechnungsdaten, beim Konzern auf den BAB- und Ertragslagendaten. Im Einsatz befinden sich die Analysetools Financial Analyzer zur Analyse und Visualisierung der BAB- und Ertragslagendaten und Sales Analyzer zur Analyse und Visualisierung der restlichen Daten. Distributor beider Produkte ist die Firma Oracle.

12.2.2 Die Grenzen

Nach dreijährigem Einsatz dieser Lösungen sind die Anforderungen unserer Kunden so gewachsen, dass wir sie mit unseren „alten" Werkzeugen nicht mehr erfüllen können. Aus den nicht erfüllbaren Wünschen leiten wir einen Anforderungskatalog für das Nachfolgesystem ab. Im folgenden beschreiben wir die Hauptengpässe der „alten" Lösung:

- Beschränkungen durch multidimensionale Datenhaltung
  Die Datenvolumina haben die Grenzen der multidimensionalen Technik erreicht. Der Sales Analyzer in der bei uns im Einsatz befindlichen Version kann nur 2 Milliarden Datenzellen handhaben. Bei Douglas und Drospa ist die große Zahl der Abverkaufs- und Bestandsdatensätze (6,5 Millionen Abverkaufsdatensätze bei Drospa im Monat) zum Flaschenhals geworden. Bei Phönix-Montanus besteht das Problem in der Vielzahl der gelisteten Artikel. Die dadurch bedingten langen Ladezeiten führen zu einer mangelnden Datenaktualität. Um überhaupt mit dem Datenvolumen innerhalb der gegebenen Grenzen zu bleiben, werden die Data Marts bei Bedarf in reduzierter Form neu aufgebaut. Entweder wird der Zeithorizont verkürzt, oder die Daten werden in einer geringeren Auflösung zur Verfügung gestellt. Bei den Warengruppen verzichten wir zum Beispiel auf die Anzeige der Unterwarengruppen. Das führt zu einer Verringerung des Informationsinhalts. Bei bestimmten Analysen sind die Antwortzeiten bereits vor Erreichen der „zwei Milliarden Zellen Grenze" sehr lang.

- Aufwendige Wartung

  Die von den Benutzern angelegten Berichte zu sichern, bedeutet bei den alten Lösungen, eine bestimmte Datei auf jedem Client regelmäßig zu sichern. Selbsterstellte Formeln können unter den Benutzern nicht ohne Aufwand ausgetauscht werden, da auch sie nicht vollständig auf dem Server abgelegt werden.

- Funktionale Schwachstellen

  Es gibt keine Möglichkeit der automatischen Reportgenerierung durch eine intelligente Agententechnik. Ferner besteht keine Möglichkeit, Analysen im Hintergrund laufen zu lassen oder Reports via Intranet oder Mailingsystem zu verschicken. Die Planungsfunktionalitäten der damaligen Lösung sind ebenfalls unzulänglich.

- Nichtstandardisierte Datenbank

  Datenbank und Analysetool sind miteinander verflochten und besitzen keine standardisierten Schnittstellen. Die mit dieser Datenbank realisierten Data Marts stellen somit Insellösungen dar. Die Konsequenzen sind die folgenden:

  1. Die Informationen verschiedener Data Marts können nicht verknüpft werden.
  2. Es gibt keine Möglichkeit mit anderen Tools (zum Beispiel Applikationen aus dem Bereich Category Management oder E-Commerce) auf den vorhandenen Datenbestand aufzusetzen.
  3. Die nachträgliche Integration von Datenbeständen in bereits vorhandene Data Marts ist mit einem Neuaufbau verbunden.

12.2.3 Die Entscheidung

Wir entscheiden uns, eine neue Anwendungsumgebung auf einer relationalen Datenbank aufzubauen, da sich die oben genannten Probleme - beim derzeitigen Entwicklungsstand multidimensionaler Datenbanken - nur in der „relationalen Welt" vermeiden lassen. Unternehmensrelevante Informationen sollen mit hinreichendem Detaillierungsgrad aus unterschiedlichen Datenquellen bezogen und in einer für Abfragen und Analysen adäquaten Form aufbereitet werden.

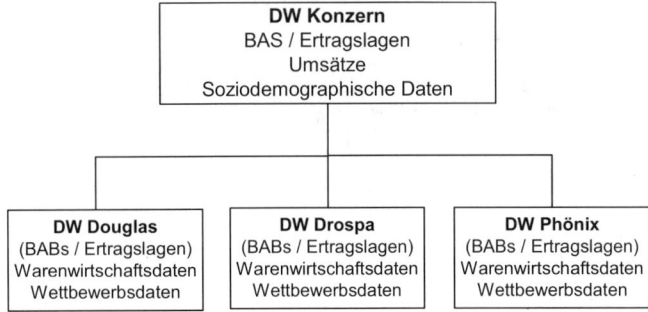

Abb. 73: Data-Warehouse-Verbund

Unsere Vision ist, auf einer von den operativen Systemen losgelösten Datenbank für jede Gesellschaft und für den Konzern ein Data Warehouse im Zugriff zu haben (vgl. Abb. 73).

In einer Data-Warehouse-Umgebung sind die Data Marts nicht mehr isoliert, sondern als eine Sicht auf die Gesamtheit der Data-Warehouse-Daten zu verstehen. Die Daten für den Data-Warehouse-Verbund sollen aus operativen und externen Systemen extrahiert und nach entsprechender Modifikation und Konsolidierung in einer Form gespeichert werden, die einer Vielzahl von Anwendern einen möglichst performanten und flexiblen Zugriff erlaubt. Bei den einzubeziehenden operativen Systemen handelt es sich um die Warenwirtschaft, die Finanz- und die Anlagenbuchhaltung. Eine Möglichkeit zur Dateneingabe eines bestimmten Anwenderkreises ist ebenfalls zu realisieren (z. B. Planung).

Auf diesen Datenbestand sollen PC-basierende Anwendungsprogramme direkt oder indirekt zugreifen können. In Abb. 74 sieht man das komplexe Zusammenspiel der Datenquellen.

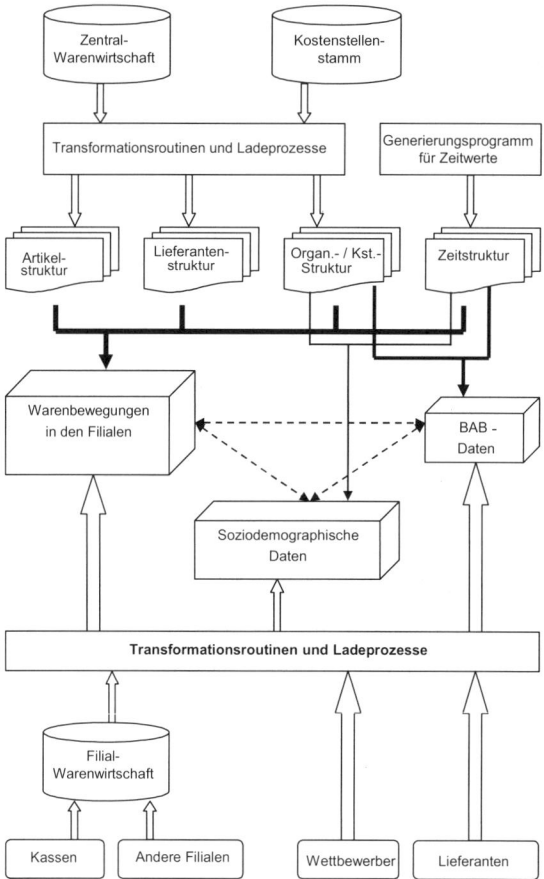

Abb. 74: Datenflüsse

Da Inhalt und Struktur des Data Warehouses ständig den aktuellen Informations-bedürfnissen des Unternehmens anzupassen sind, muss das Data Warehouse sowie das gesamte Informationssystem möglichst skalierbar und flexibel hinsichtlich des Datenbestandes und der Anzahl der darauf zugreifenden Anwender sein.

Wir entscheiden uns daher für den Einsatz einer standardisierten, skalierbaren Datenbank, nämlich für IBM Universal Database Extended Enterprise Edition auf Basis der IBM SP/2-Technologie.

12.2.4 Die Aufgabenteilung

Das Projekt wird zunächst durch einen Lenkungsausschuss geleitet. Dieser besteht aus den Geschäftsführern, den Einkaufsleitern und den Verantwortlichen aus der Informatik. Die Mitglieder des Lenkungsausschusses erarbeiten die Grobanforde-rungen und stellen Teams für die einzelnen Teilprojekte zusammen, in denen die Feinanforderungen an die jeweiligen Business Views (Informationsbedarf be-stimmter Nutzergruppen wie Einkauf, Marketing, Vertrieb) definiert werden. Im Lenkungsausschuss wird auch die Reihenfolge festgelegt, in der die Teilprojekte realisiert werden.

Um das Projekt besser handhaben zu können, gliedern wir es in zwei Teile, ein Warenwirtschaftsprojekt und ein Finanzdatenprojekt. Das Warenwirtschaftspro-jekt wird von der Abteilung Management-Informationssysteme eigenverantwort-lich durchgeführt. Die Gesellschaften werden regelmäßig unterrichtet und bei Un-klarheiten konsultiert. Bei dem Finanzdatenprojekt liegt die Federführung beim Zentralbereich Controlling. Hier finden im Wochenrhythmus Projektsitzungen statt.

12.2.5 Die Komponenten des Informationssystems

Wie sollen nun die Komponenten des Informationssystems aussehen? Von den auf das Data Warehouse aufsetzenden Tools soll u.a. folgender Funktionsumfang ab-gedeckt werden:

- Analyse
- Reporting
- Präsentation
- Statistische Analysen und Data Mining
- Planung
- Versorgung nachgeschalteter operativer Systeme (z. B. Regalplatzoptimierung)

In den folgenden Abschnitten wird beschrieben, was wir in der Douglas Informa-tik unter diesen Begriffen verstehen.

12.2.5.1 Analyse

Ziel einer Analyse ist es, die strategisch entscheidenden Fragen zu erarbeiten und schrittweise zu beantworten. Diese Fragen sind bisweilen sehr komplex bzw. oft nicht genau spezifiziert. Manche Zusammenhänge lassen sich gut direkt anhand des Zahlenmaterials erkennen, andere besser anhand von Grafiken.

Entscheidend ist also, flexibel durch einen vorstrukturierten Datenbestand navigieren zu können. Die Struktur spiegelt das Unternehmen wider. In der Regel gibt es eine Organisationsstruktur - bestehend aus den vier Ebenen Sparte, Firma, Bereichsleiter und Filiale - entsprechend aufgebaute Warengruppen- und Lieferantenstrukturen und eine Zeitstruktur. Die für Analysen geeigneten Tools unterstützen - zusätzlich zu den im Warehouse bereits vorhandenen standardisierten Kennzahlen und Aggregationen - die Bildung eigener Kennzahlen und Summen. Analysetools finden Akzeptanz, wenn die Antwortzeit bei typischen Operationen (z. B. Selektion, Drill Down, Pivotieren) im Sekundenbereich liegt. Das ist nur möglich, wenn – wie bei multidimensional aufgebauten Data Marts – häufig benötigte Zwischenergebnisse schon vorberechnet sind.

Analyse-Tools werden schwerpunktmäßig zur Unterstützung strategischer Entscheidungen eingesetzt.

12.2.5.2 Reporting

Beim Reporting ist die zu beantwortende Frage klar definiert. Man unterscheidet zwischen dem Ad-hoc- und dem Standardreporting. Das Ad hoc Reporting dient zur Beantwortung plötzlich auftretender Fragen, während das Standardreporting die periodisch erforderliche Informationsversorgung gewährleistet.

Die Berichte werden den Empfängern auf elektronischem Weg (Intranet, Fax) zur Verfügung gestellt. Im Falle des Standardreportings erfolgen die Erstellung und der Versand automatisiert, daher ist eine leistungsfähige Broadcasting-Funktionalität unumgänglich. Die Antwortzeit ist beim Reporting nicht so entscheidend, da die Abfragen in der Regel über Nacht laufen. Das Reporting hat die Steuerung des operativen Geschäftes im Fokus.

12.2.5.3 Präsentation

Die Komponente Präsentation wird auch oft EIS (Executive Information Systems) genannt. Ziel ist es, den Entscheidungsträgern einen schnellen Überblick über die Unternehmenssituation (z. B. Wochenumsätze) zu vermitteln.

Der Anwender hat die Wahl zwischen verschiedenen vordefinierten Berichten, die hochverdichtete Daten enthalten. Das Produkt ist einfach zu bedienen, die Antwortzeiten liegen im Bereich weniger Sekunden.

12.2.5.4 Data Mining

Während bei den gerade vorgestellten Komponenten hypothesengestützt gearbeitet wird, besteht die Zielsetzung beim Data Mining in der Erkennung von Trends, Strukturen und Mustern in großen Datenbeständen. Das heißt, das Tool liefert Auffälligkeiten bei den zugrundeliegenden Daten zurück. Der Anwender beurteilt, welche Auffälligkeiten von Bedeutung und welche eher Zufall sind. Die Ergebnisse dienen zur Unterstützung strategischer Entscheidungen.

12.2.5.5 Planung

Die Planung erfolgt auf separaten Datenbeständen (Data Marts), deren Istwerte dem Data Warehouse entnommen sind. Nach Abschluss der Planung werden die Ergebnisse an das Data Warehouse und die operativen Systeme übermittelt.

Planungsprogramme sollten eine gegenläufige, verteilte Planung (Top-down und Bottom-up) ermöglichen. Zum Beispiel muss es möglich sein, einen geplanten Gesamtumsatz nach bestimmten Regeln auf die Filialen zu verteilen (Top-down). Umgekehrt wird sich der Gesamtumsatz automatisch aktualisieren, wenn wir die Umsatzprognose für eine Filiale ändern (Bottom-up).

Die Interaktion der Komponenten des Informationssystems kann man sich wie in Abb. 75 vorstellen.

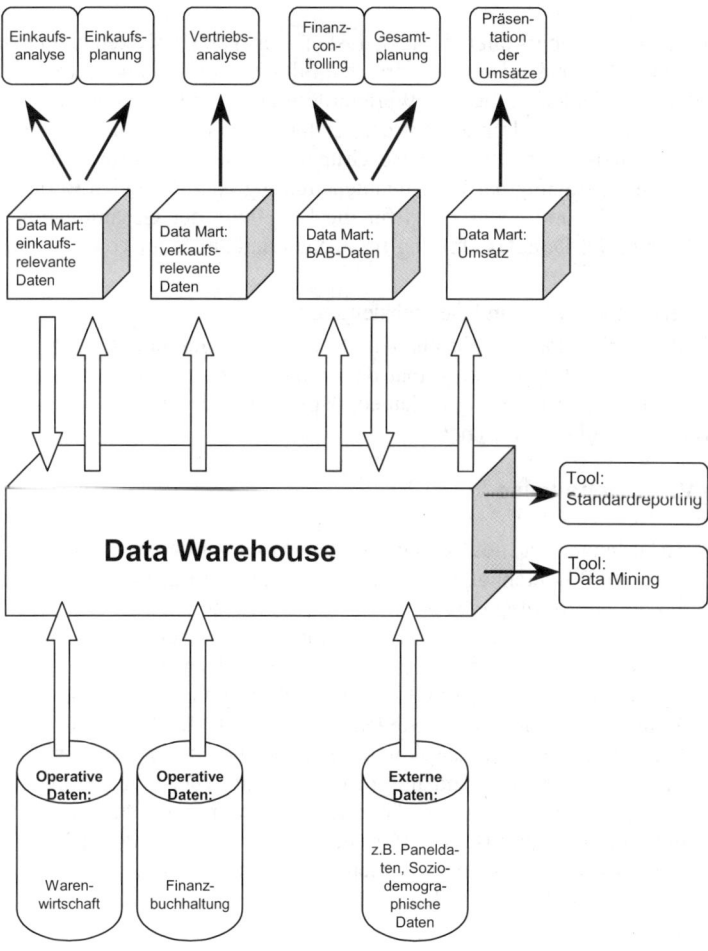

Abb. 75: Darstellung eines DW-basierenden Informationssystems

12.2.6 Die Anwendergruppen

Eine der zentralen Aufgaben bei einem solchen Projekt ist es, Anwender in Gruppen einzuteilen und den Gruppen, gemäß ihren Anforderungen, Werkzeuge zur Verfügung zu stellen. Wir haben uns zu folgender Einteilung entschieden:

- „Poweruser"
  Zum einen gibt es die „Poweruser". Die Power User analysieren die Warenwirtschafts- und Finanzdaten in fast jeder Beziehung. Sie gehen hierbei eigenen Ideen nach, deren Ergebnisse sie später den Bereichsleitern und Geschäftsführern präsentieren. Sie erzeugen aber auch auf Anforderung Ad-hoc Reports sowie Berichte für das automatisierte Standardberichtswesen. Deshalb werden sie mit allen Tools ausgestattet.

- „Analysten"
  Eine zweite große Gruppe stellen die „Analysten" dar. Die Analysten erzeugen vorwiegend für sich selbst Ad-hoc-Reports und führen Analysen durch. In diese Gruppe fallen die Einkäufer, die ihre Warenorder planen und die erstellten Berichte auch für Preisverhandlungen mit den Lieferanten nutzen. Außerdem gehören die Finanzdatencontroller in diese Gruppe, die dieses Instrumentarium einerseits für die regelmäßig der Unternehmensführung vorzulegenden Berichte und Analysen nutzen und andererseits für die Erstellung der Gesamtplanung. Letztere erfolgt in der Douglas Holding filialgenau und auf Sicht von drei Jahren.

- Vorstand, Geschäftsführung und Bereichsleitung
  Die Anwendergruppe drei besteht aus den Vorständen, Geschäftsführern und Bereichsleitern. Diese Gruppe ist primär daran interessiert, die für sie relevanten Berichte sofort zur Verfügung zu haben, daher erhält sie diese Berichte automatisiert per E-Mail oder Intranet.

12.2.7 Die Vorgehensweise

Nach unseren Erfahrungen ist die Akzeptanz eines Projekts besonders gut, wenn nicht nur anhand eines Pflichtenhefts gearbeitet wird, sondern das Pflichtenheft in Kombination mit einem Prototyp eingesetzt wird. Die meisten Kunden entwickeln erst dann eine Vorstellung von dem Produkt, das für sie entwickelt wird, wenn sie den ersten Prototyp sehen. Dadurch bedingt gehen wir dazu über, immer mit einem Mix aus grobem Pflichtenheft und iterativem Prototyping zu arbeiten (vgl. auch die Ausführungen zu Vorgehensmodellen in Kapitel 5). Bei der Realisierung der Analyse-, Reporting- und Planungskomponente ist dieses Vorgehen einfach durchführbar: Die alten Systeme sind unsere ersten Prototypen. Die damaligen Nutzer haben recht genaue Vorstellungen über den Verbesserungsbedarf in puncto Performance und Funktionalität. Bei der Präsentationskomponente, dem EIS, gibt es im Haus fast nichts, an dem man sich orientieren kann. In diesem Bereich ist der Besuch von Workshops und anderen Unternehmen, zum Beispiel bei der Firma Bayer, sehr hilfreich gewesen.

12.2.8 Die Produktauswahl

In einer ausführlichen Evaluationsphase werden alle namhaften Produkte im Bereich Data Warehousing „unter die Lupe" genommen und teilweise durch Testinstallationen geprüft. Die späteren Anwender werden in die Entscheidungsfindung einbezogen, wenn die Produkte der engeren Wahl feststehen. Tendenziell achtet der Anwender mehr auf die schöne Oberfläche, und der Administrator mehr auf die Funktionalität.

Für die Analyse der Warenwirtschaftsdaten kristallisiert sich das Produkt Eureka:Strategy der Firma Sterling, inzwischen übernommen von Computer Associates, als das geeignetste heraus. Ausschlaggebend sind:

- die dreischichtige Architektur
  Dreischichtige Architektur bedeutet, dass das System aus einer Datenbank, einem Server basierten Analysewerkzeug und einem Frontend besteht, das nur wenig Ressourcen benötigt, da alle Berechnungen auf dem Server stattfinden.
- die relationale Struktur (vgl. Kapitel 12.2.2)
- die Performance
  Bei der Auswertung der im Handel üblichen großen Datenmengen (sowohl interaktiv als auch automatisch durch Agenten) ist die Performance besonders wichtig. Sie zeigt sich insbesondere, wenn Rankings, z. B. Renner/Penner-Listen, erstellt werden.
- die geringe Zahl von Produktfehlern
- die Rankingfunktionalitäten
  Uns war sehr an der Funktionalität „Ranking mit Gruppenwechsel" gelegen. Darunter versteht man die Möglichkeit, ein Ranking in verschiedenen Gruppen *gleichzeitig* durchzuführen. Beispielsweise sollte jede Douglas-Filiale ihre Top zehn Damendüfte kennen. Bei der alten Applikation können wir nur für jede Filiale einzeln die zehn besten Düfte bestimmen.
- die Möglichkeit, Ergebnisse via Intranet oder E-Mail zu verschicken

Das Produkt verfügt über kein Tool, um die Daten so zu strukturieren, dass die Applikation darauf zugreifen kann. Wir haben uns für eine Applikation der Firma CGI zur Verdichtung der Ausgangsdaten entschieden, die wir um selbst geschriebene Lade- und Konvertierungsroutinen erweitert haben.

Für die Realisierung des EIS wählen wir zur Oberflächengestaltung die Produkte inSight/dynaSight von der Firma Arcplan. Mit ihrer Hilfe ist es möglich, konzernweit interne und externe Informationen im Stil einer elektronischen Zeitung zu präsentieren. Ausschlaggebend ist die einfache Handhabung der entstehenden Oberflächen. Weltweit wählt der zugelassene Benutzer in einem Auswahlfenster, ähnlich dem Windows NT-Explorer, eine Organisationseinheit und bekommt alle hierzu verfügbaren Berichte angezeigt. In den Berichten kann er navigieren und zu allen so entstehenden Berichten grafische Darstellungen anzeigen lassen.

Die Planungskomponente wird mit dem Produkt ALEA der MIS AG aufgebaut. Dieses Produkt erlaubt die Planung, Datenerfassung und Analyse in einer Excelumgebung. Besondere Funktionalitäten dieses Programms sind:

- Top-down-Planung

- Bottom-up-Planung
- Erstellung von Hochrechnungen
- Monatsverteilung
- Verwaltung kalkulatorischer Größen
- Planvariantenverwaltung
- Dokumentationsverwaltung
- Umlagenverteilung
- Mietvertragsverwaltung
- Reporting und Analysen
- verschiedene Sprachen und Währungen
- Unterstützung einer dezentralen Planung in Excel

Ferner bietet das Planungsprogramm über den Konzernstandard hinaus individuelle Planungsmöglichkeiten, so dass gesellschaftsspezifische Besonderheiten berücksichtigt werden können.

Die Planungskomponente der Firma SAP wird ebenfalls einer genauen Prüfung unterzogen. Da viele Gesellschaften ihre Daten in SAP halten, wäre der Zugriff auf die Daten und das Rückschreiben der Planzahlen mit dieser Lösung einfacher. Leider fehlen ihr noch viele Funktionalitäten, die in Alea bereits umgesetzt sind. Als großen Vorteil sehen wir bei Alea die Möglichkeit des dezentralen Arbeitens an. Ohne Online-Verbindung können Ausschnitte des Plandaten-Würfels „beplant" werden. Die Plandaten werden später an den Data Mart, der den gesamten Datenbestand enthält, übertragen. Dieser befindet sich auf einem separaten Server.

Für die Umsetzung des eigentlichen Data Warehouses wird eine parallele Datenbank der Firma IBM gewählt.

Die Tools werden anwenderspezifisch zugeordnet, wie oben bereits beschrieben.

12.2.9 Die Ressourcen

In der Abteilung Management Informationssysteme stehen für beide Projekte zusammen fünf Mitarbeiter zur Verfügung, die alle, neben ihrer Entwicklungstätigkeit, auch tägliche Aufgaben zu erfüllen haben.

Die Phase der Produktauswahl und Testinstallation nicht mitgerechnet, wird das Warenwirtschafts-Warehouse für Douglas in fünf Personenmonaten aufgebaut. Die übrigen Warenwirtschafts-Warehouses beanspruchen, je nach Anforderungsprofil, drei bis fünf Personenmonate. Die Projekte Planung und EIS dauern insgesamt 1,5 Personenjahre.

12.3 Datenkonsistenz durch zentrale Datenbank

Auf den folgenden Seiten möchten wir auf unsere Maßnahmen zur Erreichung einer noch höheren Datenqualität eingehen,

In der Douglas Holding gibt es, wie in allen großen Unternehmen, eine Vielzahl von Produktiv-, Datenhaltungs- und Analysesystemen. Als Produktivsysteme sind beispielsweise die Softwarepakete zur Buchhaltung (SAP-FI/CO), zur Planung (seit 1999 Alea) und zur Personalplanung (Paisy) zu nennen. Neben diesen Systemen werden Daten noch in verschiedenen selbsterstellten Systemen gehalten. Als Informations- und Analysesysteme sind unter anderem der Financial Analyzer, das IBIS genannte EIS und der Alea-Würfel (der hier eine Doppelstellung einnimmt, da er gleichzeitig ein Datenhaltungssytem ist) zu erwähnen.

Für diese Vielzahl an Datenquellen die Qualitätsverantwortung zu übernehmen, ist eine alles andere als triviale Aufgabe. Wie nicht anders zu erwarten, tauchen mitunter Datenkonsistenzprobleme bei den Tochtergesellschaften auf. Diese Probleme sind für alle Beteiligten zeitraubend, zumal Fehler oft erst auffallen, wenn die Daten im Analysesystem sind. Außerdem ist es ärgerlich, wenn bereits auf diesen Daten generierte Berichte im Umlauf sind. Um nun Fehler frühzeitig zu erkennen und den Verantwortlichen bei der Fehlersuche zu helfen, haben der Zentralbereich Controlling und die Douglas Informatik beschlossen, eine Dateninfrastruktur aufzubauen. Diese soll die Produktivsysteme, eine neu zu schaffende Datenbank - auf die wir später genauer eingehen - und die Analyse-, Reporting- und Präsentationssysteme umfassen. Die Datenbank hat die Funktion eines „Sammel- und Konsolidierungsbeckens". Aus ihr werden alle folgenden Finanzdatensysteme mit Daten versorgt. Daher nennen wir sie „Zentrale Datenbank". Folgende Ziele werden mit der Dateninfrastruktur verfolgt:

- Die „Zentrale Datenbank" ist die einzig relevante Datenquelle für die Finanzdatenbelieferung nachfolgender Systeme
- Fehlerhafte Daten werden kontrolliert geändert
- Beim Prüfen der Daten gibt es elektronische Hilfestellungen
- Der Datenfluss zwischen den drei Ebenen Vorsysteme, Zentrale Datenbank und Nachsysteme erfolgt auf elektronischem Weg
- Ein Buchungsschluss soll durchgesetzt werden

Durch die neue Dateninfrastruktur verändern sich die Datenflüsse, wie Abb. 76 entnommen werden kann.

Die Daten werden in den Produktivsystemen generiert. Danach werden sie an die zentrale Datenbank übermittelt. Von dort werden sie nach einem Konvertierungsschritt den verantwortlichen Mitarbeitern der jeweiligen Tochtergesellschaften über ein Web-Frontend bereitgestellt.

Die Mitarbeiter müssen nun die Daten prüfen und gegebenenfalls ein Fehlerprotokoll erstellen, das im vorgeschalteten Produktivsystem einen neuen Lauf anstößt. Beim Prüfen werden die Mitarbeiter derzeit durch die Anzeige der prozentualen Abweichung zum Plan und durch die Anzeige kumulierter Werte unterstützt. Hier sind weitere Hilfestellungen denkbar.

Die Warenwirtschaftsdaten werden diesen Prüfungen nicht unterzogen. Die Fehlerwahrscheinlichkeit ist bei diesen Daten viel geringer, und eine Prüfung in dieser Form auch nicht praktikabel, da es sich um Massendaten handelt.

Wenn der Vorgang des Prüfens zu keinen weiteren Produktivsystemläufen führt, kann der Mitarbeiter die Daten elektronisch freigeben. Ab diesem Zeitpunkt sind die Daten schreibgeschützt. Die nachfolgenden Systeme wissen jetzt, dass sie die Daten übernehmen können. In Ausnahmefällen können Daten sogar direkt in der zentralen Datenbank korrigiert werden.

Essentiell für den Erfolg der Zentralen Datenbank ist, dass die Verantwortlichen für die Produktivsysteme in ihren Bemühungen um Datenqualität nicht nachlassen. Der Datenfluss ist als Geben und Nehmen zu sehen: Qualität gegen Feedback.

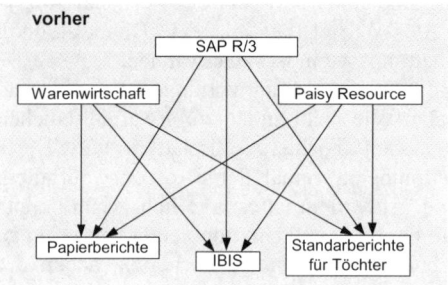

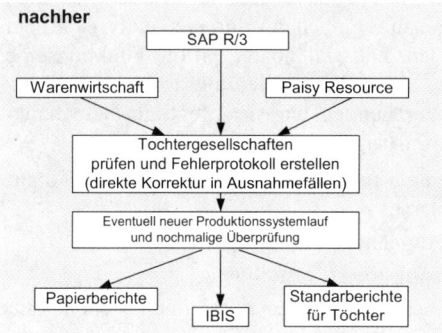

Abb. 76: Änderung der Datenflüsse

Ein positiver Nebeneffekt der neuen Dateninfrastruktur, dessen man sich allerdings nur in Ausnahmesituationen bedienen sollte, ist die Korrekturgeschwindigkeit. Eine Korrektur im zentralen Datentopf ist sofort möglich, während eine Korrektur beispielsweise in SAP ihre Zeit braucht. Sobald man also Daten im zentralen Datentopf korrigiert hat, hat man sie auch schon für nachfolgende Analysen und Berichte zur Verfügung. Die im zentralen Datentopf direkt korrigierten Fehler müssen natürlich auch in den Vorsystemen korrigiert werden, wobei abgeschlossene Buchungsperioden der Genehmigung bedürfen. Wichtig ist, dass die Korrekturen in den Vorsystemen automatisch angestoßen werden.

Bevor die Daten in die endgültigen Tabellen übertragen werden, auf die das Planungsprogramm und das Reportingsystem zugreifen, werden die abgenommenen Daten verdichtet, es finden Währungsumrechnungen und Hochrechnungen statt. Um die Vergleichbarkeit der Daten zu gewährleisten, wird eine Statustabelle gepflegt, die Informationen über den Zustand der Filialen (geöffnet/geschlossen, Old/New Business, Vergleichbarkeit, Geschäftsflächenänderung, u.a.) enthält. Innerhalb der Datensätze wird ein Änderungsdatum (Timestamp) geführt, um in der Applikation darstellen zu können, welche Daten dazu gekommen sind bzw. sich geändert haben.

12.4 Probleme und Erfahrungen bei der Umsetzung

In vielen Veröffentlichungen zum Thema Data Warehouse fehlen detaillierte Angaben über die bei der Realisierung aufgetretenen Probleme. Deshalb sollen in diesem Kapitel einige „Klippen" aufgezeigt werden.

Viele Probleme sind durch eine nicht optimale Datenkonsistenz bedingt. Die Daten werden von Menschen eingegeben und von Menschen analysiert. Die Datenhaltung erfolgt sowohl in den operativen Systemen wie auch in den Analysesystemen.

Neben Problemen mit dem Dateninhalt tauchen in der Phase der Data-Warehouse-Entwicklung einige strukturelle und operative Probleme auf, die nachfolgend exemplarisch beschrieben werden.

12.4.1 Eindeutigkeit

Probleme mit Schlüsselkollisionen gibt es zum Beispiel bei Douglas, weil dort die Schlüssel nur innerhalb einer Hierarchieebene eindeutig sind. Wenn solche Sachverhalte aufgefallen sind, ist die Lösung einfach: Die Schlüssel werden durch Verlängerung eindeutig gemacht. Die Kunst ist es, solche Probleme im Vorfeld zu sehen bzw. bei aufgetretenen Fehlern die Ursache schnell zu finden.

Bei Statistiken, die zur Ermittlung doppelter Elemente dienen sollen, reicht es bei dem Produkt der Firma Sterling nicht, nur nach doppelten Schlüsseln zu suchen, sondern man muss auch doppelte Namen herausfiltern, da das Frontend bei gewissen Abfragen zum Namen den Schlüssel heraussucht, bei Uneindeutigkeit des Namens treten dann zwangsläufig Fehler auf.

Im Warenwirtschaftsystem der Firma Christ werden die Datensätze nicht verdichtet, somit gibt es doppelte Datensätze, die für das Warehouse auch doppelt übertragen werden müssen. Die ersten Programme sind aber von Schlüsseleindeutigkeit ausgegangen.

12.4.2 Verdichtungstabellen

Entscheidend für die Performanz der Data Warehouse Abfragen ist die Ermittlung der „richtigen" Verdichtungstabellen. Hierbei handelt es sich um Tabellen, die zur Ladezeit mit Werten befüllt werden, die aus den Basiswerten durch Aggregation hervorgehen.

Bei den Abverkaufsdaten wird ein normaler Tabelleneintrag durch Angabe der Filiale, des Artikels, der Warengruppe und des Tages beschrieben. Da viele Auswertungen eines Lieferanten vorgenommen werden, ist es sinnvoll, eine Tabelle zu haben, in der die Einträge durch die Filiale, den Lieferanten, die Warengruppe und den Tag beschrieben werden, d. h. die Werte aller Artikel eines Lieferanten zusammengefasst werden.

Generell bieten die Verdichtungstabellen zwei Vorteile. Zum einen werden die Anfragen auf mehrere Tabellen verteilt, zum anderen sind weniger Summierungen nötig, da man bei guter Wahl der Verdichtungstabellen die passende Auflösung oft schon vorfinden sollte. Der Zugriff auf die -dank Verdichtung- kleineren Tabellen ist natürlich auch schneller.

Insgesamt hat man einen Trade-off zwischen Anfrage- und Versorgungszeit. Eine hohe Anzahl an Verdichtungstabellen ermöglicht schnelle Anfragen, führt aber zu längeren Versorgungszeiten. Umgekehrt lassen sich wenig Tabellen schnell laden, die Anfragezeiten steigen. Wir haben festgestellt, dass bei unseren Kunden fünf bis zehn Verdichtungstabellen ein idealer Kompromiss sind. Die Entscheidung, welche Verdichtungstabellen angelegt werden, kann nur eine Analyse des Standardberichtswesens der einzelnen Tochtergesellschaften liefern.

12.4.3 Hierarchieprobleme

Bei der Firma Christ muss eine Hierarchie erst künstlich aufgebaut werden (siehe Abb. 77 und Abb. 78). Bislang können die Elemente einer Ebene mehrere Väter haben.

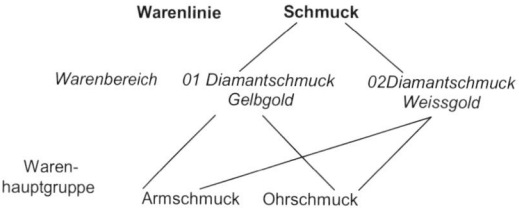

Abb. 77: Hierarchie im Christ Warenwirtschaftssystem

Das Data Warehouse von Sterling verlangt eine eindeutige Hierarchie (Baum), d. h. jedes Element einer Ebene muss genau einen Vater haben. Zur Lösung dieses Problems wird der Name jedes betroffenen Elements um die Nummer des Vaters verlängert, was zu einer Vervielfachung von Elementen und damit zur Verbreiterung der Hierarchie führt.

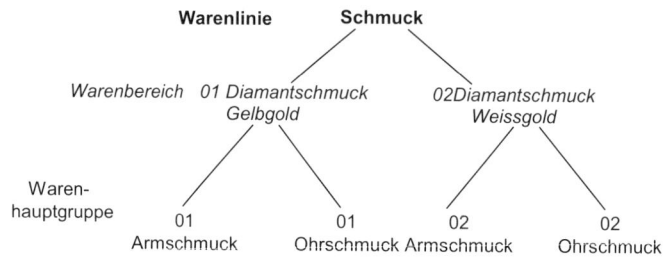

Abb. 78: Hierarchie im Christ Data Warehouse

12.4.4 Updatekennzeichen

Im Christ Warenwirtschaftssystem gibt es mehrere hundert Module, die in verschiedenen Teilbereichen Änderungen an den Datensätzen durchführen. Zunächst haben die für das Data Warehouse relevanten Datensätze im Warenwirtschaftssystem kein eigenes Updatekennzeichen, mit der Konsequenz, dass für das Warehouse nicht immer die richtigen Daten übermittelt wurden.

12.4.5 Abverkaufsdatum versus Buchungsdatum

Es ist schwierig, den Anwender davon zu überzeugen, dass es durchaus sinnvoll ist, die Daten einem Monat nicht anhand des Ankunftsdatums zuzuordnen, wie es in manchen Warenwirtschaftssystemen geschieht, sondern anhand des Abverkaufdatums. In der Warenwirtschaft wird bei einigen Firmen am Monatsende der Monat geschlossen. Jeder Datensatz, der jetzt noch eintrifft, wird dem neuen Monat zugeordnet, egal ob es sich um einen Verkauf im angebrochenen Monat oder den Vormonaten handelt.

12.4.6 Problemfeld Bestände

Da die Zahl der Bestandsdaten größer ist als die Zahl der Datensätze bei den übrigen Datensatzarten, halten wir sie nur in gröberer Auflösung vor. Die Vergangenheitsdaten werden monatsgenau aufbewahrt, nachgeladen wird einmal pro Woche.

Kumulierungen über Artikel, Warengruppen und Organisationen werden bei den Bestandszahlen wie bei den Abverkaufszahlen gehandhabt. Kumulierungen über die Zeit machen keinen Sinn, hier werden auf den höheren Ebenen Durchschnittswerte angezeigt.

12.4.7 Zuordnungsprobleme

Bei den Datensätzen aus dem Einkauf haben wir bei einer Tochtergesellschaft das Problem, dass von den Filialen für den gleichen Artikel oft unterschiedliche Unterthemengruppen eingegeben werden. Hier muss eine Regel gefunden werden, welche Unterthemengruppe ins Warehouse einfließen soll.

Der Verlag muss bei Phönix-Montanus aus der ISBN berechnet werden. Leider gibt es Sammel-ISBNs, unter der kleine Verlage zusammengefasst werden. Hier können wir auch nur einen Sammelverlag zuordnen.

12.4.8 Format- und Definitionsprobleme

Problematisch beim Aufbau des Data Marts für die Planung ist, dass die Controller zur Urbefüllung des Warehouses die Daten in den unterschiedlichsten Formaten schicken. Wir erhalten dBase-Dateien, die aus dem alten Planungsprogramm extrahiert werden, Daten aus SAP, vom Host und die unterschiedlichsten Excel-Sheets. Besonders bei den nicht in Hagen ansässigen Firmen finden sich viele eigene Datenformate. Ausgehend von diesen Datenformaten, haben wir ein Standardformat entworfen, in dem sich jede Gesellschaft wiederfinden sollte, und gebeten, es für zukünftige Datenlieferungen zu benutzen.

Bestimmte Kostenarten sind in 98 anders definiert als in 99. Unter die Kostenart Miete fällt beispielsweise zunächst auch die Hardwaremiete. 1999 entschließt man sich dazu, die Hardwaremiete unter EDV-Kosten zu buchen. Für unsere Applikationen bedeuten solche Kostenartenänderungen Umschlüsselungsaufwand. Aus Gründen der Vergleichbarkeit müssen die Vergangenheitswerte ebenfalls an die neue Struktur angepasst werden.

Neben den historischen Änderungen der Kostenartenzugehörigkeit gibt es unter den Gesellschaften kleine Unterschiede, was genau unter welcher Kostenart zu fassen ist.

12.4.9 Probleme bei der Datenversorgung

Unterjährige Planänderungen führen dazu, dass viele Werte neu gerechnet werden müssen. Die Eröffnung neuer Filialen wird bisweilen kurzfristig beschlossen. Diese Filialen müssen nachträglich im Plan berücksichtigt werden, Umlagen werden neu verteilt.

Aus SAP bekommen wir zum Teil nur die Basiszahlen, aus denen sich die statistischen Kennzahlen zusammensetzen. Im SAP-Bericht hat auf diesen Zahlen aber bereits eine Berechnung stattgefunden, die wir im Planungsprogramm dann nachbilden müssen.

12.4.10 Die Einführungsphase

Da wir das neue Planungsprogramm bei allen Gesellschaften gleichzeitig einführen, kommen wir nicht umhin, uns um eine systematische Fehleraufnahme zu bemühen.

Hierzu wird eine Hotline eingerichtet und ein Formular entworfen, in dem genau einzutragen ist, welche Kostenart, welche Organisationseinheit, welche Periode betroffen ist, ob es Probleme bei den kumulierten Werten gibt oder nicht. Auf Standardfehler wird der Kunde direkt durch standardisierte Fragen aufmerksam gemacht, wie: „Haben Sie die Organisationsstruktur überprüft?", „Haben Sie bei den Dateien, die nicht vom Host oder aus SAP kommen, die Kostenarten und ihre Hierarchie geprüft?", „Haben Sie die Daten mit dem Vorsystem verglichen? Papierausdrucke können nicht als verbindlich angesehen werden."

Die ausgefüllten Formulare werden den verantwortlichen Abteilungen zugeleitet, also, je nach Problem, den Verantwortlichen bei den Tochtergesellschaften, beim Zentralbereich Controlling oder in der Abteilung Management Informationssysteme.

12.4.11 Produktfehler

In allen Einzelprojekten ist der durch Produktfehler entstandene Aufwand nicht zu unterschätzen. Bei Eureka:Strategy kann beispielsweise in einem Bericht nicht gedrillt werden, wenn in der Bezeichnung des Elements, von dem in die Tiefe gedrillt werden soll, ein Komma vorkommt. Ferner gibt es Probleme mit zu langen

Schlüsseln. Bewegungsdaten, die Stammdaten mit zu langen Schlüsseln zugeordnet sind, werden nicht angezeigt.

Um die sogenannten Filter nutzen zu können, müssen wir etwas Programmieraufwand investieren. Unter einem Filter verstehen wir die Zusammenfassung von Elementen der gleichen Dimension unter einem neuen Namen. In Berichten wird unter diesem Namen die Summe der einzelnen Elementwerte angezeigt. Bei der Speicherung der Filter wird nur der Artikeltext der involvierten Elemente abgespeichert, nicht ihr Schlüssel. Im Fall einer Bezeichnungsänderung müssen die Filter bei jedem Kunden angepasst werden. Solche Bezeichnungsänderungen kommen oft vor, da ausgelistete Artikel mit einem Löschkennzeichen versehen werden. Daher aktualisieren wir bei jedem Ladevorgang auch die Tabelle, in der die Filter abgelegt sind.

Zu der Produktpalette der MIS AG gehört ein Ladetool. Leider lässt sich mit diesem Tool nur halbautomatisiert laden. Es muss entweder per Mausklick oder zeitgesteuert aktiviert werden. Letzteres funktioniert jedoch nur einmal pro Tag. Das Ladetool setzt voraus, dass Stamm- und Bewegungsdaten konsistent sind. Wenn Bewegungsdaten eintreffen, zu denen es keine Stammdaten gibt, wird keine Fehlermeldung generiert. Plausibilität und Vollständigkeit der Daten testen wir daher mit eigenentwickelten Programmen.

Das Überschreiben alter Werte bereitet Probleme, hier behelfen wir uns, indem wir die zu überschreibenden Werte erst durch Nullwerte ersetzen. Da keine komfortable Möglichkeit zum Löschen von Daten vorhanden ist, haben wir den sogenannten „Splasher" zweckentfremdet. Der Splasher dient zur gleichmäßigen Topdown-Verteilung von Werten auf untergeordnete Hierarchiestufen. Im vorliegenden Fall verteilen wir den Wert null auf die untergeordneten Ebenen.

Leider arbeitet auch der Splasher nicht fehlerfrei. Bei Verteilung einer Null, werden mal mehr Sätze als vorgegeben überschrieben, mal weniger, insbesondere, wenn viele Sätze in den Prozess des Verteilens involviert sind, noch jemand angemeldet ist oder die Zellen in sogenannten Rules (Berechnungen auf den Zellinhalten) vorkommen.

Damit ist zunächst ein Multiuserzugriff problematisch, zumal der Alea-Server angemeldete Benutzer nicht immer anzeigt. Inzwischen hat man sich auf Zeiten geeignet, in denen der Server ausschließlich den Controllern zur Verfügung steht und auf Zeiten, in denen die Datenbewirtschaftung läuft.

Bevor die MIS AG einige Nachbesserungen vornimmt, werden Datenänderungen erst wirksam, nachdem der Alea-Server einmal runter- und wieder hochgefahren wird. Ebenso funktioniert die Rücksicherung des Würfels nicht ohne Fehler.

Trotz der erwähnten Fehler halten wir jedes der drei ausgewählten Produkte (Eureka:Strategy, MIS Alea, Insight) in seinem Bereich für eines der besten zur Zeit am Markt verfügbaren Produkte.

12.5 Die Erfolge

Seit Einführung des Data Warehouse können die Mitarbeiter der Tochtergesellschaften noch effizienter als bisher arbeiten.

Für ihre Analysen stehen ihnen größere Datenmengen zur Verfügung. Die Daten sind besser aufbereitet und schneller im Zugriff.

Nicht alle durch die neue Lösung bedingten Erfolge sind quantifizierbar. Die Vorteile sind zudem sehr unterschiedlicher Natur, wie die folgende Auflistung zeigt:

- Verbessertes Bestandsmanagement
  Auf Warenengpässe in einzelnen Filialen können wir sofort mit einer Umlagerung der besonders gefragten Artikel aus Filialen mit größeren Beständen reagieren. Diese Flexibilität ermöglicht es, die Warenbestände vor Ort stark zu reduzieren. Eureka:Strategy unterstützt uns hierbei durch die Möglichkeit, Bestandsunterschreitungen mit einer e-Mail zu verknüpfen. Die Mitarbeiter können Bedingungen (Umsatzeinbruch, Warenengpass etc.) hinterlegen, bei deren Eintritt automatisiert Nachrichten an die Verantwortlichen gesendet werden.

- Automatisierung von Standardtätigkeiten
  Die Automatisierung der Standardberichte entlastet die Mitarbeiter. Für individuelle Fragestellungen bleibt jetzt mehr Zeit.

- Synergien
  Bei einer Tochtergesellschaft setzt das Bestellwesen auf die Data-Warehouse-Datenbank auf. Durch die Nutzung *einer* Datenbank für *mehrere* Applikationen lassen sich Kosten senken und Probleme mit der Datenkonsistenz vermeiden. Aus Performancegründen sollte die Datenbank eventuell, je nach Anwendung, repliziert werden.

- Steigerung des Kostenbewusstseins in den Filialen
  Der Erfolg des Warehouses zeigt sich bei Phönix-Montanus unter anderem daran, dass jetzt von den drei möglichen Bestellwegen der günstigste wieder verstärkt genutzt wird. Die Filialen, die weniger günstig bestellen, werden gezielt angesprochen.

- Verbesserung des Berichtswesens
  Die Einführung des neuen Informationssystems hat dazu geführt, dass das Standardberichtswesen überdacht und verschlankt wird.

12.6 Zusammenfassung und Ausblick

Rückblickend sind die letzten anderthalb Jahre schnell vergangen. In unserer Dateninfrastruktur hat sich viel verändert. Ein neues Informationssystem ist entstanden. Dieses System zeichnet sich nicht nur durch eine erweiterte Funktionalität gegenüber dem alten System aus, sondern besitzt auch ganz neue Komponenten wie das IBIS.

Hinsichtlich der Datenqualität haben wir mit der Zentralen Datenbank einen großen Schritt getan.

Der nächste Schritt ist die Festlegung auf ein Data Mining Werkzeug. Hier befinden wir uns zur Zeit in der Testphase.

Gleichzeitig passen wir weitere im Haus vorhandene Anwendungsprogramme für den Zugriff auf unsere Datenbestände an.

13 Realisierung eines integrativen Management Reportings im SAP Business Warehouse

Simone Klein

13.1 Einleitung

Die ständig wachsende Informationsflut und die gestiegenen Ansprüche der Anwender an die Funktionalität und Verfügbarkeit von Informationssystemen erfordern eine leistungsstarke, innovative und verlässliche Informationstechnologie. Schnelle und flexible Reaktionen auf veränderte Marktsituationen sind von strategischer Bedeutung für jedes Unternehmen. Entscheidungen müssen deshalb schnell unter Zuhilfenahme möglichst vieler relevanter Informationen getroffen werden. Voraussetzung hierfür ist die Verfügbarkeit umfassender, aktueller und relevanter Entscheidungsgrundlagen.

Aufgabe der Informationstechnologie ist es, die Mitarbeiter zum richtigen Zeitpunkt mit den richtigen Informationen zu versorgen. Viele Informationen sind dabei in verschiedenen Datenquellen gespeichert, und es dauert mitunter lange, bis die gewünschten Informationen verfügbar sind. Um Zeit zu sparen und einen schnellen Zugang zu den benötigten Informationen zu bekommen, wurde Anfang der 90er Jahre ein neues Konzept entwickelt. Es ist das Data-Warehouse- (DW) Konzept, das eine Möglichkeit aufzeigt, die wichtigsten Informationen für die Fachbereiche schnell und genau zur Verfügung zu stellen.

Das Data Warehouse erlaubt die Umsetzung eines unternehmensweiten, leistungsstarken Management Reportings. Mit Hilfe des Data Warehouses werden die Daten, die in heterogen vorhandenen Vorsystemen erzeugt wurden, in aussagekräftige Informationen umgewandelt. Hierbei werden drei Realisierungsebenen unterschieden: Load- und Database-Management sowie Front-End-Systeme.

Die Vorteile eines mit Data Warehousing implementierten Management Reportings liegen vor allem in der Erhöhung der Datenkonsistenz und in einer wesentlich schnelleren Bereitstellung von Informationen. Die benötigten Datenbestände werden vereinheitlicht und die Informationsbeschaffung automatisiert. Hinzu kommt noch die Benutzerfreundlichkeit und die Navigationsmöglichkeiten innerhalb der Berichte und Auswertungen.

13.2 Das Konzept des Business Information Warehouses

Heutzutage werden viele heterogene Anforderungen an ein modernes Informationsmanagementsystem gestellt. Zu ihnen gehören u. a.:[1]

1. Hohe Flexibilität auch bei komplexen Datenanalysen.
2. Hohe Datenqualität.

---

[1] Vgl. SAP (1998), S. 3-5.

3. Schneller, integrierter Zugriff auf die Daten verschiedenster Datenquellen (SAP R/3 und andere operative Systeme).

4. Für den Endbenutzer verfügbare Beschreibung der vorhandenen Daten (Metadaten).

5. Eine Lösung für diese Anforderungen an ein modernes Data Warehouse erfüllt das Business Information Warehouse (BW), das von dem Softwareunternehmen SAP entwickelt wurde.

Das SAP Business Information Warehouse ist eine Softwarelösung, die es ermöglicht, ein großes Datenvolumen, welches in verschiedenen Systemen enthalten ist, zusammen zu führen (vgl. Kapitel 8). Das BW erlaubt einen raschen Zugriff auf die Daten nicht nur aus SAP R/3-Anwendungen, sondern auch aus anderer Unternehmenssoftware und externen Quellen.[2]

Zu den Hauptbestandteilen des Business Information Warehouse gehören:

▪ der Business Information Warehouse Server

▪ der Business Explorer und

▪ die Administration Workbench

Sie unterstützen die Benutzer bei der schnellen Informationsbeschaffung und Informationsauswertung für ihre kaufmännischen Entscheidungen.

Mit Hilfe des SAP BW können die geschäftlichen Informationen, die sich auf allen Ebenen des Unternehmens befinden, den Mitarbeitern rasch und benutzerfreundlich zur Verfügung gestellt werden. Auf diese Weise können die Unternehmensprozesse dynamisch und kontinuierlich an den Markt, den Wettbewerb und die Kunden angepasst und optimiert werden.

Die Daten werden ziel- oder themenorientiert zusammengefasst. Ziel ist es, unternehmensbezogene Sachverhalte aus Managementsicht darzustellen. Es handelt sich hierbei um einen unternehmensweiten strategischen Ansatz, der aus einer Vielzahl der vorhandenen Unternehmensdaten die Informationen filtert, d. h. zu für Zwecke der entsprechenden Auswertung und des Berichtswesens von Bedeutung sind.

Mit Hilfe des Business Information Warehouse werden die benötigten Unternehmensdaten, die in verschiedenen Datenbanken abgelegt sind, in einer zentralen Datenbank zusammengeführt. So werden in einer einheitlichen Systemumgebung bereitgestellte Daten für Abfrage-, Analyse- und Auswertungsverfahren zur Entscheidungsfindung verfügbar.

Mögliche Inkonsistenzen der Daten, die durch die Datenhaltung in verschiedenen operativen Systemen entstanden sind, werden im Business Information Warehouse beseitigt. Die themenorientierte Ablage der Daten (z. B. nach Produkten, Kunden, Branchen, Regionen), die sich in sog. Dimensionen widerspiegelt, erleichtert die Analysen. Dies ermöglicht eine schnellere und strukturierte Entscheidungsfindung. Die Abfragen der Daten können auf verschiedene Weise formuliert werden, entweder ganz einfach: „Wer sind unsere besten Kunden?", „Wer sind unsere Konkurrenten?", oder komplizierter: „Welches Produkt wurde im Juni 1999 in der Stadt Hamburg am häufigsten verkauft?"

---

[2] Vgl. Matheis, Schalch (1999), S. 41-43.

Ziel des Business Information Warehouse ist es, die Daten aus unterschiedlichen, internen und externen Quellen zusammenzutragen, um mit Hilfe unterschiedlicher Auswertungsverfahren neue Informationen zu gewinnen. Diese neu gewonnenen Informationen dienen der Entscheidungsvorbereitung. So können Unternehmensprozesse auf der Basis der gewonnenen Informationen über Kunden, Märkte und Unternehmen neu strukturiert werden.

13.3 Das Konzept der Balanced Scorecard

Die Balanced Scorecard wurde Anfang der 90er Jahre von Kaplan und Norton in Zusammenarbeit mit der KPMG entwickelt. Diese Studie wurde mit zwölf amerikanischen Unternehmen aus dem Fertigungs- und Dienstleistungsbereich, der Schwerindustrie sowie der High-Tech-Branche durchgeführt. Ziel war es, eine Lösung für das bekannte Managementproblem zu finden, dass nur wenige Unternehmen ihre Unternehmensstrategien in die Praxis umsetzen können. Kaplan und Norton nennen dafür folgende Gründe: [3]

1. Die Strategien werden von denjenigen, die sie implementieren sollen, häufig nicht verstanden.

2. Die Mitarbeiter können sie nicht in die Praxis umsetzen und danach handeln.

3. Für das Management sind sie nicht messbar, weil die vorhandenen Management-Informationssysteme nur auf finanzielle Ziele ausgerichtet sind.

Kaplan und Norton haben versucht, aus den vorhandenen Vorstellungen, die Vision (Strategie) eines Unternehmens abzuleiten und diese Strategien konkret zu formulieren. Die Strategien wurden dann über messbare Kennziffern und abrechenbare Maßnahmen umgesetzt.

Im Konzept der Balanced Scorecard wurden die rein finanziellen Kennzahlen, die im Berichtswesen eine „eingeschränkte Aussagefähigkeit"[4] haben, durch geeignete Informationen über die Kunden (customers), die internen Geschäftsprozesse (internal business processes) sowie die Anpassungsfähigkeit (learning and growth) des Unternehmens ergänzt.

Dieses Konzept ist nicht nur als Kontrollsystem konzipiert, sondern soll auch als Kommunikations-, Informations- und Lernsystem verwendet werden.[5] Die Balanced Scorecard integriert strategische Aussagen, Messgrößen und Maßnahmen, die aus einer Unternehmensvision zu den folgenden vier Perspektiven umgesetzt werden:

1. Die finanzwirtschaftliche Perspektive

2. Die Kundenperspektive

3. Die interne Prozessperspektive

4. Die Lern- und Entwicklungsperspektive

---

[3] Vgl. Kaplan, Norton (1997), S. 184-190.
[4] Horvath (1997), S. 275.
[5] Vgl. Kaplan, Norton (1997), S. 24.

Die Balanced Scorecard orientiert sich hier auf den vier Ebenen und verwendet Kennzahlen, um die Mitarbeiter über die Faktoren für den gegenwärtigen und zukünftigen Erfolg zu informieren und um mit deren Hilfe ein fest definiertes Unternehmensziel zu erreichen.

Die finanzwirtschaftliche Perspektive wird hier als Maßstab für die vergangenen Handlungen betrachtet. Die Kunden-, Entwicklungs- und interne Prozessperspektive werden als „Treiber" der zukünftigen finanziellen Ergebnisse angesehen. Mit Hilfe der Perspektiven sollte auch eine Unternehmensvision, realisiert werden.

Abb. 79 zeigt die vier originären Perspektiven der Balanced Scorecard. Die Perspektiven zur Strategie werden bis zur operativen Ebene betrachtet. Eine strategische Geschäftseinheit wird hier aus vier Perspektiven betrachtet, die eine Ausgewogenheit zwischen kurz- und langfristigen Zielen, zwischen finanziellen und nichtfinanziellen Kennzahlen sowie zwischen gewünschten Ergebnissen und den Leistungstreibern für diese Ergebnisse herstellen soll. In jeder Perspektive werden strategische Ziele zusammen mit Messgrößen festgelegt, wobei die Messgrößen aus Ergebnissen (vergangenheitsorientierte „hard facts") und Leistungsindikatoren (zukunftsorientierte „soft facts") bestehen.

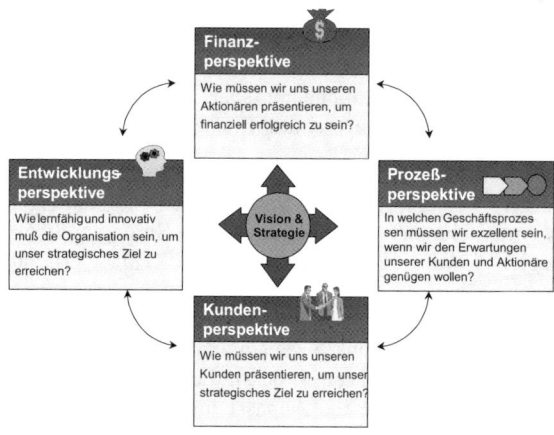

Quelle: KPMG (2000).

Abb. 79: Die vier Perspektiven einer BSC

13.4 Integration der Balanced Scorecard in das SAP BW

Die Idee, aus einer Fülle verstreuter Einzeldaten unternehmenswichtige Informationen abzuleiten, ist für viele Firmen eine strategische Entscheidung, die entsprechende Wettbewerbsvorteile verspricht. Mit Hilfe des Business Information Warehouses der SAP lässt sich die Auswertung unternehmensspezifischer Informationen realisieren.

Das Business Information Warehouse der SAP unterstützt die Analyse von Geschäftsprozessen des Unternehmens, wobei durch die Integration mit dem R/3-System auch die Strukturen und Prozesse des SAP R/3-Systems genutzt werden können.

Um die Vorteile entsprechend zu nutzen, ist bei der KPMG Consulting GmbH, Düsseldorf, in den Bereichen WCF (World Class Finance) und IVS (Integrated Vendor Solution) ein internes Projekt durchgeführt worden, bei dem die Balanced Scorecard in die Landschaft des „Business Information Warehouse" eingebettet wurde.

Die Daten für den Balanced-Scorecard-Prototypen im SAP BW wurden von dem WCF-Bereich bereitgestellt. Die Daten stammen aus einem abgeschlossenen Projekt für eine internationale Vertriebsgesellschaft im Bereich medizinischer Geräte (Anlagebau). In dieser Gesellschaft wurde ein Prototyp der Balanced Scorecard implementiert und eingeführt. Er wird hier als Unternehmen ABC bezeichnet.

Das in diesem Artikel betrachtete Unternehmen ABC hat sich folgende Ziele gesetzt:

1. neue Erfolgsfaktoren
2. ganzheitliche Zielformulierung
3. geringe Planungskomplexität
4. qualitative Aussagen

Ausgangspunkt für eine erfolgreiche und wertsteigernde Strategieumsetzung ist eine klare Strategieformulierung. Die Gesamtunternehmensstrategie wurde auf der Top-Managementebene formuliert, dabei wurde die Rolle der strategischen Geschäftseinheiten auf den folgenden Ebenen berücksichtigt.

Der Mandant ABC verfolgte im Kerngeschäft „Medical Imaging" in Bezug auf Rendite, Wachstum und Kundenorientierung das Ziel der Marktführerschaft (Deutschland und Osteuropa). Diese Zielsetzung wurde durch den Aus-/Aufbau der Bereiche:

1. Projektgeschäft
2. Finanzierung
3. Consultancy

getragen. Der Mandant wollte dabei einen möglichst hohen „Added Value" bei den Kunden erreichen. Hier spielte die Optimierung der Geschäftsprozesse eine besondere Rolle, die eine Grundlage für den Added Value bildete.

Die so formulierte Strategie wurde durch die avisierten Ziele konkretisiert. Der Mandant hat auf dem Markt eine Lücke gefunden (Osteuropa), wo der Bedarf an medizinischen Geräten relativ groß ist. Als eines der vorrangigen Ziele hat sich der Mandant die Kundengewinnung gesetzt. Durch verschiedene Finanzierungsoptionen wollte er den osteuropäischen Kunden einen neuen Zugang zu seinen Produkten ermöglichen und damit eine erhöhte Kundenbindung erreichen.

Kundenzufriedenheit, Kundenbindung und Akquisition neuer Kunden in den Zielsegmenten sind die wesentlichen Faktoren für den zukünftigen Erfolg eines Unternehmens. Aus der Berücksichtigung dieser Faktoren folgt eine Erhöhung des Marktanteils und damit die Erhöhung der Kapitalrendite.

Das Marktvolumen in diesem Unternehmen war seit Jahren rückgängig, die vorhandenen Strategien veraltet, das Unternehmen sah in Faktoren wie Globalisierung, Marktliberalisierung, Wettbewerbsintensität sowie neuen Technologien eine existenzielle Bedrohung. Aus diesen Gründen wurde beschlossen, ein neues Führungsinformationsinstrument einzuführen. Das Unternehmen wollte aus der Fülle der verschiedenen Kennzahlen nur die Kennzahlen, die für das Unternehmen relevant und untereinander konsistent waren, sinnvoll in einem Reportingsystem abbilden. Mit Hilfe dieser Kennzahlen wollte man erreichen, dass sich das Unternehmen besser steuern lässt. Die Vision dieses Unternehmens wurde neu überdacht und die vorhandenen Strategien für die nächsten Jahre neu gestaltet. Die Umsetzung der Strategie hat auf allen Managementebenen mit Hilfe des Balanced-Scorecard-Instrumentes stattgefunden. Sie wurde an die geänderten Markt- und Wettbewerbsverhältnisse angepasst, und die kritischen Erfolgsfaktoren, die bei der Erreichung dieser Strategie helfen sollten, wurden neu definiert.

Bei dem Mandanten ABC wurde während des gesamten Prozesses besonderer Wert auf die eindeutige Ausrichtung von Zielen, Indikatoren und Kennzahlen auf die Strategie gelegt.

Die Analyse der Datenverfügbarkeit bzw. Datenermittlung wurde sehr sorgfältig durchgeführt. Man hat sich auf die relevanten strategieorientierten Kennzahlen beschränkt. Im Rahmen der Kennzahlendefinition hat man auch vorhandene Konzepte und Instrumente zur Leistungsverbesserung, wie Value Based Management, Total Quality Management berücksichtigt und bewertet.

Die Qualität wird heute als ein besonderer strategischer Wettbewerbsfaktor gesehen, der durch den konsequenten Aufbau eines nicht finanziellen Performance-Management-Systems zu einer kontinuierlichen Verbesserung der Marktposition führt.

Die Gegebenheiten des Balanced Scorecard Prototyps, der für den damaligen Mandanten ABC gebaut wurde, konnten mit der vorhandenen oder gewünschten Strategie, den Zielen, Funktionalitäten und finanziellen sowie nicht finanziellen Kennzahlen in ein SAP Business Information Warehouse, Release 1.2B umgesetzt werden. Bei der Implementierung der Balanced Scorecard in das SAP BW hat man sich auf die Weiterentwicklung von Ursache-Wirkungsanalysen innerhalb des Balanced Scorecard Konzeptes und deren performante und transparente Umsetzung konzentriert.

Ziel der ersten Phase war es, einen Prototypen zu erstellen, der sich in diesem Schritt auf die wichtigsten Kennzahlen für die Branche „Anlagenbau" konzentrierte.

Das Business Information Warehouse vermittelt Informationen zur Analyse aller Faktoren, welche die Geschäftstätigkeit eines Unternehmens beeinflussen. Mit Hilfe der neuen strategischen Informationsgrundlage hat man nun die Möglichkeit, nicht nur unternehmensinterne, sondern auch externe Daten zu sammeln und auszuwerten.

Neben den unternehmensweiten Zusammenhängen der Kernbereiche und Kernprozesse werden auch die vordefinierten, benutzerorientierten Berichts- und Analyseszenarien berücksichtigt, welche auf die Aufgaben der Branchen zugeschnitten sind. SAP nennt diese Bereitstellung von Standardinformationskomponenten „Business Content". Der einfache Zugriff auf die Daten und deren flexible

Analyse haben die Berichtsfähigkeit erheblich verbessert. Informationen können übergreifend und strategisch ausgewertet und analysiert werden.

Die themenorientierte Ablage der Daten (z. B. nach Produkten, Branchen und Regionen), die sich in sog. Dimensionen (insbesondere der Zeitdimension) widerspiegelt, erleichtert die späteren Analysen.

Das Business Information Warehouse stellt im Gegensatz zu operativen Systemen historische Daten für die Untersuchung von Veränderungen und Trends zur Verfügung.

Durch die Kombination des erweiterten KPMG-Balanced-Scorecard-Ansatzes und der Data-Warehouse-Technologie erhält das Management eine Business-Intelligence-Lösung. Diese Integration von Strategie und Technik vergrößert und verbessert unterschiedliche Auswertungsmöglichkeiten.

Jeder Benutzer kann seine bevorzugten Berichte in Arbeitsmappen zusammenfassen, welche dann themenorientierten Navigationsbuttons zugewiesen werden. Durch diese Navigationsbuttons erhalten die Benutzer dann einen einfachen Zugriff auf die eingeflochtenen Reports.

Abb. 80 zeigt die Einstiegsmaske des Business Explorer Browsers mit der Balanced Scorecard des Top-Managements.

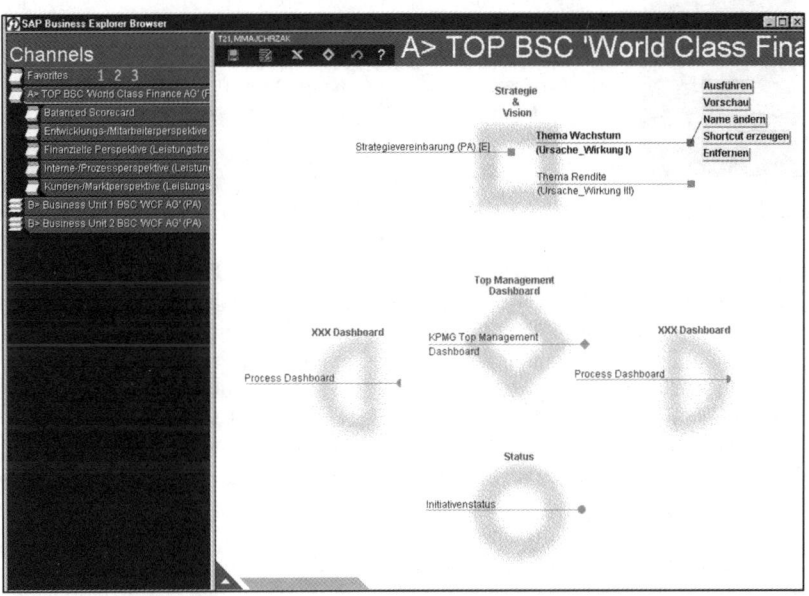

Abb. 80: Einstieg in die Balanced Scorecard über den Business Explorer

Dank des standardisierten, individuell konfigurierbaren Business Explorers können die Daten aus verschiedenen Gesichtspunkten ausgewertet und analysiert werden. Mit Hilfe des Business Explorer Browsers hat der Benutzer Zugriff auf alle seine Berichte und Berichtsgruppen, die ihm je nach seinem Verantwortungsbereich in Unternehmen zugeordnet wurden.

Durch die Auswahl des entsprechenden Themas lassen sich die einzelnen Berichte ausführen. Mit Hilfe des Business Explorer Browsers kann neben der traditionellen Kennzahlenauswertung auch auf die hinterlegten Texte zurückgegriffen werden, welche Auskunft über die hinterlegten Kennzahlen geben. In diesen Initiativen werden das Ziel und die Vorgehensweise erläutert (vgl. Abb. 81).

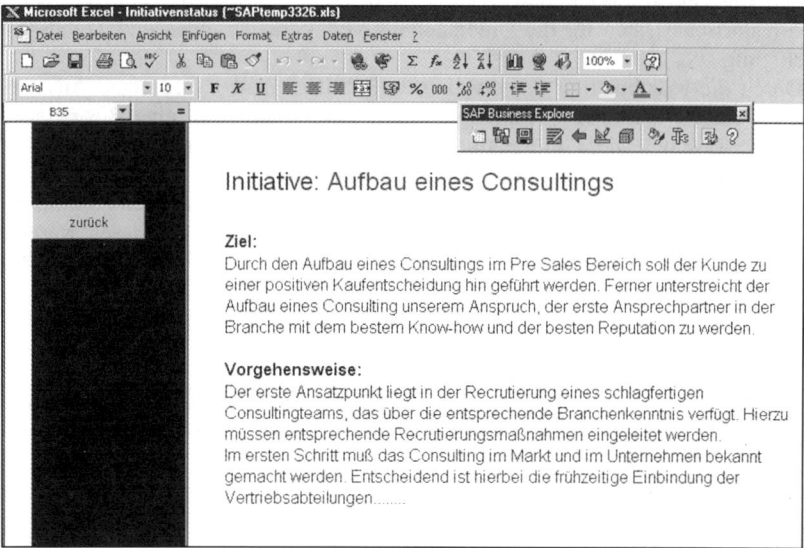

Abb. 81: Initiativenbeschreibung, hier Aufbau eines Consultings

Für die TOP-Balanced-Scorecard (Balanced Scorecard für das Top-Management) wurden auch passende Themen, die mit der Strategievereinbarung des Unternehmens verbunden sind, hinterlegt. Zu ihnen gehören Wachstum und Rendite.

Neben den einfachen Standardanalysen ist es nun auch möglich, eine mehrdimensionale Analyse und Navigation durch finanzielle und qualitative Kennzahlen der Balanced Scorecard durchzuführen. Die Kennzahlen können unter dem Gesichtspunkt von Ursache-Wirkungs-Zusammenhänge betrachtet und analysiert werden. Durch rechtzeitiges Erkennen, beispielsweise der langfristigen Trendanalyse, ist es möglich sich mit Themen auseinander zu setzen, die Auswirkungen auf die Ertragskraft des Unternehmens haben.

Die Betrachtung einer Kennzahl aus unterschiedlichen Sichten, etwa für Unternehmenseinheiten, Märkte und Produkte, sowie die freie Navigation durch den Datenwürfel (Slice and Dice) sind hier weitere Merkmale.

Diese Lösung ermöglicht eine Navigation auf höchster Detaillierungsebene, beispielsweise Deckungsbeitrag pro Produkt, Produktgruppe, Sortiment, Unternehmenseinheit und Gesamtunternehmen sowie der flexible, mausgesteuerte Wechsel der Betrachtungssicht auf Cash-Flows, Marktanteile, Mitarbeiterzufriedenheit und entlang der Geschäftsdimensionen, wie zum Beispiel der Unternehmens-, Produkt- und Marktstruktur.

Dank der Ursache-Wirkungs-Zusammenhänge ist es möglich zu analysieren, auf welche Weise unterschiedliche Kennzahlen beeinflusst werden und in welchem Zusammenhang sie zueinander stehen. Auf der Grundlage dieser Daten kann das Management schnelle Entscheidungen treffen, um die Situation des Unternehmens zu verbessern, beispielsweise eine bessere Rendite, einen besseren Kundendienst oder eine Produktivitätssteigerung. Mit Hilfe des Key-Performance-Indikators ist feststellbar, ob die ergriffenen Maßnahmen die gewünschte Wirkung erzielt haben.

Als Beispiel wird hier die Untersuchung der Ursache-Wirkungs-Zusammenhänge anhand der Kennzahl „Umsatz" dargestellt. Abb. 82 zeigt den Einfluss der unterschiedlichen Kennzahlen aus vier Perspektiven (finanzielle, Kunden-, interne sowie Lern- und Entwicklungsperspektive) auf den Umsatz.

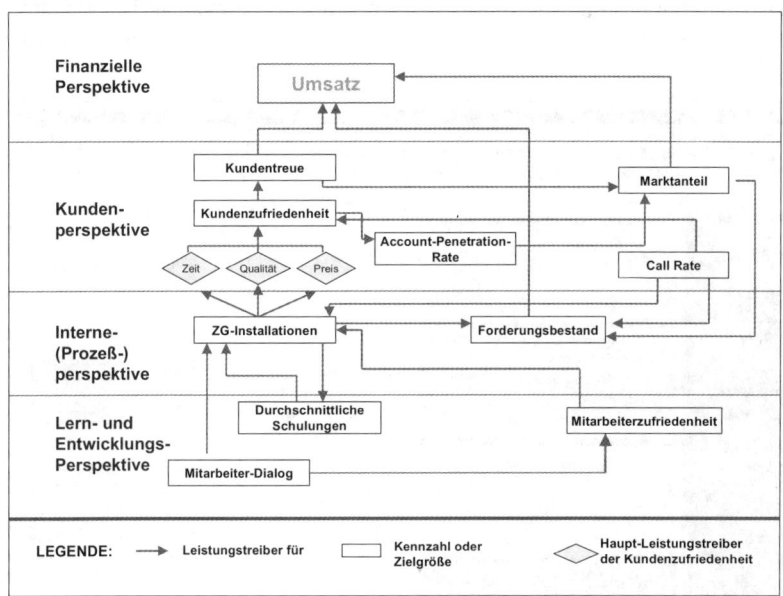

Abb. 82: Ursache-Wirkungs-Zusammenhänge für die Kennzahl Umsatz

Um den Umsatz steigern zu können ist zu überlegen, welche Faktoren ihn beeinflussen. Im großen Maße ist der Umsatz mit der Kundentreue, Kundenzufriedenheit und dem Marktanteil verbunden. Einen besonders großen Einfluss auf die Marktanteile hat die Kundenzufriedenheit, die wiederum mit dem Verkaufsvolumen verbunden ist. Mitarbeiter, die nicht nur die Produkte gut verkaufen, sondern auch Kunden gut beraten können, verbessern ihre Verkaufseffektivität. Die Verbesserung der Verkaufseffektivität spiegelt sich in der Expansion der Marktanteile wider, die ihr Ergebnis in der Umsatzsteigerung findet.

Die Ursache-Wirkungs-Zusammenhänge können sehr gut im Business-Information-Warehouse-System realisiert werden. Zu diesem Zweck wurden sie im Business-Information-Warehouse-System als eine Gegenüberstellung der Kennzahlen einzelner Perspektiven mit deren möglichen Leistungstreibern, die wiederum aus verschiedenen Perspektiven stammen, abgebildet. Um den Zusammenhang zwischen den Kennzahlen und Leistungstreibern zu verdeutlichen, wurde hier eine sog. Ampelfunktion hinterlegt. Diese Ampelfunktion schaltet z. B. auf Rot um, wenn der geplante Umsatz nicht erreicht wird. Bei den Kennzahlen, die sich oberhalb der geplanten Bandbreite bewegen, ist die Signalfarbe grün.

Abb. 83 zeigt die technische Realisierung des Konzepts. Auf der linken Seite werden die vier Perspektiven dargestellt. Mit Hilfe von Pfeilen werden ihre Zusammenhänge deutlich gemacht. Im rechten Teil der Abbildung wird jeder Perspektive die Ampelfunktionalität zugeordnet. Diese Funktion, die auf Basis einer Ist-Plan-Abweichung angelegt ist, erleichtert das Aufspüren kritischer Erfolgsfaktoren. Hier lassen sich Frühwarnsysteme für strategische Indikatoren realisieren, welche ständig die im Data Warehouse eintreffenden Daten analysieren und das Eintreten bestimmter Konstellationen automatisch melden. Der Benutzer dieses Systems erkennt sofort die Bereiche, in denen kritische Abweichungen auftreten.

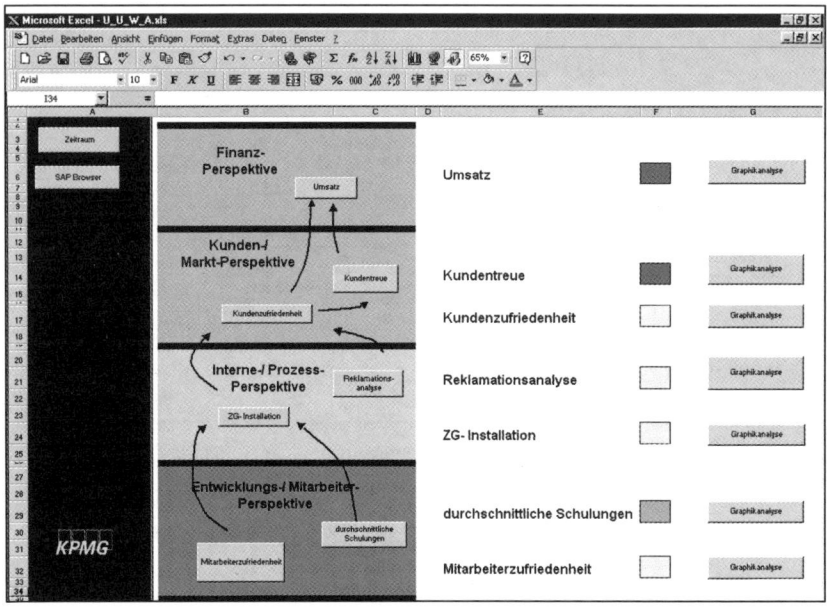

Abb. 83: Ursache-Wirkungs-Zusammenhänge, Analyse des Umsatzes

Die Verbindung der Perspektiven durch die Ursache-Wirkungs-Ketten macht die Strategie sowohl darstellbar als auch überprüfbar. Dank der Ampelfunktion lassen sich die Zusammenhänge zwischen den entsprechenden Perspektiven leicht überprüfen und analysieren. Tritt bei einer Kennzahl auf Grund von erhöhter Ist-Plan-Abweichung eine Warnmeldung in Form der roten Ampel auf, so kann die Ursache für die Abweichung bei den Leistungtreibern analysiert werden. Abb. 84 zeigt eine hohe Abweichung des Umsatzes. Sie kann möglicherweise durch eine relativ niedrige Kundentreue verursacht worden sein, welche wiederum durch die geringe Kundenzufriedenheit oder hohe Reklamationsanalyse verursacht wurde. Der Anwender kann auf diese Weise die Ursache der Abweichung feststellen.

Durch das Auswählen des Buttons „Graphikanalyse" ist es möglich, zu der entsprechenden Kennzahl eine grafische und eine tabellarische Auswertung zu bekommen.

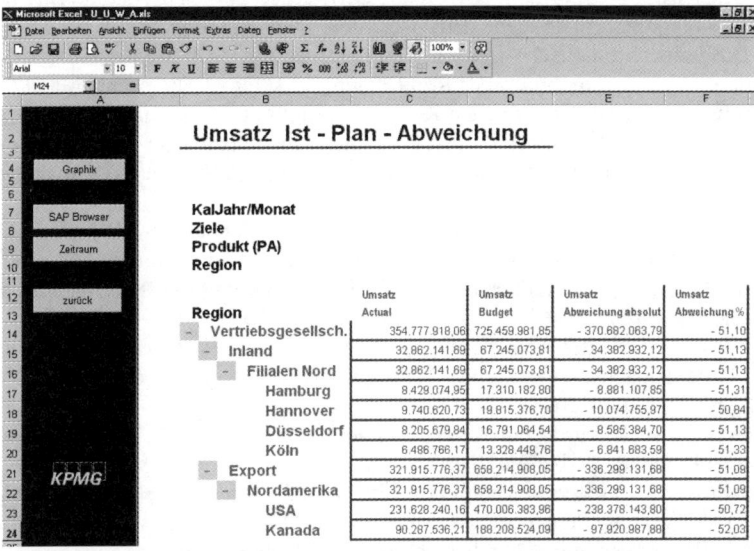

Abb. 84: Auswertung der Kennzahl Umsatz (Ist-Plan-Abweichung)

Die erfolgreiche Implementierung der Balanced Scorecard in das SAP Business Information Warehouse, die bei KPMG durchgeführt wurde, eröffnet eine umfangreiche Palette von Auswertungsmöglichkeiten.

Der schnelle, unternehmensweite Zugriff auf strategisch relevante Informationen stellt einen Wettbewerbsvorteil dar, welcher von existenzieller Bedeutung sein kann. Mit Hilfe des Business Informations Warehouses ist es möglich, Daten aus unterschiedlichen internen und externen Quellen zusammenzubringen. Die Daten lassen sich leicht in verschiedene Abfragen, Analysen und Auswertungsverfahren umwandeln. Auf diese Weise werden neue Informationen gewonnen, die zur Entscheidungsvorbereitungen verwandt werden können.

Die Balanced Scorecard vermittelt ein genaues Bild von der Realisierung der Unternehmensstrategie. Sie ist ein Kommunikationsinstrument im strategischen Managementprozess. Durch eine Beschränkung der Informationen nur auf die „wichtigsten" Kennzahlen werden die Auswertungen durchsichtiger und lassen sich besser interpretieren. Unerwünschte Entwicklungen im Geschäftsverlauf lassen sich frühzeitig feststellen, sehr genau lokalisieren und korrigieren. Die Geschäftstätigkeiten der Unternehmung gewinnen an Transparenz. Dies führt zu einer besseren Steuerung des Unternehmens. Die Unternehmensführung wird in die Lage versetzt, rasch auf sich wandelnde Märkte, Chancen und Risiken zu reagieren.

13.5 Projektbericht

Die im Unternehmen ABC realisierte Lösung wurde mit dem neuen Software Release des Business Information Warehouse (Release 2.0) neu erstellt. Das neue Release unterstützt viele neue Eigenschaften, wie Hierarchien, Anbindung an Web-Browser, automatische Benachrichtigung per E-Mail bei einer Abweichung der vorgegebenen Bandbreite der Kennzahlen, usw. Es ist zur nachhaltigen Verbesserung der unternehmensweiten Kommunikationsstrukturen und zur Sicherung und Weiterentwicklung eines derzeit erreichten Qualitätsniveaus im Management Reporting beabsichtigt, ein einheitliches Vorstands-, Partner- und Manager-Reporting zu realisieren.

Durch Einführung des SAP BW wurde bei dem Mandanten ABC eine völlig neue Qualität des Informationsmanagements erreicht, da die Komplexität des bisherigen Berichtswesens reduziert und eine bessere Gestaltung der einzelnen Berichte erzielt wurde.

Zur Realisierung der Anforderungen, die an das Data Warehouse gestellt wurden, wurde zunächst eine kleine Auswahl von zusammengehörigen Berichten (Prototyping) initialisiert.

Zu diesem Zweck wurde ein Kennzahlendeckblatt ausgewählt, welches speziell für dieses Projektes vorbereitet wurde.

Der Prototyp wurde zum Mai 2000 realisiert und vorgestellt. Schwerpunkte waren hier die verschiedenen Sichtweisen auf den Datenbestand, welche durch die spezielle Datenhaltung im Data Warehouse ermöglicht werden.

Eine weitere Anforderung war die Darstellung bzw. Durchführung der Binnenumsatzeliminierung. Das Business Information Warehouse der SAP stellt hierfür in der Version 2.0 keine standardmäßige Eliminierungsfunktion zur Verfügung, so dass zur Abbildung dieses Sachverhaltes die Nutzung eines User-Exits notwendig war. Das bedeutet, dass mit Hilfe eines ABAP/4 Programms dieser Sachverhalt beispielsweise bei Ausführung einer Query zum Einsatz kommen sollte.

Der Zugang zu den SAP R/3-Daten wurde zuerst vernachlässigt, weil das SAP R/3-System, Release 4.6 erst im weiteren Verlauf des Projektes zur Verfügung stehen sollte. Aus diesem Grund wurden die Stamm- und Bewegungsdaten zu Testzwecken über eine Excel-Flat-File-Schnittstelle extrahiert.

Die analysierten und ausgewählten Kennzahlen und Merkmale wurden im System angelegt. Es wurde ein Datenmodell erstellt, welches die ausgewählten Kennzahlen und Merkmale mit den benötigten Informationen versorgt.

Das Front-End-Design (bedarfgerechte Navigation durch das Business Information Warehouse) konzentriert sich in dieser Phase auf die logisch zusammenhängenden Berichte.

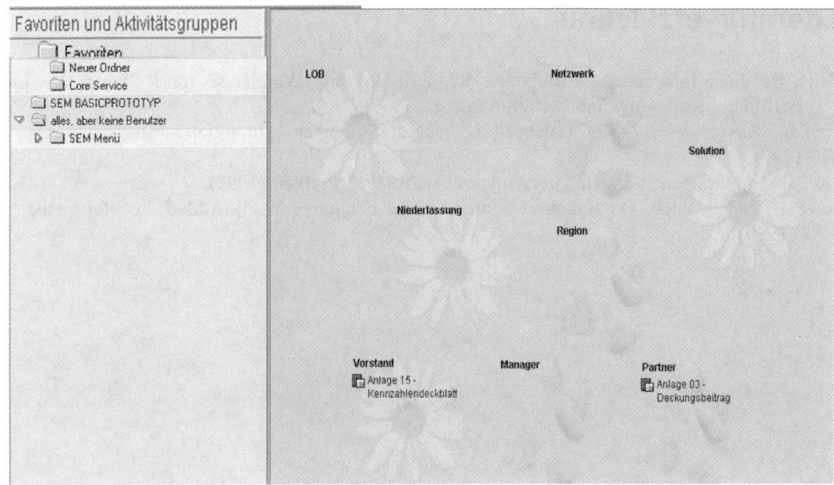

Abb. 85: Einstieg in die Auswertung über den Business Explorer Browser

Durch den ausgewählten Button gelangt man in die entsprechende tabellarische oder grafische Auswertung.

Diese logisch zusammenhängenden Berichte wurden als Standard mit dem originären (d. h. dem mit SAP BW ausgelieferten) Business Explorer Browser/Analyzer sowie mit dem Produkt Insight der Firma Arcplan realisiert (vgl. Abb. 85).

Literaturverzeichnis

SAP: Business Information Warehouse. Ready-to-go Data Warehouse für R/3, betriebswirt-schaftliches Know-how inbegriffen. Waldorf (1997).

Kaplan, R.S.; Norton, D.P.: Balanced Scorecard: Strategien erfolgreich umsetzen. Stuttgart (1997).

Horvath, P.: Das neue Steuerungssystem des Controllers. Stuttgart (1997).

Matheis, M.; Schalch, O.: Balanced Scorecard und Economic Value Added. In: Management, 4 (1999).

14 Die Data-Warehouse-Lösung der Deutschen Post AG

Christa Parteina, Hari S. Chakrovertty

14.1 Einleitung

Die Deutsche Post[1] reagiert auf den zunehmenden Wettbewerb im Paketpostsektor – neben anderen kundenorientierten Maßnahmen mit – einer umfassenden Qualitätsoffensive.[2] Noch in diesem Monat wird das von NCR und Information Advantage in enorm kurzer Zeit realisierte Data Warehouse in Betrieb genommen. Die Steuerungsfähigkeit des Unternehmensbereiches Paket/Express, International, soll durch Auswertung von etwa 20 strategischen Kennzahlen signifikant erhöht werden. Die Qualität der Dienstleistung in allen Bearbeitungsstufen will man durch eine optimale Nutzung aller Verbesserungspotenziale realisieren.

Aus den täglich anfallenden Massendaten werden seit Juli 1999 mit Hilfe eines Data Warehouses Informationen gewonnen, die genutzt werden, um die Qualität des Paketpostversandes sowie die Steuerungsfähigkeit des Unternehmensbereiches Paket/Express, International signifikant zu erhöhen. Erstmals können Auswertungen abteilungsübergreifend und darüber hinaus nach einem einheitlich vereinbarten Standard vorgenommen werden. Mit der Zusammenführung unterschiedlicher entscheidungsrelevanter Unternehmensdaten des Unternehmensbereiches Paket/Express, International aus verschiedenen operativen Quellsystemen in ein einheitliches Data Warehouse wird eine Datenbasis geschaffen, welche eine wesentliche Grundlage der Entscheidungsfindung und Unternehmenssteuerung darstellt.

Der vorliegende Beitrag beschreibt das Projekt Data Warehouse in dem Unternehmensbereich Paket/Express, International (internes Kürzel P/E,I) der Deutschen Post AG. Im Folgenden wird das Projekt Data Warehouse näher beschrieben. Wesentliche Aspekte werden der Nutzen des Data Warehouses, das Einführungsvorhaben und die eingesetzten Technologiekomponenten sein. Am Beispiel des Qualitätsmanagements P/E,I wird der DW-Ansatz und seine Umsetzung näher beschrieben. Bei der Implementierung wurde als Maxime eine einfache Handhabbarkeit der Lösung für den Anwender verfolgt. *Wichtig für den Erfolg eines DW-Projektes ist das richtige Selbstverständnis:* Das Data Warehouse ist ein sich permanent weiterentwickelnder Prozess und kein statisches System. Im anschließenden Ausblick wird auf den geplanten Ausbau des Systems hin zu einem Enterprise Data Warehouse hingewiesen.

---

[1] Die Deutsche Post AG ist das größte Postunternehmen Europas (ca. 261.000 Mitarbeiter, ca. 28,7 Mrd. DM Umsatz im Jahr 1998) und eines der größten Unternehmen Deutschlands.

[2] Der Bereich Paket/Express, International bietet einen bundesweiten 24-Stunden-Service im Paketbereich an. Dieses Ziel und der damit verbundene Service ist eine Herausforderung. Durch Optimierung der Logistik (33 hochtechnisierte Frachtzentren, optimierte Transportnetze) und die Einführung moderner IT-gestützter Steuerungssysteme bis hin zu den Niederlassungen des Brief- und Paketpostdienstes wurden beträchtliche Kosteneinsparungen erzielt.

14.2 Das Projekt Data Warehouse P/E,I

14.2.1 Ausgangslage

Die Verbesserung der Qualität des Paketpostversandes ist eine sehr komplexe Aufgabe. Eine wesentliche Grundlage für die Qualitätsverbesserung und optimierte Steuerungsmöglichkeit ist eine konsistente und durch einheitliche Standards festgelegte Datenbasis. Erst auf Basis dieser „Single Version of the Truth" können strategische Unternehmensentscheidungen zur Verbesserung der Geschäftsprozesse getroffen werden. Durch Integration des Data Warehouses werden, beginnend bei dem Leistungsfeld Paket/Express, weitere Kosteneinsparpotenziale eruiert und umgesetzt Die IT-Infrastruktur ermöglicht eine durchgängige Kostentransparenz für alle Transportprozesse der Deutschen Post. Eine weitere Herausforderung des Unternehmensbereichs Paket/Express, International liegt außerdem in der Integration neuer Unternehmen und der verbesserten Nutzung von Synergien zwischen Mutter- und Töchterunternehmen. Diese Aufgabenstellung wurde bei der Einführung der Data-Warehouse-Lösung von den beteiligten Firmen NCR und Information Advantage berücksichtigt.

Die Idee für das Projekt DW P/E,I entstand im Juni 1998 im Rahmen eines neuen Qualitätsmanagement- und Controlling-Konzepts. Ziel dieses Konzepts war es, auf Grund eines die gesamte Prozesskette erfassenden, IT-gestützten Qualitätsmesssystems Analysemöglichkeiten zum Auffinden von Verbesserungspotenzialen und zur Unterstützung eines Frühwarnsystems zu erhalten. Nach einer eingehenden Analyse der vorhandenen IT-Infrastruktur, der operativen Datenquellen (Anzahl und Qualität) und der Anforderungen wurde ein Data Warehouse als Basis für Qualitätsanalysen aufgebaut.

Die Deutsche Post AG entschied sich bei diesem Projekt für NCR als Generalunternehmer, einen erfahrenen Data-Warehouse-Lösungsanbieter, mit weltweit über 950 erfolgreich durchgeführten Enterprise-Data-Warehouse-Projekten. Die parallele Datenbankarchitektur der Teradata RDBMS (zur NCR-Lösung vgl. Kapitel 10), die sich durch ihre Leistungsfähigkeit auszeichnet, gerade hochkomplexe Abfragen in kürzester Zeit bewältigen zu können, war Auslöser für diese Wahl (vgl. TPC-D Benchmark). Die Plattform für das Data Warehouse bildet eine skalierbare Kombination aus NCR WorldMark Server 4700 und NCR's relationalem Datenbanksystem Teradata RDBMS UNIX. Die Anforderungen an Flexibilität und Performance für die bei der Paketpost anfallenden Datenmengen – jedes Jahr entstehen allein beim deutschen Paketversand etwa 1,5 Terabyte an Liefer- und Logistikdaten – wurden nach Einschätzung des Projektteams zum Entscheidungszcitpunkt von keiner vergleichbaren Lösung erfüllt.

Start für das Projekt Data Warehouse P/E,I war der 01.01.1999. Basis für die Auswahl der Partner waren umfangreiche Tests und Benchmarks, die im November 1998 innerhalb von ca. drei Wochen im NCR-Labor in San Diego durchgeführt wurden. Bei den Vergleichstests wurden verschiedene Extraktions- und Frontend Tools auf ihre Leistungsfähigkeit und ihren Beitrag zur Gesamtlösung ausführlich untersucht. Die Lösung von Information Advantage erfüllte die umfangreichen Anforderungen der Deutschen Post AG und deshalb entschied sich die Projektleitung bei dem Frontend Tool (ROLAP) für die Business Intelligence Software MyEureka!. Den Ausschlag für NCR Teradata und MyEureka! gab unter anderem der problemlose Zugriff auf alle Informationen und Reports mittels eines einfachen Web-Browsers. Damit werden langwierige und eventuell fehlerhafte Installationen auf den einzelnen Abeitsplatzrechnern des heterogenen Netzwerkes der Post erspart. Dies hat besondere Relevanz, da die Zahl der Anwender sehr groß und die benutzten Arbeitsplatzrechner sehr unterschiedlich sind. Bei den Benchmarks überzeugte die Software von Information Advantage zusätzlich durch die sehr performante Verarbeitung von Massendaten, die gemeinsam mit der Teradata RDBMS geleistet wird. Auch die Skalierbarkeit der Lösung unter UNIX war ein entscheidender Grund für die Wahl. NCR als Generalunternehmer erstellt in allen Projektphasen das Datenbankdesign, führt die Datentransformation, die „Datensäuberung" und das „Datenladen" durch und erstellt das Betriebskonzept. Information Advantage als Subunternehmer bringt das Reportingtool MyEureka! in die Gesamtlösung ein und erstellt die individuellen Qualitätsreports.

Die erste entscheidende Phase des enorm umfangreichen Data-Warehouse-Projektes konnte in Rekordzeit abgeschlossen werden. Nach der Auftragsvergabe benötigte das Projektteam lediglich fünf Monate.

14.2.2 Projektphasen

Das Data-Warehouse-Projekt P/E,I unterteilt sich in drei Hauptphasen (vgl. Abb. 86). Die Phase 0 beinhaltete die Vorbereitung und Auswahl der Partner und deren Tools. Diese wurden im NCR Labor, unter Anleitung der Deutschen Post, umfangreichen Tests unterzogen. Zusätzlich wurde ein „Proof of Concept" erstellt.

Mit dem 1.1.1999 begann die Phase 1. Hier wurden das logische und das physische Datenmodell erstellt und die ROLAP-Software implementiert. Als eine weitere wichtige Aufgabe wurde das Testumfeld für zukünftige Entwicklungen und Testszenarien in Betrieb genommen. In einem Benchmark wurden die unterschiedlichen Extraktionstools (ETT) noch einmal getestet, um das geeignete Tool zur Ablösung momentaner Interimslösungen zu finden. Ein weiterer Meilenstein in dieser Phase ist die Implementierung des sog. „automatisierten Daily Loads". Ergebnis der Phase 1 war die Erstellung von Qualitäts- und Vertriebsberichten.

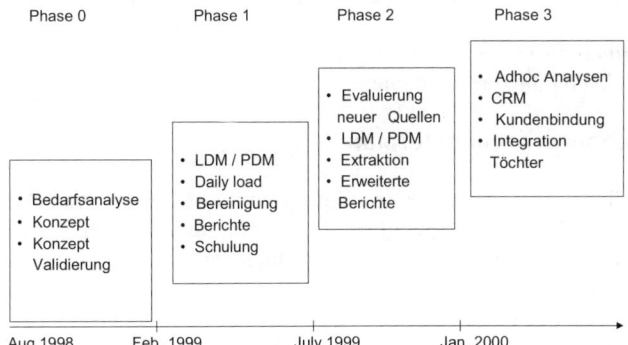

Abb. 86: Implementierung eines DW bei der Deutschen Post AG

In Phase 2, die bereits am 23.07.1999 begann und bis Dezember 1999 terminiert war, wurden weitere Detailanalysen ermöglicht. Nach der Auswahl eines Extraktionstools wurden diese implementiert. Zusätzlich wurde ein „Frühwarnsystem" eingerichtet, mit dem die Datenqualität vor der Transformation ins Data Warehouse noch einmal überprüft wird. Die Performance des Data Warehouses ist jederzeit gegeben und kann durch den skalierbaren Ausbau problemlos den Anforderungen angepasst werden. Weiterhin werden die Anforderungen der Abteilung Qualitätsmanagement an verschiedene Tochterunternehmen festgelegt und ein Grobkonzept für die Integration erarbeitet. Ein wesentlicher Schritt in der Phase 2 war die Qualifizierung der Hauptnutzer des Data Warehouse. Es erfolgten differenzierte Schulungen, die den „einfachen" Nutzer zum Abruf vorgefertigter, standardisierter Reports und den sog. „Poweruser" zum Generieren neuer Reports, zur Installation der erforderlichen Daten für spezifische Analysen etc. befähigten. Der erfolgreiche Know-how-Transfer ist wesentlicher Erfolgsfaktor für das Data-Warehouse-Projekt. Die Fähigkeit und Bereitschaft der Nutzer zur Anwendung des Systems ist die entscheidende Voraussetzung für die Verwirklichung des Mehrwertes des Data Warehouses. In dem Anwendungsbereich „Qualitätsmanagement Paket/Express, International" wurden die erforderlichen Schritte hierzu bereits eingeleitet. Die Bereiche Marketing und Vertrieb folgen.

In Phase 3 wird die Integration weiterer Unternehmensbereiche und Konzerntöchter in das Data Warehouse vorgenommen.

14.2.3 Business-Nutzen des Data Warehouses

Ziel des Projektes DW P/E, I ist es, ein Ist-gestütztes Informationssystem zu schaffen, das den Entscheidungsträgern die richtigen Informationen zum richtigen Zeitpunkt und in der gewünschten Form zur Verfügung stellt. Fragen wie „Warum ist Paket XY nicht am Tag nach der Einlieferung zugestellt worden?", dürfen nicht mit einer Pauschalerklärung beantwortet werden, sondern die Ursache für einzelne Laufzeitverzögerungen muss ad hoc analysiert werden können. Dazu werden nicht nur Daten aus verschieden Quellsystemen über die Laufzeit der Pakete benötigt, sondern auch weitere Informationen aus anderen Datenquellen, wie Verkehrsdaten, Daten über den Krankheitsstand, aus der Buchhaltung oder aus den Call Centern. Sämtliche Daten lagen nach Abschluss der Phase 1 in konsolidierter Form vor und konnten online recherchiert werden. IT-gestützte, differenzierte Analysen zwecks Eruierung von Verbesserungspotenzialen zur Prozess- und Serviceoptimierung standen damit zur Verfügung.

14.2.4 Data-Warehouse-Architekturplan

Abb. 87 veranschaulicht die Architektur des Data Warehouses P/E,I. Das Data Warehouse wird aus verschiedensten operativen Produktivsystemen „gefüllt". Aus diesen operativen Quellsystemen werden die Daten mittels eines Extraktionstools extrahiert und in das Data Warehouse transformiert. Bei der Extraktion handelt es sich um Funktionen (Regeln), mit denen Daten aus den unterschiedlichen Quellen in das Data Warehouse geladen werden. Schwerpunktmäßig werden Vertriebs-, Produktions- und Finanzdaten geladen. Bei der Datentransformation werden die Daten bereinigt, gefiltert, geladen, bereitgestellt und zusammengeführt.

Das zentrale Data Warehouse speist die zwei anwendungsspezifischen Data Marts „Qualität" und „Vertrieb". Als Abfragewerkzeug wird MyEureka! von Information Advantage eingesetzt.

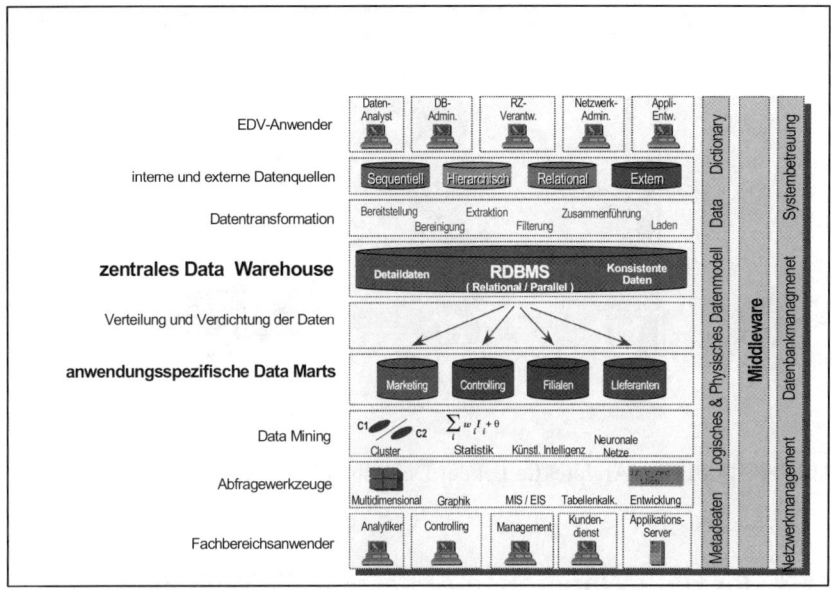

Abb. 87: Architekturplan des Data Warehouses der Deutschen Post AG

14.2.5 Wie ist die Datenhaltung organisiert?

Grundsätzlich werden Detaildaten gehalten, und zwar über einen Zeitraum von drei Jahren. Diese Detaildaten liegen in der 3. Normalform vor. Diese integrierten, historischen Detaildaten bilden das „Herz" des Data Warehouses. Die Datenhaltung in den zwei Data Marts „Qualität" und „Vertrieb" geschieht im Starschema.

Infolge dieser Datenhaltung können über einen längeren Zeitraum Simulationen und Vergleiche durchgeführt werden. In Phase 2 wurden diese Daten durch die für die Produktion relevanten Daten ergänzt.

14.2.6 Technologiekomponenten

Das Data Warehouse der Deutschen Post AG verwendet bei den Softwaresystemen das NCR Teradata Produktivsystem, die Software Tapelibrary und MyEureka.

Bei den Hardwarekomponenten kommen WoldMark 52XX/4 Nodes, S26XPL; AWS, 6400 Tape Library, 3271 Minitower, Worldmark 4700/2 Nodes, Entwicklungssystem und Worldmark 4400, Contentserver, zum Einsatz (vgl. Abb. 88). Teradata wurde speziell für Data Warehousing konzipiert. Teilfunktionen sind auf vollständige Parallelität ausgelegt. Diese Lösung hat ihren einzigartigen Vorteil vor allem in der großen Flexibilität in Bezug auf Organisationsänderungen sowie Änderungen in der Unternehmensstruktur.

Projekt Data Warehouse P/E,I

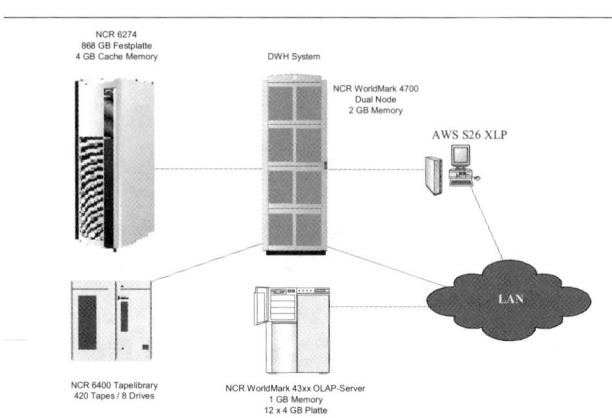

Abb. 88: Hardware-Architektur bei der Deutschen Post AG

14.3 Der Data-Warehouse-Ansatz am Beispiel des Qualitätsmanagements P/E, I

14.3.1 Ausgangslage

Warum hat sich der Unternehmensbereich Paket/Express, International der Deutschen Post AG für eine innovative Data-Warehouse-Lösung von NCR und Information Advantage entschieden?

Die Deutsche Post verfügt über ein sehr heterogenes Produktivsystem. Auf Grund der dezentralen Datenhaltung in zahlreichen Systemen mit unterschiedlichen Zielsetzungen war eine integrierte Auswertung für das Qualitätsmanagement nicht oder nur bedingt möglich (vgl. Abb. 89).

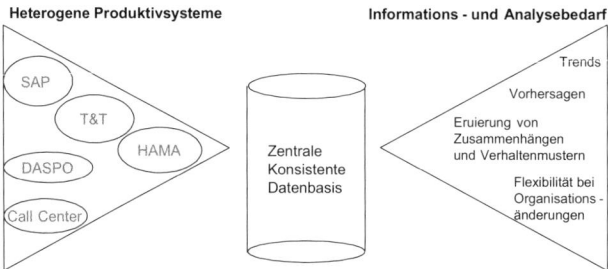

Abb. 89: Data Warehouse als Lösung für das Qualitätsmanagement

Vor dem Hintergrund zunehmender Datenmengen und immer komplexer werdender Fragestellungen wurde eine zentrale, konsistente Datenbasis vermisst, die den Informations- und Analysebedarf der Abteilung Qualitätsmanagement (vgl. Abb. 90) hätte decken können.

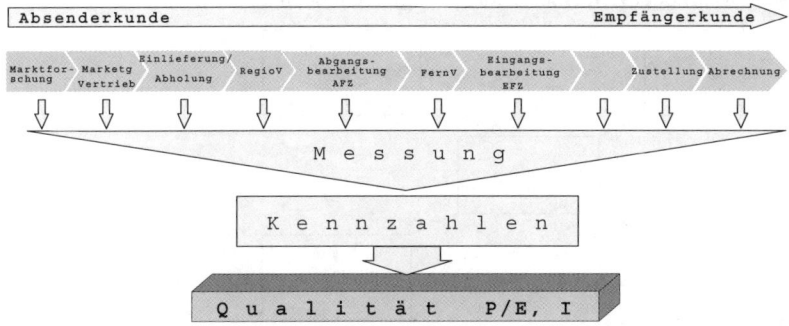

Abb. 90: Spezifische Informations- und Analysebedarfe zur „Qualität"

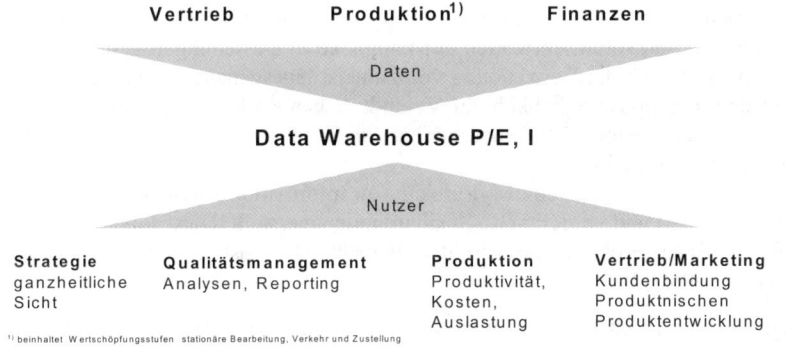

Abb. 91: Data Warehouse: integrierte Datenbank für diverse Zwecke

Die für die Entscheidungsträger relevanten Informationen waren auf Grund der oben angeführten Tatbestände nur mit großem Aufwand zu beschaffen. Die gewünschten Informationen mussten bisher in „Handarbeit" aus den Rohdaten der „Info-Inseln" zusammengestellt und von Fehlern bereinigt werden. Zudem gab es zum Teil unterschiedliche Ergebnisse, je nach dem, wann man die Abfrage startete und aus welchen Produktivsystemen man die Rohdaten extrahierte.

Als ideale IT-Lösung wurde ein Data Warehouse angesehen, da hierdurch die Analyse beschleunigt und die operativen Systeme von den Auswertungen entlastet werden. Alle Qualitätsauswertungen werden in Zukunft nur noch über das Data Warehouse durchgeführt. Das Data Warehouse stellt die Integration der heterogenen entscheidungsrelevanten Datenbestände in einer zentralen Datenbasis sicher (vgl. Abb. 91).

In dem Data Warehouse werden die Daten als „Fakten" gespeichert und mit „Dimensionen" verknüpft (vgl. Abb. 92). „Fakten" sind zum Beispiel Absatz, Umsatz, Laufzeiten etc. und unter „Dimensionen" wird die Zusammenstellung der Hierarchien wie z. B. Organisationseinheiten (Zentrale, Region, Niederlassung, Zustellbasen) oder Zeit (Jahr, Monat, Tag) verstanden.

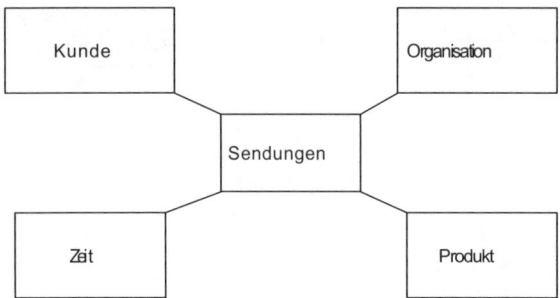

Abb. 92: Beispiel für ein Auswertungsschema

Der besondere Vorteil des Data Warehouses ist, dass Verknüpfungen von Fakten und Dimensionen, z. B. von Sendungen, Kunde, Absatz, Umsatz, der Zeit usw., möglich sind und somit Antworten auf komplexe Fragestellungen gefunden werden können. Durch die Verwendung von zumeist tagesgenauen Detaildaten steigt die rasche Reaktionsmöglichkeit auf Veränderungen stark an. Auf Grund der Archivierung sog. historischer Daten lassen sich Trends und Vorhersagen erstmals IT-gestützt entwickeln.

Mit dem OLAP-Werkzeug MyEureka! von Information Advantage werden die Daten analysiert und vordefinierte Standardberichte erstellt. Diese können über die grafische Benutzeroberfläche von den berechtigten Postmitarbeitern über das Intranet der Post abgerufen werden.

Nachfolgend werden die Auswertungen des Projektes Data Warehouse P/E,I und deren Nutzen dargestellt. Der Qualitätsbericht besteht aus der sog. Gesamtbewertung, dem Management Summary Report, unterteilt in die Qualitätskennzahlen mit Ampelstatus und die Maßnahmenübersicht bei rotem Ampelstatus und den Detailanalysen.

14.3.2 Qualitätskennzahlen-Report zur Qualitätssteuerung

Die Qualitätskennzahlen werden einer Gesamtbewertung unterzogen. Dabei werden alle Kennzahlen mit roten Ampeln (s. u.) mit 0, die mit gelben Ampeln mit 1, die mit grünen Amplen mit 3 Punkten gewichtet.

Hierdurch entsteht ein Ranking, aus dem sich der Status der Kennzahlenentwicklung pro Niederlassung ergibt.

Qualitätskennzahlen mit Ampelstatus (vgl. Abb. 93)
Die Definition von Kennzahlen, die Messung der Kennzahlen und die Festlegung und Umsetzung geeigneter Maßnahmen zur stetigen Verbesserung der Kennzah-

lenentwicklung sind wesentliche Bestandteile eines effizienten und erfolgreichen Qualitätsmanagements. Dabei richten sich die Kennzahlen immer an der Unternehmenszielsetzung aus. Sie werden folglich dynamisch fortentwickelt.

Lfd. Nr.	Qualitätsziel	Zielausprägung	Primärkennzahl	Zielwert	Istwert lfd. Monat	kumulierter Wert	Schwellenwerte Ampelstatus zum Istwert	Trend * zum Jahresende	Maßnahmenübersicht Nr auf Seite
1	Schnelligkeit	Zustellung der Sendungen innerhalb der vereinbarten Laufzeit							
1.1							< % %- <% ≥%	→	
1.2							< % %- <% ≥ %	↗	
2	Zuverlässigkeit	Zustellung der Sendungen innerhalb der vereinbarten Laufzeit plus einem Werktag							
2.1							< % %- <% ≥ %	↗	
2.2							< % %- <% ≥ %	↗	

* Trend zum Jahresende:Prognose, ob bis Jahresende die Zielwerte erreicht werden

Abb. 93: Auswertung Sparte „Frachtpost" im Monat „Muster 1999"

Lfd. Nr.	Ampel Status	Qualitätsziel und Zielwert	(mögliche) Ursachen	Maßnahmen	wer	bis wann	Status
1.	%	Schnelligkeit				Ende Juni	◑
2.	%	Zuverlässigkeit				Mitte '99	◑
11.1	%					Ende '99	◑
						Okt '99	◑

Abb. 94: Maßnahmenübersicht: Sparte „Frachtpost", Monat „Muster 1999"

Von der Abteilung Qualitätsmanagement wurden 20 Kennzahlen definiert, welche die Qualität des Paketversandes repräsentieren. Kennzahlen sind u. a. die Schnelligkeit des Paketversandes, seine Zuverlässigkeit, die Verlustquote, Beschädigungsfreiheit, Rückstände, Nachverpackung usw. Der hierauf aufbauende Kennzahlen-Report kann von jedem autorisierten Qualitätsmanager vor Ort über das

Web eingesehen werden. Hauptanwender sind die Leiter der 33 Niederlassungen Produktion Paket sowie deren Qualitätsbeauftragte. Soweit die Datenquellsysteme es zulassen, finden täglich Aktualisierungen statt. Gleichzeitig können bei Kennzahlen im rotem Ampelbereich Maßnahmen mit den betroffenen Bereichen festgelegt, in das System eingegeben und deren Fortschrittsbearbeitung nachgehalten werden. Die Ampeldarstellung veranschaulicht den Status der Qualitätskennzahlen. Wenn der Ist-Wert einen vorher definierten Toleranzwert überschreitet, ändert sich der Ampelstatus. Bei einer grünen Ampelstellung bewegt sich die Kennzahl innerhalb der Toleranzgrenzen. Der gelbe Ampelstatus zeigt an, dass proaktiv Maßnahmen erforderlich sind, damit nicht der rote Ampelstatus erreicht wird. Diese Vorgehensweise ermöglicht den Anwendern, proaktiv tätig zu werden. Bei der roten Ampelstellung ist unmittelbarer Handlungsbedarf notwendig. Die Ziel- und Schwellenwerte sind in der Tabelle "Kennzahlen" abzulesen und werden hier auch gepflegt.

Maßnahmenübersicht bei rotem Ampelstatus (vgl. Abb. 94)

Ändert sich der Status der Ampel auf Grund einer Überschreitung des Toleranzwertes einer Kennzahl auf Rot, werden unmittelbar Maßnahmen erforderlich. Sie werden mit den betroffenen Bereichen entwickelt. Nach Zuweisung der konkreten Verantwortung für die Maßnahmenumsetzung und deren Terminierung werden sie in das System eingestellt und ihre Umsetzung kontrolliert. Hier liegt ein wesentlicher Vorteil des neuen Systems. Neben dem bloßen Dokumentieren und Berichten von Kennzahlen und Verbesserungspotenzialen wird interaktiv an der Umsetzung von konkreten Maßnahmen gearbeitet, die zu den realen Qualitätsverbesserungen führen.

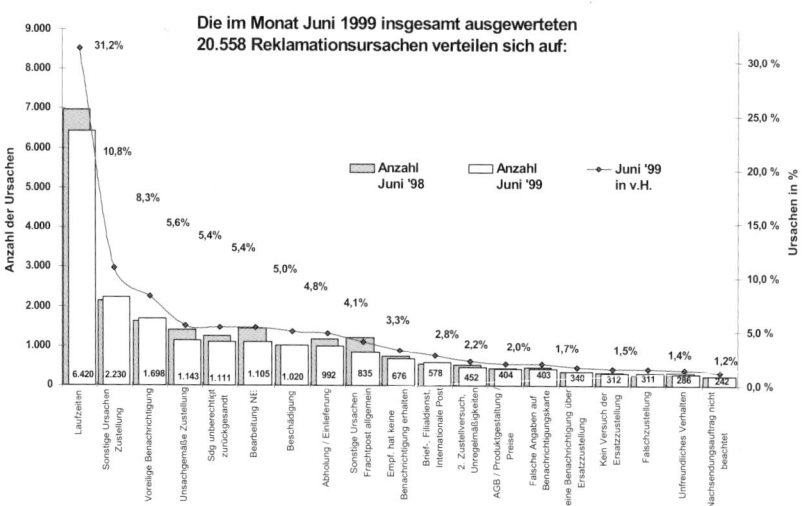

Abb. 95: *Exemplarische, vordefinierte Detailanalyse*

Detailanalysen (vgl. Abb. 95)

Für besonders wichtige Kennzahlen sind vordefinierte Detailanalysen vorgesehen. In Bereichen mit kurzfristig erkannten signifikanten Verbesserungspotenzialen werden Detailanalysen von sog. Powerusern fallweise erstellt und den übrigen Anwendern zur Erleichterung der Maßnahmenplanung zur Verfügung gestellt. Die detaillierte Ursachenanalyse stellt Diagramme und Tabellen zur Verfügung, die mögliche Abweichungsursachen aufzeigen. Diese können von allen berechtigen Personen aufgerufen werden. Diese Detailanalysemöglichkeiten veranschaulicht beispielhaft.

Zusätzlich erhalten die Qualitätsverantwortlichen die Möglichkeit, durch Drill-Downs weiterführende Analysen durchzuführen. Bei diesen Ad-hoc-Abfragen können jeweils die Gründe für die Abweichung der Ist-Werte von den Soll-Werten analysiert werden. Auf Basis der hier erhaltenen Informationen können unmittelbar Maßnahmen eingeleitet werden.

Grafiken veranschaulichen und unterstützen die Entwicklung der Kennzahlen und zeigen deren monatlichen bzw. jährlichen Verlauf auf. Weiterhin werden die Ist-Zahlen mit den bis dahin erreichten Durchschnittswerten dargestellt.

14.3.3 Umsetzung des Konzepts

Aufgabenstellung des Projektes Data Warehouse P/E,I war es, die Qualitätsverbessung der Dienstleistungserbringung in den Leistungsfeldern Paket/Express und International zu unterstützen sowie umfangreiche analytische Auswertungen zur Qualitätssituation auf Basis des vorhandenen Datenbestandes zu ermöglichen. Voraussetzung für die Zielerreichung ist die quantitative Messbarkeit der Qualitätsparameter.

Um dieses Ziel zu erreichen, werden monatlich die Sendungsdaten von ca. 40 Millionen Paketen gesammelt und ausgewertet. Dabei wird der gesamte Weg von der Einlieferung des Paketes durch die Kunden bei den 14.000 Postfilialen über die 33 Frachtzentren und die 400 Zustellbasen bis hin zu der Übergabe an den Empfänger durch den Zusteller betrachtet. Der Weg wird durch fünf Messpunkte definiert. Bereits vor Projektbeginn war man sich bewusst, dass die zu betrachtende Datenmenge im Terabyte-Bereich liegen würde. Nach Durchführung des Benchmark-Tests in San Diego stand fest, dass die NCR-Lösung mit der Datenbank Teradata die hohen Anforderungen an Skalierbarkeit und Performance erfüllen konnten.

14.3.4 Die Anwender

Es wurde besonderer Wert darauf gelegt, die Lösung für den Anwender so einfach und komfortabel wie möglich zu halten, um eine breite Akzeptanz zu erhalten.

Anwender sind in den ersten Projektabschnitten die Abteilung Qualitätsmanagement, die Leiter der regionalen Geschäftsbereiche und deren Qualitätsbeauftragte, die Leiter der Niederlassungen Produktion Paket sowie deren Qualitätsbevollmächtigte, die Vertriebsmitarbeiter und der Kundendienst. Anfänglich können bis zu 550 Postmitarbeiter auf das Data Warehouse über das Intranet der

Post mittels eines Web-Browser zugreifen. Dieser Zugriff erfolgt selbständig und über eine einheitliche grafische Benutzeroberfläche vom PC-Arbeitsplatz aus.

Der Zugriff der Nutzer mittels eines Web-Browers ist einer der großen Vorteile des Frontend Tools MyEureka! von Information Advantage. Dieser kommt insbesondere wegen der sehr heterogenen Systemlandschaft bei der Deutschen Post AG zum Tragen. Durch die Verwendung von Web-Browsern entfällt die Installation und Pflege von Programmen auf allen Clients. Welcher Postmitarbeiter Zugriff auf welche Informationen erhält, wird im Vorfeld durch ein Benutzerkonzept definiert.

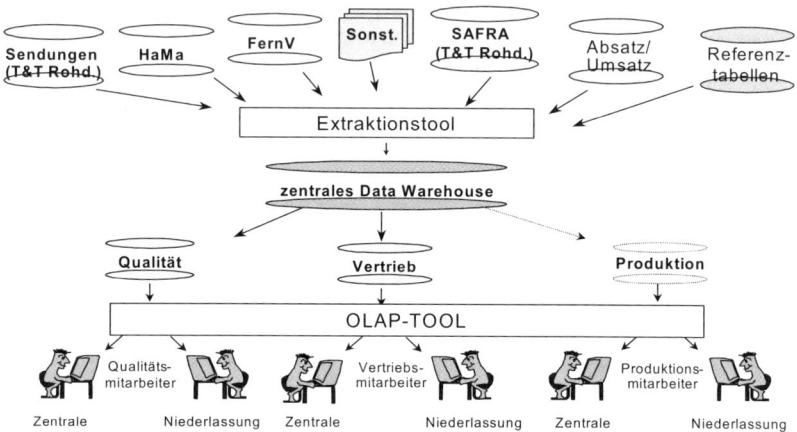

Abb. 96: Architektur des Data Warehouses der Deutschen Post AG

Diese Zahl von zunächst 550 postinternen Nutzern wird durch die Integration von Tochterunternehmen bzw. weiterer Geschäftsbereiche sukzessive ansteigen.

Die Data-Warehouse-Technik ermöglicht grundsätzlich auch eine Nutzung durch externe Anwender. Ob und in welchem Umfang derartige Zugriffe zugelassen werden, wird im Rahmen strategischer Überlegungen zu entscheiden zu sein.

14.4 Ausblick

Ein Data Warehouse stellt einen kontinuierlichen Prozess dar. Es muss permanent an die sich ändernden Rahmenbedingungen angepasst werden. Das Datenmodell und die Skalierbarkeit der Data-Warehouse-Lösung müssen dieser Anforderung gerecht werden. Bereits die Planung muss eine Weiterentwicklung der Anforderungen berücksichtigen. Dabei ist sowohl die planmäßige Erhöhung der Nutzerzahl als auch die weitere Vertiefung und Erweiterung der Analysen mit dem entsprechenden Datenbedarf zu bedenken. Nach dem Umgang mit vorgefertigten Berichten und zunächst noch primär vergangenheitsbezogenen Analysen sollen die Anwender in die Lage versetzt werden, mit Hilfe von Data Warehouses analytische Modelle zwecks Erstellung von zukünftigen Prognosen zu entwickeln.

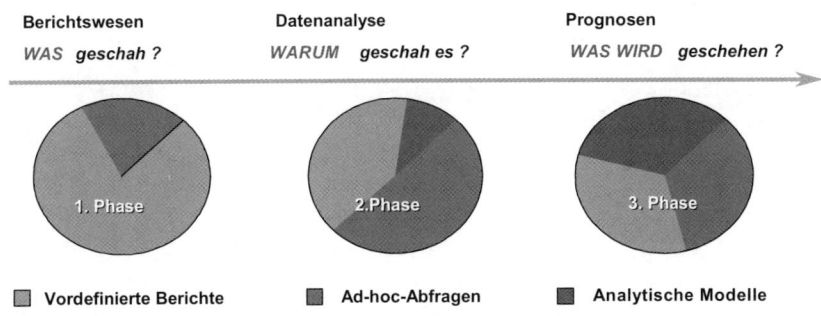

Abb. 97: Nutzung des Data Warehouses in drei Stufen

In einem weiteren Schritt wird das Data Warehouse als Basis für das sog. Customer Relationship Management genutzt werden. Ziel ist es hierbei, dem „richtigen" Kunden das richtige Angebot zur richtigen Zeit über den richtigen Vertriebskanal zu unterbreiten. Voraussetzung hierfür sind umfassende und detaillierte Kenntnisse über den Kunden, die nur durch das Sammeln und die Analyse aller im Unternehmen an den verschiedensten Stellen vorhandenen Kundeninformationen in einer einheitlichen Datenbasis Erfolg versprechend erworben werden können.

In weiteren Ausbaustufen ist die Nutzung von Data Mining Tools geplant. Dies sind analytische Tools zur Vorhersage zukünftigen Verhaltens. Mit deren Hilfe werden Trends erkannt und Vorhersagen auf Sachverhalte getroffen (vgl. auch Abb. 97).

Realisierung eines integrativen Management Reportings im SAP Business Information Warehouse.

15 Integrationskomponenten als Leverage-faktor eines Data-Warehouse-Projektes

Guido M. Schmitter

15.1 Notwendigkeit zur Analyse

Die Situation der Konsumgüterindustrie, insbesondere im Bereich der Fast-Moving-Consumer-Goods (FMCG), ist herausfordernd: Die Notwendigkeit zur Investition in permanente Produktinnovationen und Kommunikation einerseits sowie der durch den Handel ausgelöste Preiskampf und die damit einhergehende Wertevernichtung andererseits erfordern strategisch fundierte Entscheidungen.

Die komplexer werdenden Entscheidungen der Platzierung und Aktionsgestaltung im Handel erfordern die Berücksichtigung von Informationen aus vielen Datenquellen. Neben den obligatorischen monetären Argumenten, sind Marktforschungsdaten über Verbraucher und deren Konsum- und Kaufverhalten erforderlich.

Beispielsweise sind bei Category-Management-Projekten unternehmensinterne Informationen und externe Datenquellen miteinander zu kombinieren, um neben quantitativen auch qualitative Daten (z. B. dem eigenen CRM-System) für die Entscheidungsunterstützung zu besitzen. Eine stringente Analyse über die verschiedenen Datenquellen ist jedoch nicht oder nur sehr umständlich möglich. Zu viele Systeme und Strukturen der Daten sind übliche Hindernisse auf dem Parcour der Analyse: man denke nur an die Zeitfenster der Daten (Tagesdaten aus dem Verkauf zu Zwei-Monats-Perioden der Marktforschung).

Ziel ist es, eine einheitliche Struktur zu schaffen, die eine Integration unterschiedlicher Datenquellen ermöglicht. Dabei sollen die Bedürfnisse der Anwender in eine Anwendung integriert werden, ohne jedoch an Akzeptanz des Systems zu verlieren.

15.2 Geschäftsprozess-Entscheidungsmodell: Wie konstruieren wir einen Würfel?

In einem Data-Warehouse-Projekt spielt der Entscheidungsunterstützungsprozess eine große Rolle. Es ist festzulegen, wie die Daten in einer dem Geschäftsprozess ähnlichen Art und Weise abgebildet werden. In diesem Zusammenhang wird immer wieder das Bild vom Würfel verwendet.

Zum besseren Verständnis eines Data-Warehouse-Projektes einerseits und zur einfachen Transformation der Anwenderanforderungen in eine Systemvorgabe andererseits wird nachfolgend ein Geschäftsprozess-Entscheidungsmodell erarbeitet.

Fragt man die potenziellen Anwender eines Data Warehouses bzw. OLAP-Systems nach ihren Wünschen, kommen selten direkt verwertbare Ergebnisse heraus. Zielführender ist es, gemeinsam mit dem Anwender seine Entscheidungsgrundlagen zu formulieren, beispielsweise in der folgenden Form: „Wir verkaufen unsere Produkte sowohl über unseren Außendienst als auch über den Großhandel an die Kunden und nehmen als Basis für Entscheidungen den getätigten Umsatz über den Zeitverlauf." Sicherlich werden in der täglichen Praxis andere Entscheidungsparameter herangezogen, beispielsweise Plan-Ist-Abweichungen, dennoch ist dieses Beispiel ein guter Einstieg.

Das, was der Anwender betrachtet und analysiert, ist der Inhalt des Würfels, auch Variable genannt. Dieser Inhalt benötigt eine Struktur, deren Anforderung klar vorgegeben wird: nach Kunden, Produkten und über die Zeit sind die Geschäftsprozesse zu analysieren. Diese Achsen, die den Inhalt, die Variable(n) strukturieren, werden als Dimensionen bezeichnet. Die Dimensionen strukturieren den Inhalt und sind daher auch Selektionskriterien für den Anwender. Um einerseits den Überblick bei vielen Kunden nicht zu verlieren und andererseits für einen Analyseeinstieg eine Summe, z. B. aller Großhandelskunden, zu sehen, gruppiert man die Dimensionsobjekte in einer Hierarchie. Jede Hierarchieebene wird dabei als Level bezeichnet. Werden nun alle Daten über die Hierarchien vorgerechnet, ist der perfekte Top-Dow-Analyse-Einstieg gegeben.

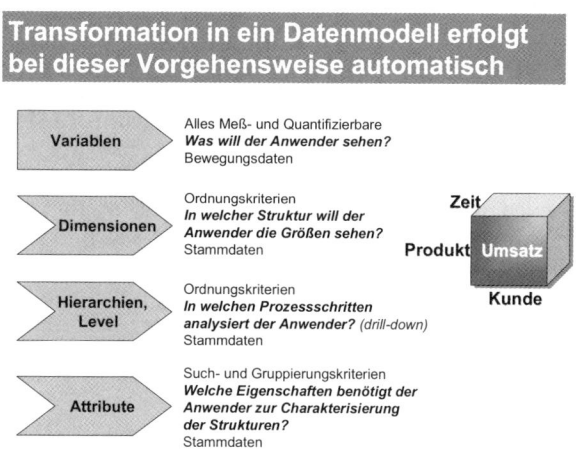

Abb. 98: Automatische Überführung des Datenmodells in ein DW

Abb. 98 stellt die elementaren Objekte dar, die in einem Geschäftsprozess-Entscheidungsmodell enthalten sein müssen. Die Entwicklung der einzelnen Modelle erfolgt pragmatisch durch gemeinsame Sichtung der bestehenden Unterlagen: Oftmals sind Fakten-Bücher, Standard-Reports und Tabellenkalkulationsblätter vorhanden. Gerade letztere geben Aufschluss über erforderliche Datenmanipulationen, z. B. gleitende Durchschnitte, Rankings oder Summierungen. Anhand dieser Unterlagen wird gemeinsam ein Analysepfad erstellt, der die Maßgabe für anzulegende Hierarchien und Level ist.

Dieser Prozess wird für alle zukünftigen Nutzer bzw. Nutzergruppen durchlaufen und gewährleistet, dass nicht nur vorhandene Reports „nachgebaut" werden, sondern vor allem die dynamische, interaktive Analysekomponente Berücksichtigung findet. Fügt man alle Ergebnisse zusammen, ist das Datenmodell fast fertig.

Wichtig ist dabei: In den Prozessschritten spielten bis zu diesem Punkt technische Einflüsse keine Rolle und bei der „nahen Verwandtschaft" von Data-Warehouse- bzw. OLAP-Werkzeugen ist dieser Ansatz universell nutzbar.

15.3 Erforderliche Integrationskomponenten

15.3.1 Anwender, ihre Typologien und ihre Anforderungen

Um eine größtmögliche Akzeptanz des Data Warehouses zu erreichen, sollten möglichst viele Anwender aus verschiedenen Bereichen, die einen Bezug zu den Daten haben, Zugang zu dem System bekommen. Fügt man Verkaufs-, Finanz- und Marktforschungsdaten zusammen, spricht ein System eine Reihe am Wert- schöpfungsprozess beteiligter Abteilungen an. Zudem ist sicherlich auch das Top- Management an den Informationen interessiert. Im Gegensatz zu den Ansätzen für MIS- und EIS-Systeme der letzten Jahrzehnte sind moderne Konzepte weitaus breiter in der Nutzerstruktur angelegt.

Gleichzeitig gilt es, die unterschiedlichen Anforderungen der Nutzer zu identi- fizieren und zu integrieren. Eine Kategorie von Anwendern ist als „Gelegenheits- nutzer" zu charakterisieren. Sie wollen anhand weitestgehend vordefinierter Sich- ten einen Überblick über die aktuelle Situation bekommen, um daraus Entschei- dungen abzuleiten. Höhere Hierarchieebenen gehören häufig zu dieser Gruppe.

Zu den Aufgaben des Verkaufsinnendienstes gehört es, nicht nur für interne Kunden, sondern auch für den externen Handelspartner periodische Übersichten über das gemeinsam getätigte Geschäft zu erstellen. Diese Berichte sind idealer- weise ohne Hilfe der IT-Abteilung zu erstellen und auf Grund der innovativen Produktentwicklung der FMCG-Branche dynamisch anzulegen, so dass neue Pro- dukte automatisch in den Bericht, dessen Layout vom jeweiligen Handelspartner individuell vorgegeben wird, aufgenommen werden. Diese Gruppe der „Repor- ting-Freunde" erwartet den komfortablen Umgang mit einer größeren Anzahl von Reports, die sie bequem selbst anlegen, in elektronischen Ordnern verwalten und mit Kollegen austauschen kann.

Insbesondere für das Category Management, das Verkaufscontrolling oder die Marktforschung sind vordefinierte Sichten als Einstieg zur tiefer gehenden Ana- lyse zu verstehen. Flexibilität und eine umfassende Analysefähigkeit sind ebenso erforderlich, wie die Aufbereitungsmöglichkeiten der Daten in Form von Grafiken oder Tabellen (z. B. in Grafik- und Tabellenkalkulationsprogrammen). Erst wenn diese Anforderungen innerhalb der Data-Warehouse-Applikation eingebaut sind und damit ein Export in ein weiteres Programm überflüssig wird, entfaltet das Werkzeug eine hohe Produktivität.

Prognosemodelle und die Erstellung von Szenarien sind Möglichkeiten, die die Gruppe der „Vordenker" erwarten. Hier werden ebenso neue Kennziffern sowie Modelle und vordefinierte Analysen für anderen Gruppen erstellt. Zum Hand- werkszeug gehören zunächst Attribute. Dies sind beschreibende Merkmale für Dimensionsobjekte. Im häufig für Entscheidungsunterstützungssysteme zitierten Bild der Darstellung von Daten in einem Würfel sind Dimensionen die Achsen, die den Raum aufspannen. Für die Achse „Produkt" ist ein wertvolles Attribut der

Launch-Zeitpunkt. So ist es beispielsweise möglich, Produkte zu analysieren, die binnen eines Jahres eingeführt wurden. Ein wichtiges Attribut der Dimension „Kunde" im Bereich der Markenartikelindustrie ist die Kennzeichnung des Vertriebsweges: bezieht der Kunde die Ware über Lager oder Strecke. Für Wirtschaftlichkeitsberechnungen wird dieses Attribut ebenso herangezogen wie für Kapazitätsplanungen des Außendienstes. Kurzum: Attribute sind unerlässliche Schlüsselfaktoren für die Analyse.

Die Gruppe der „Vordenker" („Poweruser") genannt, benötigen noch mehr: Sie müssen eigene Fakten selbst auf Grund von Kalkulationen, Formeln oder analytischen Funktionen bilden können. Gerade im Zuge einer Line-Extension wird häufig die Frage gestellt, in welchem Verhältnis die neuen Produkte zum Ergebnis der gesamten Linie beitragen. Eine Formel, die den gewünschten Anteil darstellt, wird vom „Poweranwender" mit wenigen Mausklicks eingerichtet, bei Bedarf an alle weiteren Nutzer verteilt und steht nun über die gesamte Komplexität der mehrdimensionalen Objekte („Würfel-Modell") bereit. Eine „mitdenkende Zeitfunktion", die insbesondere bei vom Kalender abweichenden Berichtsperioden die Werte darstellt, ohne sie separat zu speichern, sowie die Zuordnungen von Monaten zu Quartalen automatisch durchführt, ist für den Analysten unablässig.

Konzentrationsprozesse nehmen auch auf der Seite des Lebensmitteleinzelhandels stark zu. Nicht nur der Verkauf ganzer Unternehmen, schon die Veräußerung einzelner Vertriebsschienen sind auf Industrieseite Gegenstand intensiver Analysen: Auswirkungen auf Umsatz, Konditionen und notwendige Außendienstkapazitäten müssen berechnet, analysiert und dargestellt werden. Bei einem vollständig durch das operative System (SAP R/3) gepflegten Data Warehouse war eine Anforderung – speziell für Poweranwender – die nutzerindividuelle Gruppierung von einzelnen Dimensionsobjekten: sprich Kunden. Durch die Abbildung der Handelshierarchie müssen somit im vorliegenden Beispiel lediglich zwei Vertriebsschienen zu einer „synthetischen" zusammengefasst werden. Selbstverständlich stehen auch hier alle mehrdimensionalen Sichten auf die Daten zur Verfügung.

Eine Gruppe, die sich in einer der anderen wiederfindet, dennoch als Anwender eine besondere Aufmerksamkeit genießt, ist die der Sponsoren des Projektes. Erfährt diese Gruppe den Erfolg nicht nur mittelbar durch die zuarbeitenden Bereiche, sondern unmittelbar durch eine auf ihre Anforderungen abgestimmte Oberfläche, ist ein Erfolgsfaktor garantiert.

15.3.2 Zusammenführung unterschiedlicher Daten

Problematisch bei der Ressource „Information" ist es, die relevanten Informationen zum gewünschten Zeitpunkt zu gewinnen. Vom Informationsüberfluss bis hin zum „Information Overkill" ist die Rede. Beste Beispiele sind das World Wide Web oder die umfangreichen „Zahlenfriedhöfe" in Unternehmen. Dabei sind in jedem Markenartikelunternehmen neben den internen Daten, beispielsweise aus den Faktura- und Finanzbuchhaltungssystemen, umfassende Daten über Handel und Konsument vorhanden: Die Paneldaten. Schon alleine die Zusammenführung dieser Datenquellen, die je nach Anzahl der Warengruppen sehr umfangreich sein können, schafft eine Basis für eine durchgehende Analyseplattform. Dies war ein elementares Ziel des vorliegenden Data-Warehouse-Projektes (vgl. Abb. 99).

Auf dieser Plattform, die im Wesentlichen die – inhaltliche und technische – Harmonisierung der unterschiedlichen Datenquellen beinhaltet, können dann mit überschaubarem Aufwand weitere Daten integriert werden. Gerade in den schon angesprochenen Category-Management-Projekten ist der Datenaustausch und dessen Harmonisierung ein unglaublich wichtiger Baustein.

Abb. 99: Ziele einer integrierten Datenhaltung

Während sich auf der Supply Side der Datenaustausch immer auf das kleinste Objekt bezieht, beispielsweise eine einzelne EAN, sind auf der Demand Side auch höhere Verdichtungsebenen, z. B. Waren- oder Produktgruppen, Betrachtungsgegenstand. Im Datenaustausch mit Marktforschungsinstituten gibt es verschiedene kleinste Objekte. Noch komplizierter wird das Projekt dadurch, dass ein einheitlicher Schlüssel, wie die EAN, nicht existiert. Selbst die für das Jahr 2001 angekündigten Handelspanels deutscher Marktforschungsinstitute lösen dabei auch wiederum nur einen Teil des Problems: Im Bereich des Haushaltspanels und der Werbedaten bleiben nach wie vor abweichende Strukturen bestehen – die aber, will man den „Leverageeffekt" erzielen, vergleichbar gemacht werden müssen.

Nicht unerwähnt bleiben sollte die Tatsache, dass auf den Verdichtungsstufen der jeweils von externen Quellen gelieferten Daten diese bereits vorgerechnet sind. Da die Basisdaten nicht verfügbar sind, müssen die Strukturen miteinander kompatibel gemacht werden.

Zur Lösung dieser sehr anspruchsvollen Aufgabe ist ein ausgeklügeltes Management von Datenstrukturen, den Hierarchien, entwickelt worden.

15.3.3 Einbindung in die gegebene technische Infrastruktur

Die unterschiedlichen Anforderungen der heterogenen Anwenderstruktur an ein Werkzeug sind im Hause Sara Lee Household and Body Care Deutschland GmbH (Sara Lee) mit der Standardsoftware Oracle Sales Analyzer sowie Oracle Express und Oracle 8i, enthalten in der Data Mart Suite, umgesetzt worden. Alle Anwender greifen auf eine einheitliche Datenbank zu, so dass Diskussionen über die Richtigkeit der Zahlen der Vergangenheit angehören.

Eingebunden ist das Data Warehouse in eine Infrastruktur, in der die internen Daten aus einem SAP R/3 System geliefert werden. Zur Erreichung einer höchstmöglichen Integrität der Daten ist SAP das „führende" System bezüglich Strukturen und Stammdaten, d. h. jede Stammdatenänderung führt automatisch zur parallelen zwangsweisen Anpassung des Data Warehouses. Eine Wartung des Data Warehouses unter Umgehung von SAP ist nur bei externen Daten möglich. Dieser Weg, der zweifellos ein hohes Maß an Disziplin erfordert, garantiert, dass Anwender immer über vergleichbare Daten sprechen. Lediglich bei Daten aus externen Quellen, z. B. der Marktforschung, ist ein Eingriff in die Wartung und Struktur möglich.

Ohne den Einsatz kostenintensiver ETL-Werkzeuge[1] werden jeden Abend nach der Faktura in einem Pushverfahren die Daten in einer einheitlichen Schnittstelle für das Data Warehouse und für das CRM-System exportiert. Die Aufbereitung, d. h. im Wesentlichen die Aggregationen, erfolgt über Nacht. Auf Grund der bereits vorgerechneten Daten ist ein interaktives Analysieren ohne Wartezeit möglich. Im täglichen Update werden alle Strukturen komplett berechnet. Kundenänderungen, beispielsweise durch Verkauf einzelner Outlets oder Vertriebslinien, werden tagesaktuell bereitgestellt. Dabei folgt die Abbildung der Struktur des gesamten Systems, auch aller internen historischen Daten, grundsätzlich dem aktuellen Stand.

Bislang wurde im Bereich der technischen Infrastruktur eine Thin-Client-Technologie eingesetzt. Die Daten werden zentral auf einem Server gehalten, lediglich das Benutzer-System liegt lokal auf dem jeweiligen Rechner.

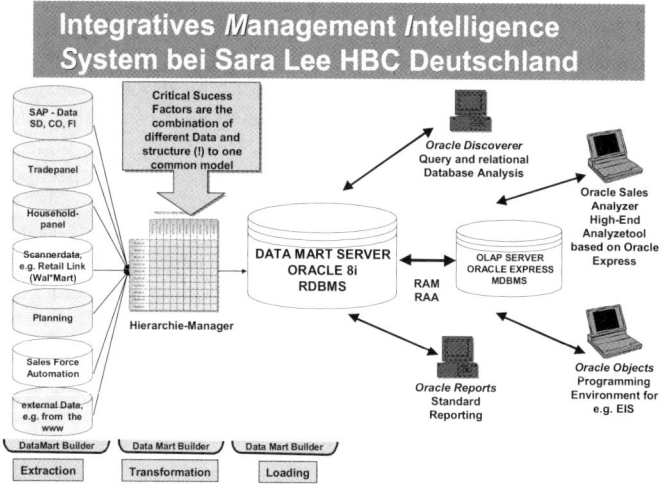

Abb. 100: Aufbau der DW-Architektur bei Sara Lee

---

[1] ETL steht als Abkürzung für Extraktion, Transformation, Laden. ETL-Werkzeuge werden benutzt, um Daten aus Quellen in ein Data Warehouse zu laden.

Dabei sind sowohl Benutzer aus der Hauptverwaltung als auch die Verkäufer aus den Heimbüros an das System angeschlossen (zur Architektur vgl. Abb. 100). Zur Reduktion der Pflegearbeiten ist die Umstellung auf ein browserbasiertes Frontend und damit die Einbindung ins Intranet der nächste Schritt. Technologisch ist die Software gemäß der stark web-orientierten Ausrichtung von Oracle bereits verfügbar.

Neben der technischen Infrastruktur ist die Frage nach Abbildung des entscheidungskritischen Geschäftsprozessmodells zu beantworten. Nicht immer passt die unternehmerische Wirklichkeit in die Standardwerkzeuge aus den Softwareschmieden. Wie zuvor erläutert, wird im mehrdimensionalen Bereich gerne der Würfel mit seinen drei Dimensionen genannt. Dies reichte für das Sara Lee Projekt nicht aus. Neben den Dimensionen Kunde, Artikel und Zeit ist für das Data Warehouse die Darstellung der Gebinde wichtig. Diese vierte Dimension bildet ab, in welcher Umverpackung ein Produkt, also als Regalware oder in einem Display, geliefert wurde. So lassen sich Displayanteile nach Produkten, Kunden und über Zeiteinheiten sehr transparent darstellen und gerade bei aktionsstarken Produkten auch hinsichtlich der Kosten analysieren.

Ein Data Warehouse ist einerseits kein Selbstzweck und sollte andererseits für die Majorität der Anwender nur mit einem ihren Anforderungen adäquaten System zugänglich gemacht werden. Dies ist auch aus einem weiteren Grund sinnvoll: Der Detaillierungsgrad der Daten in einem Data Warehouse ist weitaus tiefer und zeitgleich sind nicht zwangsläufig immer Daten auf höherer Ebene verdichtet. Ein Anwender, der mit einer Top-down ausgerichteten Analyse einsteigt, hat mitunter – aggregationsbedingte – Wartezeiten zu akzeptieren. In unserem Projekt haben wir eine multidimensionale Datenbank aufgebaut, um damit alle Anforderungen der Anwender zu befriedigen.

15.4 Hierarchiemanagement als zentraler Erfolgsfaktor

Die Formulierung des Wunsches, unterschiedliche Datenquellen zu einer Plattform zusammenzufassen, die eine stringente Analyse ermöglicht, ist einfach. Umso schwieriger sind die Hürden bei der Realisierung zu überwinden, denn der Mehrwert stellt sich so lange nicht ein, wie die Daten lediglich technisch in einer Datenbank liegen, ohne jedoch inhaltlich miteinander verknüpft zu sein. Klassische Ansätze der Data-Warehouse-Architektur müssen scheitern, weil allein die Suche nach dem kleinsten gemeinsamen Nenner eine notwendige, jedoch nicht hinreichende Bedingung ist.

15.4.1 Die Suche nach dem kleinsten gemeinsamen Nenner

Die Analyse der zu integrierenden internen und externen Datenquellen führte zu folgender Ausgangslage:

- Einheitliche Basisobjekte, d. h. einen gleichen kleinsten Nenner, gibt es nicht.
- Die Aggregationsstufen der Daten, also der Hierarchien, sind je nach Datenquelle unterschiedlich.

▦ Über die Aggregationsstufen hinweg gibt es gerechnete Daten ohne zugehörige Basisobjekte, d. h. eine eigene Berechnung ist unmöglich.

▦ Hierarchien sind teilweise nur implizit vorhanden, d. h. ohne inhaltliche Kenntnis der Daten ist eine technische Summierung nicht möglich.

▦ Ein einheitlicher Schüssel für vergleichbare Objekte, z. B. Produkte, ist nicht vorhanden.

Die Suche nach dem kleinsten gemeinsamen Nenner ist also nicht zielführend. Vielmehr geht es darum, ganze Hierarchien miteinander vergleichbar zu machen. Als Ziel wird eine sog. Masterhierarchie entwickelt, die alle Elemente der einzelnen Hierarchien enthält. Mit einem speziell entwickelten Softwareprogramm, dem Hierarchiemanager, findet nun die Zuordnung statt, indem einerseits die Masterhierarchie und andererseits die jeweiligen Originalhierarchien der Datenquellen mittels eines Hierarchiebaumes gleichzeitig dargestellt werden. Dies geschieht je Dimension. Mit der bekannten Windowsfunktionalität des Drag-and-Drop werden einzelne Dimensionsobjekte nun miteinander verbunden.

15.4.2 Inhalt und Technik müssen eng kooperieren

So einfach die Zuordnung auch gemacht werden kann, so komplex sind die technischen Vorgänge, die der Hierarchiemanager bewältigen muss. Neben dem Aufbau der Masterhierarchie bleiben die jeweiligen Originalhierarchien bestehen – eine Verarbeitung multipler Hierarchien des Data Warehouses und der OLAP-Werkzeuge ist notwendige Voraussetzung. Für den konsistenten Aufbau ist der gesamte Aufbauprozess, von der Datenquelle über die Original- bis hin zur Masterhierarchie, zu kontrollieren. Dieses Management der sog. Metadaten, d. h. Daten über Daten, entscheidet über den technischen Erfolg der Lösung. Allerdings wird dies auch dadurch erschwert, dass Schlüssel zur eindeutigen Identifizierung einzelner Objekte, z. B. Produkte oder Kunden, sich in externen Quellen, selbst vom gleichen Lieferanten, von einer zur anderen Berichtsperiode ändern können. Wird auf diese variantenreiche Facette kein besonderer Augenmerk gelegt, ist die Datenkonsistenz in großer Gefahr.

Dabei spielt neben der Technik der inhaltliche Integrationsprozess die entscheidende Rolle. Der Hierarchiemanager (Abb. 101) ist lediglich das Werkzeug, erst der Fach- oder DV-Nutzer ist für die erfolgreiche Nutzung verantwortlich. Geht es um Paneldaten, ist die Marktforschung gefragt. Ein angenehmer Nebeneffekt der Bildung der Masterhierarchie ist die Verwendung bekannter, nachvollziehbarer (Produkt-)Namen; teilweise sind die kryptischen Bezeichnungen in den Panels nur schwer zu entschlüsseln.

Neben dem einmaligen Implementierungsaufwand sind im Betrieb des Systems lediglich die Modifikationen, beispielsweise durch Neueinführungen, zu pflegen. Das schon angesprochene sensible Metadaten-Management prüft die Datenlieferung auf inkonsistente und neue Objekte und zeigt dann auch nur diese zur Pflege an.

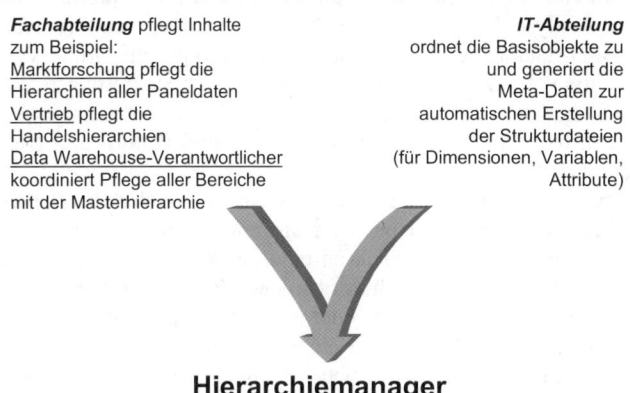

Der Hierarchiemanager als zentraler Bestandteil verbindet Inhalt und Technik

Fachabteilung pflegt Inhalte zum Beispiel:
Marktforschung pflegt die Hierarchien aller Paneldaten
Vertrieb pflegt die Handelshierarchien
Data Warehouse-Verantwortlicher koordiniert Pflege aller Bereiche mit der Masterhierarchie

IT-Abteilung ordnet die Basisobjekte zu und generiert die Meta-Daten zur automatischen Erstellung der Strukturdateien (für Dimensionen, Variablen, Attribute)

Hierarchiemanager

Abb. 101: Der Hierarchiemanager

Auf dieser Plattform ist es dann auch möglich, mit gelernten Prozessen für Category-Management-Projekte weitere Datenquellen zu integrieren.

Der notwendige Leveragefaktor „Integration" bezieht sich nicht nur auf Anwenderbedürfnisse, Technik und Daten, sondern explizit auch auf das Data-Warehouse-Team in den Phasen Erstellung und Wartung des Systems.

15.4.3 Hierarchien als Grundlage für detaillierte Analysen

In einem Entscheidungsunterstützungssystem sind Hierarchien mehr als nur einfache Datenaggregationsstufen. Ausgehend von dem vorliegenden Projekt, werden die Hierarchien der Handelskunden im operativen Fakturasystem erstellt sowie gepflegt und sind gleichzeitig Basis der Preisfindung für die Rechnungsstellung. Der Export ins Data Warehouse erfolgt, wie beschrieben, automatisch. Aus der Perspektive der Auswertung, des Reportings sowie der Analyse bieten Hierarchien einen exzellenten Einstieg in einen Top-down- oder Bottom-up-Analysepfad. Werden neben absoluten Größen auch Veränderungsraten, beispielsweise zu Vorperioden, oder Differenzen auf Grund von Planabweichungen analysiert, lassen sich über die einzelnen Hierarchien und Dimensionen, wie z. B. Kunde, Produkt, Zeit, Gebinde oder Vertriebsschiene, schnell die „Entscheidungsbereiche" identifizieren. Gerade die Dimension Kunde bietet vielfältigen Spielraum: Neben der Abbildung der Handelshierarchien, um zu erkennen, welches Outlet, Lager oder welche Region Abweichungen aufweist, bietet eine Hierarchie, die nach der eigenen Betreuerstruktur, also Verkaufsaußendienst und Key-Account-Management die einzelnen Kunden aggregiert, schnelle Erkenntnisse darüber, wer noch „etwas nacharbeiten" muss.

Einen anderen Aspekt bringen qualitative Informationen der komplexen Handelsstrukturen. Anzahl und Größe einzelner Outlets und die Belieferungsstruktur der Handelslager sind eine gute Basis, um Kenngrößen der Leistungsfähigkeit eigener Produkte, zumindest annähernd, zu berechnen.

Die Dynamik im Handel, beispielsweise auf Grund von Konzentrationsprozessen, kann auch zur Analyse der Absatzerfolge herangezogen werden. Insbesondere die Flächenexpansion, unabhängig von Neueröffnungen oder auf Grund von Zukäufen, ist ein wichtiges Indiz für die Bemessung „wahrer" Steigerungsraten. Mit einem Attribut, welches das Datum des Zugangs enthält und das dem jeweiligen zugekauften Kunden bzw. der Schiene zugeordnet ist, sind Brutto- und Nettozuwachsraten schnell zu erkennen.

Dies gilt selbstverständlich auch bei interner Betrachtung der Erfolge der jeweiligen Kundenbetreuer. Nur wenn bei Handelsveränderungen auch die historischen Umsätze „mitgenommen" werden, ist eine „wahre" Veränderungsrate zu ermitteln. Dabei birgt die an sich einfach erscheinende Funktion einige Probleme: Verkauft ein Handelsunternehmen Outlets oder ganze Vertriebsschienen, vollzieht sich auf der Industrieseite der Wechsel zu einem rechtlich neuen Kunden – mit neuer Kundennummer. Erst wenn diesem neuen Kunden, der aus rechtlicher Perspektive keine Historie hat, der Umsatz des alten, gesperrten Kunden zugeordnet wird, ist die Basis für eine genaue Betrachtung gelegt.

15.5 Ausgewählte Erfolgsfaktoren des Projekts

Ein Data-Warehouse-Projekt folgt ganz eigenen Gesetzmäßigkeiten, die es auf dem Weg zum Erfolg zu berücksichtigen gilt (vgl. Abb. 102). Es ist primär kein IT-Projekt, weil die Abbildung der Anforderungen der Anwender technisch anders geartet ist als „klassische" IT-Projekte. Damit ist jedoch nicht gesagt, dass eine Reihe von Projektaufgaben eindeutig in den IT-Bereich gehören. Andererseits können die potenziellen Nutzer nicht ohne weiteres ihre Anforderungen spezifizieren und technisches Verständnis für die Lösung ist auch nicht immer vorhanden.

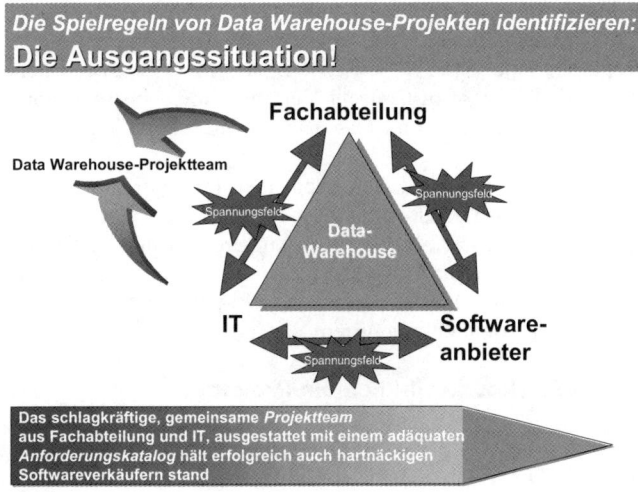

Abb. 102: Ausgewählte Erfolgsfaktoren des Projekts

15.5.1 Teambildung, Anforderungen identifizieren und Partnersuche

Die denkbar schlechte Ausgangssituation wird zudem noch dadurch verschärft, dass auf Seiten der Softwarehersteller Verkäufer mit „hoher Abschlussfähigkeit" arbeiten, die nicht immer zwangsläufig die ideale Lösung für den Kunden anbieten können.

Als Lösungsansatz hat sich ein interdisziplinäres Projektteam bewährt, das unter Leitung der Fachabteilung geführt wird. Dieses Team ermittelt die Anforderungen, zunächst inhaltlich und danach technisch. Auf Basis des Geschäftsprozess-Entscheidungsmodells werden die Anforderungen der Anwender erarbeitet. Liegen allen Modelle vor, werden diese ebenso zusammengefasst wie die Erwartungen an das Programm, mit dem auf das Data Warehouse zugegriffen wird. Gleichzeitig können die Data-Warehouse-Projektteammitglieder aus dem IT-Bereich technische Anforderungen skizzieren. Erst jetzt sollte eine Marktrecherche durchgeführt werden – und keineswegs bevor die internen Anforderungen geklärt sind. Dieses ist ein einfacher, fast trivialer, dennoch ungemein entscheidender Erfolgsfaktor eines Data-Warehouse-Projektes.

Aus der Anbieterrecherche sollten bis zu fünf Anbieter ausgewählt und zu einer Präsentation eingeladen werden. Es ist dringend darauf zu achten, dass der Softwareanbieter eine klare, nachvollziehbare Leitline für seine Präsentation erhält, die vom Projektteam erarbeitet werden muss. Präsentationen ohne diese Vorgabe kommen über eine mit geringer Effizienz durchgeführte „Präsentationsschlacht" kaum hinaus. Als wichtigstes Kriterium ist die mangelnde Vergleichbarkeit bei individuellen Präsentationen anzuführen.

Die bereits angesprochene Leitlinie ist auch Basis für Referenzbesuche, die auf Grund der Präsentationen der Anbieter mit einigen Kunden durchgeführt werden sollten. Gesprächspartner sollten alle Beteiligten sein, vor allem auch die, die den täglichen Betrieb des Systems durchführen – und über Erfahrungen abseits der Hochglanzprospekte berichten können.

Das Auswahlverfahren sollte dann im vorletzten Schritt zwei Anbieter hervorgebracht haben, die in einem Proof-of-Concept-Verfahren ihre Leistungsfähigkeit mit unternehmenseigenen Strukturen und Daten in einem Testumfang unter Beweis stellen.

Ist ein Partner ausgewählt, empfiehlt sich über einen Prototyp sukzessive das System aufzubauen. Erstens wird dadurch das Zusammenspiel der Soft- und Hardware kennen gelernt und zweitens ist es besser, in kürzeren Abständen Projekterfolge zu dokumentieren, um so beim Anwender das Interesse auf mehr Leistungsumfang zu wecken. Projekte, die über einen langen Zeitraum nichts „Handfestes" präsentieren, sind häufig zum Scheitern verurteilt.

15.5.2 Ist ein Data Warehouse wirklich ein Projekt?

Mit der Bezeichnung „Projekt" wird häufig eine temporäre Aufgabe verbunden. Die Entscheidung für ein Data Warehouse, die normalerweise auf Unternehmensleitungsebene getroffen wird, ist gleichzusetzen mit der Investition in eine Maschine: Pflege, Wartung und nicht zuletzt Bedienung sind unerlässlich, will man die Investition mit positivem ROI betrachten.

Mit der Entscheidung für ein Data Warehouse entstehen gleichzeitig neue Aufgaben, die nach der anfänglichen Entwicklungs- und Aufbauphase entstehen und für die schon von Beginn an Verantwortlichkeiten definiert werden sollten.

Sowohl auf der inhaltlichen als auch auf der technischen Seite ist ein Datenqualitätsverantwortlicher zu bestimmen. Aus technischer Sicht wird geprüft, ob alle Daten korrekt bereitgestellt worden sind und die Verarbeitungsprozesse komplett abgeschlossen wurden. Dem Datenqualitätsverantwortlichen sollte ein Verantwortlicher für die inhaltliche Perspektive zur Seite stehen, der mit den Daten und Strukturen auf Grund seines Tagesgeschäfts vertraut sein sollte. Er prüft, ob die im System dargestellten Daten auch tatsächlich die Realität abbilden.

IT- und Fachabteilung haben nach Einführung eines Data Warehouses ihren Informationsbedarf aus diesen Quellen zu befriedigen. Andere Wege zu den Datenquellen (z. B. im Sinne eines Nebenreportings auf das Fakturasystem) oder abteilungsinterne Datenbanken in der Fachabteilung sollten konsequent unterbunden werden. Sonst ist die Akzeptanz des Data Warehouses gefährdet.

Die organisatorische Einbindung der Data-Warehouse-Verantwortlichen sowohl auf der IT- als auch auf der Fachabteilungsseite sind von Anfang an eindeutig festzulegen. So muss beispielsweise der IT-Bereich klären, wer für die Datenbankpflege zuständig ist. Auf Grund veränderter technischer Anforderungen empfiehlt sich keinesfalls die Einbindung dieser Aufgabe in das Team, welches für die Datenbanken der operativen Systeme (z. B. SAP) zuständig ist. Gemeinsam müssen Fach- und IT-Abteilung festlegen, welche Personen welchen Zugriff auf die Datenbestände bekommen.

Updateprozeduren mit ihren Zeitfenstern sind ebenso festzulegen wie eindeutige Bestimmung der „führenden Systeme", d. h. welche Systeme als Quelle für das Data Warehouse gültig sind. Damit geht die Frage einher, an welcher Stelle des Datenflusses Fehler zu korrigieren sind. Eindeutige Zuständigkeiten vermeiden unnötige, unproduktive Schuldzuweisungen und erhöhen das Verantwortungsgefühl für Daten.

Abseits technischer und organisatorischer Fragen ist es von Beginn des Projektes an enorm wichtig, Daten und Strukturen aus der gesamten Anwenderperspektive einheitlich zu definieren: In jedem Unternehmen gibt es spezielle Kennziffern, deren Definition in einem Glossar abgelegt werden sollten.

15.6 Ausblick

Mit dem erfolgreichen Betrieb eines Data Warehouses entstehen viele Wünsche für den weiteren Ausbau des Leistungsumfangs.

Das vorliegende Projekt wird im nächsten Schritt „browserfähig" gemacht, d. h. in das lokale Intranet integriert. Damit reduziert sich für die IT-Abteilung der Wartungsaufwand bei Softwareupdates, weil diese lediglich zentral auf dem Server durchgeführt werden müssen. Der einzelne PC des Anwenders bleibt dabei unberührt. Nutzer freuen sich über die Integration eines weiteren Programms in den Internetbrowser, was den Aufwand, in mehreren Programmen parallel zu arbeiten, deutlich reduziert.

Neben dem Wunsch einiger Anwender, auf Daten in noch detaillierterer Form zugreifen zu können, werden auch einzelne Geschäftsprozess-Entscheidungsmodelle angepasst. Hier wird angestrebt, noch mehr als die bislang vier Dimensionen einzelner Variablen zu verwenden.

Zur weiteren Erleichterung von Category-Management-Projekten steht die vereinfachte Integration projektspezifischer Daten auf der Wunschliste. Genauso werden Anforderungen auf Grund des europäischen Key Account Managements Berücksichtigung finden, damit die kurzfristige Analyse über Landesgrenzen hinweg problemlos durchgeführt werden kann.

Literaturverzeichnis

Chamoni, P.; Gluchowski, P.: Analytische Informationssysteme. Berlin, Heidelberg, New York (1998).

Codd, E. F; Codd, S.B.; Salley C.T.: Providing OLAP (On-Line Analytical Processing) to User-Analysts: An IT Mandate, White Paper, Codd & Date Inc. Sunnyvale (1994).

Hannig, U.: Data Warehouse und Managementinformationssysteme. Stuttgart (1996).

Inmon, W.H.: Building the Data Warehouse. New York (1992).

Inmon, W.H.: Building the Data Warehouse. Second Edition, New York (1996).

Martin, W.: Data Warehousing: Data Mining – OLAP. Bonn (1998).

Osterfelt, S.: Business Intelligence: Top Ten Reasons to Do OLAP. In: DM Review, (06.1998).

Reichmann, T.: Controlling mit Kennzahlen und Managementberichten: Grundlagen einer systemgestützten Controlling-Konzeption. 4. Aufl., München (1995).

16 Case Study eines strategischen Konzepts einer E-Business-Plattform

Andreas Kurz, Robert Neundlinger

16.1 Einleitung

In der Telekommunikationsbranche dominieren zwei Wettbewerbsinstrumente den Konkurrenzkampf: Preis und Service bzw. Dienstleistungen. Bei dem Prozess der Neukundengewinnung nimmt der Konkurrenzkampf mitunter Formen eines ruinösen Wettbewerbs an. Entschließt sich ein Unternehmen einen solchen „ruinösen" Wettbewerb zu führen, muss ein entsprechend tragfähiges Netz gespannt werden, um auf diesem sehr schmalen Grat schreiten zu können. Leistungsfähige Analysewerkzeuge und eine durchdachte IT-Infrastruktur (sowohl operativ als auch informativ) müssen implementiert werden.

Beispielsweise ist zu beachten, dass es auch nicht erwünschte Kunden gibt. Unregelmäßige Umsätze, erhöhter Bearbeitungsaufwand und eine schlechte Zahlungsmoral können Indikatoren für diese Kunden sein. Einer Schätzung von Mummert und Partner[1] zufolge werden von ca. 1,5 Millionen Mobiltelefon-Benutzern in Deutschland die Rechnungen nicht bezahlt. Dabei soll ein Schaden von ca. 383 Mil. Euro entstehen. Verlierer sind dabei jene Unternehmen, welche nicht oder nur mangelhaft moderne Analysewerkzeuge zur Kundenbeziehungspflege einsetzen. Moderne Analysesoftware kann diese Kundensegmentierung in Verbindung mit einem „kundenzentrierten" Data Warehouse sehr treffsicher durchführen.

Anhand der Fallstudie der Telco Incorporated sollen im folgenden Möglichkeiten der Data-Warehouse-gestützten Analyse der Kundenbeziehungen aufgezeigt werden. Es wurde dabei ein fiktiver Fall konstruiert, da kein reales Telekommunikationsunternehmen „freiwillig" über seine strategische Ausrichtung und mittelfristigen Zukunftspläne berichten wird. Die Telco Incorporated stellt daher eine Kombination von bestehenden Angeboten und Lösungen der Telekommunikationsindustrie, eigenen Ideen sowie „Best-Practice"-Prozessen im Telekommunikationsmarkt dar. Dabei flossen auch praktische Erfahrungen aus Projekten der Firma MicroStrategy im Telekommunikationsmarkt ein.

16.2 Begriffliche Grundlagen ausgewählter IT-Trends

16.2.1 Eine Klassifizierung Internet-basierter Unternehmensauftritte

In den letzten Jahren wurden rund um das Thema Internet viele Schlagwörter geprägt. Die Begrifflichkeiten Internet, Intranet und Extranet sowie Business-to-

---

[1] Quelle: Pressemeldung Der Standard Online (<derStandard.at>), Süddeutsche Zeitung On-Line (<www.sueddeutsche.de>) Juni 2000.

Business (B2B) und Business-to-Consumer (B2C), ebenso E-Business und E-Commerce finden sich vielfach in der Literatur. Aufgrund der gleichen oder sehr ähnlichen Bedeutung einiger Begriffe in der Literatur wird im weiteren statt „Extranet" der Begriff „Business-to-Business" verwendet. Anstatt „E-Commerce" wird „Business-to-Consumer" verwendet. Der Begriff „E-Business" wird verwendet, wenn sowohl von „Business-to-Business" als auch von „Business-to-Consumer" gesprochen wird.

Um im folgenden eine Einteilung dieser Begriffe zu erstellen, soll eine Kategorisierung nach zwei Merkmalen vorgenommen werden. Erst sollen die folgenden Fragen beantwortet werden: *Wer sind die Benutzer des Unternehmensauftritts? Steht der Unternehmensauftritt lediglich unternehmensinternen Personen offen oder auch externen Personen?*

Danach stellt sich die Frage, welche Nutzungsmöglichkeiten es gibt. Besteht lediglich die Möglichkeit, sich Information zu holen (einseitige Kommunikation des Unternehmens mit dem Benutzer – Einweg) oder können die Benutzer durch Transaktionen (z. B. Bestellungen) auch in Kommunikation mit dem Unternehmen treten (vollwertige Kommunikation zwischen Unternehmen und Benutzer - Zweiweg)?

Aus diesen beiden Kategorien ergibt sich die Klassifizierung für Unternehmensauftritte aus Abb. 103.

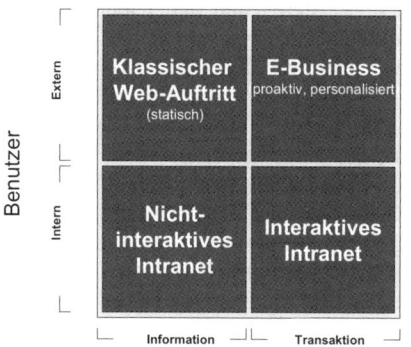

Abb. 103: Klassifikation für Unternehmensauftritte.

Durch die Unterscheidung zwischen B2B und B2C ist es zweckmäßig, die unternehmensexternen Benutzer nochmals in zwei Kategorien zu teilen: Einmal in eine Auswahl der externen Welt, also etwa Partnerunternehmen, („ausgewählte") Kunden oder Lieferanten und in den Rest der Welt.

Des weiteren wurde in der Vergangenheit die Möglichkeit, Transaktionen auszulösen, durch lose Anbindung an die Unternehmenssysteme hergestellt. Diese Anbindung könnte etwa durch Versand einer E-Mail an einen Sachbearbeiter erfolgen, der dann die Bestellung im Transaktionssystem des Unternehmens erst festhalten müsste. In jüngerer Vergangenheit wurde dann eine echte Integration mit den operativen Systemen des Unternehmens (dem sogenannten Unternehmens-Backend) hergestellt. Diese Unterteilung der Transaktion soll unter den Begriffen Interaktion (lose Integration mit Backend) und Integration (echte Integration mit Backend) dargestellt werden.

Aus diesen beiden Unterteilungen ergibt sich daher folgende, erweiterte Klassifizierungsmatrix für Unternehmensauftritte (vgl. Abb. 104).

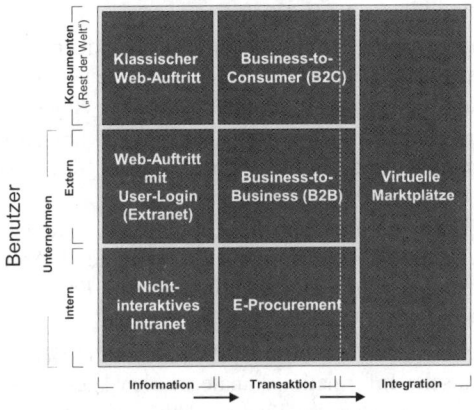

Abb. 104: Erweiterte Klassifizierungsmatrix für Unternehmensauftritte.

16.2.2 Data Warehousing

Der Begriff „Data Warehousing" kann wie folgt definiert werden: „Ein Data Warehouse repräsentiert eine, von den operativen Datenbanken getrennte Decision Support-Datenbank (Analyse-Datenbank), die primär zur Unterstützung des Entscheidungsprozesses im Unternehmen genutzt wird. Ein Data Warehouse wird immer multidimensional modelliert und dient zur langfristigen Speicherung von historischen, bereinigten, validierten, synthetisierten operativen internen und externen Datenbeständen."[2]

Warum soll ein Telekommunikationsunternehmen hohe Summen nicht nur in die operative, sondern auch in die informative IT-Infrastruktur investieren?

Ein Data Warehouse muss als Investition in eine Plattform gesehen werden. Diese offene Plattform dient als „*Enabling Technology*" für eine Vielzahl von unterschiedlichen Analysewerkzeugen. Hierbei spannt sich der Bogen von klassischem unternehmensweiten Berichtswesen, über OLAP, Data Mining bis hin zu intelligentem E-Business / aktiven Informationsportalen. Dabei ist ein offener, integrativer Systemansatz von wesentlicher Bedeutung. Die einzelnen Systemkomponenten (zumeist von unterschiedlichen Herstellern) müssen nahtlos ineinander übergreifen.

---

[2]   Kurz (1999), S. 50.

Welche Beweggründe für eine Investition in ein DW können identifiziert werden?

▨ Aufbau einer bereinigten unternehmensweiten Datenbasis, um betriebswirtschaftliche Transparenz der operativen Vorgänge (Prozesse) zu schaffen. Auch um unternehmensweite Vergleiche (Analysen) berechnen – einfach erstellen, um daraus in weiterer Folge entsprechende betriebswirtschaftliche Strategien ableiten zu können. Kostenwahrheit bzw. –kontrolle (=Kostenreduktion) sind die treibenden Triebkräfte hierbei. Bereinigte operative Datenbestände sind das Fundament für den Geschäftserfolg in der Zukunft.

▨ Aufbau eines (verbesserten bzw. integrierten) Systems zur Kundenbeziehungspflege3. Notwendige Voraussetzung dafür ist ein „kundenzentriertes" Data Warehouse. Der einzelne Kunde steht im Mittelpunkt des Analyseinteresses.

▨ Mittelfristige Sicherung eines Wettbewerbsvorteils, da Entwicklungen (intern sowie extern) schneller erkannt, und die Reaktionsfähigkeit des gesamten Unternehmens dadurch wesentlich verbessert wird.

▨ Unternehmensweite strategische Initiative für die Zukunft des Unternehmens. Dabei beschränkt sich diese Initiative nicht ausschließlich auf die IT-Abteilung, sondern schließt auch die Adaptierung vieler innerbetriebliche Prozessabläufe mit ein.

Das zentrale, unternehmensweite Data Warehouse ist dabei auch die Basis (Plattform) dafür, um neue elektronische Informationskanäle zu den „guten" Kunden mittels Web, Wireless und Voice aufbauen zu können. Abb. 105 beschreibt eine stark vereinfachte Data-Warehouse-Basisarchitektur.[4]

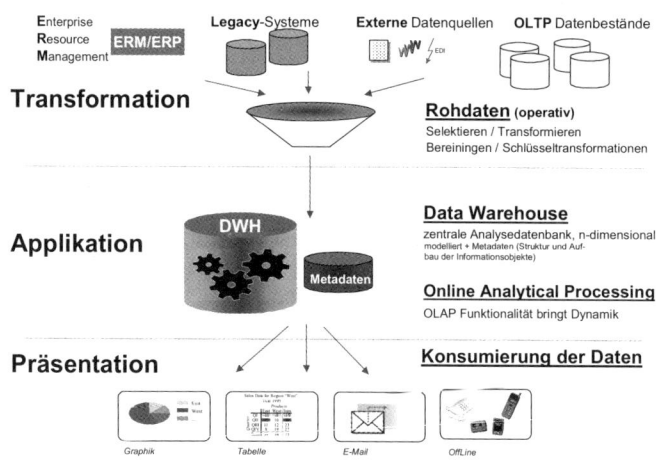

Quelle: Kurz (1999), S. 81.

Abb. 105: Eine klassische Data-Warehouse-Referenzarchitektur

---

3 „Kenne Deine Kunden!" auch im Sinne des Paradigmas „One-to-One" Unternehmen, vgl. Peppers, Rogers (1997).

4 Eine detaillierte Darstellung dieser Architektur kann Kurz (1999) entnommen werden.

16.2.3 Pro-Aktive Informationsportale bzw. Internet Portale

16.2.3.1 Definition des Begriffs

Im Zusammenhang mit dem Internet versteht man unter einem Portal eine Website, die Zugang zu einer Reihe von Dienstleistungen und Informationen bietet und zudem als Startpunkt für das Internet dienen soll. Den Benutzern soll durch diesen „Single Point of Access" der Zugang zum Internet und seinen vielen Ressourcen erleichtert werden.

16.2.3.2 Klassifizierung von Portalen

Portale sollen im Anschluss anhand von sechs Kriterien (Dimensionen) klassifiziert werden:

- *Benutzergruppen:* Wer sind die Benutzer des Portals? Sind es lediglich unternehmensinterne Personen, oder steht das Portal einer Auswahl von unternehmensexternen Personen oder sogar allen Internet Anwendern zur Verfügung? (Ausprägungen: unternehmensintern, Auswahl unternehmensextern, alle).
- *Zugangsmedien:* Mittels welchen Medien bzw. Endgeräten ist das Portal erreichbar? Heutzutage stehen als Zugangsmedien Web Clients, WAP (Wireless Application Protocol) Clients oder Voice Clients (jedes herkömmliche Telefon) zur Verfügung. (Ausprägungen: Web, Wireless, Voice).
- *Content:* Welcher Inhalt wird am Portal (an-)geboten? Ist das Portal themenbasiert, also vom Inhalt auf bestimmte Themengebiete beschränkt oder bietet es uneingeschränkte Inhalte? (Ausprägungen: beschränkt, unbeschränkt).
- *Lieferart (Delivery):* Wie kommen die Anwender zu den Information? Müssen die Anwender die Information abholen oder wird diese automatisch zugestellt? Ist das Portal also aktiv oder passiv bzw. reaktiv? (Ausprägungen: aktiv, passiv).
- *Nutzungsarten:* Wie kann das Portal genutzt werden? Dient es dazu, dass Anwender sich informieren, ist es möglich Transaktionen zu starten (z. B. Bestellungen) oder fördert das Portal die Zusammenarbeit und/oder Kommunikation zwischen den Anwendern? (Ausprägungen: Information, Transaktion, Kollaboration).
- *Struktur:* Welche Struktur hat das Portal? Sind die Inhalte statisch oder nach persönlichen Präferenzen gefiltert und personalisiert? Erfolgt die Personalisierung durch den Benutzer selbst oder aufgrund von festgestellten Verhaltensmustern (z. B. vergangene Bestellungen)? (Ausprägungen: statisch, benutzerdefinierte Personalisierung, Analyse-getriebene Personalisierung).

16.2.3.3 Prägnante Eigenschaften von Portalen

Um von den Benutzern akzeptiert zu werden und um den Aufwand für den Betreiber des Portals vertretbar zu halten, sollte ein Portal nachfolgende Eigenschaften aufweisen. Diese Hauptkriterien sind zugleich Klassifizierungsmerkmale[5] der am Markt bereits verfügbaren Portal-Lösungen.

- *Hohe Qualität der Inhalte und der Services:* Bieten die Inhalte und Services für die Benutzer keinen echten Nutzen, so nimmt das Interesse an einem Portal rapide ab.[6]
- *Benutzbarkeit:* Wie gut die Inhalte und Services auch sein mögen, wenn die Benutzer nicht mit einigen wenigen Mouse-Clicks und ohne langes Probieren / Navigieren ans Ziel gelangen, so wird das Portal sehr rasch wieder verlassen. Angemessene Antwortzeiten und die Verfügbarkeit (24 Stunden am Tag, 7 Tage die Woche, 365 Tage im Jahr), sind dabei genauso wichtig, wie verschiedene Wege, um zur Information zu gelangen. Zu den Standards gehören eine thematische Verzeichnisstruktur und Suchfunktionen.
- *Sicherheit:* Die vertrauliche Behandlung gesammelter Daten ist wesentliche Voraussetzung dafür, von Portalbenutzern Informationen (z. B. Adresse, etc.) zu erhalten. Zwischen den Benutzern und dem Portalbetreiber muss eine Vertrauensbasis geschaffen werden.
- *Integration mit bestehenden Systemen:* Ohne Integration mit der gesamten technischen Infrastruktur des Portalbetreibers und/oder der Partnerunternehmen wird der Betrieb des Portals sehr bald zur Kostenfalle. Dies gilt im speziellen für Portale, über die Geschäftsprozesse angestoßen werden können. Die Verwendung von offenen Technologien ist demgemäss ein Muss (wesentlicher Erfolgsfaktor).

16.2.4 Customer Relationship Management (CRM)

Customer Relationship Management (Kundenbeziehungspflege) ist die hohe Kunst, Neukunden gewinnen zu können („Not yet Customer"), bestehende Kundenbeziehungen zu pflegen („New Customer"), wachsen zu lassen und schlussendlich bestehende Kunden zu halten („Loyal Customer").[7]

Ist Customer Relationship Management ein alter Wein in neuen Schläuchen?

Ein treffender Vergleich zwischen den „neuartigen" Konzepten des CRM's lässt sich mit einem „Tante Emma"-Laden um die Ecke ziehen. Die Ladenbesitzerin, „Tante Emma", hat einen überschaubaren Laden (kennt alle Ihre Produkte mit Schwächen und Stärken) und kennt auch (fast) alle Ihre Kunden persönlich. Sie kennt deren individuellen Bedürfnisse und „Eigenarten". „Tante Emma" (versucht) diese Kundenbedürfnisse voll zu befriedigen. Sicherlich ist die „Tante Emma" sehr bedacht auf die individuellen Beziehungen zu Ihren Kunden. Diese loyalen („guten") Kunden, welche Ihr regelmäßige Umsätze bescheren, wird Sie hegen und pflegen. Sicherlich wird die „Tante Emma" Ihre Kunden nicht „krampfhaft" von neuen Produkten überzeugen. „Tante Emma" beobachtet das Verhalten Ihrer Kunden, und zieht danach (aus begreiflichen betriebswirtschaft-

---

5   Vergl. dazu auch die 12 klassischen OLAP-Evaluierungsregeln von Codd.
6   Der Qualitätsanspruch eines Portalbetreibers muß außergewöhnlich ausgeprägt sein. Qualitätssicherung (QA) der angebotenen Dienste sowie des Contents stellt einen wesentlichen Erfolgsfaktor dar.
7   Vgl. Godin (1999); Kurz (1999); Peppers (1997).

lichen Überlegungen) die Konsequenzen. „Tante Emma" würde niemals Ihre Kunden mittels Telefonanrufen belästigen.

„Tante Emma" geht soweit individuelle Dienstleistungen Ihren Kunden anzubieten. Zum Beispiel kann Kunde A seine Rechnungen am Monatsende begleichen, oder der schon etwas älter Kunde B genießt einen Hauszustelldienst. „Tante Emma" versucht einen Mehrwert Ihren Kunden transparent zu vermitteln. Dieser Mehrwert ist den Kunden klar ersichtlich. Dadurch bildet sich im laufe der Kundenbeziehung eine sehr starke Vertrauensbasis – Bindung - zwischen „Tante Emma" und Ihren Kunden aus.

Große Unternehmen (z. B. Handelsunternehmen mit 300 Filialen) können durch den Einsatz elektronischer Hilfsmittel (z. B. elektronische Informationskanäle zu den Kunden oder pro-aktive Informationsportale) „Tante Emma"-Läden imitieren. Der Prozess der persönlichen Kundenbetreuung soll bei modernen integrierten CRM-Lösungen automatisiert werden. Dazu muss das Unternehmen zunächst die Bedürfnisse seiner Kunden kennen und diese befriedigen können. Dem Kunden muss ein entsprechender Mehrwert (Preis oder Service bzw. Dienstleistung) transparent gemacht werden. Des weiteren muss der Kunde[8] persönlich angesprochen werden. Das Unternehmen muss für seine Kunden jederzeit erreichbar sein. Kundenbeziehungspflege endet nicht mit dem Büroschluss.

Abb. 106 beschreibt die Phasen einer Kundenbeziehung aus Sicht eines Unternehmens. Dabei besteht ein integrierter CRM-Lösungsansatz aus drei wesentlichen Komponenten:[9]

- *operative CRM*
  Diese CRM-Systeme (Einzelsysteme – „Insellösungen") setzen auf operativen Datenbeständen des Unternehmens auf.

- *analytische CRM*
  Die zweite Komponente wird durch das analytische CRM gebildet, bei dem auf den Informationsobjekten eines kundenzentrischen Data Warehouses entsprechende pro-aktive CRM-Applikation automatisch angesteuert werden.

- *Verbindung operatives – analytisches CRM*
  Zwischen dem operativen und dem analytischen CRM existiert eine Schnittstelle zum Datenaustausch. Darüber ist eine Multimedia-/Multichannel-Schicht angeordnet. Diese Schicht wird durch die vielfältigen Ausgabemedien, wie E-Mail, Fax, Brief, Wireless, Voice bzw. zur direkten Ansprache durch einen qualifizierten Mitarbeiter des Kundendienstes gebildet. Dabei umfasst diese Schicht Online- und Offline-Medien.

---

[8] Das Konzept des "One-to-One" Unternehmens ist hier zielführend. Sicherlich ist es schwierig bei großen Unternehmen jedem einzelnen Kunde einen persönlichen Betreuer (im Sinne von „Human-to-Human") zur Seite zu stellen. An dieser Stelle kann jedoch moderne Data Broadcasting-Technologie unterstützend eingesetzt werden. „Human-to-intelligent Machine (H2iM)". Zumeist werden Kunden mit ähnlichen Profilen zu separaten Kundensegmenten zusammengefaßt. Jedem Kundensegment werden ein oder mehrere CRM-Manager beigestellt.

[9] Vgl. Meta GROUP (1999); Kalakota, Robinson (1999).

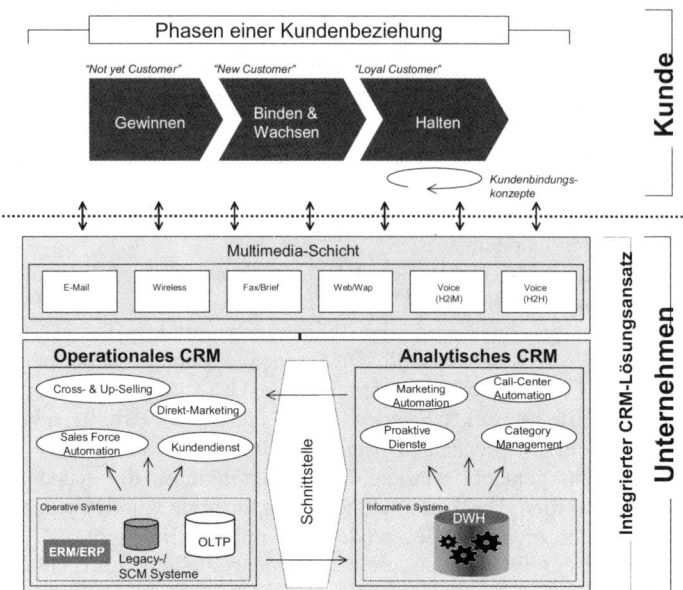

Abb. 106: Phasen einer Kundenbeziehung im Kontext eines CRM-Ansatzes

Was nützen die besten „Papier"-Konzepte ohne Kundenidentifikation?

Viele Ex-Monopolisten der Telekommunikationsbranche sehen sich mit dem großen Problem konfrontiert, dass sie Ihre Kunden nicht kennen. Im Internet-Bereich ist die Anzahl der vergebenen Accounts möglicherweise bekannt, jedoch nicht, ob ein Internet-Kunde auch ein Festnetztelefon oder Mobiltelefon besitzt.[10] Es werden große Anstrengungen unternommen, diese wertvollen Kundendaten neuerlich zu erheben. Dabei sind der Phantasie keine Grenzen gesetzt. Mit Hilfe von „attraktiven" Gewinnspielen oder freien Services (z. B. freier E-Mail Account, SMS-to-E-Mail-Dienst) wird versucht, diese Kundendaten zu erheben. Es besteht allerdings die Gefahr, dass der Kunde über mehrere Kommunikationskanäle unkoordiniert angesprochen wird. Zur Veranschaulichung möge ein reales Beispiel dienen. Kunde B nutzt sowohl Sprachdienste, ein Mobilanschluss als auch einen Internetanschluss bei einem ehemaligen Monopolisten der Telekommunikationsbranche. Dieser Kunde B will von Ort X nach Ort Y umziehen und weiterhin die Dienste des Ex-Monopolisten in Anspruch nehmen. Kurioserweise muss der Kunde B aufgrund der Spartenorganisation des Unternehmens je Business Einheit (Sprachdienste, Mobiltelefon, Internetanschluss) einen separaten Antrag stellen. Die Kommunikation mit den drei verschiedenen Kundendiensteinheiten nimmt einen halben Tag in Anspruch. Es ist für Kunden B nicht möglich, ein entsprechendes Formular in einem Online-Portal auszufüllen, welches sämtliche weiteren internen Vorgänge innerhalb des Ex-Monopolisten steuert. Hier zeigt

---

[10] Vgl. Mattison (1997).

sich ein erschreckendes Bild der Situation dieses Ex-Monopolisten. CRM wird falsch interpretiert, wenn der Glaube vorherrscht mittels eines „freundlichen" Kundendienstes als erlegt abhacken zu können. Neue Telekommunikationsunternehmen haben hier i.d.R. Vorteile. Sie bauen nur ein zentrale Kundendiensteinheit auf und erfassen sofort sämtliche Kundendaten.

Gutes Kundenbeziehungsmanagement setzt eine durchdachte intelligent E-Business Architektur voraus. Abb. 107 beschreibt eine solche Architektur, und identifiziert dabei fünf wesentliche Systemkomponenten.[11] Diese Komponenten bilden mit den operativen Systemen einen geschlossenen Kreislauf, welcher im folgenden vereinfachend beschrieben wird:

1. Die Basis eines integrierten Systems zur Kundenbeziehungspflege bildet das *kundenzentrierte Data Warehouse*. Die Daten über die Kunden werden gesammelt und durch entsprechende externe (demographische) Daten verfeinert.[12]

2. Mittels der *Analyse-Engine* werden aus diesen Rohdaten Informationen gewonnen. Z. B. könnte erkannt werden, dass Kunde B großes Interesse an einem bestimmten Produkt X hat. Dies wurde durch kontinuierliches Beobachten des Kaufverhaltens[13] von Kunde B im elektronischen Geschäft, sowie durch Auswertungen seines Warenkorbes im traditionellen Geschäft eruiert.

3. Die *Personalisierungs-Engine* reduziert den Informationsgehalt (Umfang, Menge) auf den entsprechenden Kunden durch. Für jeden Kunden wird ein individuelles Informationspaket geschnürt.

4. Die *Data Broadcasting Engine* versendet diese Informationspakete an den einzelnen Kunden. Dabei wird auch die vom Kunden gewünschtes (Liefer-)Medium und die gewünschte Periodizität berücksichtigt.

5. Die *Interaktions-Engine* erlaubt dem Kunden auf ein Angebot / Information unmittelbar reagieren zu können. Der Kunde B kann beispielsweise das Ihm angebotene Produkt X, welches Kunde B sich ja insgeheim kaufen möchte, durch einen einfachen Mouse-Click oder dem Drücken einer Taste des Telefons kaufen.

6. Wird vom Kunden eine solche Transaktion angestoßen, ist das operative System anzustoßen. Nachdem diese Transaktion erfolgreich abgearbeitet wurde, fließen mittels des Extraction Transformation and Loading (ETL)-Prozesses wesentliche Informationen wieder zurück in das zentrale, unternehmensweite Data Warehouse (z. B. Information, dass Kunde B auf das – für Ihn individuell geschnürte, aggressive Angebot – auch tatsächlich reagiert hat).

Dadurch entsteht ein Prozesskreislauf des adaptiven Lernens. Man kann auch von einem lernenden Unternehmen („The Learning Organization") sprechen.

Kundenbeziehungpflege muss als ein unternehmensweites, strategisches Unternehmensziel angesehen werden. Kundenbeziehungpflege beschränkt sich nicht nur z. B. auf die Implementierung entsprechender „Sales Force Automation" oder

---

[11] Vgl. MicroStrategy (2000); eingeschränkt Aberdeen Group (1999).

[12] Es ist zu beachten, dass die Kundendaten nur mit Zustimmung des Kunden gespeichert werden dürfen.

[13] In diesem Zusammenhang wird oft auch von „*Tracking*" bzw. anschließendem „*Profiling*" gesprochen.

„Direct-Marketing"-Systeme, sondern bedingt auch die Adaptierung von innerbetrieblichen Prozessabläufen.

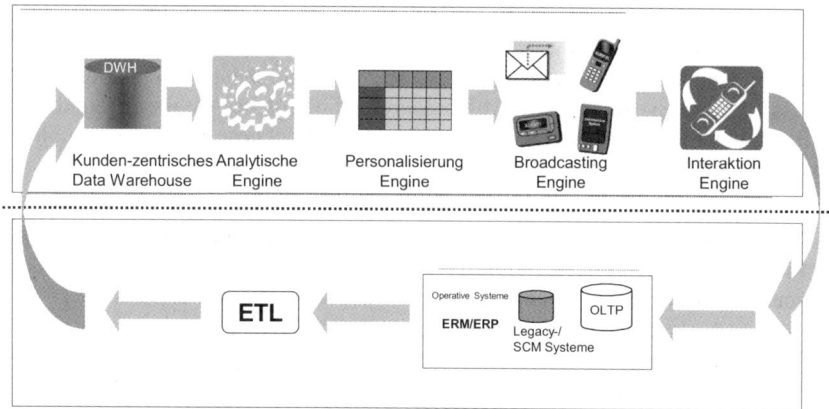

Abb. 107: „The Five Engines" einer E-Business-Architektur

16.3 Marktüberblick Telekommunikation

Im folgenden sollen drei wesentliche Trends aufgezeigt werden, die den Telekommunikationsmarkt bewegen.

16.3.1 Konkurrenzsituation

In allen Geschäftsfeldern (Festnetz, Mobilnetz, Internet und internationales Datennetz) herrscht Konkurrenz. Egal ob das Geschäftsfeld gewinnträchtig ist oder nicht, gekämpft wird um jeden Kunden und jeden Gebührenimpuls.

Im Festnetz herrschen massiver Preisverfall und damit sinkende Gewinnspannen, im Mobilnetz dagegen sind aufgrund immer noch hoher Gebühren die Gewinnspannen hoch. In den neueren Geschäftsfeldern Internet Service Providing (ISP) und Application Service Providing (ASP) sind die Ertragschancen noch weitgehend unbekannt. Im Bereich des internationalen Datennetzes ist noch am meisten offen. Hier geht es zunächst darum, IP-Netzstrukturen zu schaffen, bei denen Daten und Sprache über ein und dasselbe Kabel transportiert werden können (vgl. Abb. 108).

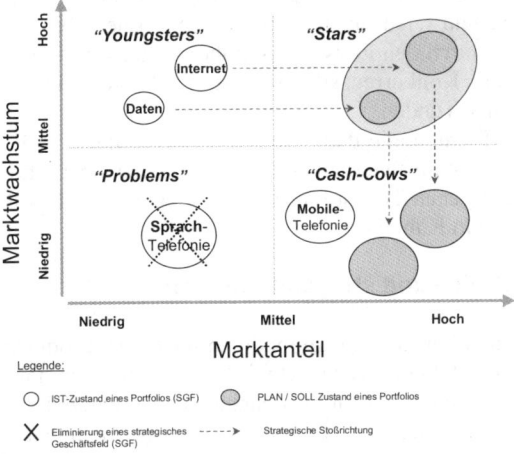

Abb. 108: Telco-Portfolio-Analyse

Die Konkurrenz auf den nationalen Telekommunikationsmärkten wird zusätzlich durch Internationalisierung und branchenfremde Konkurrenz verstärkt. Im Zuge der Internationalisierung drängen große Telekommunikations-Unternehmen, die in gesättigten Märkten agieren, in neue Märkte, wo noch Aufbaupotential besteht. Dies gilt vor allem für Geschäftsfelder, bei denen die Gewinnmargen noch hoch sind.

Was die branchenfremde Konkurrenz anbelangt, so gab es zu Monopolzeiten bereits eine Reihe von Unternehmen, die (abgesehen von der „letzten Meile", also dem letzten Verbindungsstück zum Kunden) ein entsprechendes Netz an Leitungen hatten. Diese können als Konsequenz daraus ihr bestehendes Leitungsnetz auch gewerblich nutzen. Zu dieser Kategorie gehören beispielsweise Energieversorgungsunternehmen.

Aber auch aus Bereichen, wo Konkurrenz nicht erwartet wird, ist eine hohe Wettbewerbsintensität gegeben. Wenn beispielsweise ein Betreiber von Portalen oder Webshops und Web-Malls einen Internetzugang anbietet und die Investition dadurch rechtfertigt, dass Kunden nach der Einwahl gleich zur Website des Betreibers gelangen. Diese Konkurrenz ist um so unangenehmer, als Erträge anderweitig erwirtschaftet werden, der Betrieb solcher Services also oft zum Selbstkostenpreis angeboten werden kann.

Die Konsolidierung des Telekommunikationsmarktes hat bereits eingesetzt, Zusammenschlüsse, Fusionen, Kooperationen und das „Verschwinden" von Unternehmen prägen den Wettbewerb im Telekommunikationsmarkt.

16.3.2 Kundenzentriert statt Technologiezentriert

Die Technologieentwicklungen haben dazu beigetragen, dass heute die Beherrschung der Technologien nicht mehr im Vordergrund steht. Anbieter haben zumeist ein Technologieportfolio, das sich nur unwesentlich von der Konkurrenz unterscheidet, so dass eine „Commoditization" der Produkte und Dienstleistungen eintritt. Die Produkte und Dienstleistungen werden vergleichbar und unterscheiden sich oft nur noch durch den Preis. Noch höherer Preisdruck, als bereits durch die eingangs genannte Konkurrenzsituation ist die Folge. Hinzu kommt hohe Wechselbereitschaft der Kunden.

Da Produkte und Technologie dadurch eine untergeordnete Rolle spielen, gehen die Telekommunikationsunternehmen langsam dazu über, ihre Kunden zu verwalten anstatt der eigenen Technologien und Produkte. Der Fokus bewegt sich von der Technologie zum Kunden.

16.3.3 Fallende Preise und steigende Kosten

Durch Konkurrenzsituation und „Commoditization" der Produkte sinken die Preise in allen Geschäftsfeldern. Verstärkt wird dies noch durch hohe Markttransparenz, die nicht zuletzt durch das Internet entstanden ist. Parallel dazu steigen die Kosten, da Anbieter versuchen, durch Services der „Commoditization" ihrer Produkte entgegen zu wirken, also die Vergleichbarkeit zu reduzieren. Die Services müssen 24 Stunden am Tag, 7 Tage die Woche, 365 Tage im Jahr (24 x 7) angeboten werden. Die Devise lautet: *„Mehr Service für weniger Geld!"*.

16.4 Fallstudie Telco Incorporated

16.4.1 Telco Incorporated (Ausgangslage)

Telco Incorporated ist ein etablierter Ex-Monopolist, welcher schon lange im Telekommunikationsmarkt in Zentraleuropa tätig ist. Das Unternehmen hat Business-Einheiten in den Bereichen Festnetz-Providing, Mobilnetz-Providing, Internet Service Providing (ISP) und Application Service Providing (ASP).

Die Netzinfrastruktur ist bestens ausgebaut, eine solide Kundenbasis existiert. Die ERP/ERM-Systeme wurden aufgebaut, alle Backoffice-Systeme innerhalb des Unternehmens haben die Umstellung auf das Jahr 2000 und die europäische Einheitswährung gut überstanden. Die technischen Probleme der neunziger Jahre sind damit überwunden und der Weg zu neuen Projekten ist frei.

Ziel von Telco Incorporated ist es, so rasch als möglich eine breite Basis an Produkten und Services auf den Markt zu bringen, um die Kundenbasis auszubauen und bestehende Kunden zu halten.

Aufgrund des guten Geschäftserfolges während der Jahre als Monopolist ist eine entsprechende Kapitaldecke vorhanden. Deshalb und wegen der einsetzenden Konsolidierungsphase im Telekommunikationsmarkt wird bei Telco Incorporated der Faktor Zeit zum Engpassfaktor.

16.4.2 SWOT-Analyse

Zunächst soll durch eine SWOT-Analyse die derzeitige Marktposition des Unternehmens ermittelt und Handlungsbedarf erkannt werden:

- *Stärken* (Strengths): Etabliertes Unternehmen mit guter Kundenbasis; bestehende, erprobte IT-Infrastruktur; Bekanntheit im Markt; Full Service Provider.
- *Schwächen* (Weaknesses): Hohe Preise; Fokus auf die Technik, nicht auf den Kunden; schlechtes Image bei den Kunden durch langjährige Hochpreispolitik; Erfahrung mit der Konkurrenz erst in den letzten Jahren gesammelt.
- *Chancen* (Opportunities): Gute Kapitaldecke; Ressourcen frei, da die Grundprobleme (Netzbetrieb, Billing Systems, Euro-Umstellung, etc.) gelöst sind.
- *Risken* (Threats): Hohe Kosten; wenig dynamisches Unternehmen mit langen Entscheidungswegen; Kunden zu gewinnen ist schwer, welche zu verlieren leicht; Produkte werden zu Commodities; Preise fallen; Mitarbeiter wechseln zur Konkurrenz, weil dort interessantere Aufgaben oder verantwortungsvollere Positionen „warten".

16.4.3 Primäre Geschäftsprobleme

Zusammenfassend aus den angeführten hauptsächlichen Trends des Telekommunikationsmarktes, der speziellen Situation als Ex-Monopolist und der SWOT-Analyse ergeben sich damit folgende primäre Geschäftsprobleme (Herausforderungen) für Telco Incorporated:

- Hohe Kundenwechselrate („Churn Rate")
- Hohe Kosten, speziell durch hohen Personalbedarf für die 24 x 7 Services
- Fallende Preise, damit fallende Margen durch harten Wettbewerb, teilweise von Unternehmen, die ihr Geld in anderen Branchen verdienen (branchenfremde Konkurrenz) und solchen.
- Traditionelle Produkte werden zu Commodities und damit vergleichbar mit Produkten der Konkurrenz, was sich wiederum auf Preise und Kundenwechselrate auswirkt.
- Hohe Fluktuationsrate der Mitarbeiter.

16.4.4 Strategische Unternehmensziele

Telco Incorporated strebt eine Marktführerschaft sowie eine Sicherung der bestehenden Gewinnsituation an.

Zur Erhaltung eines hohen Marktanteils möchte Telco Incorporated einerseits Neukunden gewinnen, weil es unumgänglich ist, dass bestehende Kunden an Konkurrenten verloren werden. Da es viel günstiger ist, einen bestehenden Kunden zu halten, als einen neuen zu werben, möchte man weiter dem Erhalt bestehender Kunden große Aufmerksamkeit widmen.

Zur Gewinnsicherung möchte Telco Incorporated einerseits die Kosten gering halten. Dies soll hauptsächlich durch Nutzung neuer Technologien geschehen, weil die hohen Arbeitskosten in Zentraleuropa die Kosten der bestehenden Produkte und Services in die Höhe treiben. Weiter soll ein effizientes, internes System geschaffen werden, durch das die Prozesskosten der internen wie externen Prozesse gesenkt werden können.

Durch längerfristige Bindung der Mitarbeiter soll die Fluktuation niedrig gehalten werden. Damit können die Kosten für Mitarbeitereinstellungen sowie Schulungsmaßnahmen niedrig gehalten werden.

Auf der Einnahmenseite ist man bemüht, neue Einnahmequellen zu erschließen. Dies soll durch Errichtung von sogenannten „Premium Services" geschehen, für die Nutzer bereit sind, Gebühren zu entrichten.

16.4.5 Maßnahmen zur Zielerreichung

Um die oben genannten Ziele zu erreichen, sollen nachfolgende Maßnahmen durchgeführt werden:

- Errichtung eines Business-to-Consumer Portals mit einem umfassenden Serviceangebot
- Errichtung eines Business-to-Business Portals zur effizienten Gestaltung der Geschäftsprozesse, zum Service für die Partner und (Groß-) Kunden und zur Bindung von Partnern und (Groß-) Kunden an das Unternehmen
- Errichtung eines Enterprise Portals zur effizienten Gestaltung der internen Geschäftsprozesse
- Errichtung eines Data Warehouse zur umfassenden Analyse von Kunden sowie der Netzwerkauslastung und der Kostensituation. Dies soll die Basis für Kundenmanagement und konkurrenzfähige Preise sein.
- Etablierung von Customer Relationship Management im Unternehmen, um die Kunden an das Unternehmen zu binden

Bei diesen Maßnahmen gibt es eine Reihe von Überschneidungen. Drei Portale mit unterschiedlichem Nutzerkreis zu errichten, bedeutet nicht unbedingt linear die dreifache Menge an Hardware und Software, bedeutet nicht, dass drei Projektteams dreimal ähnliche Probleme lösen müssen. Des weiteren ist das Data Warehouse die Basis sowohl für preispolitische Entscheidungen als auch für das CRM.

Weiter soll das B2B-Portal auch zur Bindung von Großkunden an das Unternehmen beitragen. Und nicht zuletzt muss die Aktivität der Kunden, Partner und Interessenten in den Portalen ausgewertet und in das Data Warehouse integriert werden. Ohne diese Integration würde die Gesamtsicht auf den Kunden wegfallen, Cross- und Upselling-Maßnahmen werden ohne vernünftige Informationsbasis durchgeführt.

Aus diesen Gründen sollen o.a. Maßnahmen in folgende Initiativen gegliedert werden:

- Mitarbeitermotivation und -bindung
- Kundengewinnung
- Errichtung eines umfassenden Portals (Enterprise, Business-to-Business und Business-to-Consumer), in welches das Data Warehouse integriert sein soll und welches die Basis für Customer Relationship Management darstellt.

16.4.5.1 Mitarbeitermotivation und -bindung

Im wesentlichen werden im Rahmen dieses Projekts ein Bonussystem zur Motivation, sowie Stock-Option-Pläne und andere Mitarbeiterbeteiligungsmodelle zur langfristigen Bindung der Mitarbeiter vorgeschlagen. Weiterer Einflussfaktor ist auch das Projekt zur Errichtung des umfassenden Portals. Innovative und interessante Projekte, bei denen Mitarbeiter durch Delegation von Verantwortung motiviert werden können, ist i.d.R. eine gute Bindungsmaßnahme.

16.4.5.2 Kundengewinnungsmaßnahmen

In diesem Projekt geht es hauptsächlich um klassische Marketingmaßnahmen. Überlegt werden eine neue Werbestrategie, günstige Einstiegskonditionen für Neukunden (freie Sprechzeit, kostenloses Mobiltelefon), eine weitere Segmentierung der Tarife (Geschäftstarife und Privattarife mit unterschiedlichen Grundgebühr- und Telefongebührmodellen), ein Bonussystem für bestehende Kunden, die Neukundenwerbung, eine Art „Meilensystem" (Bonus ab einer gewissen Anzahl von konsumierter Sprechzeit) und die Einführung eines Kundenmagazins. Weiter wird überlegt, die Mobiltelefone guter Kunden jedes Jahr durch Neugeräte gratis zu ersetzen und eine Versicherung für Mobiltelefone anzubieten.

16.4.5.3 Errichtung eines umfassenden Portals

Ziel dieser Initiative ist, den Kunden, Großkunden und Partnern ein umfassendes Serviceangebot per Web, WAP und Sprache zu bieten, ohne die laufenden Kosten ins Unermessliche steigen zu lassen. Weiteres Ziel ist die Errichtung eines Data Warehouse samt Anbindung an das Portal. Damit soll eine Integration aller Datenquellen (Billing Systeme, Call Center, Datenbanken der verschiedenen Geschäftsbereiche, Marketingdatenbanken, Aktivität am Portal, etc.) erreicht werden. Diese Integration wiederum soll Basis sein für ein produktübergreifendes Kundenmanagement mit einer möglichst detaillierten Rundumsicht auf den Kunden.

Das *Portal* soll in etwa folgende Teilbereiche umfassen:

Klassische Website

Allgemeine Information über das Unternehmen, Pressemitteilungen, Informationen für Aktionäre, Gewinnspiele, Unternehmensstandorte, Jobbörse, Kontaktmöglichkeit, etc.

Commerce Bereich

Produktinformationen, Branchenkomplettlösungen (Pakete für verschiedene Branchen), Online-Shop (Mobiltelefone oder sonstige Endgeräte, etc.), aber auch Ticketreservierung und -verkauf (Kino, Konzert, Theater, etc.), Blumenverkauf und -zustellung, Reisebüro Services und andere werden hierfür in Betracht gezogen.

Offen zugänglicher Service Bereich bzw. Free Services

Dieser Servicebereich soll hauptsächlich dazu dienen, Kunden und Interessenten zum Portal zu führen. Überlegt werden Services wie die Möglichkeit, SMS über eine Web-Oberfläche zu versenden, freie E-Mail-Accounts, die Verwaltung von Links auf Seiten im World-Wide-Web, Diskussionsforen, Chatrooms und einige andere, die kostengünstig errichtet werden können.

Servicebereich für bestehende Kunden bzw. Premium Services

Durch den Servicebereich sollen für bestehende Kunden Mehrwerte geschaffen werden. Alternativ dazu wird überlegt, für die Premium Services auch Gebühren zu erheben. Diese könnten bei bestehenden Kunden über deren Telefonrechnung abgerechnet werden, wodurch auch das Problem der MicroPayments (Zahlung kleiner Beträge, bei denen leicht die Kosten für den Zahlungsvorgang die eigentliche Zahlung übersteigen) gelöst wäre.

Den Kunden sollen hierbei vier Arten von Services geboten werden: Content Services, Data Services, Transaction Services und Application Service Providing.

Die *Content Services* sollen Nachrichten aus Politik, Wirtschaft, Finanz und Sport umfassen. Weiter sind ein Wetterinformationsdienst und Informationen zur Verkehrslage auf den Straßen geplant. Wesentliche Funktionalität hierbei ist, dass die Kunden sich die Nachrichten selbst aussuchen können, die an sie versandt werden. Es soll nicht die gesamte Bandbreite an Information an jeden Kunden verschickt werden, sondern nur die gewünschten Informationen an die gewünschte Adresse geliefert werden.

Die *Data Services* betreffen Auswertungen über die Aktivitäten der Kunden bei Telco Incorporated. Speziell für Großkunden sollen Aufstellungen über die letzten Telefonrechnungen, die Verteilung der Gesprächsgebühren auf die verschiedenen Tarife und Länder und ähnliche Auswertungen angeboten werden. Auch hier steht die Filterung im Vordergrund. Einerseits dürfen Kunden nur die eigenen Daten sehen, andererseits soll auch hier aus dem gesamten Datenvolumen selektiert werden können.

Sowohl Content als auch Daten Services sollen nicht nur personalisiert, also auf die Informationsbedürfnisse der Kunden zugeschnitten sein, sondern auch aktiv geliefert werden. Bei passiver Informationslieferung müssen die Kunden zum Portal kommen, um dort Information anzufordern. Bei aktiver Lieferung kann nach fixen Zeitplänen oder bei Eintritt gewisser Ereignisse (z. B. die Telefonrechnung überschreitet einen vom Kunden definierten Betrag) zugestellt werden. Einmal bestellt, braucht der Kunde sich nicht mehr um die Information zu kümmern.

Die *Transaction Services* betreffen als Beispiel Bestellungen von Telefonanschlüssen, Änderung von Tarifen (z. B. von Privat auf Geschäft), Rufnummernumleitung einzugeben und zu ändern, aber auch Problemfälle zu melden, den Status von Problemfällen zu verfolgen, Information anzufordern und sonstige eCall-Center-Funktionalität. Kurz gesagt geht es um die Auslösung von Geschäftsprozessen.

Bei den *Hosting Services* können Kunden kleinere Commerce Sites von Telco Incorporated betreiben lassen. Die gesamte Infrastruktur sowie die Abwicklung der Zahlung und Analyse der Aktivität auf der Web Site will Telco Incorporated als Lösungskomplettpaket anbieten.

Enterprise Portal

Das unternehmensinterne Portal teilt sich in Informationen, Geschäftsprozesse und Kollaboration.

Beim Informationsteil haben die Mitarbeiter des Unternehmens Zugriff auf Unternehmensrichtlinien, Produktinformationen, auf die unternehmenseigene

Knowledge Base, das Mitarbeiterverzeichnis und natürlich auf den Speiseplan der Unternehmensstandorte und ähnliches.

Der Geschäftsprozessteil widmet sich der elektronischen Bestellung von Büromaterial, der Verwaltung von Zeitkonten der Mitarbeiter, Beantragung von Urlaub und Dienstreisen etc.

Im Kollaborationsteil geht es um die elektronische Förderung von Zusammenarbeit, vor allem bei Teams, die geografisch verteilt arbeiten. Hier kann für Projektteams eine Ablage für Projektpläne, Dokumentationen, To-Do-Listen und ähnliches eingerichtet werden.

16.4.6 Klassifizierung von Initiativen

Selbstverständlich ist Telco Incorporated nicht in der Lage, alle die genannten Vorhaben unmittelbar durchzuführen. Daher ist es notwendig, eine Klassifizierung der Initiativen vorzunehmen, um dann eine sinnvolle Umsetzungsreihenfolge festzulegen.

Am Beispiel der Initiative Errichtung eines Portals soll eine Klassifizierung von Initiativen vorgenommen werden. Hierbei sollen die Bestandteile des Portals (klassische Website, Commerce Bereich, Free Services, Premium Services, Enterprise Portal) danach klassifiziert werden, wie geschäftskritisch und innovativ die einzelnen Ansätze sind.

In dieser Portfolio-Matrix aus Abb. 109 stellt der linke Teil, also die Sektoren I und IV, die Kostenreduktionsseite dar. Bei geringem Innovationsgrad geht es darum, Kosten zu sparen und auf diese Weise Gewinne zu vermehren. Die rechte Hälfte, Sektoren II und III, hingegen bedeutet die Erschließung neuer Einnahmequellen.

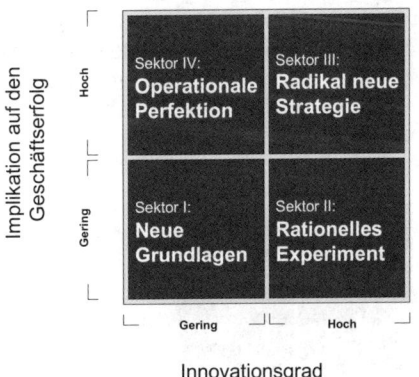

Abb. 109: Generische Portfolio-Matrix zur strategischen Zielbewertung

In Sektor I aus Abb. 109 finden sich zumeist bestehende Anwendungen, bei denen ein Web-Zugriff ermöglicht wurde (Web-enabling). Es handelt sich um kurzfristige, kostengünstige Projekte mit geringem Risiko.

Sektor II bietet die Möglichkeit, mit den neuen Möglichkeiten zu experimentieren. Kurz laufende Projekte zur Erschließung neuer Einnahmequellen, wobei die Haupteinnahmequellen des Unternehmens davon unberührt bleiben. Ein Scheitern solcher Projekte fügt dem Unternehmen nur geringen Schaden zu.

Sektor III setzt bei geschäftskritischen Prozessen an. Hierbei kann es sein, dass das Grundgeschäft des Unternehmens davon betroffen ist (Kannibalisierung eigener Produkte). Ein Scheitern in diesem Sektor ist mit einem Imageverlust für das Unternehmen verbunden. Des weiteren handelt es sich um längerfristige Projekte mit höherem Kapitalaufwand.

Sektor IV beschäftigt sich mit der Transformation geschäftskritischer Prozesse in den normalen Ablauf. Hier geht es um Reduktion der Betriebskosten und Verbesserung des Betriebs.

E-Business Initiativen beginnen meist bei Sektor I und bewegen sich dann entweder gegen den Uhrzeigersinn, wo diese über die Experimentierphase in Sektor II zu neuen Strategien in Sektor III kommen, um danach operational perfektioniert zu werden. Diese operationale Perfektion bedeutet zu einem wesentlichen Teil Kosteneinsparungen beim Betrieb. Oder aber die Initiativen wandern direkt von Sektor I in Sektor IV, wird also gleich operational perfektioniert, um danach als neue Strategie in Sektor III zu enden.

Die einzelnen Ansätze von Telco Incorporated finden sich nachfolgend in Sektoren eingeteilt:

Die Initiativen im Sektor I sind somit Basis für die Initiativen in Sektor IV und Sektor II. Das Unternehmen bringt die Initiativen also in beiden o.a. Stoßrichtungen weiter. Die Erfahrungen aus den Sektoren IV und II sind dann Grundlage für die Initiative in Sektor III.

16.4.7 Priorisierung von Projekten

Jede der Initiativen ist weiter in Projekte zu unterteilen. Aufgrund von Ressourcenknappheit müssen auch diese Vorhaben priorisiert werden (Vgl. Abb. 109). Danach können die einzelnen Projekte in mehreren Phasen umgesetzt werden. Im Anschluss soll am Beispiel der Initiative „Premium-Services" eine Zerlegung in Projekte vorgenommen werden (vgl. Abb. 110).

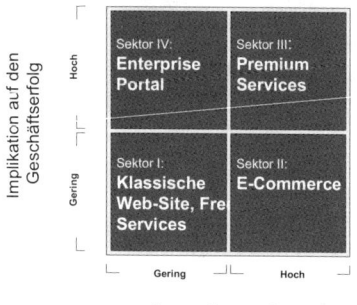

Abb. 110: Portfolio-Matrix für Telco, Incorporated

Wie bereits erwähnt bestehen die Premium Services aus folgenden Teilen:

- *Content* Services: Nachrichten, Sport, Wetter, Verkehrsfunk
- *Daten* Services: Zugriff auf jenen Teil des Data Warehouse, in dem die eigenen Aktivitäten abgebildet sind (z. B. eigenes Tarifaufkommen)
- *Transaction Services*: Bestellungen, Tarifänderungen, etc.
- *Application Service Providing* (ASP): Betrieb von Websites, Web shops, etc. durch Telco Incorporated

Diese Projekte werden nach notwendigen („geschätzten") Investitionskosten und betriebswirtschaftlicher Priorität für das Unternehmen in Form einer Portfolio-Matrix eingeteilt werden. Abb. 111 beschreibt eine solche Portfolio-Matrix für Telco Incorporated.

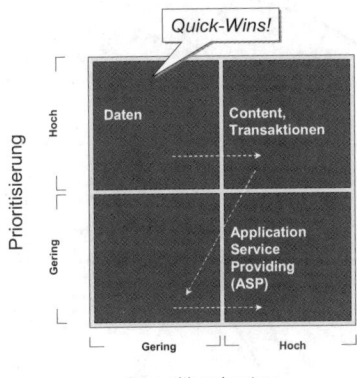

Abb. 111: Priorisierung der einzelnen Projekte innerhalb von Telco Inc.

In der linken oberen Ecke aus Abb. 111 befinden sich die sogenannten „Quick-Wins", also jene Projekte, die mit geringen Kosten umgesetzt werden können, aber als geschäftskritisch eingestuft wurden. Das sind jene Projekte, die zuerst umgesetzt werden, um rasch Erfolge erzielen zu können. Danach wagt man sich zumeist an die Muss-Projekte der oberen rechten Ecke. Nachdem diese zuvor genannten Projekte umgesetzt wurden, ergibt sich die Frage, ob nun zuerst jene Projekte aus der unteren linken oder rechten Ecke bearbeitet werden sollen. Beide Projektarten haben geringes betriebswirtschaftliches Potential und unterscheiden sich nur an den Investitionskosten. Viele Unternehmen werden sicherlich etwas zögerlich Projekte, die der unteren rechten Ecke zugeordnet sind, in Angriff nehmen. Demgegenüber sind die Projekte aus der unteren linken Ecke, welche mit relativ geringen Investitionskosten umgesetzt werden können, nur bedingt umsetzbar von betriebswirtschaftlichem Potenzial sind.

Oft stellt sich aber bei einer Re-Evaluierung der Projekte nach sechs Monaten heraus, dass die Projekte der rechten unteren Ecke entweder an Priorität gewonnen haben oder die Investitionskosten gesunken sind. Eine solche Re-Evaluierung bzw. periodische Risikoanalyse[14] der aktuellen und geplanten Projekte sollte zum festen Bestandteil eines Projekt-Vorgehensmodells (VOM) eines jeden Unternehmens gehören.

16.4.8 Übersicht über das geplante Portal

Im folgenden wird das Portal in der geplanten Endausbaustufe anhand eines Radar-Diagramms (Abb. 112) klassifiziert. Die Achsen des Radar-Diagramms entsprechen den Dimensionen zur „Klassifizierung von Portalen". Die Fläche des Radar-Diagramms symbolisiert die Angriffsfläche für Konkurrenten. Je größer die Fläche, desto leichter ist es, die Technologie zu kopieren und zu überbieten.

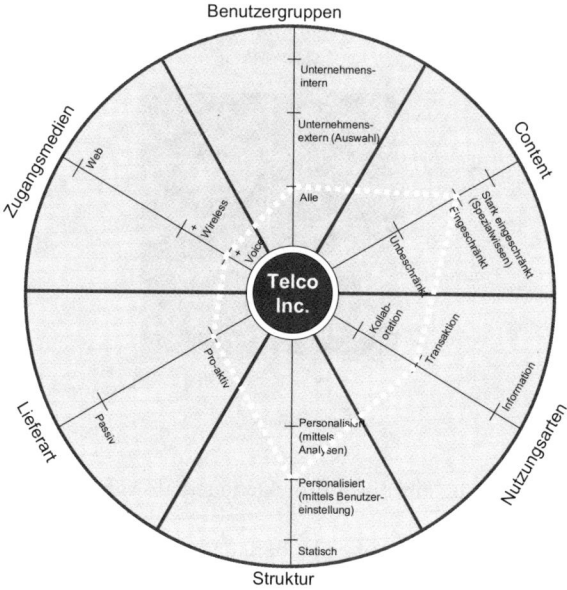

Abb. 112: Radar-Diagramm zur Risikoanalyse

Telco Incorporated hat sich entschlossen, ein möglichst umfassendes Portal zu errichten, um die Angriffsfläche für bestehende Konkurrenten möglichst klein zu halten, und um Eintrittsbarrieren für neue Marktbegleiter möglichst hoch anzusetzen.

Abrundend wird ein Überblick (Blockschalt-Diagramm) in Abb. 113 über die Lösungsarchitektur des Portals gegeben. Dabei wird das Portal aus zwei unterschiedlichen Datentöpfen bedient. Einerseits vom unternehmensweiten Data Warehouse, und andererseits von den Content-Datenbanken. Diese können sowohl strukturiert als auch semi-strukturierte Informationsobjekte enthalten (bzw. verarbeiten). Ein Bestandteil des Portals analysiert das Verhalten der Benutzer mittels Web-Logging-Analysen. Prinzipiell folgt das Portal dem IT-Paradigma von

---

[14]   Vergl. dazu auch die Risikoanalyse in Form eines Radar-Diagrammes aus Abb. 112.

„*Publish & Subscribe*". Der Benutzer kann sich selbständig neue Dienste / Services abonnieren. Über einen pro-aktiven Zustellungsmechanismus kann der Benutzer den Zeitpunkt[15] der Zustellung der gewünschten Information bestimmen. Dies kann sowohl zeit- als auch ereignisgesteuert erfolgen. Ausgelöste Transaktionen werden vom Portal an die integrierten operativen Systeme weitergeleitet. Relevante Informationen fließen bereinigt über den ETL-Prozeß wieder in das Portal zurück. Dabei bildet sich eine Wissens – Rückkopplungsschleife. Vergleiche dazu auch die Konzepte der „Five Engines" aus Abb. 107.[16]

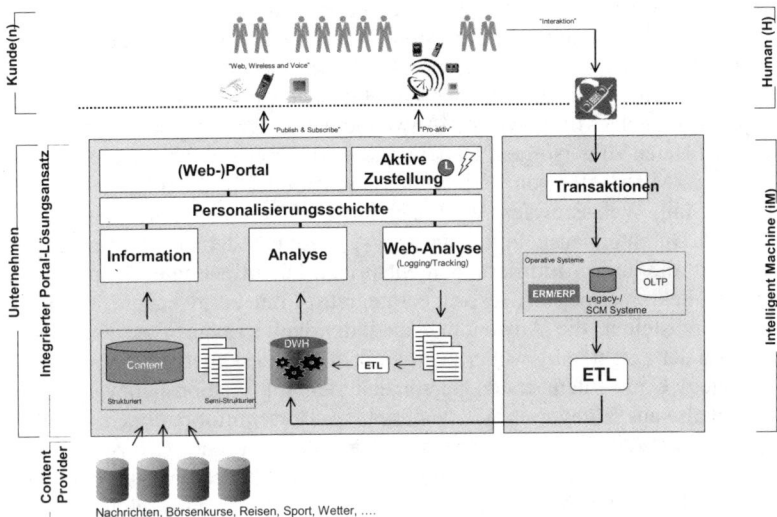

Abb. 113: Architektur über das geplante Portal von Telco Incorporated

16.5 Generalisierbarkeit der Aussagen

Egal ob Ihr Unternehmen neu im Telekommunikationsbereich ist oder ob es sich um eine Versicherung, Bank, einen Direct Broker, ein Einzel- oder ein Großhandelsunternehmen oder ein Unternehmen einer anderen Branche handelt, die zuvor getroffenen Aussagen gelten in ähnlicher Weise.

Von den unterschiedlichen Aspekten soll die Errichtung eines Portals hervorgehoben werden. Es ist ein für viele Branchen beachtenswertes Thema. Die Premium und Free Services werden inhaltlich gesehen andere sein, die Grundkonzepte und die Vorgehensweise sind aber gleich. Viele der Geschäftsmodelle werden ähnliche Grundzüge aufweisen.

---

[15]   Der Benutzer bestimmt dabei die Chronologie des Ablaufes.

[16]   Eine detailliertere Beschreibung der technischen Architektur eines unternehmensweiten Informationsportales kann Kurz (1999) entnommen werden.

16.6 Conclusio

Die o.a. Architektur komplett selbst zu erstellen, würde viele Personenjahre an Entwicklung kosten und vermutlich mehrere Jahre dauern. Entwicklungszeit und -kapazität, die heute kaum ein Unternehmen erübrigen kann, das nicht in der Softwarebranche tätig ist. Eine Lösung zu konzipieren, umzusetzen und ständig auf dem neuesten Stand zu halten ist ein Luxus, den sich in einer Zeit globaler Konkurrenz nur wenige noch leisten können und wollen.

Daher ist es notwendig, Software zu kaufen und in das Portal zu integrieren. Viele der benötigten Funktionalitäten sind bereits als fertige Lösungen auf dem Markt verfügbar. MicroStrategy Incorporated bietet beispielsweise eine Plattform für Business Intelligence und One-To-One-Lösungen der nächsten Generation. Damit ist es möglich, Millionen von Anwendern mit der richtigen Auswahl aus Terabyte von Daten zu versorgen. Dabei ist es egal, ob es sich um Mitarbeiter des Unternehmens, Mitarbeiter von Partnerunternehmen oder Kunden handelt und ob diese per E-Mail, Web-Browser, WAP-Telefon oder herkömmlichen Telefon erreichbar sind. Durch ein ausgefeiltes Security-System erhalten alle Anwender jene Funktionalität, die ihren Anforderungen entspricht. Die offene und komponentenbasierte Architektur ermöglicht es, eine Integration mit bestehenden und neuen Systemen herzustellen, die Anwendung an individuelle Bedürfnisse anzupassen und im Laufe der Zeit ständig weiterzuentwickeln und zu skalieren.

Mit Strategy.Com[17], dem ersten personalisierten Informationsnetzwerk, ist es möglich, Inhalte aus Kategorien wie Nachrichten, Börseninformationen und Wetter personalisiert, zeit- und ereignisgesteuert an die Anwender (Konsumenten – Endverbraucher) zu liefern, egal ob diese per Web, WAP-Telefon oder normalem Telefon erreichbar sind. Mit Strategy.Com ist es möglich, eine schlüsselfertige Lösung in das eigene Portal zu integrieren.

---

[17]   www.Strategy.Com

Literaturverzeichnis

Aberdeen Group, Inc. (December 1999) Analysis-Driven Action: The e-Business Success Factor. White Paper – Technology Viewpoint. Aberdeen Group (www.aberdeen.com, 07.08.2000).

Godin, S.: Permission Marketing - Turning Strangers into Friends, and Friends into Customers. New York (1999).

Hartman, A.; Sifonis, J., Kador J.: Net Ready - Strategies for Success in the E-conomy. New York (1999).

Kalakota, R.; Robinson, M.: e-Business - Roadmap for Success. Massachusetts (1999).

Kurz, A.: Data Warehousing - Enabling Technology. Germany (1999).

Mattison R., (1997) Data Warehousing and Data Mining for Telecommunications. Publisher Artech House.

MicroStrategy: The Five Engines of eCRM – White paper. (www.microstrategy.com, 07.08.2000)

META Group: Application Delivery Strategies The Customer Relationship Management Ecosystem White Paper. META Group, Inc. (www.metagroup.com, 07.08.2000)

Peppers, D.; Rogers, M.: The One to One Future: Building Relationships One Customer at a Time. Doubleday (1997).

Autorenverzeichnis

Univ.-Prof. Dr. Jörg Becker
Institutsdirektor
Institut für Wirtschaftsinformatik,
Westfälische Wilhelms-Universität Münster,
Steinfurter Str. 109, D-48149 Münster,
Tel.:   +49 (0)251 83 38 100, Fax: +49 (0)251 83 3 81 09,
E-Mail: isjobe@wi.uni-muenster.de,
URL: www.wi.uni-muenster.de/is/

Hans Bertram
Senior Consultant
NCR GmbH,
Ulmerstraße 160, D-86135 Augsburg,
Tel.:   +49 (0)821 405 8375, Fax: +49 (0) 821 405 8560,
E-Mail: hans.bertram@ncr.de,
URL: www.ncr.com

Hari Sadhan Chakrovertty
Freier Unternehmensberater
Park Straße 2, D-71296 Heimsheim,
Tel.:   +49 (0)7033 31749, Fax: +49 (0)7033 31749,
E-Mail: hsc@hschakrovertty.de,
URL: www.hschakrovertty.de

Univ.-Prof. Dr. Stefan Eicker
Institutsdirektor
Institut für Betriebliche Kommunikationssysteme,
Universität Essen,
Universitätsstraße 9, D-45141 Essen,
Tel.:   +49 (0)201 183 4082, Fax: +49 (0)201 183 4021,
E-Mail: eicker@kom.wi-inf.uni-essen.de,
URL: www.kom.wi-inf.uni-essen.de

Dr. Cai Fischer
Leitung Competence Center Handel
GMO Europe Holding GmbH,
Alsterufer 36, D-20354 Hamburg,
Tel.:   +49 (0)40 441 8030,
E-Mail: cai.fischer@gmo.de,
URL: www.gmo.de

Dr. Roland Holten
Wissenschaftlicher Assistent
Institut für Wirtschaftsinformatik,
Westfälische Wilhelms-Universität Münster,
Steinfurter Str. 109, D-48149 Münster,
Tel.:   +49 (0)251 83 38 106, Fax: +49 (0)251 83 38 109,
E-Mail: isroho@wi.uni-muenster.de,
URL: www.wi.uni-muenster.de/is/

Dr. Reinhard Jung
Wissenschaftlicher Assistent
Institut für Wirtschaftsinformatik,
Universität St. Gallen HSG,
Müller-Friedbergstrasse 8, CH-9000 St. Gallen,
Tel.:   +41 (0) 71 224 2938, Fax: +41 (0) 71 224 2189,
E-Mail: Reinhard.Jung@unisg.ch,
URL: www.iwi.unisg.ch

Bernd Keppel
Project Manager
Product Unit Leader - Data Warehousing
Plaut Consulting GmbH,
PSM (Public Sector, Service, Medien),
Claudiastraße 2a, D-51149 Köln-Porz,
Tel.:   +49 (0)2203 91139 06, Fax: +49 (0)2203 91139 22,
E-Mail: bernd.keppel@plaut.de,
URL: www.plaut.com

Simone Klein
Managerin
KPMG Consulting GmbH,
Am Bonneshof 35, D-40474 Düsseldorf,
Tel.:   +49 (0)211 4758573, Fax: +49 (0)211 4756532,
E-Mail: sklein1@kpmg.com,
URL: www.kpmg.com

Ralf Knackstedt
Wissenschaftlicher Mitarbeiter
Westfälische Wilhelms-Universität Münster,
Institut für Wirtschaftsinformatik,
Steinfurter Str. 109, D-48149 Münster,
Tel.:   +49 (0)251 83 38 094, Fax: +49 (0)251 83 38 109,
E-Mail: israkn@wi.uni-muenster.de,
URL: www.wi.uni-muenster.de/is/

Holger Kothen
Consultant
Geschäftseinheit Business Intelligence
SAP Systems Integration AG,
Am Schimmersfeld 5, D-40880 Ratingen,
Tel.: +49 (0) 2102 125 300, Fax: +49 (0) 2101 125111,
E-Mail: holger.kothen@t-online.de,
URL: www.sap-si.com

Dr. Claudia Bertram-Kretzberg
Abteilungsleiterin
Management Informationssysteme
DOUGLAS Informatik & Service GmbH,
Kabeler Straße 4, D-58099 Hagen,
Tel.: +49 (0)2331 690 263, Fax: +49 (0)2331 690-78-263,
E-Mail: c.bertram-kretzberg@douglas-informatik.de,
URL: www.douglas-informatik.de

Dr. Andreas Kurz
Sales Consultant
MicroStrategy Deutschland GmbH,
Kölner Straße 263, D-51149 Köln,
Tel.: +49 (0)2203 107 0, Fax: +49 (0)2203 107 108,
E-Mail: a.kurz@microstrategy.com,
URL: www.microstrategy.com

Stefan Müllenbach
Consultant
Product Unit – Data Warehousing
Plaut Consulting GmbH,
HCT (Handel, Consumer Products, Transport),
Max-von-Eyth-Strasse 3, D-85737 Ismaning,
Tel.: +49 (0)89 96280 0, Fax: +49 (0) 89 96280 0,
E-Mail: stefan.muellenbach@plaut.de,
URL: www.plaut.com

Robert Neundlinger
Sales Consultant
MicroStrategy Deutschland GmbH,
Kölner Straße 263, D-51149 Köln,
Tel.: +49 (0)2203 107 0, Fax: +49 (0)2203 107 108,
E-Mail: r.neundlinger@microstrategy.com,
URL: www.microstrategy.com

Christa Parteina
Abteilungsleiterin Qualitätsmanagement EXPRESS
Deutsche Post AG - Zentrale,
Heinrich-von-Stephan-Str. 1, D-53175 Bonn,
Tel.:   +49 (0) 228 182 21600, Fax: +49 (0) 228 182 6912,
E-mail: c.parteina@deutschepost.de,
URL: www.deutschepost.de

Dr. Kay Pirk
Principal
IBM Global Services,
Karl-Arnold-Platz 1a, D-40474 Düsseldorf,
Tel.:   +49 (0) 211 476 1691, Fax: +49 (0) 211 476 2666,
E-Mail: drpirk@de.ibm.com,
URL: www.ibm.com

Jürgen Rother
Berater Strategische Projekte
Oracle Software (Deutschland) GmbH,
Notkestraße 15, D-22607 Hamburg,
Tel.:   +49 (0) 40 89091 422, Fax: +49 (0) 40 89091 250,
E-Mail: juergen.rother@oracle.com,
URL: www.oracle.com

Dr. Thomas Rotthowe
Consultant
Roland Berger & Partner GmbH
International Management Consultants,
Arabellastr. 33, D-81925 München,
Tel.:   +49 (0) 89 9223 659,Fax: +49 (0) 89 9223 176,
E-Mail: thomas.rotthowe@de.rolandberger.com,
URL: www.rolandberger.com

Dr. Heiko Schinzer
Wissenschaftlicher Assistent
Lehrstuhl für BWL und Wirtschaftsinformatik
Neubaustrasse 66, D-97070 Würzburg
Tel.:   +49 (0) 931 31 2447, Fax: +49 (0) 931 31 2955
E-Mail: schinzer@profthome.de
URL: www.profthome.de

Dr. Guido M. Schmitter
Manager e-Business and New Technologies
Sara Lee Household and Body Care Deutschland GmbH,
Neubaustrasse 66, D-51151 Köln,
Tel.:   +49 (0) 2203 9798 164, Fax: +49 (0) 2203 9798 264,
E-Mail: gschmitter@saralee.de,
URL: www.saralee.com

Dr. Reinhard Schütte
Wissenschaftlicher Assistent
Institut für Produktion und Industrielles Informationsmanagement,
Universitätsstraße 9, D-45141 Essen,
Tel.:   +49 (0)201 183 4032, Fax: +49 (0)201 183 4017,
E-Mail: reinhard.schuette@pim.uni-essen.de,
URL: www.pim.uni-essen.de/mitarbieter/pimresc

Josef Spannagel
Consultant Presales
SAP AG - LG DEUTSCHLAND
Neurottstr. 15, D-69190 Walldorf,
Tel.:   +49 (0) 6227 7 65078, Fax: +49 (0)6227 7 75078,
E-Mail: josef.spannagel@sap.com,
URL: www.sap.com

Thomas Struzeck
Leiter Geschäftseinheit Business Intelligence
SAP Systems Integration AG,
Am Schimmersfeld 5, D-40880 Ratingen,
Tel.:   +49 (0)2102 125 300, Fax: +49 (0)2102 125 111,
E-Mail: t.struzeck@sap.com,
URL: www.sap-si.com

Univ.-Prof. Dr. Robert Winter
Institutsdirektor
Institut für Wirtschaftsinformatik,
Universität St. Gallen HSG,
Müller-Friedbergstrasse 8, CH-9000 St. Gallen,
Tel.:   +41 (0) 71 224 2934,Fax: +41 (0) 71 224 2936,
E-Mail: Robert.Winter@unisg.ch,
URL: www.iwi.unisg.ch

Peter Wittenborg
Director Marketing
Oracle Software (Schweiz) GmbH,
Täfernstrasse 4, CH-Baden-Dättwil,
Tel.:   +41 (0)56 483 33 2,
E-Mail: gwittenb@ch.oracle.com,
URL: www.oracle.com

Markus Wölkhammer
Senior Consultant
Plaut Consulting GmbH,
Max-von-Eyth-Straße 3, D-85737 Ismaning,
Tel.:   +49 (0)89-96280-0, Fax: +49 (0)89-96280-111,
E-Mail: markus.woelkhammer@plaut.de,
URL: www.plaut.com

Dr. Volkhard Wolf
e-business Marketing Manager
IBM Deutschland GmbH, Gebäude 7103-91,
Hanns-Klemm-Str. 45, D-71034 Böblingen,
Tel.:   +49 (0)7031 642 6715, Fax: +49 (0)7031 642 6622,
E-Mail: vwolf@de.ibm.com,
URL: www.ibm.com

Druck (Computer to Film): Saladruck, Berlin
Verarbeitung: Lüderitz & Bauer, Berlin